W9-BVF-834

Les Éditions du Boréal
4447, rue Saint-Denis
Montréal (Québec) H2J 2L2
www.editionsboreal.qc.ca

Le Québec
un pays, une culture

DU MÊME AUTEUR

Littérature et dialogue interculturel. Culture française d'Amérique (collectif sous la direction de Françoise Tétu de Labsade), Presses de l'Université Laval, 1997.

Pas si bête, ma vie de chien, récit, Montréal, 1998.

Françoise Tétu de Labsade

Le Québec
un pays, une culture

Nouvelle édition

Boréal

Les Éditions du Boréal reconnaissent l'aide financière du gouvernement du Canada
par l'entremise du Programme d'aide au développement de l'industrie de l'édition (PADIÉ)
pour ses activités d'édition et remercient le Conseil des Arts du Canada pour son soutien financier.

Les Éditions du Boréal sont inscrites au programme d'aide aux entreprises du livre
et de l'édition spécialisée de la SODEC et bénéficient du programme de crédit d'impôt
pour l'édition de livres du gouvernement du Québec.

Couverture : Pierre Soulard, Musée de la civilisation, Québec.

Dépôt légal : 1er trimestre 2001
Bibliothèque nationale du Québec

Diffusion au Canada : Dimedia
Diffusion et distribution en Europe : Volumen

Données de catalogage avant publication (Canada)

Tétu de Labsade, Françoise

Le Québec : un pays, une culture

2e éd. rev. et augm.

Comprend des réf. bibliogr. et un index.

ISBN 978-2-7646-0053-5

1. Québec (Province) – Civilisation. 2. Québec (Province) – Vie intellectuelle. 3. Québec (Province) – Histoire. I. Titre.

FC2919.T47 2001 971.4 C00-941097-X
F1052.T47 2001

Avant-propos à la deuxième édition

Dix ans après… Tant d'eau a coulé sous les (rares) ponts qui enjambent le Saint-Laurent ! Les temps changent vite. Les temps, mais aussi les personnes et les sociétés. Une remise à jour s'imposait : la jeunesse de 1990 a perdu de son souffle et contemple ses lauriers en voyant ses successeurs la dépasser en l'an 2000.

Est-ce le nouveau millénaire qui aiguise les esprits et pimente toute expression culturelle ? Ou bien est-ce la révolution des techniques de l'information qui ramène la planète à la taille d'un écran d'ordinateur ? Au Québec, autant sinon plus qu'ailleurs, on est sensible à ce courant de mondialisation qui balaie allègrement idées reçues et préjugés. Comme chacun se perçoit différemment à l'heure actuelle, cela se répercute sur la communauté, sur le peuple qui rassemble les individus dans un ensemble de valeurs communes — qui évoluent elles aussi.

Les grands mouvements migratoires du XXe siècle ont changé les données auxquelles des « siècles de patience » avaient donné des structures qu'on pensait immuables. La société québécoise, de plus en plus multiethnique surtout dans la métropole, se reconnaît et s'exprime dans des mentalités diverses. Aussi avons-nous repensé, réécrit, complété et précisé le texte de la première édition.

Alors que les mots « mondialisation », « multiculturalisme » sont dans tous les médias, nous persistons à croire en ce titre, *Le Québec : un pays, une culture*; il représente les éléments forts, évidents et rassembleurs qui s'imposent dans les faits pour définir l'étonnante réalité que constitue le Québec. Irréductible à sa seule filiation d'origine — dans le genre : berceau de la civilisation française en Amérique, ou encore : héritier de la Nouvelle-France —, le Québec contemporain ne se laisse pas facilement circonscrire ni présenter sous la bannière des slogans, fussent-ils adroits ou éloquents. L'un d'entre eux, il n'y a pas si longtemps, affichait « Québec, la belle province », formule touristico-désuète qui figurait sur les plaques minéralogiques d'alors, à la façon nord-américaine. Elle fut remplacée par la devise du Québec : « Je me souviens ». Ces trois mots traduisent mieux la certitude d'un peuple de pouvoir concilier la permanence de la mémoire et sa volonté de lui donner vie dans son contexte continental et sociologique actuel. Les économistes évoquent volontiers aujourd'hui le « modèle québécois », discutent de ce « Québec inc. », selon la formule consacrée en ce continent.

Le Québec n'est pas un État au sens plein du terme. Il ne se réduit pas non plus à être compté comme l'une des provinces de la Confédération canadienne. Il est tout à la fois, pour le Canada, sa principale origine et sa différence. Il en est en grande partie la source et pourtant, fondamentalement, il lui échappe. Ce curieux paradoxe a fait l'objet de nombreuses études sociologiques, historiques et anthropologiques. En faire la recension eût entraîné une glose impressionnante, nécessairement difficile pour les non-initiés et, de toute façon, incomplète pour les spécialistes. Nous avons, bien entendu, rejeté cette approche a priori insatisfaisante.

Nous aurions pu envisager une sorte d'introduction à la civilisation québécoise, au sens ethnographique du terme, avec une présentation panoramique de ses attraits, de ses coutumes et de ses institutions. Là aussi, nous avons refusé cette hypothèse parce qu'elle sous-tendait potentiellement une recherche du genre entomologique ou encore menait à une exploration touristique du sujet, ce que d'autres publications ont déjà réalisé.

Le présent ouvrage s'attache essentiellement, aujourd'hui comme il y a une décennie, à *mettre en présence* ces différents aspects. C'est un livre ouvert sur « un certain reflet » historique, géopolitique et culturel du Québec et pour lequel ont été faits des choix personnels.

Toute culture moderne est le résultat d'un métissage. Le Québec, plus que d'autres pays, porte des empreintes diverses et multiples : les Amérindiens, les Anglais, puis les États-Uniens et des immigrants nombreux ont profondément marqué le peuple québécois. Les habitants francophones du Québec, qui constituent la grande majorité, partagent les principaux traits de cette culture québécoise, qui s'est précisée au cours de quatre siècles. La langue française en est une des lignes de force, au même titre que l'espace et un certain sens pratique. L'ensemble du texte s'attache plus précisément au côté francophone, même s'il fait place, à l'occasion, aux autres composantes de la société actuelle comme les nations autochtones ou la communauté anglophone. Celle-ci est bien entendu incluse dans les institutions et dans l'histoire du pays comme élément essentiel de ce qui deviendra l'actuel visage du Québec. En revanche, on comprendra que, du point de vue sociologique et ethnologique, le monde des Québécois anglophones, voire des descendants de Britanniques, pourrait à lui seul constituer l'objet d'une étude parallèle et éclairante à son tour, comme, sous un autre angle, celui plus récent des néo-Québécois.

Nous souhaitons donc que ceux que le Québec intrigue ou intéresse trouvent ici des jalons, des pistes, des références. Les pages qui suivent sont destinées à tout lecteur qui voudra bien, à son gré, effectuer sa propre exploration, établir des associations ou en tirer des conclusions. Chacun des chapitres tend à être relativement autonome, d'où les éventuels recoupements que, chemin faisant, on pourra rencontrer. Nous espérons aussi que ce livre fera mieux connaître cette « société distincte » qui fut et demeure l'enjeu d'un débat national.

Mais, considéré comme un pays* avec sa culture, le Québec n'est-il pas voué à échapper, dans son essence comme dans son vrai visage, à toute tentative d'en préciser le statut à l'aide de ses seuls éléments définitoires ?

---

* Au sens où l'entend Gaston Miron, en exergue de « La vie agonique », citant Aragon : « en étrange pays dans mon pays lui-même ».

Préface à la première édition (1990)

Un grand nombre d'études ont été publiées sur le Québec, particulièrement depuis une trentaine d'années. La Révolution tranquille a remis en question les structures de notre société tout autant que les idées reçues qu'on entretenait sur elle. Beaucoup de ces livres ont une saveur polémique ou trahissent quelque parti pris. Ce qui n'est pas condamnable : toute interprétation, surtout quand elle porte sur un pays en mouvance, suppose le choix d'un angle d'interprétation. On peut penser que la divergence et la convergence des points de vue dessinent une certaine objectivité, s'il en est pour pareille matière.

Le présent ouvrage se situe en retrait de ces querelles. Mme Tétu de Labsade est discrète quant à ses prises de position sur le destin de notre peuple. Non pas qu'elle y soit indifférente : ces pages sont animées par son profond attachement pour le Québec où elle enseigne à l'Université Laval. Le Québec, elle a voulu le connaître sous tous ses aspects ; en retour elle le fait connaître à ses étudiants, et elle le leur fait aimer. Elle nous donne ici le fruit de son travail dans une somme qui est aussi une œuvre d'amitié.

Pressés par de nouvelles interrogations sur l'avenir de la langue française au Québec, sur le déclin de la natalité, sur l'intégration des immigrants, sur la dépopulation de certaines régions, sur tant d'autres problèmes angoissants, il nous faut certes définir des orientations et des politiques. Mais, en deçà, nous avons à mieux assumer le pays dont il est question, à redescendre vers les raisons d'être de notre collectivité. Et, pour cet enracinement, une prise de conscience s'impose un peu à distance des idéologies. Ainsi, on a souvent souligné les carences de nos étudiants (et que dire de leurs aînés ?) quant à la connaissance de l'histoire, indispensable à une authentique conscience politique. On pourrait faire semblable observation pour la géographie du Québec, pour notre patrimoine, pour l'ensemble d'un héritage, qui, après tout, est l'assise de notre volonté de survivre et de nous épanouir comme collectivité. Avant la politique, et afin de lui conférer pleine signification, vient ce que j'appellerais la tâche *pédagogique*, en donnant à cette expression sa teneur la plus large et la plus incisive.

Quiconque voudra s'initier à la connaissance du Québec, à l'écart des représentations trop globales ou pour dépoussiérer celles qu'il a déjà adoptées, trouvera dans cet ouvrage un outil indispensable. La première partie offre une vue panoramique de la géographie, de l'histoire, des institutions, du mouvement des idées ; sur la langue, ses pratiques et ses politiques, les indications essentielles sont réunies. Une deuxième partie est consacrée à la culture, mais toujours au ras des choses, si je puis dire : architecture, mobilier, peinture, sculpture, métiers d'art et art populaire, chanson, musique et danse, cinéma. La tradition orale, fort heureusement, n'est pas oubliée.

Je ne sache pas qu'on ait rassemblé en un volume aussi attrayant autant d'informations pondérées. Ce livre sera non seulement utile à ceux du dehors qui voudraient aborder notre pays sans passer d'abord par les clichés convenus. Il sera un précieux instrument de travail pour les étudiants des collèges et des universités. Le grand public y aura son compte, partagé qu'il était jusqu'ici entre des sources disparates et difficilement accessibles.

Pour ma part, attaché depuis longtemps à l'étude de la société québécoise, et forcément enclin par mon métier de sociologue à proposer théories et méthodes, j'ai eu plaisir et profit à refaire mes classes en compagnie de l'auteur. J'en souhaite autant aux lecteurs qui, de tous les horizons, viendront à ce bel ouvrage.

FERNAND DUMONT

Remerciements

Très nombreuses sont les personnes qui m'ont aidée à la réalisation de cet ouvrage, beaucoup trop nombreuses pour que je puisse les remercier individuellement. Certaines, spécialistes de telle ou telle question, ont relu tout ou partie du manuscrit avec attention et rigueur, pour donner leur avis ou conseiller des modifications ; d'autres — je pense aux conservateurs et archivistes des musées — ont cherché une photographie ou un renseignement indispensable. L'équipe du Groupe de recherches sur la francophonie (GEREF, Université Laval) m'a fourni un soutien logistique indispensable. L'entreprise nécessitait un encouragement continu que j'ai trouvé chez mes proches. Tous m'ont offert beaucoup de ce temps qui nous est précieux. Que chacun d'entre eux sache lire en ces lignes, avares de mentions précises, l'expression de ma grande reconnaissance.

F. T. L.

Première partie

Une nation ne peut *être* qu'au prix de se chercher elle-même sans fin, de se transformer dans le sens de son évolution logique, de s'opposer à autrui sans défaillance, de s'identifier au meilleur, à l'essentiel de soi.

FERNAND BRAUDEL.

I
Le Québec dans l'espace

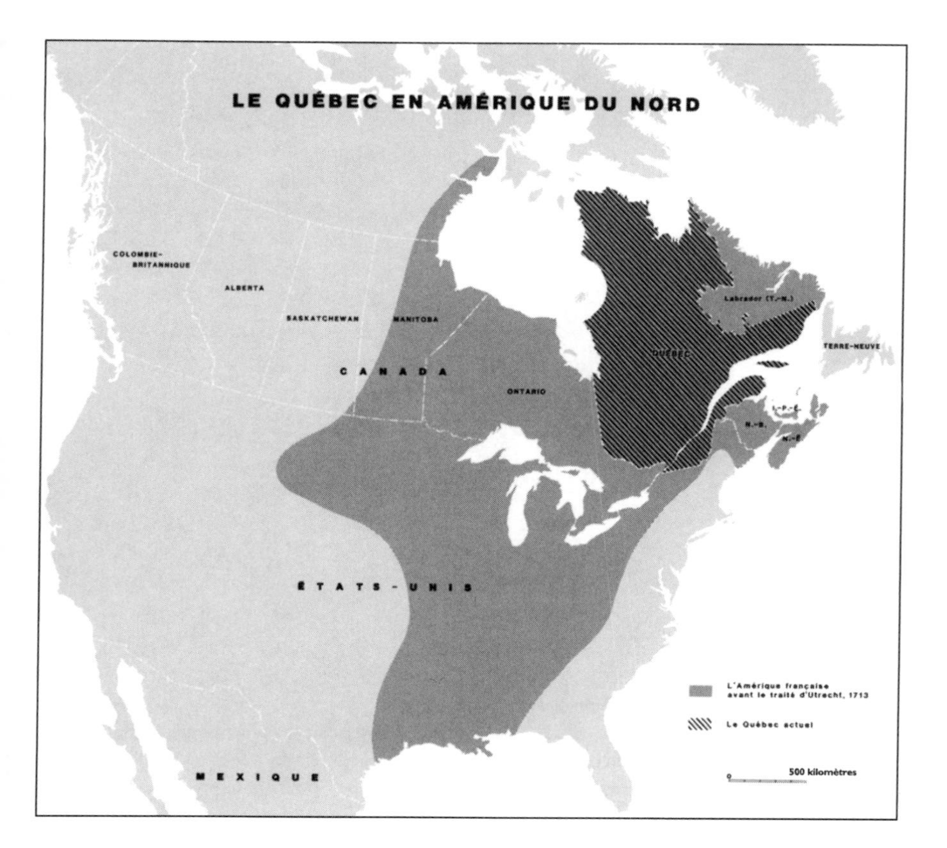

Page précédente : Le Québec en Amérique du Nord.
« Ce triangle massif et dru qui s'appuie sur deux mers [...], ce triangle qui enfonce sa pointe jusqu'aux Grands Lacs, qui s'enfonce comme un coin pour écarteler, ce lourd triangle avec la respiration du Fleuve et la dentelure des côtes ; [...] cet escarpement du nord-est continental qui se projette vers l'Europe comme un élan dernier de la terre américaine ».

André Laurendeau, *Méditation devant une carte du monde.*

(Laboratoire de cartographie, Université Laval.)

Le territoire

« Nous t'en ferons voir de grands espaces », chantait-on au moment de l'Exposition universelle de 1967[1]. L'espace, dans sa générosité naturelle et humaine, est une donnée habituelle au Québec, dont certains aspects sont bien ceux du continent nord-américain, étalement des banlieues largement gazonnées, voies pénétrantes des grandes villes reliées par des autoroutes confortables ; on oublie pourtant que des villages de la Côte-Nord sont encore reliés seulement par cabotage et que le Nord-du-Québec n'est accessible que par voie aérienne[2].

Sa superficie

Péninsule — à l'échelle continentale — de l'Amérique du Nord, le Québec est baigné au nord par la grande mer intérieure de la baie d'Hudson et à l'est par l'océan Atlantique. Au sud, le Québec a pour voisins le Nouveau-Brunswick et les États-Unis, et à l'ouest l'Ontario. Au nord-est, le Labrador, territoire de la péninsule qui a été rattaché à Terre-Neuve en 1927, n'est donc pas inclus dans la superficie québécoise ni dans les chiffres qui suivent.

Avec 1 700 000 km^2 (terre et eau douce), le Québec couvre :

- 15,4 % de la superficie totale du Canada (9 976 147 km^2) ;
- 7,7 % de la superficie de l'Amérique du Nord ;
- 4,3 % de la superficie des Amériques[3].

Sa population était estimée par Statistique Canada, en janvier 2009, à 7 750 500 personnes. Elle représente 23,3 % de la population du Canada.

Le Québec est la plus vaste province canadienne (l'Ontario représente 10,7 % du Canada). À l'échelle européenne, le Québec à lui seul équivaut à la superficie de six pays : l'Allemagne, la Belgique, l'Espagne, la France, le Portugal et la Suisse (ou encore 3 fois la France ou 54 fois la Belgique). Adossé à des voisins souvent plus riches que lui (États-Unis, Ontario), le Québec, par l'immense voie maritime que constitue le Saint-Laurent, permet les communications entre l'Amérique du Nord et l'Europe.

Son relief

Dans cet immense espace, on distingue trois grandes régions géographiques :

• Au nord s'étend le bouclier canadien, appelé aussi bouclier laurentien, région montagneuse en fer à cheval autour de la baie d'Hudson. Ce sont les plus vieilles montagnes du monde : elles datent du pré-cambrien, donc d'avant l'ère primaire (mont Belle-Fontaine, 1 295 m). Dans les monts Torngat, au nord-est, le mont D'Iberville culmine à 1 620 m.

• Au sud, les Appalaches, ancienne chaîne de montagnes mais de formation plus récente, offrent un paysage de plateaux vallonnés (Beauce, Estrie) qui devient plus escarpé en Gaspésie (mont Jacques-Cartier, 1 268 m, dans les Chic-Chocs).

• Entre ces deux systèmes montagneux, la vallée du Saint-Laurent, où s'est installée et vit encore la très grande majorité de la population, contraste avec l'espace quasi inoccupé du nord du Québec.

À la très pauvre végétation de la toundra, caractéristique des sols gelés plus ou moins en permanence, succède, en descendant vers le sud, une forêt boréale d'abord clairsemée qui se transforme peu à peu en zone forestière exploitable. Ce manteau forestier qui couvrait le pays à l'arrivée des Blancs est constitué, au nord, de bouleaux et de conifères, puis se mélange vers le sud à d'autres feuillus (chênes, hêtres, érables, etc.) dont les couleurs automnales réservent aux visiteurs d'admirables paysages.

Son hydrographie

Ce relief plutôt montagneux est troué d'un million de lacs et de rivières, dont certaines se dirigent vers le nord (baie James, baie d'Hudson et baie d'Ungava). Les plus connues sont celles qui se jettent dans le Saint-Laurent. Les eaux intérieures, vestige de l'époque des grandes glaciations, sont si nombreuses et si étendues qu'avec le Saint-Laurent elles représentent 21,5 % du territoire entier. Les lacs[4] les plus importants sont le lac Saint-Jean, le lac Mistassini et les lacs-réservoirs Gouin, Manicouagan, Caniapiscau, Manouane et La Grande, qui alimentent de grandes centrales hydroélectriques. Cette richesse énergétique (le Québec vend de l'électricité à ses voisins, Nouveau-Brunswick et États-Unis), et cette réserve apparemment inépuisable d'eau douce (l'or bleu) font l'envie de bien des pays à l'heure d'un réchauffement climatique inquiétant pour la planète.

Le Saint-Laurent

Long de 3 680 km (dont 1 200 km au Québec), avec un débit de 8 776 m^3/sec, le Saint-Laurent traverse le territoire du sud-ouest au nord-est. Son gabarit exceptionnel en fait un des plus grands fleuves du monde. Son estuaire est si important que les océanographes le subdivisent en trois : maritime, fluvial et intérieur. Il atteint par endroits une très grande profondeur — jusqu'à 300 m, le long de la Côte-Nord — et abrite plusieurs variétés de cétacés (du béluga au grand rorqual bleu). Sa largeur — le premier pont possible est à la hauteur de Québec — ne simplifie pas les communications entre ses deux rives. L'eau devient progressivement salée en aval de Québec, où l'amplitude moyenne des marées est encore de 4,50 m ; cette marée

Le lac Mistassini, à 700 km au nord de Montréal. (Direction générale du tourisme. Gouvernement du Québec.)

remonte sur plus de 1 000 km à l'intérieur des terres jusqu'au lac Saint-Pierre, à mi-chemin entre Québec et Montréal. L'amplitude du mouvement perpétuel, le trafic fluvial et les techniques actuelles empêchent le fleuve de geler en hiver (mais autrefois les communications entre les rives et certaines îles se faisaient — comme cela se fait encore parfois — par ponts de glace). Sur tout le réseau hydrographique, l'accumulation des glaciels[5] peut créer des embâcles juste avant le dégel. Puis se produit la « débâcle », soudaine et spectaculaire mais dangereuse pour les riverains.

> Un mugissement souterrain, comme le bruit sourd qui précède une forte secousse de tremblement de terre, sembla parcourir toute l'étendue de la Rivière-du-Sud, depuis son embouchure jusqu'à la cataracte d'où elle se précipite dans le fleuve Saint-Laurent. À ce mugissement souterrain, succéda aussitôt une explosion semblable à un coup de tonnerre, ou à la décharge d'une pièce

d'artillerie du plus gros calibre. Ce fut alors une clameur immense.

— La débâcle ! la débâcle ! Sauvez-vous ! sauvez-vous ! s'écriaient les spectateurs sur le rivage.

En effet, les glaces éclataient de toutes parts, sous la pression de l'eau, qui, se précipitant par torrents, envahissait déjà les deux rives. Il s'ensuivit un désordre affreux, un bouleversement de glaces qui s'amoncelaient les unes sur les autres avec un fracas épouvantable, et qui, après s'être élevées à une grande hauteur, s'affaissant tout à coup, surnageaient ou disparaissaient sous les flots.

PHILIPPE AUBERT DE GASPÉ, père,
Les Anciens Canadiens, 1863.

Le Saint-Laurent a joué un rôle de voie de communication dès les débuts de la colonisation : ce fut la première voie de pénétration des colons comme des envahisseurs. Il est maintenant navigable jusqu'à Montréal toute l'année et, par la voie maritime qui contourne les rapides de Lachine, il relie les Grands Lacs à l'océan Atlantique.

Parmi ses affluents importants, notons l'Outaouais (1 110 km), le Saint-Maurice (520 km), le Saguenay (760 km), la Manicouagan (500 km), sans oublier le Richelieu qui relie le bassin de l'Hudson (État de New York) et celui du Saint-Laurent en passant par le lac Champlain.

L'ordre de la fluvialité

Je vis dans un pays qui a la forme d'un triangle se tenant à cloche-pied sur l'une de ses pointes, un pays qui porte un nom amérindien évoquant la présence de l'eau : *Québec,* le bout de la mer, là où l'eau se rétrécit. À ce nom qui désignait au départ un lieu singulier, on a donné par la suite une extension presque vertigineuse, jusqu'à ce qu'il s'épuise dans les baies, détroits, golfes, lignes de partage des eaux et coordonnées géographiques qui en régentent les contours. J'appartiens à ce vaste territoire, trois fois grand comme la France, dont la colonne vertébrale, l'artère génératrice, l'axe magnétique prééminent se nomme le Saint-Laurent où toute la vie puise, s'étire et se dégorge.

LUC BUREAU, *La Terre et moi,* 1991.

Le fleuve a, de tout temps, joué un rôle primordial dans le développement du Québec. C'est une voie idéale de commerce, donc de développement. Porte continentale dont l'importance n'a pas échappé aux Britanniques. Pour les Québécois, il est presque toujours au centre de la vie (80 % de la population du Québec habite dans le quadrilatère Montréal, Sherbrooke, Québec, Trois-Rivières). Il est donc naturel qu'il soit l'un des thèmes favoris de l'expression culturelle, qu'il s'agisse de littérature, de peinture ou de cinéma. Le fleuve charrie de lourdes charges émotives : il est le cordon ombilical des origines ; les artistes ont bien saisi la place qu'il tient aussi bien psychologiquement que physiquement dans la vie des Québécois d'hier et d'aujourd'hui.

Le climat

Le climat est rude, souvent excessif dans ses froids et chaleurs extrêmes, caractérisé par la rapidité de certains écarts[6] de température ; sur les bords du Saint-Laurent, il peut pleuvoir un matin d'hiver et faire – 25 °C la nuit suivante.

> Nos faces brûlent dans l'air vif d'hiver
> Et l'été est un soleil impatient de mourir
> Dans mon pays tout est excessif et lointain
> Nous dirons cette terre attachée à nos corps
> Et le flot farouche du fleuve
> Et le vent vaste qui vient des trois océans
> Nous dirons la peine qui nous prend
> [chaque soir
> Et le pas dur des hommes dans la neige
>
> GATIEN LAPOINTE,
> *Ode au Saint-Laurent,* 1963.

La rigueur[7] habituelle des hivers constitue ainsi un des éléments de l'inconscient collectif marqué de prodigieuses et terribles tempêtes de neige. On en oublie parfois l'ensoleillement qui rend plus belles et supportables les journées de courte durée et le froid vif qui les accompagne. L'hiver est un des fondements de la culture québécoise. Le réchauffement climatique de ces dernières années augmente les chutes de neige (plus de 5 mètres par hiver à Québec) et, surtout, entraîne la fonte du pergélisol dans le Grand Nord.

L'allusion est évidemment caricaturale. L'été est court mais si le printemps est tardif, il gagne en rapidité. Feuilles et fleurs se bousculent pour profiter des 145 (plus ou moins) jours hors gel propices à l'agriculture. L'automne prolonge très agréablement la saison chaude qu'il rappelle une ultime fois, à la faveur de l'été des Indiens. De très belles journées, une lumière splendide, permettent d'admirer de magnifiques paysages : les forêts mixtes offrent des panoramas de couleurs vives, le jaune des bouleaux et le rouge vif des érables ressortent sur un camaïeu de vert. Légumes et fruits abondent en cette saison tempérée et permettent l'emmagasinage nécessaire pour passer l'hiver qui revient bientôt.

> Vers huit heures du soir, la poudrerie se déchaîna. Les volets disjoints battaient ; on entendait parfois comme une déchirure de zinc au toit des maisons ; les arbres noirs se tordaient avec des craquements secs au cœur de leur tronc noueux ; les vitres crépitaient sous des poignées de grenaille. Et la neige continuait à tourbillonner, s'infiltrait sous les portes branlantes, glissait dans les joints des fenêtres et cherchait partout un asile contre la fureur du vent.
>
> GABRIELLE ROY, *Bonheur d'occasion,* 1945.

C'est donc un climat vif, tonique, balayé de grands vents, surtout dans le couloir en entonnoir que dessine le Saint-Laurent ; les reliefs trop modestes de ses abords n'arrêtent ni les vents du nord (si le nordet est le vent du mauvais temps, le vent d'ouest est en général signe de beau temps) ni les vents du sud. Le système de circulation d'air observé sur le continent nord-américain amène continuellement — ou peu s'en faut — au-dessus du Québec la pollution[8] atmosphérique générée par les États-Unis tout proches. Tombent alors les tristement fameuses pluies acides qui détruisent l'équilibre écologique, affaiblissant entre autres les érables, source de revenus importants pour l'acériculteur québécois et faisant périr la flore et la faune de quantité de lacs qui constituent, par ailleurs, un des plus grands réservoirs d'eau douce au monde.

En parcourant le territoire

Un territoire aussi grand se différencie d'une région à l'autre : les caractéristiques purement géographiques ne sont pas sans entraîner certaines particularités socioculturelles. Le Saint-Laurent apparaît ici comme l'axe vital, économique du Québec; de grandes régions urbanisées se sont greffées sur ses rives : celle de Québec, la capitale (plus de 738 000 personnes), celle de Trois-Rivières (145 000) et celle de Montréal, la grande région métropolitaine (3 750 500). Le Saint-Laurent arrose les terres les plus fertiles, surtout au sud-ouest, et la masse d'eau tempère en général le climat qui peut être rigoureux. Le Saint-Laurent sépare nettement le Québec en deux suprarégions : la Rive-Sud d'un abord plus facile que la Côte-Nord (ne parle-t-on pas en général de la rive d'un fleuve et de la côte d'une mer et d'un océan[9] ?)

La Rive-Sud, de Montréal à Québec

La Rive-Sud, où les activités agricoles côtoient de plus en plus des activités industrielles et manufacturières, longe la frontière avec les États-Unis. Elle a été marquée par d'intenses communications avec d'autres peuples, une immigration massive à certains moments, par des guerres ou des tentatives d'invasion. C'est aussi la région qui jouit du climat le plus tempéré et où sont les terres les plus riches. L'agriculture, en dehors des centres urbains importants, y trouve une place de choix dans plusieurs régions qu'on peut distinguer comme suit, d'ouest en est.

La Montérégie. Au sud de Montréal, *la région de Valleyfield* connaît, grâce à sa proximité avec la métropole, une forte industrialisation. En allant vers l'est, on trouve *la vallée du Richelieu* (Saint-Jean-sur-Richelieu, Sorel), naturellement fertile, mais qui n'est plus uniquement agricole. *La Montérégie*[10] (225 municipalités regroupées en 15 entités administratives) englobe les deux sous-régions précédentes. Son dynamisme économique est surprenant; Saint-Hyacinthe est une technopole agroalimentaire de première importance.

L'Estrie (Sherbrooke). On appela cette région les Cantons-de-l'Est (Eastern Townships) au moment de la colonisation des Loyalistes à la fin du XVIIIe siècle, pour les différencier des Western Townships de l'Ontario où s'établirent la majorité d'entre eux (les Loyalistes, sujets de la Nouvelle-Angleterre, avaient décidé par loyauté à la couronne d'Angleterre, après la guerre d'indépendance des treize colonies (1776-1783), de déménager dans les colonies anglaises de l'Amérique du Nord). Des États-Uniens des régions voisines (Vermont, New Hampshire), s'y établirent aussi, ce qui explique la toponymie, l'architecture, une façon d'habiter le paysage d'origine anglo-saxonne. Des forêts somptueuses en automne, le vallonnement de la chaîne appalachienne qui s'accentue par endroits, de grands lacs peu éloignés de la métropole pour le tourisme et la villégiature d'une part, d'autre part une agriculture qui s'est récemment diversifiée jusqu'à permettre la vigne. L'Orpailleur, pionnier de ces vignobles, produit un vin de glace renommé.

L'anse Blanchette, en Gaspésie. (Photo : Jean Barry.)

Les Bois-Francs (Drummondville, Victoriaville). Les feuillus à bois dur (frêne, érable, bouleau, chêne) font de cette région un centre réputé pour l'industrie du bois et du meuble. Plus au sud, *la région de L'Amiante* (Thetford Mines et Asbestos), en déclin depuis l'interdiction de la Communauté économique européenne (CEE) d'utiliser cette matière première pour raison de santé. L'agriculture y est encore assez active.

La Beauce (Saint-Georges, Saint-Joseph, Sainte-Marie). La Chaudière arrose cette région vallonnée et fertile. Les Beaucerons ont en outre une identité culturelle particulière : ils ont la réputation d'être de bons « travaillants » et n'hésitent pas, encore aujourd'hui, devant une « corvée » pour reconstruire au plus vite une usine incendiée, par exemple ; ils manifestent un esprit d'entreprise individuel et collectif qui met en valeur leur région réputée pour son dynamisme industriel et commercial.

La Rive-Sud, vers le Bas-du-Fleuve et le golfe du Saint-Laurent

Régions accessibles à la colonisation des XVIIe et XVIIIe siècles, la Côte-du-Sud (Lévis comptait 30 chantiers navals au XIXe siècle), le Bas-Saint-Laurent et la Gaspésie ont gardé une toponymie évocatrice : Rivière-du-Loup, Trois-Pistoles, Anse-Pleureuse, Cap-aux-Os, Gros-Morne, Mont-Joli, etc.

Rimouski est la métropole régionale du Bas-Saint-Laurent, dont l'économie mixte d'agriculture et d'exploitation forestière n'est pas des plus rentables.

La Gaspésie. Cette péninsule avancée dans le golfe du Saint-Laurent (Matane, Gaspé) où Jacques Cartier prit possession du territoire au nom du roi de France, en 1534, n'a qu'une très étroite bande côtière à consacrer à l'agriculture. La pêche est pratiquement inexistante depuis que se sont épuisés les stocks de poissons de fond. Les mines de cuivre des Chic-Chocs, de moins en moins rentables, ferment à cause de la dépréciation des minerais à l'échelle mondiale et de la moins grande rentabilité du filon. La Gaspésie doit essentiellement compter sur le tourisme alléché par la diversité des paysages. La baie des Chaleurs ou la vallée de la Matapédia sont tout à fait différentes des villages côtiers du Nord et de l'Est. Le centre d'art de Percé attire des visiteurs, mais seulement l'été. Au peuplement original de colons français s'est ajouté un fort contingent d'Acadiens — des Leblanc, des Richard et des Arsenault — venus après 1755[11], et des Loyalistes du côté de la baie des Chaleurs (New Carlisle, New Richmond), célèbre également pour les falaises de Miguasha (reconnu site du patrimoine mondial de l'UNESCO), qui abritent une abondance et une diversité de plantes et de poissons fossiles. On y trouve aussi des familles venues d'Irlande ou de l'île de Jersey, dont les ancêtres se sont échoués aux abords souvent dangereux de la côte. Loin des centres de décision, la Gaspésie souffre de sous-développement économique à l'état endémique. Le taux de chômage y frôle souvent les 20 %. L'essai malheureux de colonisation agricole des années 1930 pour mettre en valeur l'intérieur du territoire s'est soldé par un échec : depuis 1970, on a dû fermer une dizaine de villages fondés 40 ans plus tôt, dont Saint-Octave-de-l'Avenir, au nom pourtant prometteur. Le tourisme d'hiver lui insufflera peut-être le dynamisme dont la région aurait besoin.

Les Îles-de-la-Madeleine. Très au large, au sud-est de la Gaspésie, cet archipel n'offre pas grandes ressources à ses 14 000 Madelinots qui dépendent entièrement de la mer : pêche et exploitation du sel ne suffisent plus à l'économie. La chasse aux phoques a subi un cruel revers quand l'actrice française Brigitte Bardot et le mouvement Greenpeace ont spectaculairement attiré l'attention du monde sur cette activité saisonnière. Du coup, la CEE interdit l'importation de la fourrure du blanchon. Les phoques adultes prolifèrent sur les glaces et consomment d'imposantes quantités de harengs, morues, flétans et maquereaux qu'une pêche internationale débridée a contribué à raréfier, privant les habitants de ce qui était devenu, pratiquement, leur seule ressource économique. Il ne reste aux Madelinots que la pêche au homard ou au crabe, saisonnière et très contrôlée. Là aussi, depuis peu, le tourisme occupe une proportion importante de l'économie régionale.

L'île d'Anticosti. Entre la Gaspésie et la Côte-Nord, cette île, où abondent les cervidés, autrefois propriété d'un Français, Henri Menier, « roi du chocolat », appartient maintenant au gouvernement du Québec. C'est un paradis pour chasseurs et pêcheurs.

Le nord du Saint-Laurent

La Côte-Nord, de Tadoussac (au confluent du Saguenay) à Blanc-Sablon, baptisée « Terre de Caïn » par Jacques Cartier, est une région sauvage et splendide (Baie-Comeau, Sept-Îles). Dans les années 1950 et 1960, elle a connu une forte croissance économique en raison de sa richesse en minerai de fer que l'on exportait aux États-Unis. Les années 1960 furent aussi celles du harnachement hydroélectrique du complexe Manicouagan-Outardes. Les richesses minières perdant plus tard de leur valeur, on dut fermer Schefferville (1983). En revanche, Fermont, à sept heures de route de Baie-Comeau, est un modèle d'administration municipale. Depuis les années 1980, l'économie de cette région a décliné très sensiblement : elle reste fragile et n'est pas encouragée par des communications difficiles.

Le Labrador. Le Québec et Terre-Neuve, traditionnellement, se disputaient la côte du Labrador. En 1927, une cour de justice anglaise a reconnu comme limite territoriale la ligne de partage des eaux (mont D'Iberville, 1 620 m) et a attribué le Labrador à Terre-Neuve, privant ainsi le Québec d'un vaste territoire qu'il revendiquait. En 1998-1999, le projet de harnachement des chutes Churchill a forcé les deux gouvernements provinciaux à négocier des ententes avec les Amérindiens.

Charlevoix. De Saint-Joachim au Saguenay, cette région est bordée d'une série de caps qui plongent directement dans le Saint-Laurent, offrant de grandioses panoramas, mais peu de conditions favorables pour l'agriculture. Le climat tonique de La Malbaie y attirait l'été une élite en majorité anglophone. S'y ajoutent aujourd'hui nombre de touristes québécois et européens, charmés par la beauté du site et ses ressources hôtelières. À Baie-Saint-Paul, ce sont les peintres qui ont mis à la mode au début du XXe siècle les environs de la rivière du Gouffre. Au XIXe siècle, c'est de Charlevoix que partiront des colons pour le Saguenay puis le Lac-Saint-Jean ; vers les années 1930, des familles entières iront encore coloniser l'Abitibi et l'arrière-pays de la Gaspésie.

La Côte-de-Beaupré. De Québec au cap Tourmente, le climat plus doux et l'agriculture rentable expliquent que dès le XVIIe siècle les premiers colons aient décidé de s'y installer. En face, l'île d'Orléans, verger de Québec, est réputée pour ses cultures maraîchères et fruitières. On trouve sur cette côte toute proche de Québec de très nombreux bâtiments anciens, églises, maisons ou moulins, témoins de l'esprit d'organisation qui a prévalu sous le Régime français.

Québec

La capitale, siège du gouvernement qui gère un territoire découpé en 17, peut-être bientôt 18, régions administratives et un des ports du Saint-Laurent, est depuis 1986 la seule ville du continent au nord du Mexique inscrite au patrimoine mondial de l'Unesco. Québec a en effet joué dès 1608 un rôle de premier plan dans l'histoire. C'est là, entre autres temps forts, que s'est joué et perdu aux mains des Anglais, en 1759, le destin d'une Amérique

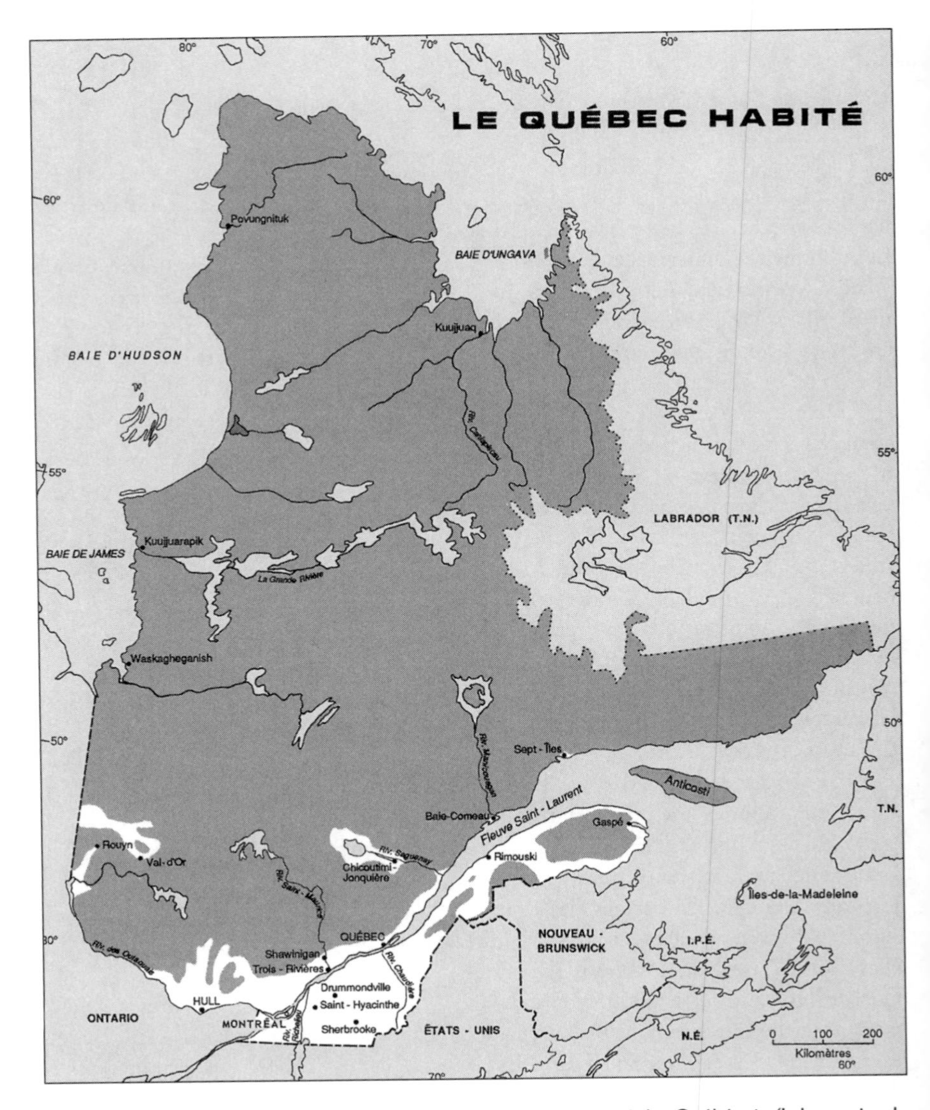

La partie claire correspond au territoire où vit la très grande majorité des Québécois. (Laboratoire de cartographie, Université Laval.)

que certains avaient rêvée française. Avec les 738 000 habitants de sa région immédiate, Québec a su garder taille humaine et conserver à travers les âges une allure et une qualité de vie très différentes de celles des autres villes d'Amérique du Nord.

Le Saguenay–Lac-Saint-Jean. Majestueux affluent du Saint-Laurent, le Saguenay est un fjord de l'époque postglaciaire. À son confluent avec le Saint-Laurent, les baleines y trouvaient dans des eaux salines le calme et la nourriture nécessaires à leur reproduction. Elles s'accommodent mal aujourd'hui de la pollution industrielle que le Saint-Laurent draine depuis les Grands Lacs. La colonisation de ces régions a débuté au milieu du XIXe siècle et s'est prolongée au début du XXe. Louis Hémon en a immortalisé l'histoire avec *Maria Chapdelaine* (1913). Au milieu du manteau forestier qui recouvre tout le sud du bouclier laurentien, la dépression du Lac-Saint-Jean bénéficie d'un microclimat autorisant des cultures qui tirent parti d'une saison courte. L'industrie de l'aluminium, grande consommatrice d'électricité, s'est installée sur les bords du Saguenay, à cause de son potentiel hydroélectrique considérable. C'est une région dynamique, autonome, et peut-être, de ce fait, volontiers engagée : la population saguenéenne avait largement répondu Oui au référendum de 1980.

Vers les années 1960, l'architecture religieuse a connu en ces lieux un élan remarquable : à Roberval, Bagotville, Jonquière ou Chicoutimi, les églises sont la preuve de l'esprit de créativité original qui anime Saguenéens et Jeannois. Cette vaste région a repris aujourd'hui le nom de « Royaume du Saguenay[12] ».

La Rive-Nord de Québec à Montréal

En remontant le Saint-Laurent après Québec, on longe les régions de Portneuf, de la Mauricie puis de Lanaudière (Joliette). Plus on remonte le fleuve vers Montréal, plus on descend vers le sud et plus s'aplatit le relief en une plaine élargie qui incitait les régions riveraines à l'agriculture, avant l'expansion de la métropole.

La Mauricie. De Portneuf à Lanaudière, il faut traverser le Saint-Maurice. Le bassin fluvial de cette rivière arrose une large contrée boisée, dont les chemins de

Québec vu de l'Observatoire de la capitale nationale. (Commission de la capitale nationale du Québec. Photo : Pierre Soulard.)

Montréal vu du haut du mont Royal. (Service des affaires corporatives. Ville de Montréal.)

compagnies privées appartenant à des entreprises forestières rayonnent à partir de La Tuque. Dès 1730, les Forges du Saint-Maurice, près de Trois-Rivières, semblaient tracer la destinée industrielle du Bas-Saint-Maurice. Grand-Mère, Shawinigan et Trois-Rivières sont, au centre du Québec, les pôles d'une région industrielle de premier ordre (électricité, aluminium, industries chimiques, bois, papier, etc.). Cette région est en outre tout près des centres de décision puisque Trois-Rivières, ville fondée en 1634, est à mi-chemin entre Québec et Montréal.

Montréal

Jusqu'à tout récemment métropole du Canada, maintenant distancée par la mégaville de Toronto, Montréal, sise dans une grande île au milieu du Saint-Laurent, au confluent de ce fleuve et de la rivière des Outaouais, occupe un site stratégique privilégié. Ville très dynamique depuis le XIXe siècle, à la fois industrielle, commerciale et financière, grand port moderne, Montréal — nonobstant son cosmopolitisme — a su respecter les témoins de son histoire qui remontent à Ville-Marie en 1642. Du point de vue culturel, le rôle de Montréal depuis la dernière guerre mondiale en fait une des villes les plus actives, dont la renommée internationale n'est plus à faire depuis la tenue de l'Exposition universelle de 1967 et des Jeux olympiques de 1976. Plus de la moitié de la population québécoise habite la grande région métropolitaine, prise dans son sens le plus large. Bruissante d'activités, celle-ci attire investisseurs et immigrants, regorge d'imagination et multiplie les événements culturels. Montréal, port à conteneurs le plus important du Canada, est devenu une plaque tournante du transport intermodal des marchandises en Amérique du Nord.

Le Nord-Ouest

Les Laurentides[13]. Le bouclier laurentien, que l'on trouve partout au nord de la vallée du Saint-Laurent, présente à l'aplomb de Montréal une région qui doit son peuplement au curé Labelle et à sa lutte acharnée pour le développement des « Pays d'en haut » au milieu du XIXe siècle. D'abord colonisées pour l'agriculture, les Laurentides ont su tirer profit de la proximité d'une grande métropole pour se convertir à la villégiature et au tourisme qui y sont de toutes saisons.

L'Outaouais. C'était la route de l'Ouest pour les découvreurs. Gatineau, qui a fusionné avec Hull, doit en grande partie à sa situation géographique en face d'Ottawa, capitale administrative du Canada, le développement rapide de ces dernières années. Les Ontariens traversent volontiers la rivière des Outaouais pour profiter d'un type de qualité de vie (sorties et loisirs de tous ordres) que le Québec a su mettre de l'avant depuis une quarantaine d'années, tandis que le gouvernement fédéral dotait la région du prestigieux Musée canadien des civilisations.

L'Abitibi-Témiscamingue (Val-d'Or, Rouyn-Noranda, Ville-Marie). Sur la route de Montréal à la baie d'Hudson (région de commerce des fourrures et de harnachement hydroélectrique), l'économie régionale repose principalement sur les ressources naturelles (forêts et mines, tourisme, chasse et pêche).

Le Nord-du-Québec/Baie James. Le Nord-du-Québec couvre la moitié de la superficie du territoire. C'est le royaume de l'Arctique avec ses aurores boréales et sa végétation de toundra, riche d'une faune terrestre et aquatique diverse (loups, caribous, ombles, oiseaux de toutes les couleurs, etc.). Cris et Inuits habitent ces grands espaces depuis plusieurs millénaires.

Le complexe hydroélectrique de la baie James, avec son barrage en enrochement, a créé le plus grand lac de barrage du monde. Il fournit déjà suffisamment d'électricité pour que le Québec puisse en exporter. Pour ce complexe, on a détourné en partie les eaux de la rivière Caniapiscau, qui montait vers le nord, pour les envoyer vers l'ouest. Le développement du tourisme d'hiver (randonnées en motoneige ou en traîneau à chiens) attire, entre autres amateurs de plein air, de plus en plus d'Européens.

La géographie d'un peuple

Au cours de l'histoire, le Québécois apparaît comme tiraillé entre deux tendances antagonistes qui peuvent être en même temps facteurs d'équilibre. On retrouve cette ambiguïté fondamentale dans des romans (*Les Têtes à Papineau* de Jacques Godbout) ou des essais (*Le Canadien français et son double* de Jean Bouthillette). À la tentation de l'aventure — à laquelle s'abandonnaient, non sans difficultés, les coureurs de bois, les découvreurs, les voyageurs[14], les fondateurs et premiers colons des nouvelles paroisses — s'oppose le désir profond d'enracinement, que souhaitait Louis XIV et que concrétiseront les « habitants », ainsi nommés parce qu'ils bâtissaient sur la terre qu'ils cultivaient et qui dès lors leur appartenait. Sans perdre de vue que le climat est difficile et quelquefois violent, on a parfois défriché dangereusement sans penser aux conséquences de l'érosion ; on a peut-être colonisé à tort et à travers, au détriment de familles entières que l'on déplaçait en des terres impropres à la culture, tout cela à cause du principe d'occupation des sols. À côté de la mobilité des trappeurs, il faut la stabilité des commerçants. Au-delà de l'événement, il est nécessaire de s'appuyer sur une permanence. Et c'est ainsi que le Québec prit corps et dure encore.

Le sentiment aigu de solitude physique qui étreint l'individu au milieu de grands espaces deviendra collectif lorsque la société québécoise se sentira, dans son ensemble, isolée des groupes qui pratiquent une langue autre que la sienne à l'échelle d'un continent. Pour y remédier, l'accord magique avec une nature dont le tellurisme ne tolère pas d'à-peu-près, un certain repli sur soi accompagné d'un ethnocentrisme parfois exagéré, le sens du voisinage et une bonne humeur indéracinable. Ne faut-il pas faire contre mauvaise fortune bon cœur ?

La société québécoise a évolué plus lentement que d'autres sociétés occidentales, du moins au début du XXe siècle. Prise dans un moule qui faisait l'affaire des autorités, longtemps fidèle à elle-même, il lui a soudain fallu se remettre en question, plus vite que les autres, ne serait-ce que pour rattraper un retard économique qui aurait pu être fatal. À la civilisation traditionnelle de l'habitant se superpose dès le début du siècle une civilisation urbaine qui redéfinit espaces, lignes de force et valeurs. En 50 ans, ce siècle va redessiner un Québec que les vieux ne reconnaissent pas.

La population n'est répartie, à peu de choses près, que dans la vallée du Saint-Laurent, mais de façon inégale[15]. Un Québécois sur deux habite la grande région métropolitaine, entendue au sens le plus large. Cinq Québécois sur six habitent des villes de bonne taille : il ne reste plus qu'un bon million de Québécois pour animer le reste — immense — du pays. À une concentration urbaine énorme s'oppose la dispersion d'un tout petit nombre. Ce qui

Patinage sur le Saint-Laurent. (Archives de la Ville de Québec, coll. iconographique A/4 3110, 112a.)

ne va pas sans poser de gros problèmes de communication, non seulement de transport, mais de compréhension entre les personnes.

Si l'on a un peu vite tourné le dos à une vocation agricole qui semblait une gageure à tenir tous les printemps, on a, dans la même foulée, urbanisé les meilleures terres arables, parfois pour y installer des raffineries de pétrole qui fermeront leurs portes 20 ans plus tard. Les temps changent, le visage du Québec aussi. On dompte les chutes, on transforme de tranquilles cours d'eau en kilowattheures, on reboise — pas assez, pas assez vite[16] —, on fait d'une économie domestique et rurale une économie urbaine et technologique. Une nouvelle valeur, l'écologie, dicte ses contraintes à des développements hydroélectriques et miniers dont on a pu craindre un temps l'anarchie toute relative.

L'hiver

L'hiver est un bel exemple de cette adaptation de la société québécoise à une nature souvent ingrate. Cette saison, deux fois plus longue que dans les vieux pays d'où venaient la majorité des colons aux XVIIe et XVIIIe siècles, a forcé les habitants à changer leurs habitudes dans la construction des maisons, dans l'agriculture, dans leur mode de vie. En fait, les Québécois vivent dans la *nordicité,* terme et concept créés par le géographe québécois Louis-Edmond Hamelin qui en a le premier analysé les traits dans sa discipline. Sociologiquement, on a apprivoisé l'hiver ; en milieu rural, on a compris depuis longtemps le salutaire exercice du rire et de la détente collective (veillées, soirées canadiennes) ; en milieu urbain, ce sont les sports d'hiver et le retour à la nature qui font marcher commerce et tourisme des régions avoisinantes. À l'isolement forcé qu'imposent les bancs de neige, on répond par le sens de la fête : le groupe mange et boit — pas toujours à doses homéopathiques — chante, danse et prend ainsi ses distances[17] à l'égard de conditions difficiles.

Déblaiement d'une rue de Montréal : le budget de déneigement de la seule Ville de Montréal était de 55 millions de dollars pour l'exercice de 1999 : 110 souffleuses, 160 niveleuses, 160 chasse-neige, 210 chenillettes, 110 tracteurs-chargeurs, 530 camions à benne basculante qui déblaient 2 020 km de rues où circulent 880 000 véhicules par jour, 223 épandeuses qui jettent 96 900 tonnes de sel et 39 100 tonnes de sable sur 3 330 km de rues et de trottoirs. Il est tombé en moyenne 250 cm de neige par hiver entre 1993 et 1998. (Université du Québec.)

L'hiver est au centre de beaucoup de préoccupations, comme en témoignent de nombreux tableaux et d'innombrables poèmes et chansons. Il coûte une fortune en isolation, en chauffage, en déneigement. Le Québécois a cependant réussi le tour de force de tourner avec bonheur ce désagrément[18] à son avantage. Bien plus, l'inconscient collectif s'est approprié l'hiver avec la tranquille assurance du propriétaire qui n'entend pas laisser les autres jouir de son bien. Naïm Kattan note qu'un écrivain étranger ou néo-québécois, comme lui originaire d'Irak, n'a pas vraiment le droit d'écrire sur l'hiver. Cette relation de la pensée à une réalité très spécifique au Québec dénote l'importance de la représentation mentale qu'on se fait de l'hiver.

Si la civilisation du temps paraît caractériser l'Europe ou l'Asie, on peut dire que l'espace est une des données essentielles du continent américain. Aussi les problèmes que posait le territoire aux hommes qui voulaient se l'approprier étaient-ils nombreux; plus nombreuses encore étaient les solutions trouvées avec imagination et un sens de l'adaptation assez phénoménal. N'est-il pas rassurant, par ailleurs, de penser qu'individuel ou collectif, l'imaginaire ne se satisfait jamais d'une situation de confort?

Le Québec est un endroit idéal où pratiquer la motoneige. (*Le Québec actuel.* Gouvernement du Québec.)

Notes

1. Chanson-thème composée par Stéphane Venne.

2. Cette spécificité « américaine » du pays est au cœur de l'œuvre de l'artiste québécois René Derouin, qui a justement écrit *Espace et Densité* (Montréal, L'Hexagone, 1993) après avoir été artiste en résidence à Mexico et à Osaka.

3. Institut de la statistique, Québec, 2009 et *L'Année francophone internationale 2009-2010.*

4. Dont 287 lacs Long, 169 lacs à la Truite, 127 lacs Croche et quelques dizaines de lacs Sans Nom.

5. Glaciel : glace flottante. Le mot existe depuis 1959, a été créé au Québec et fait maintenant partie du lexique habituel.

6. La nuit du 24 juin 1988, il faisait 3 °C dans la banlieue de Québec, mais le 15 mai 1998, le thermomètre est monté à 28 °C. Les températures moyennes de janvier et de février oscillent entre – 6 et – 17 °C et descendent facilement sous les – 30 °C, sans compter l'effet de refroidissement éolien, qui est redoutable à ces températures.

7. Il tombe entre 200 et 400 cm de neige en moyenne par an sur la vallée du Saint-Laurent, beaucoup plus au nord et sur les montagnes. « L'hiver dure de 13 à 15 semaines selon les années et les régions. » Le déblaiement des routes coûte cher : « Les habitants de Sherbrooke, ville type, consacrent plus de 3,2 millions de dollars au déblaiement de 352,5 km de rues et de 210 km de trottoirs » (B. Arcand, *Abolissons l'hiver*, Montréal, Boréal, 1999).

8. Les étrangers louent la qualité de l'air qu'ils respirent, à de rares exceptions près ; sans ses conséquences sur l'environnement, on ne soupçonnerait pas cette pollution invisible.

9. Les résidents, le long du fleuve, parlent souvent de la « mer » : ainsi, en amont de Québec, une partie du village de Saint-Augustin s'appelle Saint-Augustin-sur-Mer.

10. On appelle Montérégiennes les montagnes isolées, comme le mont Royal, qui s'élèvent au milieu de la plaine dans la vallée du Saint-Laurent. Aussi appelle-t-on cette région la Montérégie.

11. Voir le chapitre suivant : « Le Québec dans le temps ». L'année 1755 marque le début de la déportation massive des Acadiens, appelée par euphémisme le Grand Dérangement.

12. Relation du deuxième voyage de Jacques Cartier, le 13 août 1535. Le témoignage des Amérindiens attestait dès le XVIIe siècle des richesses potentielles d'un ensemble territorial et administratif mal défini. Les Espagnols avaient trouvé de brillantes civilisations sur ce même continent ; il paraissait sans doute logique aux Français d'appliquer des termes connus en Europe à ces réalités qui pouvaient ressembler aux leurs.

13. C'est l'historien François-Xavier Garneau qui baptisa ainsi en 1845 « ces montagnes qui suivent une direction parallèle au Saint-Laurent ».

14. Aux XVIIIe et XIXe siècles, avant les routes et les chemins de fer, les voyageurs étaient majoritairement des francophones qui pouvaient pagayer 10 à 12 heures de file et transporter canots et marchandises sur la berge le long des rapides. Leur connaissance des réseaux de rivières et de lacs les conduisait dans toute l'Amérique du Nord.

15. Environ 88 % de la population habitent au sud du 48e parallèle.

16. Richard Desjardins a réalisé un documentaire éclairant et décapant sur le sujet en 1999 : *L'Erreur boréale*.

17. « Cartier, Cartier, oh Jacques Cartier / Si t'avais navigué à l'envers de l'hiver [...] / Aujourd'hui on aurait toute la rue Sherbrooke / Bordée de cocotiers / Avec perchés dessus des tas de perroquets / Et tout le mont Royal couvert de bananiers... » *Cartier*, paroles de D. Thibon et musique de Robert Charlebois.

18. Lire à ce sujet *Vivre l'hiver au Québec* de Normand Cazelais (Montréal, Fides, 2009) et les ouvrages de Louis-Edmond Hamelin pour apprécier la richesse du vocabulaire de l'hiver.

Bibliographie

Atlas du Québec, Saint-Bruno, Cartex, 1977, 349 p.

BLANCHARD, Raoul, *Le Canada français*, Paris, PUF, coll. « Que sais-je ? », 1970 [1964], 128 p.

BUREAU, Luc, *Entre l'éden et l'utopie, les fondements imaginaires de l'espace québécois*, Montréal, Québec/Amérique, 1984, 235 p.

BUREAU, Luc, *La Terre et moi*, Montréal, Boréal, 1991, 273 p.

CAMU, Pierre, *Le Saint-Laurent et les Grands Lacs au temps de la voile, 1608-1850*, Montréal, Hurtubise-HMH, 1996, 368 p.

COLLET, Paulette, *L'Hiver dans le roman canadien-français,* Québec, PUL, 1962, 401 p.

COURVILLE, Serge, *Le Québec, genèses et mutations de territoire, synthèse de géographie historique,* Québec/Paris, PUL/L'Harmattan, 2000, 508 p.

GEORGE, Pierre, *Le Québec,* Paris, PUF, coll. « Que sais-je ? », 1980, 127 p.

GUÉRIN, Marc-Aimé, *Petit manuel de géographie québécoise,* Montréal, Guérin, 1977, 142 p.

HAMELIN, Louis-Edmond, *Nordicité canadienne,* Montréal, Hurtubise-HMH, 1980 [1975], 438 p.

LAHOUD, Pierre et Henri Dorion, *Québec, vu du ciel,* Montréal, Éditions de l'Homme, 2001, 254 p.

LAFRAMBOISE, Yves, *Circuits pittoresques du Québec. Paysage. Architecture. Histoire,* Montréal, Éditions de l'Homme, 1999, 382 p.

LAMONTAGNE, Sophie-Laurence, *L'Hiver dans la culture québécoise, XVIIe-XIXe siècles,* Québec, IQRC, 1983, 194 p.

LASSERRE, Jean-Claude, *Le Saint-Laurent, grande porte de l'Amérique,* Montréal, Hurtubise-HMH, 1980, 753 p.

MORISSONNEAU, Christian, *La Terre promise : le mythe du Nord québécois,* Montréal, Hurtubise-HMH, 1978, 212 p.

Noms et lieux du Québec, Sainte-Foy, Publications du Québec, 1996, 925 p.

RITCHOT, Gilles, *Québec, forme d'établissement : étude de géographie régionale structurale,* Paris, L'Harmattan, 1999, 508 p.

SIEGFRIED, André, *Le Canada, puissance internationale,* Paris, A. Colin, 1956 [1937], 272 p.

TELLIER, Luc-Normand, *Le Québec. État nordique,* Montréal, Quinze, 1977, 231 p.

« Les Régions du Québec » (IQRC-PUL), collection qui présente une synthèse historique des 23 régions culturelles du Québec et leur évolution démographique, économique, sociale et culturelle (800 à 900 pages). Sont parus *Gaspésie* (1981 et 1999) ; *Saguenay – Lac-Saint-Jean* (1989) ; *Laurentides* (1989) ; *Côte-du-Sud* (1993) ; *Bas-Saint-Laurent* (1993) ; *Outaouais* (1994) ; *Abitibi-Témiscamingue* (1995) ; *Lévis-Lotbinière* (1996) ; *Côte-Nord* (1996) ; *Cantons-de-l'Est* (1998) ; *Piémont-des-Appalaches* (1999) ; *Haut-Saint-Laurent* (2000). Il existe aussi une petite collection de moins de 200 pages : « Les Régions du Québec… histoire en bref ».

Les publications de la Commission de la capitale nationale (Québec).

Audiovisuel

Le Barachois (baie de Gaspé), Harold Arsenault, prod. Espace Vert, 1998, 55 min.

Le Beau Plaisir (île aux Coudres), P. Perrault, B. Gosselin, M. Brault, couleur, 1968, 15 min.

Chez nous, c'est chez nous (Saint-Octave-de-l'Avenir), Marcel Carrière, couleur, 1974, 82 min.

Percé on the rocks, Gilles Carle, couleur, 1964, 10 min.

Le Québec vu par Cartier Bresson, Wolf Koenig, noir et blanc, 1969, 10 min.

La Vie heureuse de Léopold Z., Gilles Carle, noir et blanc, 1969, 69 min.

Séries

Les Pays du Québec (3 séries télévisées, totalisant 39 documentaires de 30 min sur une région ou une ville pendant une certaine période), Québec, INRS-Culture et société, 1994-1996.

Les Québec d'Amérique, divers réalisateurs, couleur, 1974, 15 min.

Le Saint-Laurent (4 x 48 min), André Larochelle, Prod. Impex, 1998.

Autres documents

Québec, la capitale (cédérom), ABCDROM, 1996.

Les références discographiques à l'hiver sont légion. Pour la toponymie, on retiendra *Les Noms* de Monique Miville-Deschênes, 4 min, disque Gamma GS 134.

2
Le Québec dans le temps

Page précédente : La devise du Québec a été ajoutée aux armes de la province en 1883. L'architecte Eugène-Étienne Taché l'aurait utilisée pour la première fois en l'inscrivant au fronton du Parlement. « Je me souviens » a remplacé l'expression « La belle province » sur les plaques d'immatriculation en 1978. (Photo : Françoise Tétu de Labsade.)

Les Premières Nations

Arrivés sur le continent 15 000 ou 35 000 ans[1] avant les Blancs, les autochtones étaient répartis en groupes organisés, « familles » ou « nations ». Certains étaient nomades, tels les Montagnais, les Micmacs, les Cris et les Outaouais. D'autres avaient déjà opté pour la sédentarisation : la famille iroquoienne vivait dans des maisons longues et des villages palissadés. Pour les uns, la chasse et la pêche fournissaient l'essentiel de l'alimentation. Les autres y ajoutaient des produits agricoles, tels les courges ou le maïs que les Européens appelleront blé d'Inde.

Les premiers navigateurs

Les Vikings, hommes du Nord qui ne redoutaient pas les tempêtes de l'Atlantique, ont très probablement exploré dès l'an 1000 certaines parties du Québec et y ont même tenté sans succès quelques installations. Le Saint-Laurent, très poissonneux, attirait également des pêcheurs, ceux-ci plutôt du sud de l'Europe : les Portugais, les Basques venaient traditionnellement y faire provision d'huile de baleine. Le géographe Louis-Edmond Hamelin tire parti de la récente découverte des variations climatiques à long terme pour expliquer que les premiers navigateurs ont profité de la longue période de réchauffement

---

Les autochtones en Nouvelle-France, d'après la communauté d'origine et de langue

— Les Inuits dans le Grand Nord.
— La famille algonquienne très étendue : les Abénaquis, les Micmacs (Acadie), les Etchemins (Acadie), les Montagnais et les Naskapis (rive nord du Saint-Laurent vers l'est), les Algonquins (rive nord du Saint-Laurent vers l'ouest), les Outaouais ou Odaois (plus au nord), les Ojibwés (plus à l'ouest), les Népissingues (autour du lac du même nom), les Cris (au nord).
— La famille huro-iroquoise au sud des Grands Lacs : les Hurons (autour du lac du même nom) dont certains résident maintenant tout près de Québec, les Iroquois (ou les Cinq Nations, dont les Agniers, ancêtres des Mohawks d'aujourd'hui), les Neutres, les Pétuns qui cultivent et fument le tabac[2], les Ériés.

---

qui va des environs de 600 à 1450, alors que la colonisation française devra faire face au refroidissement qui s'installe de 1450 à 1875 et qui culminera dans la deuxième décennie du XIXe siècle.

Le Régime français

Les Européens décident de se tailler un empire à même ce continent au début du XVIe siècle. Jacques Cartier y fait trois voyages (1534, 1535-1536 et 1541-1542) au cours desquels il améliore la connaissance cartographique du Saint-Laurent et noue de fragiles relations avec les autochtones. Entre ces voyages, il tente de persuader la France de fonder un établissement au Canada. Ses tentatives, comme celle de Roberval, contemporaine des siennes, se soldent par des échecs : les Français, supportant mal les rigueurs de l'hiver, périssent du scorbut et les relations avec les Amérindiens deviennent tendues. Les diamants et l'or rapportés de Québec s'avèrent n'être que mica et pyrite de fer. Cependant, au même moment, commence timidement le commerce des fourrures entre Amérindiens et trafiquants, qui n'entretiennent que des installations de fortune.

Le XVIIe siècle

À l'instar des autres puissances d'Europe, les visées expansionnistes de la France se précisent. Pierre Dugua de Mons élabore divers projets d'implantation avec Champlain, en comptant sur des entreprises privées comme la Compagnie du Canada ou la Compagnie des Cent-Associés, avant que Louis XIV ne prenne lui-même des décisions d'importance pour la Nouvelle-France.

Au Canada, la France poursuivait trois objectifs : l'avitaillement en morues et la traite des fourrures[3], l'occupation et l'identification des sols par les transformations que l'homme fait subir à la nature et l'évangélisation des autochtones. À ces derniers, les « rois très chrétiens » veulent apporter la civilisation et le salut éternel. Feront partie des premiers voyages des récollets et des jésuites, des augustines et des ursulines, tous chargés de faire naître la foi et de l'entretenir sur les bords du Saint-Laurent.

Les impératifs de la géographie — il reste tout un continent à découvrir — et le besoin de renouveler constamment le bassin de castors qui s'épuise encouragent les Français à s'aventurer à l'intérieur des terres. Pierre Dugua de Mons et Samuel de Champlain commencent par s'installer sur la côte est, en Acadie. Après avoir contribué à la fondation de Port-Royal, Champlain, toujours épaulé financièrement par Pierre Dugua, s'enfonce dans le continent en suivant le cours du Saint-Laurent. Québec doit son existence à ces deux grands per-

1604	Île Sainte-Croix
1605	Port-Royal (premier établissement français permanent en Nouvelle-France)
1608	Québec
1634	Trois-Rivières

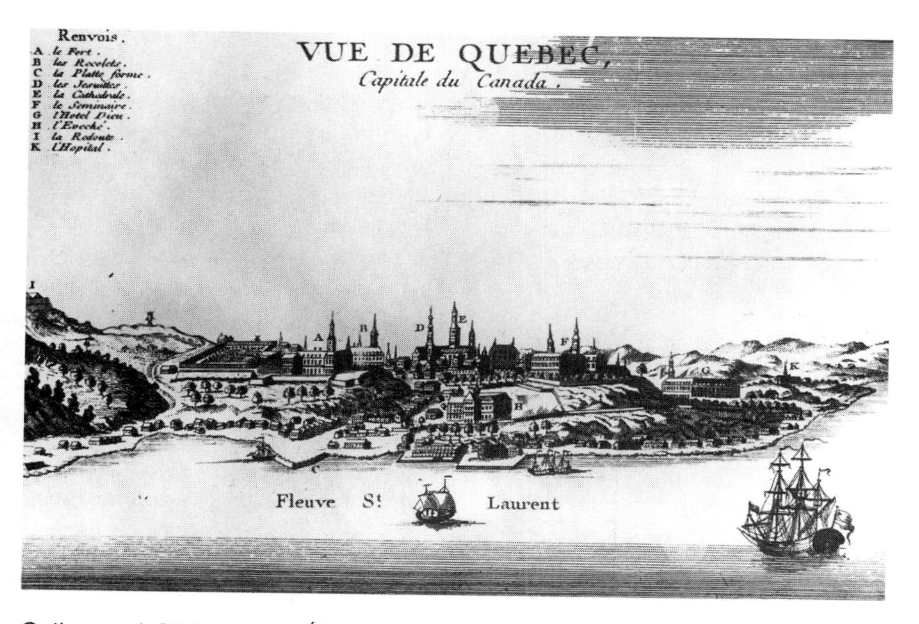

Québec sous le Régime français. (Éditeur officiel du Québec.)

sonnages : Pierre Dugua, lieutenant général de la Nouvelle-France[4], déléguera ses pouvoirs politiques à Champlain et lui donnera les moyens financiers et matériels de cette entreprise. Champlain explore même les affluents, le Richelieu puis le lac en amont, l'Outaouais jusqu'à la rivière des Français. Si Cartier avait vu quelques établissements amérindiens dans la vallée du Saint-Laurent, Champlain constate qu'ils ont disparu au moment de l'installation des colons français. Lors de la fondation de Montréal (1642), il faut aller à 250 km à l'ouest et au sud de ce lieu pour rencontrer des Algonquins ou des Agniers (des Iroquois que les Anglais appellent Mohawks). Champlain assurera la pénétration du continent avec la fondation d'établissements toujours plus à l'intérieur des terres.

En 1642, un gentilhomme, Jérôme Le Royer de La Dauversière fonde une société religieuse « pour la conversion des Sauvages ». Le sieur de Maisonneuve, accompagné de Jeanne Mance, de missionnaires et de courageux volontaires, fonde Montréal (parfois aussi appelé Ville-Marie). Cette équipée met aux prises deux civilisations aux antipodes l'une de l'autre et génère de nombreux conflits. En 1663, Louis XIV et Colbert restructurent la colonie et la fin du siècle est marquée par un très net effort de colonisation : pacification des Iroquois qui, avec une quarantaine de nations autochtones, signeront la Grande Paix de Montréal (1701) ; essai d'un nouveau système de colonisation agricole autour de Québec et exploration du territoire. La France s'installe sur les Grands

Lacs, dans la vallée du Mississippi et explore la Louisiane (Louis Jolliet, Cavelier de La Salle, le père Marquette). Jean Talon essaie de diversifier l'économie de la Nouvelle-France ; son intendance correspond à une période de croissance rapide et d'organisation systématique.

La rivalité avec l'Angleterre

La France n'est pas seule à convoiter le continent. Si le Portugal et l'Espagne s'affrontent en Amérique du Sud, l'Angleterre, pour sa part, cherche à prospecter le même territoire que la France. Les deux pays vont se faire une lutte quasi continue jusqu'en 1763. Dès le début, l'Acadie passe pour un temps aux mains des Anglais. Un peu plus tard (1629), les frères Kirke occupent Québec pendant trois ans. C'est le premier de toute une série de conflits sur ce continent.

Les pays d'Europe entretiennent de grandes rivalités qu'ils tentent de résoudre par la guerre. L'Amérique du Nord devient un champ de bataille où la France et l'Angleterre peuvent intervenir, mesurer leurs forces et trouver une monnaie d'échange. Chaque phase de la guerre intercoloniale correspond à une guerre européenne qui empêche la France de consacrer tous les efforts qu'il faudrait au seul continent américain. En général, les Français, qui se sont attiré l'alliance des Amérindiens, en ont appris le style de combat et dominent les armées anglaises sur terre (ex. : le Pain de Sucre, 1757). En revanche, les Anglo-Américains ont une supériorité manifeste sur mer[5] : à deux reprises, ils prennent Louisbourg, forteresse portuaire construite au XVIIIe siècle par les Français pour pallier l'absence de débouchés sur l'Atlantique après le traité d'Utrecht (1713) qui avait cédé l'Acadie à l'Angleterre.

Les périodes d'accalmie sont utilisées à bon escient pour occuper les Grands Lacs, la vallée de l'Ohio, du Missouri et du Mississippi, fonder la Louisiane en 1699, puis La Nouvelle-Orléans en 1718 (Le Moyne d'Iberville et Le Moyne de Bienville), découvrir l'ouest du pays jusqu'aux Rocheuses (les La Vérendrye). La dernière accalmie est cependant beaucoup moins heureuse que les précédentes. Les frictions dans la vallée de l'Ohio augmentent et, en Acadie, les Anglais décident de déporter les Acadiens sous domination anglaise depuis 1713. À partir de 1755, le « Grand Dérangement » (bel euphémisme !) déporte environ 10 000 personnes : familles désunies et privées de leurs biens, demeures rasées, violons et destins brisés... Certains[6] iront rejoindre plus tard en Louisiane le peuplement français déjà installé. D'autres avaient tenté une installation en Virginie ou dans les Carolines. Un certain nombre reviendra, plus tard encore, s'installera au sud de l'actuelle Nouvelle-Écosse ; d'autres[7] feront renaître une Acadie sur le territoire actuel du Nouveau-Brunswick.

La Conquête. Le dernier affrontement oppose une colonie française, qui n'a pu, avec 70 000 (peut-être 75 000) personnes, réussir à occuper l'immense territoire qu'elle revendique, le Canada, à une colonie anglaise 20 fois plus nombreuse, qui se sent à l'étroit sur une bande de terre à l'est du continent. Les premières victoires (Monongahéla, Carillon, 1758) n'empêchent pas la morosité de gagner la colonie française. Les habitants devenus soldats n'ont pu assurer les cultures essentielles; les secours attendus de la métropole n'arrivent pas; la disette se fait sentir et Louisbourg tombe pour la deuxième fois. L'été 1759 commence mal : la France subit une série de revers (Fort-Niagara, Carillon et Saint-Frédéric) sur terre où, jusque-là, elle avait su garder une certaine supériorité. Les Français avaient établi un réseau d'alliances exceptionnel avec les Amérindiens sur le continent qu'ils contrôlaient tant bien que mal (les Anglais appellent la guerre de Sept Ans *The French and Indian War*). Après un été de siège, renforcé par la tactique terriblement efficace de la terre brûlée sur les rives du fleuve, le 13 sep-

Conflits avec l'Angleterre

Dates	Faits marquants	Traités
Phase 1 : 1689-1697	• Victoire sur l'amiral Phipps à Québec en 1690 • D'Iberville balaie les Anglais d'Acadie, de Terre-Neuve et de la baie d'Hudson	• Le traité de Ryswick rétablit les frontières telles qu'elles étaient auparavant
Phase 2 : 1703-1713	• Les Anglais prennent Port-Royal • Désastre de l'île aux Œufs : la flotte bostonnaise de l'amiral Walker en route pour Québec se jette sur les récifs	• Le traité d'Utrecht cède l'Acadie, Terre-Neuve et la baie d'Hudson à l'Angleterre
Phase 3 : 1744-1748	• Les Anglais prennent Louisbourg	• Le traité d'Aix-la-Chapelle rend Louisbourg à la France
1755	Déportation d'environ 10 000 Acadiens neutres	
Phase 4 : 1756-1763 Guerre de Sept Ans	• Offensives victorieuses des Français sur terre (Carillon) • Les Anglais reprennent Louisbourg • Les Anglais font le siège de Québec qui capitule en 1759 • 1760 : la victoire de Lévis (bataille de Sainte-Foy) n'empêche pas Montréal de capituler	• Le traité de Paris signifie pour la France la perte presque totale de ses territoires en Amérique du Nord

tembre, le général Wolfe veut mettre un terme à l'assaut de Québec; il prend le risque d'installer l'armée anglaise sur le plateau (les plaines d'Abraham). Montcalm n'attend pas l'aide que Bougainville aurait pu lui apporter. Il tente une sortie : le combat dure moins d'une heure et se solde par une autre défaite pour les Français. Quelques jours plus tard, Québec capitule; l'année suivante, Lévis vient tout près de regagner Québec (victoire de Sainte-Foy, avril 1760). Peine perdue, les renforts qui arrivent battent pavillon anglais. En septembre 1760, Montréal capitule à son tour. Par le traité de Paris (1763), la France reconnaît l'autorité de l'Angleterre sur presque toute son ancienne colonie.

Le Régime anglais

Les 65 000 habitants de la colonie fraçaise qui ont décidé de rester après la Conquête — ils se désignaient déjà comme des « Canadiens » — passent sous domination britannique. L'administration et le commerce sont alors presque entièrement aux mains des Anglais. Aux Canadiens ne restent que les métiers d'agriculteur, d'artisan ou de petit commerçant. On leur a concédé quelques avantages, on leur demande un serment d'allégeance envers la couronne britannique, et l'on exige pour un temps qu'ils prêtent le serment du Test[8], s'ils veulent jouer un rôle quelconque dans la vie politique de la colonie.

En 1774, le gouvernement anglais assouplit la législation concernant la religion catholique et supprime le serment du Test. L'Acte de Québec régit le statut de la colonie pendant une vingtaine d'années jusqu'en 1791. La conciliation s'étend jusqu'au pouvoir judiciaire : aux lois criminelles de l'Angleterre, on juxtapose les lois civiles françaises. Ce système juridique s'applique toujours. Cette attitude conciliante de l'Angleterre s'explique par l'agitation qui gagne ses autres colonies américaines. Celles-ci tentent sans succès de convaincre les Canadiens de se joindre à elles dans leur mouvement pour se séparer de la métropole.

En 1791, l'Angleterre divise sa colonie en deux provinces : le Haut-Canada et le Bas-Canada. Ce dernier territoire correspond à peu près au Québec actuel moins sa partie nordique[9]. La grande nouveauté de cette période est la naissance du parlementarisme. Chaque province doit élire des députés qui représentent le peuple à sa propre Chambre d'assemblée. L'anglais, « langue légale de l'Empire », est langue officielle; après un long débat en 1793, on pourra utiliser le français à l'Assemblée et dans les tribunaux.

Vers l'autonomie

L'avènement du parlementarisme favorise la naissance d'une classe politique canadienne. Au début du XIXe siècle, les professions libérales prennent de plus en plus de poids dans la vie sociale et politique des Canadiens. Leurs membres commencent à devenir les porte-parole du peuple. On fonde le Parti canadien, appuyé par un journal, *Le Canadien*. Les seigneurs, pour la plupart, se sont ralliés au gouvernement.

Louis-Joseph Papineau harangue une foule. Aquarelle de Charles W. Jefferys. (Archives nationales du Canada, C-73725.)

Très rapidement des tensions se font jour entre le gouvernement et la Chambre d'assemblée. Le Parlement élu n'est pas responsable des finances de la colonie. La question des subsides — à savoir qui doit gérer les fonds de la colonie : Londres par l'intermédiaire du gouverneur ou les élus de la colonie — résume le mécontentement de l'Assemblée non responsable et du Parti canadien. Louis-Joseph Papineau montre une autorité de chef et défend la position du peuple et de ses élus à l'Assemblée et jusqu'en Angleterre.

En 1812, les États-Unis attaquent de nouveau le Canada : du côté de Montréal, ils essuient une défaite magistrale à Châteauguay (1813). Une seconde fois, l'invasion américaine est repoussée : la bravoure des hommes de Salaberry empêche la conquête du Canada par les tout jeunes États-Unis.

Le quart de siècle qui suit n'arrange pas les affaires entre Londres et sa colonie. Les Canadiens, de plus en plus conscients de leur poids économique et démographique, présentent pétition sur pétition. Papineau porte à Londres les *Quatre-vingt-douze Résolutions* présentées par le Parlement du Bas-Canada. Dans le Haut-Canada, une situation semblable existe. L'exaspération des Canadiens est à son comble en 1837. Le Parti canadien d'autrefois est devenu le Parti patriote.

1837-1838 : la rébellion des Patriotes. En ce début de XIXe siècle, on note une effervescence des nationalismes dans le monde : la Grèce et la Belgique, ainsi que onze pays d'Amérique latine, ont obtenu leur indépendance. Dans le Bas-Canada, l'agitation populaire est très sensible à Montréal et gagne les environs. On prend la décision de ne se vêtir que d'étoffe du pays pour ne plus avoir de commerce avec l'Anglais. Les assemblées populaires se multiplient : la plus enthousiaste est celle des six comtés en octobre 1837. Y participent 6 000 Patriotes qui organisent la résistance. Une poignée d'entre eux arrêtent la progression des forces anglaises à Saint-Denis. Les Patriotes sont défaits à Saint-Charles, Saint-Eustache et Saint-Benoît. La répression est terrible, à la mesure de la peur qu'ont les autorités de cet esprit frondeur et indépendant qui anime les Patriotes. Les villages sont brûlés, les combattants décimés, les meneurs emprisonnés ou exilés.

L'année suivante, à partir des États-Unis tout proches où s'étaient réfugiés Papineau et Robert Nelson, une deuxième insurrection agite encore une fois la vallée du Richelieu. Robert Nelson proclame la République du Bas-Canada, mais les insurgés sont arrêtés tout près de la frontière. Parmi le millier de Canadiens emprisonnés, il y a des exilés et des condamnés à mort dont 12 seront exécutés. Parmi eux, des cultivateurs, des médecins, des notaires qui croyaient au droit des peuples à disposer d'eux-mêmes.

Extraits d'un testament politique

Je meurs sans remords, je ne désirais que le bien de mon pays dans l'insurrection et l'indépendance, mes vues et mes actions étaient sincères et n'ont été entachées d'aucun des crimes qui déshonorent l'humanité, et qui ne sont que trop communs dans l'effervescence de passions déchaînées. Depuis 17 à 18 ans, j'ai pris une part active dans presque tous les mouvements populaires, et toujours avec conviction et sincérité. Mes efforts ont été pour l'indépendance de mes compatriotes; nous avons été malheureux jusqu'à ce jour. La mort a déjà décimé plusieurs de mes collaborateurs. Beaucoup gémissent dans les fers, un plus grand nombre sur la terre d'exil avec leurs propriétés détruites, leurs familles abandonnées sans ressources aux rigueurs d'un hiver canadien. Malgré tant d'infortune, mon cœur entretient encore du courage et des espérances pour l'avenir, mes amis et mes enfants verront de meilleurs jours, ils seront libres, un pressentiment certain, ma conscience tranquille me l'assurent. Voilà ce qui me remplit de joie, quand tout est désolation et douleur autour de moi. Les plaies de mon pays se cicatriseront après les malheurs de l'anarchie et d'une révolution sanglante. Le paisible Canadien verra renaître le bonheur et la liberté sur le Saint-Laurent.

Quant à vous, mes compatriotes, mon exécution et celle de mes compatriotes d'échafaud vous seront utiles. Puissent-elles vous démontrer ce que vous devez attendre du gouvernement anglais!... Je n'ai plus que quelques heures à vivre, et j'ai voulu partager ce temps précieux entre mes devoirs religieux et ceux dus à mes compatriotes; pour eux je meurs sur le gibet de la mort infâme du meurtrier, pour eux je me sépare de mes jeunes enfants et de mon épouse sans autre appui, et pour eux je meurs en m'écriant: Vive la liberté, vive l'indépendance! »

CHEVALIER DE LORIMIER.

1840 : Union des deux Canadas et octroi du gouvernement responsable. Londres avait dépêché sur place un gouverneur, Lord Durham, chargé de faire rapport sur les problèmes et de trouver une solution : Durham affirme que pour minoriser ceux qu'il appelle les « Canadiens français », il faut les noyer dans un ensemble où ils n'auront ni le poids démographique ni le poids politique qu'ils avaient dans le Bas-Canada. C'est ainsi qu'en 1840 l'Angleterre déclare l'union de ses deux colonies malgré le vif mécontentement des Canadiens français qui, en outre, doivent contribuer à éteindre les énormes dettes du Haut-Canada. Seule consolation : Londres accordera bientôt la responsabilité ministérielle, un pas important vers l'octroi de l'autonomie à sa colonie. Montréal sera un temps la capitale du Canada-Uni jusqu'à l'incendie par les orangistes de l'édifice du Parlement en 1849, qui entraînera le déménagement de la capitale à Toronto.

Cette première union signifie le début de la minorisation de l'élément francophone qui, de fait, était toujours majoritaire au Bas-Canada. C'est la première étape du processus qui aboutira à la fédération de 1867. L'Angleterre affirme ainsi sa volonté de subordonner les Canadiens à ceux que ces derniers continuent à appeler les « Anglais ».

La Confédération

La logique qui avait mené à l'union des deux Canadas aboutit à l'Acte de l'Amérique du Nord britannique. Les provinces de la Nouvelle-Écosse et du Nouveau-

Brunswick, en s'unissant à l'Ontario et au Québec, assurent ainsi la présence britannique dans le nord du continent américain. La nouvelle Constitution est votée par le Parlement britannique ; elle restera à Londres jusqu'en 1982. Pendant les années qui suivent, d'autres provinces vont ajouter leur voix à la Confédération, minorisant chaque fois le Québec un peu plus. Il avait une voix sur deux en 1840, il ne représente plus qu'une province sur dix en 1949.

Le partage du pouvoir entre les niveaux de gouvernement fédéral et provincial n'est pas toujours clair. En principe, il revient au Québec de s'occuper du droit civil, de l'éducation, des questions de langue, de certains secteurs de la santé, par exemple. Le fédéral voit à certaines questions d'ordre général : défense, économie, relations extérieures. Mais certaines sphères d'activité — immigration, santé, communications, économie — relèvent des deux paliers de gouvernement, ce qui ne simplifie pas les relations fédérales-provinciales.

D'un certain côté, le Québec pouvait ainsi affirmer son autonomie basée sur la langue, la religion et la culture, mais en même temps, il lui fallait participer aux décisions prises par l'ensemble des provinces qui n'avaient en vue que l'avenir du Canada. Il y aura tout au long de la Confédération des moments de tension entre Québec et Ottawa qui iront s'accentuant au XXe siècle. À la fin, les provinces accuseront à plusieurs reprises le gouvernement fédéral d'ingérence.

Les provinces et la Confédération

1867	Québec + Ontario + Nouvelle-Écosse + Nouveau-Brunswick
1870	+ Manitoba
1871	+ Colombie-Britannique
1873	+ Île-du-Prince-Édouard
1905	+ Saskatchewan + Alberta
1949	+ Terre-Neuve

+ trois divisions administratives au nord du 60e parallèle : le Yukon (1898), les Territoires du Nord-Ouest (1905) et le Nunavut (1999).

La question des Métis

Les mariages interethniques avaient créé des communautés à partir d'affinités culturelles. Un nombre important de Métis francophones étaient installés en 1869 sur les bords de la rivière Rouge. Inquiets du pouvoir central d'Ottawa, ils insistent pour que l'on reconnaisse leurs droits. Louis Riel, leur porte-parole, forme un gouvernement provisoire et force le fédéral à créer la province du Manitoba.

Les Métis, devant l'expansionnisme canadien, étaient ensuite partis vers l'Ouest, dans ce qui deviendra plus tard la Saskatchewan. Avec l'arrivée des chemins de fer, ils seront menés à se sédentariser sans que l'État leur en assure les moyens. Quinze ans plus tard, ils se soulèvent une deuxième fois, rappelant Louis Riel qui vit aux États-Unis. La résistance armée durera peu : les troupes fédérales sont de beaucoup supérieures. Riel, emprisonné, subit son procès dans des conditions étonnantes (jurés de langue anglaise seulement, refus d'audition de témoins, etc.) et est condamné à mort. Il sera exécuté en novembre 1885. Sa mort aura des échos longtemps encore dans tout le territoire où se trouvent des francophones, donc au Québec. Son rôle de père fondateur du Manitoba vient tout juste d'être reconnu dans cette province (mais Riel n'est pas encore reconnu comme un des fondateurs du Canada). Le sentiment d'unité du Canada « en prend pour son rhume ». La presse francophone fait l'unanimité contre ce châtiment qu'elle juge inique. On peut voir dans ces événements une autre manifestation de la lutte entre anglophones et francophones dont Louis Riel est devenu un symbole. Sa pendaison a été ressentie au Québec comme un abus du pouvoir qui parle l'autre langue.

Les écoles françaises en dehors du Québec

Bientôt après 1867, se pose le problème des droits accordés aux minorités françaises ; ces questions vont susciter de vives réactions au Québec dont le peuple se demande quelle place ont vraiment les Canadiens français dans la Confédération. Le Nouveau-Brunswick et le Manitoba sont, après le Québec, les provinces les plus peuplées de Canadiens français. L'évolution très rapide de la politique intérieure de ces provinces aura des répercussions jusqu'au Québec.

1871. Les catholiques très majoritairement francophones du Nouveau-Brunswick, en butte à l'hostilité des anglophones, essaient d'avoir recours au fédéral pour régler cette querelle ethno-religieuse d'ordre strictement provincial. Ils n'obtiennent que de vagues concessions et la Confédération n'apparaît pas comme le lieu des solutions aux problèmes qui risquent de se poser à nouveau.

1890. Le gouvernement manitobain de Greenway abolit le système scolaire des citoyens de langue française, qui ne représentent plus que 10 % de la population totale[10]. Le recours au fédéral ne règle rien et même le premier ministre du Canada, Wilfrid Laurier, pourtant enfant du Québec, ne saura trouver de compromis après sa victoire aux élections de 1896. La loi qui crée les provinces de Saskatchewan et d'Alberta ne prévoit que des dispositions restreintes à l'égard des écoles catholiques et de l'usage du français (1905). La question des droits scolaires des minorités se posera encore lors de l'adoption du règlement 17 en Ontario (1912).

La participation aux guerres de l'Empire britannique

En 1899, la Grande-Bretagne entre en guerre contre les Boers en Afrique du Sud et demande la participation du Canada. Les Canadiens français sont contre toute participation, mais le fédéral choisit la solidarité avec l'Empire. Les Québécois, enracinés depuis longtemps et isolationnistes, ne tiennent pas à participer aux guerres de la Grande-Bretagne. En cela, ils ont un comportement semblable à celui d'une partie des Canadiens anglais de vieille souche qui, de leur côté, ne conçoivent ce type d'aide que sous forme de volontariat.

Manifestation contre la conscription lors de la Seconde Guerre mondiale. (Archives nationales du Canada, PA-107910.)

Pendant les deux guerres mondiales, le fédéral, voyant que l'enrôlement volontaire[11] ne suffit plus, imposera la conscription à laquelle s'opposeront de façon différente des Canadiens de vieille souche, anglaise ou française. Quand les politiciens font appel au peuple, les provinces anglophones de l'Ouest orientent le vote vers l'acceptation de la conscription que le Québec refuse (il y aura même une émeute à Québec au printemps de 1918). Cet engagement national[12], aux côtés de la Grande-Bretagne, sera l'objet d'un autre appel au peuple pendant la Seconde Guerre mondiale en 1942, le gouvernement fédéral d'alors voulant se faire délier de sa promesse de ne pas conscrire pour service militaire outre-mer. Comme la première, la seconde crise de la conscription stigmatise la profonde division du pays. Pour échapper à l'enrôlement, de nombreux Québécois se cachent, se mutilent et disparaissent dans les bois.

L'enjeu constitutionnel

La question de la conscription et le recul des droits des minorités à l'extérieur du Québec convainquent des intellectuels québécois que le rêve d'un Canada bilingue et biculturel, qui a animé Henri Bourassa au début du siècle et par la suite de nombreux autres nationalistes, n'est pas accepté par l'opinion publique canadienne-anglaise. Ils sont donc amenés à formuler un nouveau nationalisme centré sur le Québec, foyer des Canadiens français. À la suite du plébiscite de 1942 visant à délier les libéraux fédéraux de leur promesse de ne pas enrôler les Canadiens pour les envoyer outre-mer, des libéraux dissidents créent un nouveau parti, le Bloc populaire canadien, dont André Laurendeau devient secrétaire général avant d'en devenir le chef provincial. Ce parti sera éphémère.

Après la guerre, les tensions entre le fédéral et le provincial deviennent plus vives. Dans la dynamique des négociations constitutionnelles, le Québec cherche à obtenir une nouvelle répartition des pouvoirs en faveur des provinces. Maurice Duplessis a pris le pouvoir au Québec en 1944. Pendant une quinzaine d'années, Duplessis affonte la politique de taxation d'Ottawa, refuse de renouveler certaines ententes fédérales-provinciales et impose directement les entreprises et les particuliers, suivant un système qui est toujours en usage. En 1953, la commission Tremblay enquête sur les problèmes constitutionnels et préconise des solutions dans divers domaines, qui reposent sur l'idée d'un fédéralisme renouvelé.

Dix ans plus tard, le gouvernement libéral d'Ottawa met à son tour sur pied la Commission royale d'enquête sur le bilinguisme et le biculturalisme, coprésidée par André Laurendeau et Davidson Dunton. Le rapport préliminaire constate que les anglophones sont peu conscients de l'état de crise que traverse le pays, qui vit « la période la plus critique de son histoire depuis la Confédération ». Le rapport final recommande de considérer le français comme langue officielle au Parlement comme dans l'administration publique, et de créer hors Québec des districts bilingues.

Le Québec face à Pierre Elliott Trudeau

En juin 1968, Trudeau devient le nouveau chef des libéraux à Ottawa. Son intransigeance en matière de Constitution lui oppose les dirigeants québécois : en juin 1972, le libéral Robert Bourassa refuse la charte proposée par Ottawa à Victoria au cours d'une quatrième conférence constitutionnelle.

En mai 1980, le gouvernement péquiste de René Lévesque promet un premier référendum sur la souveraineté : à quelques jours du scrutin, Trudeau met son siège en jeu et promet des changements majeurs si le Non l'emporte. Les résultats, 59,6 % de Non, confortent le chef libéral fédéral sur ses positions centralisatrices.

La Constitution, loi britannique votée par Londres en 1867, ne pouvait être amendée que par le Parlement britannique. Trudeau, premier ministre canadien d'origine québécoise[13], décide de la rapatrier en y apportant quelques modifications. Les provinces, différents groupes sociaux veulent profiter de l'occasion pour faire reconnaître certains droits. Tous n'ont pas les mêmes priorités. Des provinces s'opposent à certains amendements : dans un premier temps, huit premiers ministres provinciaux sur dix, entraînés par René Lévesque, résistent à l'autorité du fédéral. En une seule nuit, la « nuit des longs couteaux », Trudeau réussit à convaincre sept de ces huit premiers ministres réfractaires, ce qui lui donne la majorité indispensable. Le Québec se retrouve alors seul à ne pas donner son accord au rapatriement de la Constitution et à la nouvelle Charte des droits, avec le résultat que le Québec continue de faire partie d'une confédération dont il n'a ni approuvé ni signé la Constitution dans sa forme actuelle. Par contre, les « peuples autochtones » (Indiens, Inuits et Métis) voient reconnaître leurs « droits ancestraux » et la validité des traités signés avec les Européens au moment de la Conquête.

La Révolution tranquille

Du milieu du XIXe siècle au milieu du XXe siècle, le Québec a vécu plusieurs changements d'ordre économique et social, comme la plupart des sociétés occidentales et particulièrement comme celles du reste du Canada et des États-Unis ; ouverts à la nouveauté, les milieux urbains acceptaient les progrès technologiques, ce qui explique en partie le phénomène de médiatisation massive par la radio et la télévision. En revanche, comme toutes les sociétés rurales, ceux qui étaient restés — de moins en moins nombreux — dans les campagnes étaient plus traditionalistes.

Pendant les années 1950, le développement rapide de l'économie d'après-guerre faisait pendant à un conservatisme politique dû notamment à des structures qui n'avaient pas su évoluer au rythme des changements sociaux. À l'échelle mondiale, cette même décennie voit des peuples colonisés se détacher des pays colonisateurs et prendre conscience de ce qui fait leur spécificité. Le Québec participe à ce très large mouvement et s'inscrit à son tour sur la carte du monde moderne.

En 1960, l'arrivée au pouvoir des libéraux de Jean Lesage déclenche dans l'appareil gouvernemental une série de réformes majeures qui bouleversent les rapports du peuple québécois avec les corps constitués (l'État et l'Église) de la société traditionnelle. Une élite de plus en plus nombreuse (intellectuels, artistes, écrivains) avait exprimé, depuis les années 1940, une insatisfaction grandissante. C'est avec détermination que six millions de Québécois, maintenant conscients des nouvelles valeurs à privilégier, suivent puis entraînent les gouvernements Lesage et Johnson dans leur désir de construire des bases solides pour le développement d'un pays, que l'on a plaisir à nommer le Québec, et pour l'avenir du peuple qui l'a bâti depuis quatre siècles. Cette décennie, riche en changements et en événements de toutes sortes, constitue une étape majeure de l'histoire du Québec et orientera désormais son devenir.

Le poids du passé et les leçons de l'histoire ont, au Québec, une importance ca-

Petite chronologie

Nouvelle-France

1524	François Ier envoie Verrazano explorer la côte atlantique de l'Amérique
1534	Premier voyage de Jacques Cartier
1604-1605	Dugua de Mons et Champlain fondent Sainte-Croix puis Port-Royal en Acadie
1608	Champlain, avec l'aide de Dugua de Mons, fonde Québec
1629-1632	Les Anglais occupent Québec
1701	Grande Paix de Montréal signée avec la nation huro-iroquoise
1759	Siège et perte de Québec
1763	Traité de Paris : la France perd la Nouvelle-France qui passe aux mains des Anglais

Régime anglais

1759-1763	Gouvernement militaire
1763-1774	Gouvernement civil
1774-1791	Le « Quebec Act » reconnaît la langue, la religion et le droit propre au Québec
1791-1840	Division du territoire en deux entités ; création du Bas-Canada avec un gouvernement parlementaire non responsable
1837-1838	Rébellion des Patriotes
1840	Création du Canada-Uni par l'Acte d'union des deux Canadas
1848	Responsabilité ministérielle de l'Assemblée du Canada-Uni
1849	Le Parlement du Canada-Uni à Montréal est incendié par des émeutiers orangistes : bibliothèque et archives sont réduites en cendres

Le Québec dans la Confédération canadienne

*(Dates à retenir de l'histoire de la Confédération qui auront des répercussions sur le Québec ; *dates propres au Québec)*

1867	Acte de l'Amérique du Nord britannique (AANB)
1869	Soulèvement des Métis au Manitoba
1871	Problème des écoles françaises au Nouveau-Brunswick
1884	Soulèvement des Métis en Saskatchewan
1885	Exécution de Louis Riel
1890	Problème des écoles françaises au Manitoba
1896-1911	Wilfrid Laurier, premier ministre du Canada
1917	Conscription
1929	Un jugement du Privy Council de Londres attribue le territoire du Labrador à Terre-Neuve
1931	Statut de Westminster : autonomie du Canada dans les relations extérieures
1942	Conscription précédée d'un référendum
***1960-1970**	Révolution tranquille
***1970**	Événements d'Octobre
1971	Le Québec dit non à la charte de Victoria
***1980**	Premier référendum sur la souveraineté du Québec
1981	Coup de force constitutionnel de Pierre Elliott Trudeau ; le Québec ne signe pas la Constitution, rapatriée unilatéralement en 1982
1987	Entente provisoire (accord du lac Meech) entre les provinces et le fédéral, reconnaissant cinq demandes du Québec
1990	Échec de l'accord de principe du lac Meech ; formation du Bloc québécois, parti fédéral créé pour défendre les intérêts du Québec
1992	La population canadienne rejette l'accord constitutionnel de Charlottetown
***1995**	Deuxième référendum sur la souveraineté du Québec
1997	Neuf provinces réunies sans le Québec signent la déclaration de Calgary
***1998**	Jugement de la Cour suprême du Canada sur la sécession possible du Québec

pitale, au point même que cette présence peut empêcher, ultimement, d'envisager le présent avec réalisme et l'avenir avec sérénité. La devise du Québec, « Je me souviens[14] », est représentative de la place — traditionnelle, sentimentale, parfois à la limite de la logique — que tient, non sans raison pourtant, l'histoire d'un pays qui s'est faite un peu (beaucoup) malgré lui.

Toutes les collectivités ont leurs héros. Au Québec, ces derniers sont d'abord ceux de l'histoire événementielle : ils ont déjoué « l'Indien », bouté les Anglais hors de la baie d'Hudson, arrêté les « Américains » à Châteauguay ou rempli avec brio et panache les fonctions de premier ministre de la Confédération. Tour à tour honnis ou adulés, les candidats à la postérité ne manquent pas. Ainsi les Patriotes de 1837-1838, comme Louis Riel, plus tard, ont-ils été réhabilités et leur échec politique considéré 150 ans plus tard comme un sacrifice national.

Cette relation à l'histoire permet à l'individu de s'identifier aux grandes figures qui en ont posé les jalons, mais surtout permet à la société de mieux comprendre comment s'est forgée au fil des siècles une identité spécifiquement québécoise, alors que l'ouest du Canada est de constitution récente, ce qui a fait dire à William Lyon McKenzie King, premier ministre fédéral, que le Canada, dans son ensemble, avait « peu d'histoire et trop de géographie ».

Notes

1. Un squelette humain en excellent état a été découvert en 1996 sur les rives de la rivière Columbia, du côté de l'Oregon. Les plus anciens ossements dateraient de 12000 ans avant J.-C.

2. Les solanées ou solanacées sont une famille de plantes à laquelle appartiennent aussi l'aubergine et le piment, le pétunia et la belladone ; la pipée de tabac sera considérée comme unité de temps ou d'espace à parcourir.

3. Le froid et la neige assurent aux fourrures canadiennes une qualité supérieure. Le castor de France n'avait pas les « huit reflets » du castor du Canada ; il avait cependant abondé en métropole : en témoigne la quantité de noms de lieux évocateurs de la présence de ce précieux mammifère autrefois appelé bièvre : Bierre ou Bierré, Bisvre, Besvre, Besbre, etc.

4. Pierre Dugua de Mons était protestant, Champlain catholique — dit-on —, mais l'entente entre les deux hommes était exceptionnelle. L'histoire a longtemps ignoré la contribution du sieur de Mons, qui consacra son temps, son énergie et sa fortune à l'établissement de la Nouvelle-France. Est-ce parce qu'il était protestant ou parce qu'il n'est en fait jamais venu lui-même jusqu'à Québec ? (Jean-Yves Grenon, *Pierre Dugua de Mons*, Société historique de Québec, 1998).

5. Philippe-Auguste disait déjà en 1204 : « Les Français ne connaissent point les voies de la mer ». Fernand Braudel parle même de « l'infirmité structurale qui affecte la puissance maritime de la France. En fait, du traité d'Utrecht (1713) au traité de Paris (1763) [...] la France n'aura de marine que dans les tableaux de monsieur Vernet. »

6. Ils y deviendront les Cadiens.

7. Cette épopée a été racontée avec truculence et tendresse par Antonine Maillet dans *Pélagie-la-Charrette* (prix Goncourt 1979).

8. Ce serment obligeait son prestataire à renier plusieurs dogmes fondamentaux de la religion catholique (transsubstantiation, autorité du pape, etc.).

9. On a par la suite modifié les frontières à plusieurs reprises.

10. Vingt ans plus tôt, ils en représentaient 50 %.
11. Un très grand nombre de ces volontaires canadiens-français disparaîtront à Monte Cassino, à Dieppe ou ailleurs en Normandie, entre autres.
12. En 1917, deux députés proposent même à l'Assemblée législative du Québec une motion « séparatiste » qu'ils s'empressent de retirer : « [...] cette chambre est d'avis que la province de Québec serait disposée à accepter la rupture du pacte fédératif de 1867 si, dans les autres provinces, on croit qu'elle est un obstacle à l'union, au progrès et au développement du Canada » (J. N. Francœur et H. Laferté).
13. Né d'un père francophone et d'une mère anglophone, il incarne en sa personne la tendance vers un Canada bilingue et biculturel.
14. La devise du Québec a été ajoutée aux armes de la province en 1883.

Bibliographie

AUBIN, Paul et Louis-Marie Côté, *Bibliographie de l'histoire du Québec et du Canada, 1946-1995*, 8 vol., Québec, IQRC, 1981-1990.

BALTHAZAR, Louis et Alfred O. Hero jr, *Le Québec dans l'espace américain*, Montréal, Québec/Amérique, 1999, 384 p.

BOUCHARD, Gérard, *La Nation québécoise au futur et au passé*, Montréal, VLB éditeur, 1999, 155 p.

La Capitale, lieu du pouvoir, Québec, Publications du Québec, 1997, 130 p.

CÔTÉ, Louise, Louis Tardivel et Denis Vaugeois, *L'Indien généreux. Ce que le monde doit aux Amériques*, Montréal, Boréal, 1992, 287 p.

DUQUETTE, Jean-Pierre (dir.), *Montréal, 1642-1992*, Montréal, Hurtubise-HMH, 1992, 164 p.

DURAND, Marc, *Histoire du Québec*, Paris, Imago, 1999, 236 p.

FRENETTE, Yves, *Brève histoire des Canadiens français*, Montréal, Boréal, 1998, 216 p.

GREER, Allan, *Brève histoire des peuples de la Nouvelle-France*, Montréal, Boréal, 1998 (trad. de l'anglais par N. Daigneault), 165 p.

HAMELIN, Jean et Jean Provencher, *Brève histoire du Québec*, Montréal, Boréal Express, 1997 [1981], 134 p.

HAVARD, Gilles et Cécile Vidal, *Histoire de l'Amérique française*, édition révisée, Paris, Flammarion, 2008, 863 p.

LACOURSIÈRE, Jacques, *Histoire populaire du Québec*, Québec, Septentrion, depuis 1995 : t. I : *Des origines à 1791* ; t. II : *De 1791 à 1841* ; t. III : *De 1841 à 1896* ; t. IV : *De 1896 à 1960*.

LACOURSIÈRE, Jacques, Jean Provencher et Denis Vaugeois, *Canada Québec (1534-2000)*, Québec, Septentrion, 2000 [1969-1977], 591 p.

LAMONDE, Yvan et Claude Larin, *Louis-Joseph Papineau : un demi-siècle de combats. Interventions publiques*, Montréal, Fides, 1998, 662 p.

LÉTOURNEAU, Jocelyn, *Passer à l'avenir. Histoire, mémoire et identité dans le Québec d'aujourd'hui*, Montréal, Boréal, 2000, 198 p.

LÉTOURNEAU, Jocelyn, *Le Québec, les Québécois. Un parcours historique*, Montréal, Fides et Québec, Musée de la civilisation, 2004, 127 p.

LINTEAU, Paul-André, *Histoire du Canada*, Paris, PUF, 1997 [1994], 127 p.

LINTEAU, Paul-André, René Durocher et Jean-Claude Robert, *Histoire du Québec contemporain*, t. I : *De la Confédération à la crise, 1867-1929*, 758 p. ; t. II : *Le Québec depuis 1930*, 834 p., Montréal, Boréal, coll. « Boréal compact », 1989.

LITALIEN, Raymonde et Denis Vaugeois (dir.), *Champlain et la naissance de l'Amérique française*,

Québec, Septentrion et Paris, Nouveau Monde Éd., 2004, 400 p.

MATHIEU, Jacques, *La Nouvelle-France : Les Français en Amérique du Nord XVIe-XVIIIe siècle*, Paris/Québec, Belin/PUM, 1991, 254 p.

Quelques fragments d'histoire pour mieux comprendre le Québec, Québec, Secrétariat à l'avenir du Québec, 1995, 75 p.

RUMILLY, Robert, *Histoire de la province de Québec* (en 41 vol.), Montréal, Fides, 1953 à 1971.

TRUDEL, Marcel, *Mythes et réalités dans l'histoire du Québec*, 3 vol., dont le t. 3, Montréal, Hurtubise HMH, 2006, 260 p.

Et la collection *Atlas historique du Québec*, dirigée par Serge Courville et Normand Séguin.

Sur la Conquête

FRÉGAULT, Guy, *La Guerre de la Conquête*, Montréal, Fides, 1955, 514 p.

QUIMPER, Hélène et Jacques Lacoursière, *Québec, ville assiégée, 1759-1760*, Québec, Septentrion, 2009, 268 p.

FORRAY, Gilbert, *Pour quelques arpents de neige*, Paris, Apolline, 2000, 270 p.

Sur les Patriotes

BERNARD, Jean-Paul, *Les Rébellions de 1837-1838. Les Patriotes du Bas-Canada dans la mémoire collective et chez les historiens*, Montréal, Boréal, 1983, 349 p.

DAVID, Laurent-Olivier, *Les Patriotes de 1837-1838*, Montréal, Beauchemin, 1884, 297 p.

MESSIER, Alain, *Dictionnaire encyclopédique et historique des patriotes 1837-1838*, Montréal, Guérin, 2002, 497 p.

OUELLET, Fernand, *Le Bas-Canada, 1791-1840 — Changements structuraux et crises*, Ottawa, Éditions de l'Université d'Ottawa, 1976, 541 p.

Audiovisuel

LACOURSIÈRE, Jacques, *Épopée en Amérique*, prod. Histoire à voir, Télé-Québec *et al.*, 1996-1997 (13 épisodes de 53 min sur cassettes vidéo + guide pédagogique).

Les Montréalistes, Denys Arcand, couleur, ONF, 1965, 25 min.

D'Iberville, série télévisée, Radio-Canada, 1967-1968.

Les Filles du Roy, Anne-Claire Poirier, couleur, ONF, 1974, 57 min.

La Guerre oubliée, fragments de mémoire, Richard Boutet, 97 min, 1987 (sur la guerre de 1914-1918, vécue au Québec).

La série « Les artisans de notre histoire » (env. 28 min) dont *Louis-Joseph Papineau*; *George-Étienne Cartier*, *Louis-Hippolyte Lafontaine*; *Champlain*; *La Route de l'Ouest*.

Multimédia

Histoire populaire du Québec des origines à 1960 (les 4 tomes de l'*Histoire* de Jacques Lacoursière, les fascicules thématiques de *Nos racines*, etc.), cédérom, Éditions de Marque (www.demarque.com), Québec.

La Nouvelle-France. Sur la route des explorateurs, cédérom, Montréal, Édirom (www.explore-nf.com), 2000.

3
Genèse de la société

Page précédente : Défilé du 24 juin. (*Québec actuel.* Gouvernement du Québec. Photo : Sylvain Majeau.)

L'installation en Nouvelle-France

De toutes les provinces françaises, c'est la Normandie qui a fourni le plus de colons à la Nouvelle-France ; c'est sans doute la proximité de ports marchands faciles d'accès (Saint-Malo, Dieppe, Honfleur) qui a incité tant de Normands à faire la traversée. Le même phénomène se retrouve en Aunis et dans le Haut-Poitou avec le port très achalandé de La Rochelle. Le Perche a dû son fort taux de partants au fait qu'il était géographiquement placé entre la Normandie et l'Île-de-France. Quant à cette dernière région, il paraît naturel qu'elle ait aussi fourni un bon contingent de colons (près de 14 % du total), par rapport à près de 15 % du total fourni par la Normandie, étant donné que l'Île-de-France était la région la plus proche des organismes de décision, donc la plus informée des possibilités nouvelles. La Bretagne, la Guyenne et la Champagne connaîtront un plus fort taux d'émigration au XVIIIe siècle.

L'énorme majorité vient en tous cas du nord-ouest de la France et l'on constate — fait très remarquable à cette époque — que tout le monde, une fois au Canada, se met à parler la même langue, celle de l'administration, c'est-à-dire le français, alors qu'en France un Normand aurait difficilement compris un Bourguignon et encore moins un Provençal.

Le peuplement

L'occupation du territoire se fait de plusieurs façons. Les coureurs de bois gardent jalousement leurs secrets de trappe ou de commerce avec les Amérindiens. Les découvreurs font souvent face à des difficultés financières ; les autorités ne les appuient pas toujours dans leurs expéditions qui paraissent bien hasardeuses ; la plupart partent à leurs frais. Parmi ces deux catégories d'aventuriers, certains vont épouser des Amérindiennes et établir des avant-postes français surtout dans les vallées de l'Ohio (la Belle-Rivière) et du Mississippi. Les nombreuses tribus amérindiennes participent avec les Français, qui appliquent leur stratégie, à plusieurs des victoires de la guerre de Sept Ans. On constate que les colons français vont rapidement se familiariser avec le mode de vie des Amérindiens et en adopter plusieurs aspects ou techniques. Les religieuses cloîtrées apprennent le huron et l'algonquin ; les trappeurs, des techniques de trappe et de conservation des peaux; les voyageurs, l'art de fabriquer et de conduire sur de longues distances des canots légers, faits d'écorce de bouleau, cousus de racine d'épinette, étanchés grâce à un mélange de graisse de porc-épic et de gomme d'épinette blanche et capables de transporter de lourdes marchandises. Le déplacement en forêt et sur la neige en raquettes et en traîne sauvage, l'adaptation du vêtement à un hiver rigoureux (mocassins et mitasses[1]), l'utilisation d'une pharmacopée naturelle, de la babiche ou de l'écorce fraîche des arbres sont autant de traits que la nouvelle colonie s'approprie avec succès.

On voulait aussi une forme plus classique d'occupation des sols : on compte pour cela sur les *habitants*, ces colons qui s'installent sur un lot de terre, le défrichent, le cultivent et en deviennent par le fait même propriétaires. Le climat doux de l'Acadie est plus propice aux cultures, mais les bords du Saint-Laurent (la côte de Beaupré, l'île d'Orléans, la région de Portneuf) attirent aussi les colons.

Les habitants pouvaient se faire aider, le cas échéant, par des *engagés*, jeunes gens sans un sou vaillant, dont le voyage était payé par celui qui allait les employer et qui leur verserait pendant 3 ans des gages modestes. À la fin du contrat, l'engagé pouvait soit rentrer en France avec son pécule, soit devenir habitant à son tour, ce qui arrivait le plus souvent.

Vers 1665, la métropole, se rendant compte de la lenteur de la colonisation, envoie à plusieurs reprises des *filles du Roy*, jeunes personnes dotées par Louis XIV, qui devaient convoler en justes noces dès leur arrivée en Nouvelle-France et fonder une famille. Ces jeunes femmes, orphelines et pauvres, préféraient l'aventure de la Nouvelle-France à l'avenir encore plus incertain qui les attendait dans la métropole. Elles se mariaient en général dans la quinzaine qui suivait leur arrivée à Québec[2].

Des soldats viennent de France d'abord pour aider à la pacification du territoire. Au siècle suivant, c'est la lutte quasi incessante contre les Anglais qui occupe les jeunes capitaines et leurs compagnies. Ces soldats sont souvent hébergés chez l'habitant qu'ils peuvent aider dans les travaux

Origine des colons français en %

Province	XVIIe siècle	XVIIIe siècle
Normandie	18,5	10,9
Île-de-France	14,4	12,2
Poitou	10,9	6
Aunis, Îles de Ré et d'Oléron	10,6	5,6
Saintonge	5,8	5,5
Perche	3,9	...
Bretagne	3,5	8,2
Anjou	3	2,6
Champagne	2,8	3,4
Maine	2,7	...
Guyenne	2,6	5,8
Limousin et Périgord	2,4	...
Picardie	2,2	2,2
Angoumois	2	...
Languedoc	...	5,2
Gascogne	...	4,6
Autres	14,4	33,3

Source : Archives de folklore, 1946, d'après Archange Godbout.

La traite des fourrures. Aquarelle de Charles W. Jefferys, 1785. (Archives nationales du Canada, C-073431.)

saisonniers s'ils ne sont pas en expédition militaire. Ils prennent ainsi goût à la vie de terrien. Une fois la compagnie dissoute, beaucoup préfèrent alors rester sur place et devenir à leur tour habitants plutôt que de rentrer en France où les attend un avenir médiocre. À la fin du XVIIe siècle, les soldats du régiment de Carignan-Salières se sont ainsi en majorité installés sur les bords du Richelieu qu'ils viennent de pacifier. Les officiers se font attribuer des seigneuries dont ils distribuent les terres à leurs hommes. Officiers et soldats deviennent seigneurs et habitants, retrouvant certains de leurs rapports dans des fonctions qui ont fondamentalement changé.

Jusqu'à la signature de la Grande Paix de Montréal (1701), c'est plutôt la rive nord du Saint-Laurent qui se peuple, entre Québec et Montréal, comme en fait foi la fondation des villes jalonnant la pénétration du territoire par le Saint-Laurent : Québec, Trois-Rivières, puis Montréal.

Le XVIIe siècle avait été marqué par le développement des compagnies qui veillaient davantage à assurer le rendement de la mise de fond des sociétaires (Compagnie de la Nouvelle-France et Compagnie des Cent-Associés) qu'à peupler une terre dont on évaluait mieux le rendement en fourrures qu'en cultures. Au début du XVIIIe siècle, cependant, la colonie s'organise et les communications s'améliorent grâce à un réseau routier bien en place. Le chemin du Roy réunit, par la rive nord, Saint-Joachim à Montréal en passant par Québec. On construit des forts pour la défense. On développe le commerce, toujours à base de fourrure et d'agriculture, et maintenant de construction navale. On produit du fer aux Forges du Saint-Maurice. La France empêche cependant la colonie de se livrer à des industries de transformation qui priveraient la métropole d'un marché d'exportation rentable. C'est aussi la période où Mgr de Saint-Vallier, l'évêque qui a succédé à Mgr de Montmorency Laval, décentralise l'Église canadienne en fondant des paroisses (80 en 1721).

1623	Le premier fief est attribué à Louis Hébert à Québec
1663	2 500 âmes (34 km^2 défrichés)
1700	14 000 âmes[3]
1763	70 000 âmes (500 km^2 défrichés)

Malgré ces efforts, la colonisation française en Amérique du Nord est très lente.

La colonisation anglaise en Nouvelle-Angleterre est infiniment plus rapide. Les îles Britanniques, dont la population est moindre que celle de la France, envoient au Nouveau Monde 5 400 personnes par an (soit 680 personnes par million d'habitants) ; la France n'en envoie que 150 par an, soit 8 émigrants par million). Très vite, les colons d'origine britannique se sentent à l'étroit sur la bande de terrain qu'ils occupent dans l'est du continent américain. Pendant le même moment, la France occupe — le mot est optimiste — un très vaste territoire limité à l'ouest par les Rocheuses et au sud par le Mexique. Cette immense étendue est en fait bien peu habitée, si ce n'est par les Amérindiens, et à peine mise en valeur : le géographe Luc Bureau affirme que seulement 1/20 000 du territoire est effectivement occupé par les

Français. Comment s'étonner alors que les tensions entre colonisateurs anglais et français s'accroissent au XVIIIe siècle et que les Bostonnais, bien secondés par l'Angleterre, luttent avec âpreté pour l'expansion de leur territoire ? À la veille de la Conquête, pour 20 millions de Français, on ne dénombre que 70 000 personnes en Nouvelle-France, alors que pour 10 millions d'Anglais on compte 1 600 000 colons en Nouvelle-Angleterre.

L'habitant se forge au Canada une personnalité dont bien des traits se retrouvent dans le Québécois d'aujourd'hui. René Lévesque disait en 1980 : « Nous avons tous un grand-père cultivateur. » Les Québécois ont peut-être, à cet égard, la mémoire moins courte que d'autres habitants du continent nord-américain. L'orgueil d'être habitant et d'avoir réussi son implantation développe l'esprit d'indépendance et la débrouillardise ; on pratique tous les métiers, on emprunte aux Amérindiens ce qui est utile dans ce pays. Si l'on reproche à l'habitant du Canada d'être paresseux (entendez : ne pas en faire plus que le nécessaire vital, ce qui demandait déjà une bonne dose d'énergie), en revanche, on lui reconnaît un courage et une bravoure dont les gouvernants ont grand besoin en ces siècles de guerre à peu près continue. Les voyageurs notent aussi leur gentillesse, leur sens de l'accueil et leur gaieté. Les femmes sont souvent plus instruites que les hommes, pris très jeunes par les travaux des champs, et acquièrent le sens des responsabilités. Originaire de pays tempérés — l'ouest de la France jouit d'un climat assez doux —, le Canadien montre un assez exceptionnel sens de l'adaptation à de nouvelles réalités. Il est à l'aise et son sort, malgré l'évidence de certaines difficultés, paraît assez enviable.

Le système seigneurial

Occuper le maximum de sol, c'est le cultiver. Dans un territoire au climat difficile, les habitants doivent s'organiser pour survivre. On institue donc un système seigneurial très différent du système féodal en usage en France à l'époque. Tout individu méritant, ou qui avait de l'argent ou des influences, pouvait devenir seigneur : il se voyait attribuer une concession, de forme rectangulaire[4], dont une des limites était en général le fleuve, plus tard un de ses affluents. Cette personne devait rapidement découper sa seigneurie en lots, sur lesquels elle installait à son tour des familles d'habitants qui pouvaient jouir et disposer de leurs biens fonciers.

Le découpage des terres, caractéristique du Québec, se faisait en longues bandes étroites donnant sur une voie d'eau, au début du moins. Le lot habituel, d'un arpent[5] et demi à trois arpents de front sur le fleuve, avait de 30 à 40 arpents de profondeur (de 100 à 200 m sur 2 500 m). Sur les rives du fleuve puis de ses tributaires, les maisons se succèdent donc à peu près tous les 150 m, presque sans interruption dans les zones habitées.

Le rang. Après 1725, toutes les rives du fleuve étant occupées, il faut s'installer à l'intérieur des terres. On construit donc un chemin qui dessert les maisons du deuxième rang ainsi constitué. Au fur et à mesure du lotissement de la seigneurie, on

Découpage des terres, caractéristique du système seigneurial. (Direction générale du tourisme. Gouvernement du Québec.)

ouvre des rangs supplémentaires. Ce découpage en longues bandes de terrain, dont on garde une partie « en bois debout » pour les besoins domestiques de construction, de chauffage et de cuisine, l'alignement des bâtiments de ferme assez voisins les uns des autres pour qu'on puisse se voir et s'entraider en cas d'imprévu, tout cela fait un paysage tout à fait particulier, très caractéristique du Québec rural d'aujourd'hui.

À l'arrière des maisons, les colons établissaient leur potager, puis les terres à froment et à avoine, les prairies à foin jusqu'à la forêt, réserve de bois de chauffage et de construction.

À l'automne, on abattait les arbres, on cordait les bûches, on ne sacrifiait pas les érables, fournisseurs de sève sucrée.

Toutes ces terres en longueur, étroites comme des lames de parquet, perpendiculaires à la rive, formaient un rang.

LOUIS-MARTIN TARD, *Il y aura toujours des printemps en Amérique.*

À Charlesbourg et à Beauport, un essai de découpage en étoile ne fera pas modèle malgré l'avantage évident du regroupement des habitations au centre de l'étoile, alors que les maisons le long du rang dessinent un pointillé indéfiniment linéaire.

Seigneurs et habitants. Certaines seigneuries appartiennent à des nobles, d'autres à des commerçants. Ceux-ci ont pour la plupart un niveau de vie élevé, sont peu présents sur leurs terres et résident plutôt en ville. Des communautés religieuses possèdent également d'immenses terres. Dans beaucoup d'autres cas, il y a peu de différences entre les seigneurs et les habitants, si ce n'est que les premiers doivent organiser leur seigneurie et en rendre compte devant les autorités gouvernementales. Le rapport entre le seigneur et ses censitaires est simple et régi par une relation contractuelle qui s'applique avec quelques variantes d'un bout à l'autre de la Nouvelle-France.

Pour sa part, l'habitant paie au seigneur : le *cens* en argent (symbolique : quelques sous par arpent de front), la *rente*[6] en nature (une pinte de blé et une demi-poule par arpent de front, par exemple), le *droit de mouture* qui est le quatorzième minot de blé (il faut payer l'entretien du moulin et le meunier) et le *droit de mutation* qui est un montant d'argent compris entre le douzième et le vingtième du montant de la vente de la terre. Ce droit, assez élevé, avait été institué pour décourager les habitants de déménager. On instituera aussi un droit de pêche et même un droit sur les chutes d'eau. À cela s'ajoute le *droit de corvée* : l'habitant doit donner au seigneur de quatre à huit jours par an pour l'aider à entretenir routes, ponts, quais et édifices publics. « En 1723, Pierre Petit possède une terre : maison, grange, étable et 55 arpents de terre labourable : il paie trois livres de blé de rente et deux chapons par arpent de front [sa terre mesure deux arpents de front] » (Robert-Lionel Séguin).

En revanche, le seigneur doit tenir « feu et lieu », aller régulièrement à Québec *faire aveu et dénombrement* (dire aux autorités où il en est de l'occupation et de la mise en valeur de sa seigneurie). Ces déplacements n'étaient pas une mince affaire lorsque l'on habitait à des lieues de la capitale : on le faisait souvent en hiver pour consacrer les journées d'été, précieuses, à l'agriculture.

Le seigneur doit faire construire puis entretenir un *moulin banal* (les censitaires sont tenus de l'utiliser à charge pour eux de payer une redevance), organiser la *défense* et la *protection civile* (c'est lui qui est la plupart du temps chef de la milice dont font partie les habitants), et s'occuper de la *voirie.*

L'habitant doit foi et hommage au seigneur. Une des manifestations en sera la fête du Mai. Le seigneur, à son tour, doit hommage et fidélité au gouverneur. L'habitant et le seigneur paient la *dîme* au curé : c'est le vingt-sixième minot de grain produit. À certains moments, dans quelques paroisses déjà bien installées, les curés essaieront de faire passer cette taxe au treizième de toute récolte, mais sans succès.

Voilà donc le système social plutôt simple, issu du droit féodal mais foncièrement différent, qui prévalut pendant plus de deux siècles. Après la Conquête, les Anglais le trouvèrent assez efficace pour le conserver dans ses grandes lignes jusqu'en 1854. On y mit fin à cette date, surtout à cause de l'urbanisation déjà rapide de l'île de Montréal, mais aussi parce que les rapports sociaux subissaient alors de profonds changements.

Après 1770 se développe un système parallèle : tout en maintenant les seigneuries existantes, on utilise plutôt dans les nouvelles zones de peuplement le modèle états-unien des *townships* ou cantons. Le canton est de forme plus ou moins carrée et il n'y a pas de redevances seigneuriales.

L'administration de la colonie

L'administration de type privé des compagnies de commerce fonctionne tant bien que mal tout au début du XVIIe siècle. La Compagnie des Cent-Associés ne retire pas autant de bénéfices que ce qu'elle en avait escompté et s'acquitte sans aucune conviction du devoir de colonisation auquel elle ne semble pas s'intéresser outre mesure. À cette administration que la France trouve décevante, Louis XIV et son ministre Colbert vont décider de substituer un gouvernement local plus responsable. En 1663, la colonie est donc rattachée au domaine royal et administrée ainsi :

- Le gouverneur, responsable, a le pouvoir militaire ;
- L'intendant s'occupe de questions civiles (économie, police, justice) ;
- L'évêque voit aux questions qui touchent de près ou de loin la religion, dont l'éducation.

Outre l'intendant et l'évêque qui secondent le gouverneur, des conseillers, seigneurs ou officiers plus fortunés, donnent leur avis et peuvent agir au nom du gouverneur.

L'ensemble fonctionne assez bien ; les charges, pour autoritaires qu'elles soient, sont en général tenues par des hommes assez remarquables qui font le pays à la mesure de leur détermination. On retiendra notamment les noms des gouverneurs Frontenac et Vaudreuil, des premiers archevêques de Québec, Mgr de Montmorency Laval et Mgr de la Croix de Chevrières de Saint-Vallier, et de l'intendant Jean Talon, envoyé par Colbert.

Le problème fondamental de l'administration vient du clivage qui s'installe entre ses hautes sphères et la société canadienne. Les administrateurs ne font qu'une partie de leur carrière à Québec, vivent à la française et dans les villes ; ils suivent les règles du système monarchique français. Les questions de préséance suscitent parfois des querelles internes jusqu'au plus haut niveau du « gouvernement » colonial. Les Canadiens occupent de plus en plus de postes de la haute administration, mais la France fait sentir sa supériorité lorsque, par exemple, elle impose le général Montcalm, né en France, au gouverneur Vaudreuil, canadien de naissance.

Les caractéristiques de la société canadienne

On trouve dans cette société les deux tendances fondamentales qui animaient les premiers Français à leur arrivée en Nouvelle-France. D'un côté, le désir de possession de la terre, qui mène au défrichage et à l'agriculture; de l'autre, le goût de l'aventure, de la découverte qui permettent déjà d'occuper de nouveaux territoires. Chez les religieux, on trouve ces mêmes tendances; d'abord l'appel vers l'inconnu : nombreux sont les missionnaires qui suivent les tribus indiennes dans leur nomadisme. D'autres, par exemple, se sentent « appelés » à s'installer en cette île de Montréal qu'on dit territoire dangereux. En revanche, après avoir vécu l'aventure du voyage outre-Atlantique, Marie de l'Incarnation passera le reste de ses jours à Québec, dans la stabilité — mais combien précaire — d'un monastère, incendié puis rebâti courageusement. C'est ainsi qu'apparaissent indissolublement liées l'une à l'autre deux polarités apparemment irréductibles mais qui se complétèrent admirablement dans l'établissement de la colonie.

Dès l'origine, les administrateurs insistent sur l'homogénéité de la société en Nouvelle-France. En 1627, on n'autorise que les catholiques à venir s'y installer et l'on écarte du même coup les protestants français.

L'administration est en région urbaine où se regroupent les négociants d'une certaine envergure, les armateurs et les commerçants. Y fleurissent de petites entreprises (cabotage, négoce) qui ne sont désavantagées que par le contexte économique de dépendance de la métropole, et par le système de répartition des biens au décès, ce qui rend difficile la transmission d'un patrimoine intact à la génération suivante et ne favorise pas l'établissement d'entreprises sur plusieurs générations.

On ne saurait parler d'économie sans rappeler l'importance de la traite des fourrures. Il faut un permis pour « faire la traite ». Mais on sait qu'il y a cinq fois plus de coureurs de bois ou de petits trafiquants que les 400 ou 500 personnes autorisées. L'appât du gain, le goût de l'aventure sont souvent plus forts que la stabilité de l'artisan ou de l'agriculteur.

La colonie a toujours eu du mal à recruter sur place les artisans nécessaires à son développement. Malgré les essais de Mgr de Laval et des frères Charon, on doit continuer à recruter des spécialistes en France. Les plus prisés sont ceux qui appartiennent aux corps de métier de la construction et du transport, dont la présence est particulièrement vitale. Ils s'installent dans les villages, travaillent souvent seuls avec les aléas corollaires à ce type de situation. D'ailleurs, l'habitant apprend tôt à se débrouiller avec les moyens dont il dispose.

Les trois quarts de la population vivent de l'agriculture : le XVIIIe siècle voit s'enraciner les familles sur les terres défrichées. Le clergé préfère évidemment ce genre d'occupation sédentaire et facilement contrôlable au métier de coureur de bois ou de voyageur qui tente tant de jeunes émigrés français. Les habitants vivent à l'aise. Souvent leur terre entièrement défrichée procure à certains, installés dans les vieilles paroisses, des revenus substantiels. Même si leur lot n'était pas encore tout en culture, la majorité des propriétaires pouvaient subvenir aux besoins de leur famille.

Il semble que l'initiative personnelle ait joué un rôle privilégié dans la constitution de cette société. Une grande mobilité existait entre les diverses couches de la société : on devenait marchand ou coureur de bois, ou bien encore on se rangeait en prenant une terre. À part la haute administration restée très « française », la stratification sociale est beaucoup moins rigide qu'en France : les nobles sont militaires; parmi les seigneurs, plusieurs investissent et les marchands ont souvent une seigneurie dont ils doivent s'occuper.

La société québécoise de l'époque se caractérise par le goût d'une indépendance que favorise le système canadien : l'habitant est maître chez lui. Dans certains cas, il y a peu de différences entre lui et son seigneur : on a vu une seigneuresse emprunter 600 livres à un censitaire en hypothéquant ses biens. Des habitants peuvent devenir seigneurs à leur tour. Parfois le seigneur ne sait pas plus lire ni écrire que son censitaire.

Le peuple français de l'époque n'était pas favorisé par le système social : les serfs travaillaient une terre qui ne leur appartiendrait jamais. Ils travaillaient pour d'autres, sans espoir que leur sort pût s'améliorer d'une façon ou d'une autre. Les cadets de famille, jeunes nobles que le sort avait fait naître après les aînés, n'avaient souvent d'autre avenir que de s'engager dans les armées du roi. Pour ces deux catégories de personnes, l'ouverture de territoires nouveaux était l'occasion de sortir de ce à quoi les condamnait la société française.

Malgré les conditions difficiles (quatre épidémies de variole de 1702 à 1757 à Montréal), il semble qu'on vivait assez bien en Nouvelle-France. Les tensions entre Français de passage et Canadiens de souche sont demeurées vives tout au long du Régime français dans les milieux qui nécessitaient des contacts (administration, clergé ou commerce). Mais elles n'ont pas empêché les villes d'offrir une éducation et des loisirs assez raffinés. À la campagne, on était plus foncièrement canadien et l'on adopta plus rapidement qu'en ville des habitudes spécifiques, près de ce que la nature exigeait. Les difficultés étaient dues à l'invraisemblable rapport entre un espace gigantesque et un peuplement très modeste. Par ailleurs, l'économie n'était pas assez diversifiée : outre le modèle agricole suivi sans trop d'imagination, seul le commerce de la fourrure donnait un peu du dynamisme nécessaire à une évolution positive. Le marché de la fourrure renforçait la dépendance économique de la colonie à l'égard de la métropole, à qui cette situation convenait parfaitement. Dans le même temps, les voisins du Sud diversifiaient leur économie, intensifiaient une immigration qu'un climat plus tempéré rendait plus aisée et s'organisaient sur place de façon plus autonome.

Après la Conquête, la survivance

C'est un petit peuple de 65 000 personnes qui passe aux mains des Anglais avec le traité de Paris (1763). Ce peuple a une langue et une religion différentes de celles du conquérant et c'est précisément à cause de ces différences qu'il va miraculeusement survivre malgré le petit nombre d'individus au départ. Après de sérieuses difficultés, dues à l'ajustement entre les deux peuples, l'Église prend en mains les destinées d'une société dont elle constitue pour l'instant la seule élite, ou presque. La hiérarchie du catholicisme, sa façon d'insister sur la soumission de l'individu au devenir collectif avait tout naturellement préparé les clercs au rôle de meneur habituellement tenu par l'État. En l'absence d'un État fort, c'est donc l'Église qui assure la suppléance.

Après la Conquête, les administrateurs, les militaires, les gros commerçants et quelques seigneurs fortunés sont repartis pour la France ; la grande majorité (65 000 sur 70 000 environ) est restée, constituée surtout d'habitants installés dans les paroisses créées peu à peu le long du fleuve, et d'une petite classe d'artisans. Une centaine de seigneurs aussi sont restés sur leurs terres, coupés cependant en partie de ce qui touche le commerce des fourrures. S'ils s'appauvrissent, ils vendent leur seigneurie aux commerçants anglais ou favorisent les mariages de leurs enfants avec les enfants de ces mêmes Anglais. La nouvelle administration britannique s'appuie sur eux.

C'est au XIXe siècle que se sont précisées les traditions et coutumes des Québécois d'aujourd'hui. À partir de 1834, la fête de la Saint-Jean, qui correspond au solstice d'été, devient patriotique ; il faudra attendre 1977 pour que René Lévesque proclame le 24 juin fête nationale des Québécois. Ces traditions qui plongent leurs racines jusque dans les provinces françaises affirment en terre canadienne leur vie propre. Voués à l'agriculture qui favorise le repli sur soi — le commerce et l'industrie offrent plus d'occasions d'ouverture sur le monde —, les Canadiens vivent en autarcie, sans grands contacts avec les Anglais. C'est l'époque où l'on file et tisse chez soi, où l'on apprend, comme les peuples voisins, à recycler les matériaux et tissus usagés (courtepointes, tapis tressés). C'est au Québec spécifiquement que se développe et se raffine la technique du fléché, tressage de longs brins de laine que l'on « tisse aux doigts » ; ces grandes ceintures de couleurs vives font, avec la tuque, partie de la vêture habituelle du Canadien.

Dès la fin du XVIIIe siècle, les Canadiens, confusément désireux que les vainqueurs

Évolution de la population québécoise

Année	Population
1666	3 215
1685	12 263
1706	16 417
1736	39 063
1765	69 810
1790	161 311
1806	250 000
1844	697 084
1861	1 111 566
1901	1 648 898
1951	4 055 681
1971	6 027 764
1981	6 438 403
1991	7 081 200
2001	7 237 500
2009	7 750 500 (estimation)

Sources : Statistique Canada et Yves Guérard, dans *Commerce*.

respectent leur identité, vont croître et se multiplier à un rythme bientôt étourdissant. La population double tous les 25 ans. Malgré une mortalité infantile inévitablement importante, le taux de natalité — un des plus forts du monde — se maintiendra pendant près de deux siècles entre 50 et 30 ‰ jusque vers les années 1960.

Des 65 000 Canadiens de 1763 sortiront les six millions de Québécois francophones que l'on dénombrera deux siècles plus tard — cela, sans tenir compte du million de personnes qui quittèrent le territoire de 1840 à 1930 pour aller vers l'Ouest ou vers les usines de la Nouvelle-Angleterre et, ce faisant, propagèrent la langue française et les coutumes canadiennes-françaises à la grandeur du nord du continent.

À partir de 1830, et bien plus encore après 1840, l'Église joue le rôle de maître à penser, surtout dans les paroisses rurales (les Anglais, administrateurs, soldats et commerçants, occupent plutôt les villes). Garder la langue française sous la domination anglaise, rester catholiques sous une monarchie protestante, c'était renforcer chez les Canadiens la responsabilité de ne pas se faire minoriser dans leur propre pays. La solution sera d'occuper massivement la place grâce au métier à la fois le plus traditionnel qui soit et le mieux connu de ces gens-là, l'agriculture. On ouvrira de nouvelles terres à la colonisation, et l'on créera sans cesse de nouvelles paroisses. Il fallait bien trouver de la place pour installer les dizaines d'enfants des « grosses familles ». Vers 1840, c'est au Saguenay que l'on s'installe. Vers 1870, le curé Labelle ouvre les « Pays d'en haut » dans les Laurentides, au nord de Montréal. Vers 1880, l'attirance de l'Ouest jalonne le Témiscamingue et la construction des voies ferrées ouvre l'Abitibi à la colonisation vers 1910. La crise économique des années 1930 relancera momentanément le mouvement de colonisation vers l'arrière-pays de la Gaspésie, ou encore vers l'Abitibi; ce sera en même temps son dernier souffle.

La population du Québec et du Canada 1871-2009

Année	*Québec*	*Canada*	*% Québec/Canada*
1871	1 191 516	3 689 257	32,4
1901	1 648 898	5 371 315	30,7
1931	2 874 662	10 376 786	27,6
1961	5 259 211	18 238 247	28,8
1991	7 081 200	28 117 600	25,2
2001	237 480	30 007 100	24,1
2009 (estimation)	7 750 500	33 461 000	23,2

Sources : Bureau de la Statistique du Québec et Recensements du Canada (les recensements officiels ont lieu tous les 10 ans).

Le XIXe siècle est une période d'immigration anglo-saxonne massive. En même temps, la tentation américaine favorise l'émigration vers le Sud de quantité de Canadiens qui s'échinent à élever des familles nombreuses au Canada et, malgré cela, n'arrivent pas à maintenir la forte proportion de francophones dans leur pays. Cette émigration est aussi due aux techniques archaïques d'une agriculture qui a épuisé les terres et les personnes. Montréal devient une métropole économique de premier plan au centre de l'axe navigable des Grands Lacs vers l'Atlantique qui permet d'exporter le bois et le blé. Cet axe sera bientôt doublé d'un réseau ferroviaire de Détroit à Rivière-du-Loup.

L'occupant parlait anglais, occupait les postes de l'administration et du commerce ; on lui laissait le soin de tout diriger et d'innover en matière d'économie ; la tradition permettait alors de se différencier des Anglais, de se définir par rapport aux autres.

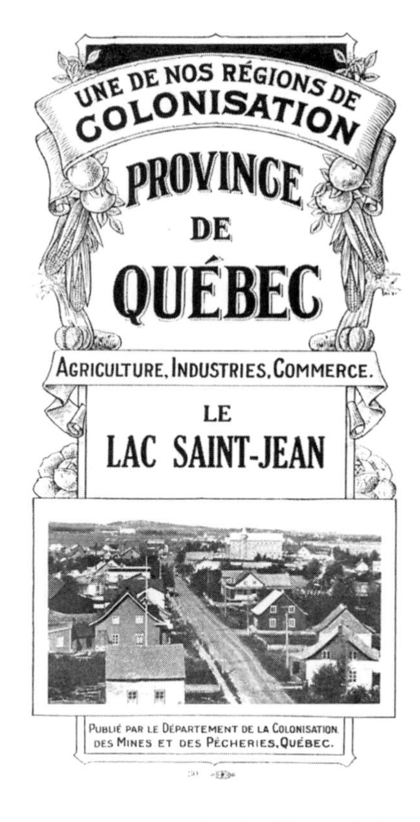

Le gouvernement publie dès 1877 un *Guide du colon* ou « manuel du défricheur ». La dernière édition sera publiée en 1944 et porte précisément sur l'Abitibi-Témiscamingue. (Bibliothèque nationale du Québec.)

Les Anglais

Les administrateurs. La colonie passe dans les mains expertes d'un petit nombre d'Anglais qui s'enrichissent rapidement puisqu'ils occupent les postes clés. Peu après la Conquête, les treize colonies des voisins du Sud ayant décidé leur indépendance (1776), cette administration se renforcera encore, jusqu'à devenir pléthorique selon certains historiens. L'Angleterre tenait à rester présente en Amérique du Nord : aussi le Canada requiert-il toutes les attentions de Londres. La minorité bourgeoise recrée à Québec et à Montréal les habitudes londoniennes du thé de l'après-midi ou des maisons en rangées : les plus riches déserteront plus tard le centre-ville de la capitale pour occuper d'élégantes villas au milieu de grands parcs le long du Saint-Laurent et celui de la métropole pour le mont Royal.

Pour les Anglais, les Canadiens sont des citoyens de seconde zone, majoritaires mais qui veulent rester catholiques et français. On respectera ces vœux d'autant que leur soumission aux autorités en fait de puissants alliés face aux prétentions territoriales des jeunes États-Unis.

Pour les Canadiens d'une certaine aisance, le mariage interethnique était une autre façon de faire partie de l'élite qui envoyait ses enfants étudier et se cultiver en Angleterre avant que ne soit fondée l'Université McGill.

Les Loyalistes. La Déclaration d'indépendance n'avait pas fait que des heureux aux États-Unis. Certains, loyaux à la couronne britannique, préfèrent quitter des terres fertiles et ne pas participer, fût-ce de façon passive, à la révolution. L'administration anglaise donnera à ces Loyalistes de très grandes terres au Canada et des indemnités substantielles : ce sera le noyau initial d'une colonie agricole anglaise. Au Québec, ils seront peu nombreux et s'installeront surtout dans les Cantons-de-l'Est (Sherbrooke, Granby). D'autres s'établiront sur la côte sud de la Gaspésie, le long de la baie des Chaleurs.

Les Irlandais. À ces deux groupes anglo-saxons s'ajoutent les Irlandais qui faisaient face dans leur île à de graves problèmes de survie politique et de survie tout court. On chiffre à deux millions le nombre de personnes qui quittent l'Irlande pendant la première moitié du XIXe siècle pour l'Amérique du Nord. De ce nombre, le tiers périt pendant le voyage où les maladies contagieuses, comme le choléra et le typhus, se propagent rapidement dans la promiscuité infernale des cales de navires réservés, en principe et dans le sens inverse, au transport du bois. Québec, un des ports d'entrée sur le continent américain, en vit passer des nombres impressionnants[7]. Il fut un temps où un Britannique sur deux au pays était un Irlandais. Après deux épidémies, transmises d'ailleurs aux résidents de Québec, on décida de transformer une des îles du Saint-Laurent, l'île de Grâce — devenue Grosse-Île par transfert de prononciation — en station de quarantaine. On y enterrera 10 000 Irlandais.

Les Canadiens accueillirent les survivants dans leurs familles et leurs communautés agricoles. Une certaine proportion de ceux qui avaient choisi de s'arrêter au Québec, surtout dans les régions rurales, s'assimila à la majorité francophone dont ils comprenaient bien les problèmes qui ressemblaient aux leurs ; il y eut là aussi des mariages interethniques qui contribuèrent à en fixer un certain nombre au Québec. Beaucoup d'autres ne firent que passer.

Les deux immigrations renforcèrent la minorité anglaise mais n'agirent pas de la même façon. Les Loyalistes renforcèrent le caractère britannique des institutions et l'esprit de soumission aux autorités que l'Église mettait de l'avant. L'immigration irlandaise, au contraire, ne sera pas étrangère aux sentiments de nationalisme des Patriotes qui provoquèrent les troubles de 1837-1838. De grosses communautés se forment à Montréal et à Québec. Au milieu du XIXe siècle, les Irlandais forment d'ailleurs une bonne partie de la population du Bas-Canada. Certains ne font que transiter, en route pour quelque part en Amérique du Nord. Dans le reste du Canada, où elle s'est dans l'ensemble assez bien assimilée, l'immigration irlandaise, catholique mais farouchement de langue anglaise, pèsera de tout son poids au sein de l'Église catholique pour contraindre les francophones à abandonner leur langue. Cette lutte sournoise atteindra un seuil critique au début du XXe siècle.

La toponymie

La toponymie du Québec est révélatrice du moment où ont été fondés villes et villages. Aux XVIIe et XVIIIe siècles, on utilise les noms de lieux déjà donnés par les Amérindiens (Tadoussac, Québec, Rimouski, Chicoutimi) ; on baptise aussi rivières et agglomérations suivant un accident géographique (Pointe-au-Pic, Trois-Rivières, Cap-Tourmente), un fait de civilisation (Trois-Pistoles, Rivière-au-Renard, Chute-aux-Outardes). Au XIXe siècle, au moment où l'on fondait à un rythme accéléré de nouvelles paroisses[8], c'est le nom du saint patron de l'Église qui prévaut sur toute autre considération. Tous les saints du calendrier défilent ainsi sur les routes de l'arrière-pays, faisant surgir parfois de gigantesques églises en pleine campagne, comme à Sainte-Hénédine. On dénombre des quantités de Saint-Joseph, de Sainte-Marie, de Saint-Germain, de Sainte-Anne, et pour les différencier, les Canadiens, qui ont toujours su imager leur langage, ont parfois ajouté des précisions très concrètes : Saint-André-de-l'Épouvante, Sainte-Rose-du-Dégelis, Sainte-Émilie-de-l'Énergie, Saint-Louis-du-Ha !-Ha !.

Pendant ce temps, les Loyalistes, dans les Cantons-de-l'Est et sur la baie des Chaleurs, donnent des toponymes britanniques : Windsor et Sherbrooke en Estrie, New Carlisle et Chandler en Gaspésie.

À la fin du siècle, l'avènement du chemin de fer déplace certaines agglomérations ; il faut alors préciser : Portneuf devient ainsi Portneuf-Ville et, à 3 km à l'intérieur des terres, sur la voie ferrée, se développe Portneuf-Station. Si un village donne naissance à une autre agglomération, on distinguera l'ancien du nouveau village : à L'Ancienne-Lorette s'ajoute Jeune-Lorette, dont les élus municipaux feront Loretteville. À partir du milieu du XIXe siècle, on voit apparaître l'appellation de « village » qui se distingue de la zone rurale qui l'entoure connue sous le nom de « municipalité de paroisse », même si le village et la paroisse appartiennent tous deux à la même communauté paroissiale : entre habiter les rangs et demeurer au village, il y avait maintes différences d'ordre socioculturel.

L'onomastique

Ce peuple issu d'un petit nombre de personnes a la particularité d'offrir un choix de patronymes restreint[9]. Un coup d'œil à l'annuaire téléphonique de Montréal suffit pour constater que les Côté, les Gagnon, les Roy ont fait souche et se sont ramifiés à souhait. Douze générations de Prudhomme à Montréal ont suivi l'ancêtre arrivé avec les premiers colons à Ville-Marie. Certains noms sont souvent assimilés à la région qu'ils ont d'abord peuplée : c'est ainsi qu'on trouve des rangs entiers de Tremblay dans le comté de Charlevoix, puis au Lac-Saint-Jean ou des myriades de Vachon dans la Beauce. L'ancêtre des Tremblay, Pierre, a débarqué en 1647, à l'âge de 21 ans. Aujourd'hui, ses descendants du même nom sont plus de 85 000 en Amérique du Nord (dans Charlevoix, les Tremblay représentent 13 % de la population; ils sont 25 000 au Saguenay) !

Pour éviter les désagréments de porter tous le même nom, certains descendants d'une famille ont décidé de préciser : Girard dit Langevin, Vachon dit Pomerleau, ou Jacques Varin dit Latour, qui deviendront à la génération suivante simplement Pomerleau et Latour. On trouve aussi, en guise de patronymes, beaucoup de sobriquets ou de surnoms habituels chez les soldats : Laframboise, Latendresse, Latulippe, Jolicœur.

Le métissage avec les autochtones, plus fréquent dans certaines régions, donne d'heureux résultats, évidents sur les traits de plus d'une personne.

Chez les Amérindiens, on note la grande quantité de prénoms utilisés comme noms de famille. Peut-être les hommes d'Église pensaient-ils qu'une fois baptisés d'un nom chrétien, les gens oublieraient tout de leur propre culture s'ils ne s'identifiaient plus à un nom à consonance amérindienne : à la fin du XIXe siècle, le chef du village huron de Jeune-Lorette s'appelait Zacharie Vincent. Un siècle plus tard, Max Gros-Louis a été, à son tour, le grand chef des Hurons-Wendats de Wendake pendant 30 ans. Ce phénomène est tout à fait semblable à ce que l'on peut observer dans les Antilles françaises : c'est bel et bien un fait de colonisation chrétienne. En Martinique abondent les noms de famille qui sont des prénoms d'hommes alors qu'en Haïti, ce sont les prénoms de femmes qui servent de noms de famille.

L'économie

La tentation est grande pour l'Église de valoriser à outrance le travail agricole, même désespérément dur et ingrat, par rapport au travail en usine qui se répand avec l'essor industriel des États-Unis. Pour qu'un rejeton d'une de ces familles nombreuses qui « en arrachaient » au XIXe siècle sur leur sol caillouteux ne cédât pas au mirage américain[10], il fallait imprimer profondément en lui la conviction que le travail de la terre était le seul qui prépare l'honnête homme à la vie surnaturelle. D'ailleurs, les terres neuves de la vallée du Saint-Laurent avaient au début de leur mise en valeur un excellent rendement et produisaient des quantités de céréales qui seraient vendues puis exportées. Les Anglais eux-mêmes encourageaient cette vision des choses, ne voyant pas d'un trop bon œil leur seule colonie restant en Amérique du Nord se lancer dans des industries de transformation qui les empêcheraient alors d'écouler les surplus fabriqués à Manchester, à Londres ou à Liverpool.

On préféra donc exploiter les ressources naturelles de cette immense région : consolider ce qui restait de l'exploitation des fourrures dont le Grand Nord constitue une réserve quasi inépuisable, mettre en place un système d'exploitation de la forêt qui s'étend encore sur des mil-

The Canadian Lumber Trade : Timber Coves at Québec, gravure de G. H. Andrews, tirée de *The Illustrated London News*, 28 février 1863. (Archives de la Ville de Québec. Collection des documents iconographiques, 12727.)

liers d'acres. On ouvre des routes, on déplace, l'hiver, une main-d'œuvre à bon marché qui n'a plus de travail à la ferme et qui fauche des forêts entières. Ces bûcherons vivent dans des camps[11], où les conditions de travail et de logement sont difficiles. L'hiver fini, le chantier ferme, et les bûcherons, s'ils ne rentrent pas dans leur ferme, se transforment en draveurs[12] ou en cageux[13]. On oublie les anciennes méfiances à l'égard des États-Unis qui permettent au Canada d'exporter ses ressources.

L'Acte de l'Amérique du Nord britannique (1867) ne change pas grand-chose à la société québécoise de l'époque. C'est donc dans un esprit de continuité assez remarquable que les Canadiens fabriquent des « trâlées[14] » d'enfants, dont beaucoup partent en ville, émigrent vers l'Ouest ou vers le mirage américain des usines de la Nouvelle-Angleterre. L'Église contrôle les moyens de socialisation et assure la prédominance de l'idéologie agriculturiste. C'est entre 1840 et 1875 que se précise l'idéologie ultramontaine qui aura des répercussions au Québec jusque vers 1950.

Vers une société moderne

Parallèlement, un courant d'idées libérales prend peu à peu de la force dans l'appareil de l'État. L'industrialisation avait commencé vers 1840 sur les bords du

Honoré Mercier, premier ministre du Québec de 1887 à 1891. (William Notman et fils, Archives nationales du Québec à Québec, P 1000, S4, PN79-2.)

canal de Lachine, s'était accrue avec la construction ferroviaire, puis diversifiée vers 1880 dans le textile et la chaussure. Au début du siècle suivant, l'hydroélectricité, les pâtes et papiers et l'aluminium lui donnent un nouvel essor. Les communications rapides, l'avènement des moyens audiovisuels dessinent un nouvel ordre économique mondial auquel aucun pays occidental n'est indifférent.

Au rêve clérical d'une société rurale s'oppose donc de plus en plus la réalité d'une société industrielle et urbaine. En 1850, l'introduction du régime municipal crée de nouveaux pôles d'attraction, parallèlement aux sociétés de colonisation qui veulent « s'emparer du sol ». Le développement industriel est défendu sur le plan politique par des libéraux qui ont d'ailleurs dominé la scène provinciale de 1887 à 1936. Honoré Mercier fut premier ministre libéral du Québec de 1887 à 1891. Nationaliste, il défend l'autonomie des provinces contre le fédéral avec une détermination qui l'amènera à convoquer en 1887 la première conférence interprovinciale.

C'est à cette même tradition libérale que se rattache la majorité des premiers ministres fédéraux sortis du Québec : Wilfrid Laurier au tournant du siècle, Louis Saint-Laurent après la Seconde Guerre mondiale, Pierre Elliott Trudeau et Jean Chrétien. Ces hommes politiques agiront en tant que citoyens du Canada et ne feront pas passer les revendications particulières du Québec. Ce seront en fait des premiers ministres actifs et d'ailleurs contestés, surtout Laurier, Trudeau et Chrétien, qui dirigeront les destinées du Canada avec énergie. Le Québec joue un rôle de premier plan dans la Confédération, ne serait-ce que par le nombre d'électeurs que courtisent les chefs des partis fédéraux.

Une société qui s'urbanise

En 1921, les citadins sont devenus majoritaires au Québec. La crise économique de 1929-1930 semble d'abord donner rai-

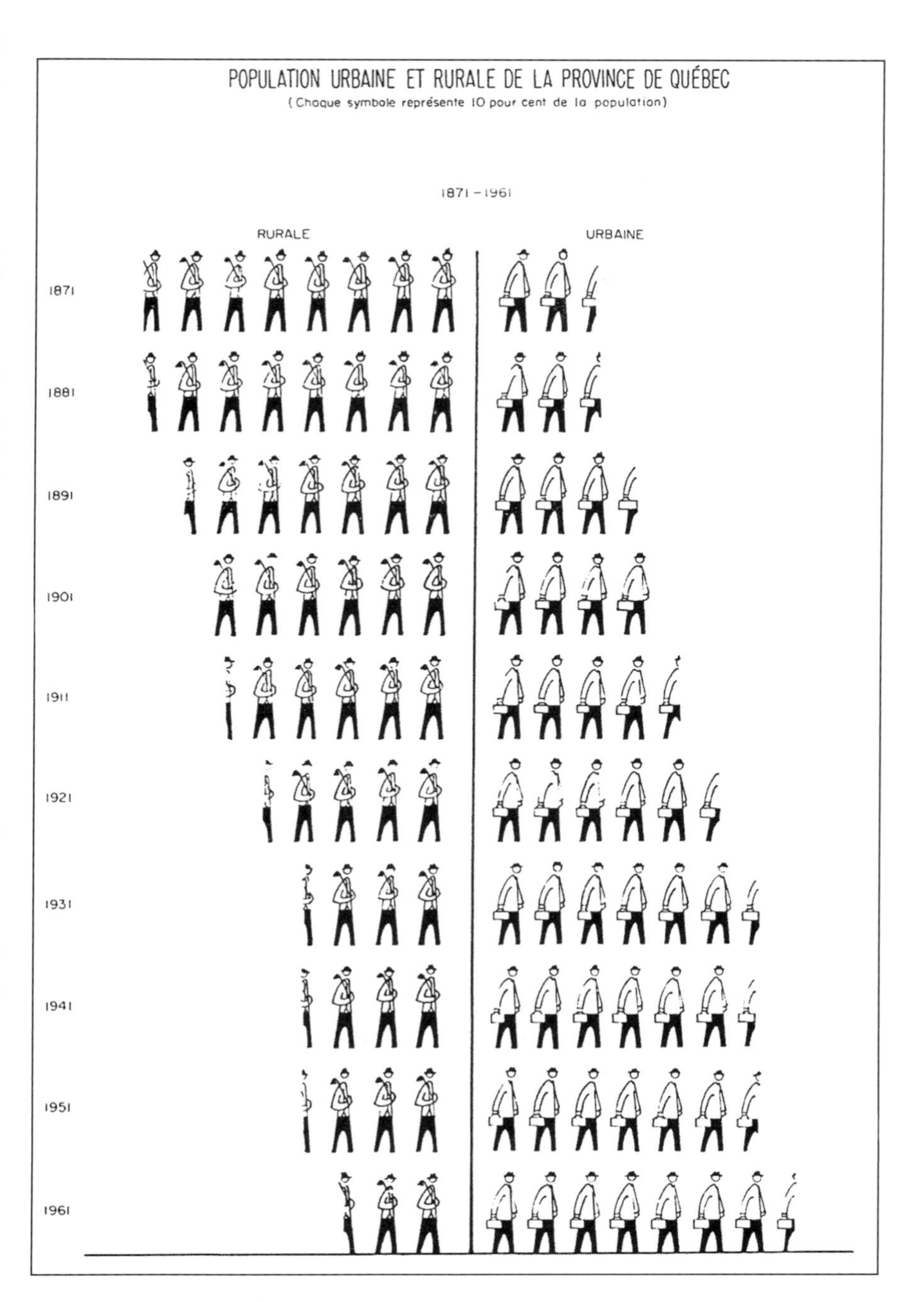

(Annuaire du Québec 1964-1965.)

son à ceux qui rêvent encore d'une société rurale, mais la guerre accélère le processus d'urbanisation et fait brusquement prendre conscience aux Québécois qu'ils ne sont plus des ruraux : six Québécois sur sept habitent maintenant la ville. La crise des années 1930 avait frappé très durement l'ensemble du Canada et freiné un temps les transformations; celles-ci reprennent à un rythme rapide à partir de la Seconde Guerre mondiale. L'économie de guerre ayant fouetté les ardeurs, la société connaît pendant une bonne décennie un sursaut du nombre de naissances : le baby-boom. La prospérité permet une amélioration appréciable du niveau de vie. Les aspirations au modernisme se font plus pressantes dans les décennies d'après-guerre. Les campagnes se sont vidées. Le retard dans le secteur de l'éducation devient plus évident, aussi celle-ci devient-elle une préoccupation d'importance. Le baby-boom crée une pression supplémentaire. Progressivement se modifieront ainsi les valeurs qui encadraient la société québécoise traditionnelle. Les coutumes qui rythmaient la vie sociale et religieuse vont disparaître : la criée des âmes, la vente des bancs d'église, la bénédiction du jour de l'An, qui s'étaient imposées au XIXe siècle pour donner un esprit de corps aux paroissiens répartis le long des rangs et occupés à leurs travaux saisonniers, n'ont plus de raison d'être dans la ville où la primauté de l'individu sur la société ne fait plus de doute. Ce qui ne veut pas dire qu'on laisse de côté les occasions de se retrouver en groupe. Au contraire, les parties de sucre au printemps, les épluchettes de blé d'Inde à la fin de l'été sont restées des occasions de détente et de retrouvailles pour le citadin qui se souvient de son passé rural. Le plaisir de bien manger est d'ailleurs devenu l'une des constantes de la société québécoise dont le goût, qui se raffine, force constamment les restaurateurs à faire preuve d'imagination.

Année	Population rurale	Population urbaine
1851	80 %	20 %
1901	62 %	38 %
1921	48 %	51 %
1981	20 %	80 %

Sources : Recensements du Canada et Bureau de la statistique du Québec.

La Révolution tranquille et ses conséquences

On appelle Révolution tranquille cette période de rupture, aux alentours des années 1960, pendant laquelle des changements radicaux et rapides affectent la société québécoise. D'apparence plus statique auparavant, celle-ci est tout à coup emportée dans une dynamique de pensées et d'actions qui, par un effet d'entraînement, remettent en question tout ce qui semblait jusque-là « coulé dans le béton ». Les cadres institutionnels (Église, famille) éclatent, les certitudes vacillent, le manque d'initiative fait place à une créativité bouillonnante, la soumission et la discipline à une imagination parfois débridée.

L'État devient tout-puissant, se chargeant des responsabilités si longtemps dévolues à l'Église. Les services sociaux et l'éducation deviennent des priorités politiques, engouffrant des budgets gigantesques (on triple le nombre d'élèves au secondaire en cinq ans, on double le nombre d'inscriptions à l'université). L'appareil de l'État s'alourdit devant la multiplicité des tâches à accomplir (de près de 61 000 en 1961, les fonctionnaires se comptent à presque 94 000 en 1970). L'État, comme tous les patrons des sociétés occidentales, doit compter avec la détermination des syndicats (dont les trois « centrales », CSN, FTQ, CEQ : Confédération des syndicats nationaux, Fédération des travailleurs du Québec, Centrale des enseignants du Québec), qui défendent âprement les intérêts des employés contre les employeurs, qu'il s'agisse des secteurs privé, public ou parapublic. La société, comme l'individu, n'a plus les mêmes valeurs. Les technologies nouvelles forcent à repenser l'économie en fonction d'un monde en mutation constante et rapide.

Le « rattrapage » est le mot d'ordre de la Révolution tranquille. Celle-ci s'inscrit dans un processus d'évolution à long terme ; l'expression de la mutation de cette société qui était le fait d'un petit nombre d'individus devient l'affaire de tous ou presque. Tous les milieux n'étaient pas également préparés à ces changements dont l'idée même n'était sans doute pas enracinée dans la conscience collective. L'arrivée de la télévision[15] dans presque tous les foyers vers 1955 informe largement ceux qui jusque-là n'en avaient pas eu les moyens. Le choc causé par la rapidité des changements sera ressenti parfois brutalement par certaines couches de la société, autrefois plus isolées donc plus protégées (ruraux, personnes âgées).

L'individu disposant d'un pouvoir d'achat accru peut maintenant veiller à son confort personnel (loisir, sports, voyages) ; comme il élimine les contraintes (pratique religieuse, familles nombreuses), il multiplie les expériences de tous ordres : affectif, sexuel, culturel. La Révolution tranquille est accompagnée d'un essor économique qui ouvre le Québec sur le monde et en particulier sur le monde francophone (accords bilatéraux de coopération avec la France, la Belgique et plusieurs pays d'Afrique).

La réorganisation administrative touche tous les aspects de la culture. La collectivité se prend en mains : les grands débats de fond ont des retentissements dans tous les milieux. Les problèmes de langue, de communication sont à l'ordre du jour de tous les discours politiques. La société québécoise sent renaître en elle l'élan autonomiste dont l'idée avait été lancée par des individus au XIXe siècle.

La conurbation de Montréal (3,7 millions), jusqu'à récemment métropole non seulement du Québec, mais du Canada, s'affirme de plus en plus pluriethnique, surtout dans le centre-ville, en s'enrichissant de l'apport d'immigrants de divers pays (Italiens, Grecs, Haïtiens et Latino-Américains s'ajoutent à une communauté d'origine juive déjà importante). Montréal devient en quelque sorte le « creuset d'une nouvelle société », une sorte de « laboratoire social », comme le souligne l'historien Paul-André Linteau.

La société québécoise aujourd'hui : autant de façons d'être Québécois

Le contexte de mondialisation, qui redistribue les cartes (et va jusqu'à les redessiner), a marqué aussi la société québécoise. La partie majoritairement francophone reconnaît, plus facilement qu'autrefois, quand elle était emportée par la spirale de sa natalité, les autres groupes qui la fondent et s'affirment en son sein. Certains de ces groupes sont anciens, d'autres plus récents ; tous ont d'une façon ou d'une autre contribué à façonner la société actuelle, à lui donner des valeurs, voire un idéal commun.

Les Premières Nations

Des millénaires avant les Québécois de souche française ou britannique, des autochtones, Amérindiens et Inuits, étaient disséminés sur le territoire. L'arrivée des Européens va bouleverser des modes de vie traditionnels ; s'ensuivront des emprunts culturels, des alliances et des échanges, des résistances et des revendications qui éclairent les rapports actuels entre les uns et les autres. Les jésuites ont sauvé les Hurons-Wendats d'une destruction massive en leur offrant l'asile de l'île d'Orléans. Maintenant installés à Wendake, en banlieue de Québec, ils participent de plein droit à la vie commerciale, culturelle et politique du Québec. En 1997, la population totale des 11 nations amérindiennes et de la nation inuite était aux environs de 73 000 personnes d'après les registres, soit 1 % environ de la population totale du Québec. À quoi il faudrait ajouter les « Indiens non inscrits », dans le jargon administratif (de toute façon, les Indiens et les Blancs ne s'appuient pas sur les mêmes critères pour définir l'indianité ; pour les premiers, il y a 11 façons d'être Indien). Les nations amérindiennes, Abéna-

Les autochtones au Québec — 2007

Inuits conventionnés	10 464
Amérindiens inscrits	
Abénaquis	2 091
Algonquins	9 645
Attikameks	6 321
Cris	16 151
Hurons-Wendats	3 006
Malécites	786
Micmacs	5 104
Mohawks	16 127
Montagnais-Innus	16 199
Naskapis	673
Autres Amérindiens inscrits non affiliés à une nation	84
Sous-total des Amérindiens inscrits	76 787
Total des autochtones	87 251

À noter : depuis 1986, la femme qui avait perdu son statut d'Amérindienne en se mariant à un Blanc l'a retrouvé, et si ce dernier s'installe dans une réserve, il est aussitôt considéré comme Indien. Au recensement de 1996, un grand nombre de personnes ont revendiqué une ascendance amérindienne, ce qui explique que le nombre d'Amérindiens ait augmenté entre deux recensements.

Source : Registre des Indiens, ministère des Affaires indiennes et du Nord canadien ; ministère de la Santé et des Services sociaux du Québec.

quis, Algonquins, Attikameks, Hurons-Wendats, Cris, Inuits, Malécites, Micmacs, Mohawks, Montagnais et Naskapis, défendent leur culture face à la mondialisation qui gagne la planète. Le Canada a choisi d'instituer des « réserves » ou des terres conventionnées où les Indiens jouissent de privilèges (pas de taxes de vente, pas d'impôts), qu'ils perdent s'ils sortent de ce territoire précis. Les 15 villages inuits abritent de petites communautés le long des rives des baies d'Ungava et d'Hudson. On trouve une majorité de communautés amérindiennes dans le Nord-du-Québec, sur la Côte-Nord et en Abitibi-Témiscamingue, mais 80 % des Abénaquis, 60 % des Hurons-Wendats et tous les Malécites vivent hors réserve.

Le mode de vie des autochtones a considérablement changé depuis le milieu du XXe siècle : même si les activités traditionnelles de chasse, de pêche et de piégeage les occupent encore aujourd'hui, ils se sont sédentarisés et bénéficient de services sociaux (santé, éducation) souvent gérés localement. Les Cris, les Inuits et les Naskapis ont signé des conventions (1975, 1978) avec le Québec. Les autres sont régis par la Loi sur les Indiens canadienne. Pendant longtemps, le rôle du Québec a été minimal, l'administration fédérale étant responsable des Amérindiens sur tout le territoire canadien. Cette administration fédérale explique le fait que les autochtones, outre leur langue maternelle, parlent plus volontiers anglais que français, surtout dans l'Ouest et le Nord-Ouest.

Après des siècles de passivité et de dépendance, les autochtones, dont le système culturel a été immensément bousculé, revendiquent maintenant plus d'autonomie gouvernementale (police, justice, ressources). Depuis un quart de siècle, certaines nations gèrent déjà leurs propres écoles, leur système de santé, administrent des compagnies aériennes (Mativik), des pourvoiries (centres de loisirs, chasse et pêche pour touristes et citadins en mal de nature vierge) et mettent en valeur leur propre culture dont est friand le touriste français (400 000 par an). Les conseils de bande exercent un rôle politique, administratif et économique que le Plan Nord (Charest, 2009) vise à étendre au Nunavik après la Paix des Braves (Landry, Québec/Cris, 2002).

Avant 1867, aussi bien la couronne anglaise que la couronne française avaient signé des traités avec les Amérindiens. L'article 35 de la Constitution de 1982 prévoit que« les droits existants, ancestraux ou issus des traités, des peuples autochtones du Canada sont reconnus et confirmés ». On peut d'ores et déjà subodorer qu'il y aura quelques échauffourées judiciaires étant donné les paramètres socioéconomiques modernes. Les aménagements hydroélectriques, miniers ou autres ont causé des frictions de plus en plus vives entre les gouvernements, les municipalités et les autochtones qui voient leurs territoires de chasse et de pêche, voire leurs cimetières, grugés par une culture qui n'est pas la leur. Les questions environnementales touchent à un aspect sacré de leur culture : aussi sont-ils les premiers à s'opposer à la surexploitation forestière ou à exiger de participer à la mise en valeur des ressources naturelles. La fin du XXe siècle a été assombrie par des conflits (les Mohawks de Kahnawake et de Kanesatake, tout près de Montréal, en été 1990 ; les Micmacs à Listuguj, du côté de la baie des Chaleurs, en 1998) ; ces confrontations, pas toujours exemptes de violence, ne sont pas le seul fait du Québec : l'aménagement de la Basse-Churchill au Labrador (Terre-Neuve) a mobilisé en 1998 les Innus du Québec (ainsi se nomment les Montagnais) et du Labrador ; en 1999, c'est au tour des Micmacs des Provinces maritimes de vouloir faire reconnaître des droits sans limites pour la pêche au homard, très réglementée pour les Blancs. Ces dernières années, les Amérindiens ont réussi à faire entendre leur point de vue à une société blanche qui n'est pas sans éprouver un certain malaise pour avoir laissé si longtemps la situation se détériorer. Aujourd'hui, les études sur les Amérindiens se multiplient et on assiste par ailleurs à un sursaut de fierté de la part des Québécois quant à la reconnaissance de leur amérindianité : au recensement partiel de 1996, le nombre de personnes reconnaissant une ascendance amérindienne avait doublé par rapport au recensement précédent (1991). De toute façon, l'histoire du Québec s'écrira au XXIe siècle avec ceux que l'on appelle maintenant les Premières Nations.

Les Anglo-Québécois

D'après le seul critère de la langue d'usage (prise dans un sens large), les Anglo-Québécois approcheraient les 20 % de la population québécoise. Sur le continent nord-américain, le pouvoir d'attraction de la langue majoritaire, qui est devenue une langue universelle (diplomatie, affaires, commerce, communications) est énorme.

En fait, l'origine de ces anglophones est très diverse. En 2006, 7,7 % sont de langue maternelle anglaise ; près de 12 %, d'une tout autre langue, ont adopté l'anglais comme langue d'usage.

Certains de ces Anglo-Québécois (ceux que l'on dit de souche) sont au Québec depuis plus de deux siècles ; après la Conquête, leurs ancêtres sont venus comme administrateurs et commerçants, certains ont acheté les seigneuries des Français et ont géré leurs terres comme le faisaient leurs prédécesseurs. Un petit nombre de Loyalistes, plus portés sur l'agriculture, se sont joints aux premiers. C'est pour eux qu'a été utilisé au début le système cantonal de division des terres, d'où le nom de la région des Cantons-de-l'Est, devenue Estrie plus tard. Les Cantons-de-l'Est, traduction d'Eastern Townships, étaient ainsi nommés par opposition aux Western Townships de l'Ontario, qui ont, eux, accueilli la grande majorité des transfuges des États-Unis.

Les anglophones verront leurs rangs grossir des quelques milliers d'Irlandais qui choisiront au XIXe siècle de rester au Québec. La capitale eut longtemps une minorité irlandaise regroupée autour de l'inévitable église Saint Patrick. Le jour de la fête de ce saint, en mars, Montréal s'offre un défilé aux couleurs de la verte Irlande et nombre de Québécois reverdissent spontanément un quelconque détail de vêtement. Brian Mulroney, premier ministre du Canada de 1984 à 1993, était très fier de ses origines irlandaises.

Enfin comptent parmi les anglophones la très grande majorité des immigrants d'avant la loi 101 qui, spontanément, se sont intégrés à la minorité de langue anglaise parce qu'elle représente en fait la majorité du continent.

Les anglophones ont longtemps bénéficié de services plus élaborés que ceux destinés aux francophones. On se souvient de la résistance de ces derniers à se laisser scolariser dans la langue du conquérant. Du coup, les anglophones prirent rapidement les rênes du pays; le pouvoir était entre leurs mains : politique, grand commerce, industrie naissante. Des institutions solides encadraient la vie de la communauté : éducation primaire et secondaire régie par des *Protestant schoolboards*, éducation postsecondaire dans des collèges, des universités bien dotées suivant la formule nord-américaine comme McGill, la plus ancienne (en 1965, on dénombrait quatre établissements d'enseignement supérieur anglophones au Québec, dont trois à Montréal). Dans la première moitié du XXe siècle, le visage de Montréal, mais aussi de Québec, était anglais : raisons sociales des industries, même francophones, nombreuses enseignes, topologie. La fin du XXe siècle verra les anglophones réagir de façon différente à la nouvelle menace que constitue pour eux cette majorité francophone qui veut, puis impose, par législation dans certains cas, des traductions systématiques, des raisons sociales, des enseignes et une topologie en français. Certains n'accepteront pas la loi 101 qui fait du français la langue officielle, celle aussi du travail et de l'éducation, et quitteront le Québec. La communauté anglophone de Montréal est en constante augmentation; l'immigration s'y concentre, passe à l'anglais et menace le français dans la métropole.

La majorité des Anglos, comme on dit gentiment, parlent français, sont parfois plus éduqués que le Québécois moyen, mais tiennent à conserver des droits, notamment linguistiques, acquis par leurs ancêtres, droits qui les ont accompagnés confortablement pendant deux siècles. Une majorité d'entre eux se disent bilingues (64,9 % en 1996 contre 39,1 % en 1971); 50 % envoient leurs enfants en école d'immersion française et tous lisent *The Gazette*, qui considère en 1999 qu'il y a deux fois plus de couples anglo-franco qu'il y a 30 ans. Toujours selon le quotidien montréalais anglophone, les vrais de vrais *WASP* (*White Anglo-Saxon Protestants*) ne représenteraient plus en l'an 2000 que 1,5 % du total de la population québécoise. Aussi les Anglo-Québécois sont-ils très proches de la culture québécoise qu'ils contribuent à construire.

Une métropole multiethnique

Malgré sa cohésion, le peuple québécois n'a jamais été un peuple seulement composé de descendants des premiers Français installés en Amérique. D'aussi loin que l'on remonte dans l'histoire, le Québec possède une tradition d'accueil qui ne se dément pas. Dès le XIXe siècle, on compte des immigrants européens de toutes provenances, qui, avec le temps, se fondent peu à peu dans la population. Il y a des Noirs au Québec depuis longtemps, restes épars d'un esclavage rare sous ces latitudes ; en 1946, on en dénombrait 10 000 peut-être 20 000. Depuis, le nombre a considérablement augmenté en raison de l'immigration massive des Haïtiens. À cette époque, Jackie Robinson devint le premier joueur de race noire de l'histoire du baseball professionnel ; il avait été envoyé dans une équipe montréalaise précisément parce que Montréal affichait une tolérance qui ne régnait pas ailleurs en Amérique du Nord, se rappelle Oliver Jones, Montréalais et pianiste de jazz réputé.

Des Juifs sont arrivés peu à peu ; de 459 qu'ils étaient en 1871, on les évalue à plus de 116 000 un siècle plus tard ; cependant, depuis 1971, s'est amorcé un lent déclin démographique dans cette communauté surtout montréalaise qui compte environ 20 % de Juifs francophones. Ils ont occupé le terrain d'un type de commerce de détail (vêtements, « utilités »). Les descendants de certains d'entre eux sont devenus de grands industriels (Bronfman), de grands commerçants (Steinberg) ou des écrivains réputés (Mordecai Richler). Une tradition d'éducation rigoureuse a formé des intellectuels de haut vol : on doit à l'esprit et à la générosité de Phyllis Lambert (née Bronfman) le Centre canadien d'architecture, seul musée au monde entièrement consacré à cet art universel. Pierre Anctil, historien spécialiste de la judéité au Québec, affirme que les Juifs forment la communauté « la plus stratégique » à étudier sur le plan de l'histoire ; « jusqu'en 1948, c'est la communauté immigrante dominante sur le plan numérique. Le yiddish y est même la troisième langue parlée après le français et l'anglais ». Ils ont joué un rôle sur le plan idéologique, notamment aux débuts du syndicalisme. La communauté juive a cependant vécu longtemps coupée des Québécois à cause de craintes réciproques entretenues par des principes religieux stricts de part et d'autre.

Au moment où l'on a construit les chemins de fer transcontinentaux, le fédéral avait fait appel à des Chinois. D'aucuns quittent la Colombie-Britannique vers 1880 pour s'installer dans la métropole québécoise. Après 1950, 14 000 immigrés de Hong-Kong et de Taïwan sont arrivés. Il y a eu longtemps un quartier chinois à Montréal, très clos sur une identité cantonaise assez monolithique. La deuxième moitié du XXe siècle poussera la communauté à sortir de son isolement et à mieux participer à la société d'accueil.

D'autres groupes d'immigrants européens sont venus au Québec y chercher un peu de ce rêve américain qui fait encore parfois tourner les têtes. Depuis la dernière guerre surtout, bon nombre de personnes sont arrivées, soit attirées par les ouvertures économiques, soit poussées par des raisons politiques. C'est ainsi que le Québec a reçu plusieurs vagues de Français d'Afrique du Nord, de Chiliens, de Vietnamiens (40 000 à Montréal) ou de Cambodgiens, en même temps qu'il accueillait régulièrement des Italiens (avant 1914, un quartier de Montréal s'appelait déjà la « petite Italie », ils sont environ 75 000 maintenant), des Grecs (24 000) et des Haïtiens (45 000). Étant donné le taux de fertilité très bas des Québécois francophones et anglophones, le Québec a besoin d'une immigration de qualité qu'il

Réfugiés désireux de venir s'installer au Québec. (Ministère des Communautés culturelles et de l'Immigration, Gouvernement du Québec. Photo : *La Presse*.)

peut susciter, choisir en partie et encourager depuis l'entente Cullen-Couture (fédéral/provincial, premier gouvernement Lévesque). Depuis 1977, la pluralité culturelle est un objet d'intervention de l'État québécois, qui fait apparaître clairement par la loi 101 deux nouveaux paramètres propres aux Québécois de toutes origines : une langue commune, le français, et un territoire défini.

Les immigrants ont tendance à se regrouper dans un premier temps avec leurs anciens compatriotes, les Italiens (la « colonie » la plus nombreuse) dans le nord de Montréal, les Grecs le long de l'avenue du Parc, les Chinois autrefois plus près du fleuve. À de rares exceptions près, le plus grand nombre reste dans la métropole qui, du coup, a vraiment changé dans la deuxième moitié du XXe siècle. Le charme des multitudes de boutiques et de restaurants « ethniques » font de la rue Saint-Laurent (la *Main*, comme on dit) un petit monde en raccourci. Montréal est évidemment la ville la plus cosmopolite[16] du Québec où cohabitent plus de 120 communautés culturelles, ce qui stimule considérablement le commerce et diversifie l'expression culturelle qui se fait en français mais aussi en plusieurs langues dont l'anglais, bien sûr, qui attire inévitablement nombre de néo-Québécois.

Le Québec s'enorgueillit aujourd'hui de plusieurs réussites artistiques dues à des Québécois d'origine étrangère[17] (à titre d'exemple, dans le domaine privilégié de l'écriture en français, on peut mentionner Fulvio Caccia, Ying Chen ou Sergio Kokis). Ce sont d'ailleurs les immigrants qui rajeunissent une société vieillissante que les naissances n'arrivent plus à équilibrer. De très nombreux artistes donnent une nouvelle dynamique à la vie culturelle de la métropole. Abla Farhoud et Wajdi Mouawad « revampent » le théâtre ; Irène Stamou, José Navas et Édouard Lock ont donné un coup de jeune à la danse. Le groupe Dubmatique et Lhasa de Sela mondialisent le son déjà bien à la page de la chanson québécoise. Ces apports de cultures diverses enrichissent la culture québécoise, à l'évidence culture de convergence, au moment où les moyens de communication réduisent la planète à un écran d'ordinateur.

Tout en gardant certaines habitudes, culturelles, religieuses ou alimentaires, les groupes d'immigrés qui avaient autrefois tendance à se fondre avec la minorité anglophone adoptent, du moins certains d'entre eux, la langue, les us et coutumes d'un Québec qui s'est fait majoritairement en français et qui entend rester français. L'évolution originale du Québec entraîne des comportements particuliers, telle cette habitude de se tutoyer facilement, parfois dès un premier et pour un unique contact. L'influence anglo-saxonne se double ici de la familiarité habituelle en Amérique du Nord ; s'y ajoute le fort courant égalitariste qui s'était formé au début de son histoire. C'est peut-être un facteur supplémentaire de l'insertion relativement facile de certains groupes ethniques.

La situation des femmes

La famille n'est plus le bloc monolithique où l'individu puisait la force de définir son identité et le choix de ses valeurs. Il s'était institué au XIXe siècle une force matriarcale qui n'empêchait toutefois pas les femmes d'être cantonnées dans les rôles traditionnels d'épouse porteuse d'enfants et de mère nourricière, et d'avoir un statut subalterne aux yeux du Code civil. Les Cercles de fermières, plus traditionalistes encore que les élites, vont accompagner les rurales pendant une partie du XXe siècle, alors que de rares féministes, plutôt citadines et souvent de milieu anglophone, luttent pour une éducation correcte, le droit de vote et une reconnaissance juridique que les femmes mariées n'auront qu'en 1964.

À ces femmes, le fédéral avait accordé en 1917 le droit de vote, plus rapidement que le Québec, qui sera la dernière province à le faire en 1940 (mais les Françaises n'ont eu ce droit qu'en 1945 !). Thérèse Casgrain, Idola Saint-Jean et la militante Léa Roback se sont battues pour obtenir ce droit. On avait beaucoup de mal à percevoir les femmes autrement[18] que comme épouses et mères, à la rigueur institutrices, ces dernières étant d'ailleurs extrêmement mal payées. Arrivées en ville, les filles des fermières d'autrefois deviennent en grand nombre ouvrières pendant la guerre, travailleuses en usine (textile, chaussure), puis plus tard infirmières ou secrétaires, alors que leurs frères accèdent à des postes plus prestigieux (médecins, professeurs, cadres, ingénieurs). Mais le féminisme, tard venu[19], a mis des bottes de sept lieues pour rattraper le décalage; en 1971, par exemple, les femmes obtiennent le droit de faire partie des jurés dans les causes criminelles. Écrivaines reconnues (Nicole Brossard, Marie-Claire Blais), femmes de tête et de cœur, elles ouvrent la voie à la reconnaissance d'autres groupes sociaux négligés jusque-là et qui, alors, prennent leur place au soleil : homosexuels et handicapés, par exemple. De plus en plus nombreuses, les femmes entrent sur le marché du travail, sont mécaniciennes ou ministres, dirigent revues (Claudine Bertrand) ou compagnies théâtrales (Yvette Brind'Amour); Lise Bissonnette, directrice du *Devoir* pendant la décennie 1990, puis première directrice de la Grande Bibliothèque de Bibliothèque et Archives nationales du Québec. À la fin du siècle, elles sont majoritaires dans les études universitaires et réussissent dans les affaires (Denise Verreault dirige un chantier naval de 500 personnes). Des lois claires sont progressivement votées qui viennent graduellement supprimer les principales inégalités entre les hommes et les femmes. Louise Arbour, présidente du Tribunal pénal international pendant plusieurs années et ensuite juge à la Cour suprême du Canada, en est peut-être le meilleur exemple. L'équité salariale n'est toujours pas appliquée partout; la fonction publique fédérale a réglé ce contentieux en 1999. Les femmes sont plus souvent chefs de famille monoparentale et, de ce fait même, plus souvent victimes[20] d'une situation économique instable qui les accule parfois à une pauvreté dont elles ont bien du mal à sortir.

Loisirs et sport

Au Québec, les « patros », les colonies de vacances, les Cercles de fermières sont nés et ont pris leur essor sous l'égide de l'Église dans la première moitié du XXe siècle. Puis la municipalité est devenue maître d'œuvre de l'organisation et du développement du loisir sur son territoire avec des partenaires privilégiés : l'institution scolaire et les associations sans but lucratif.

Au moment de la Révolution tranquille, les différents organismes de loisirs (en 1965) puis de sports (en 1968) décident de se confédérer pour unir leurs efforts. L'État propose une nouvelle idéologie : le loisir comme composante de la modernisation de la société québécoise et comme « partie prenante au développement d'une culture nationale ». Le ministère de l'Éducation, nouvellement organisé alors et conscient de sa tâche, accorde une importance particulière à l'éducation physique : il s'adjoint en 1968 le haut-commissariat à la Jeunesse, aux Loisirs et au Sport. En 1980, le gouvernement crée le ministère du Loisir, de la Chasse et de la Pêche. Le bénévolat reste la clé de voûte du système, ce qui n'empêche pas le Québec de préparer des techniciens en loisirs dans plusieurs collèges et des professionnels en loisirs à l'Université du Québec à Trois-Rivières.

Il lance… et compte ! (Club de hockey Le Canadien de Montréal.)

Nord-Américain, le Québécois est devenu un passionné de sport. L'hiver, il passe une grande partie de son temps libre sur les patinoires et les pistes de ski de randonnée ou de descente qui se sont multipliées. L'été, les piscines, si nombreuses dans les banlieues des grandes villes, rendent plus supportables les grosses chaleurs. De plus en plus populaire encore, le vélo intéresse maintenant un Québécois sur deux et le patin à roues alignées s'est popularisé en ville, où l'on a aussi installé quelques anneaux de vitesse.

Du côté du sport professionnel, les Québécois, traditionnellement, excellaient au hockey ; depuis peu, le public semble bouder les stades où se produisent des joueurs très bien payés. Les Nordiques de Québec ont déménagé au Colorado et Le Canadien de Montréal fête son centenaire en 2009. Des sportifs se sont fait remarquer en automobile (Jacques Villeneuve, le fils de Gilles, a été champion du monde en 1997 à sa deuxième saison en formule 1). D'autres sont montés sur les marches du podium des Jeux olympiques, Sylvie Bernier (plongeon), Sylvie Fréchette (nage synchronisée), Caroline Brunet (canoë-kayak), Gaétan Boucher (patinage de vitesse) ; Isabelle Brasseur et Lloyd Eisler (patinage artistique), Jean-Luc Brassard (ski de bosses) et Nicolas Fontaine (ski acrobatique) ou en biathlon, Myriam Bédard. Le Québec fournit encore nombre de joueurs de hockey aux équipes canadiennes et américaines. La passion des amateurs de hockey se réveille au moment des séries éliminatoires de la Coupe Stanley (depuis 1912) qui les immobilisent devant leur écran de télévision. Les jeunes garçons y jouent encore beaucoup et les filles infiltrent progressivement ce qui semblait il y a peu une forteresse du machisme. Dans un article intitulé « Les Québécois, le hockey et le Graal », l'universitaire Renald Bérubé insistait en 1973 sur l'importance du hockey dans la vie collective, reprenant la phrase que le père Gagnon avait un jour lancée à ses étudiants de l'Université de Montréal : « Le hockey du samedi soir, au Québec, c'est une séance de thérapie collective. » L'identification aux grands de ce sport — les anciens comme Maurice Richard (dit « le Rocket » pour qui des milliers de personnes ont, le 17 mars 1955, spontanément manifesté quand les autorités de la Ligue nationale de hockey avaient voulu le suspendre), Jean Béliveau, Guy Lafleur ou de plus jeunes, Michel Goulet et Mario Lemieux — semble être pour les Québécois, de l'avis de R. Bérubé, « la vengeance de la virilité triomphante sur l'impuissance presque institutionnalisée des gens en place » (*Voix et images du pays,* n° 7). Au base-ball, sport très répandu en Amérique du Nord[21], les Expos défendent les cou-

Québec : loisirs d'hiver sur les glacis de la citadelle. (Photo : Jean Barry.)

Le barrage de Manic-Cinq, en 1976. (Hydro-Québec, 76-7641.)

leurs de Montréal; le soccer s'est récemment beaucoup répandu et suscite un intérêt grandissant, mais rien ne peut se comparer à l'engouement pour le hockey, né au Canada d'un jeu amérindien.

Un nouvel ordre économique

Fer, cuivre, zinc, or et argent sont présents dans un sous-sol dont on est loin de connaître toutes les ressources naturelles. L'exploitation se poursuit considérablement jusqu'aux années 1980 qui, avec une baisse sensible du marché des minerais, connaissent un ralentissement de la prospection minière. La production d'amiante, autrefois 22 % de la production mondiale et élément important dans l'économie régionale, a diminué, alors que l'exportation de ce matériau se heurte aux interdictions de pays autrefois importateurs. On trouve également de bonnes réserves de minerais de titane, de lithium, etc.

L'hydroélectricité (45 % du potentiel du Canada) a un avenir prometteur au regard du défi écologique actuel. Après la nationalisation des compagnies productrices d'électricité et la création d'Hydro-Québec (1944), puis l'acquisition en 1963 de 10 nouvelles entreprises d'électricité privées, la construction d'immenses barrages (Manicouagan, 1968, 1977; rivière La Grande, 1980, 1983) est devenue à la fois un symbole de la réussite technologique du Québec et un atout économique important. Cependant les distances à parcourir posent des contraintes : en janvier 1998, une exceptionnelle semaine de pluie verglaçante couchait des milliers de poteaux et de pylônes, privant d'électricité, donc de chauffage et d'un confort maintenant tout électrique, trois millions de personnes à Montréal (une semaine) et dans les environs (jusqu'à cinq semaines). Le faible coût de revient de cette énergie « propre » et renouvelable permet une exportation rentable et l'installation de plusieurs industries de transformation dévoreuses d'électricité.

En ce qui concerne les forêts, surexploitées au XIXe siècle sans grande conscience écologique, elles représentent un capital dont on perçoit aujourd'hui la fragilité. On reboise donc (mais pas suffisamment et pas assez vite, selon le documentaire de Richard Desjardins, *L'Erreur boréale*, 1999) pour refaire le manteau forestier dont pouvait autrefois s'enorgueillir le territoire. Les usines de pâte à papier se contentent d'essences modestes qu'on croyait robustes; mais une chenille, la tordeuse du bourgeon de l'épinette, fait des ravages. Cela n'empêche cependant pas les industries du bois (exploitation et transformation) de participer activement à l'économie québécoise. Les forêts du Québec sont aux trois quarts constituées de résineux (épinette et sapin); les feuillus sont surtout des bouleaux et des érables. Suivie de loin par les scieries (350 environ) et les ateliers de bois ouvré, l'industrie des pâtes et papiers (plus de 60 usines) s'impose par son importance dans l'exportation.

Pour ce qui est de l'agriculture, les fermiers se sont progressivement orientés vers l'élevage (vaches laitières, porcs) au détriment des récoltes (luzerne, maïs et pommes de terre; pommes et fraises). En outre, ils tirent un revenu supplémentaire des érables qui fournissent tout au début du printemps une sève abondante, à partir de laquelle les Amérindiens avaient montré à leurs ancêtres comment tirer un sirop et un sucre délectables.

Le mouvement coopératif né au Québec au début du siècle a permis de regrouper les forces dans les secteurs de l'agriculture (Agropur) et dans le secteur bancaire[22]; le Mouvement Desjardins arrive au sixième rang des institutions financières canadiennes (premier groupe financier coopératif) avec un actif de 152 milliards de dollars. Régi par sa charte québécoise, présent dans plus de 600 villes et villages, il participe à tout ce qui touche la société du Québec. La croissance du secteur coopératif est en nette augmentation depuis 1995. Le secteur secondaire regroupe les industries manufacturières et la construction. Certaines industries de transformation (textile, chaussure, vêtement), très rentables au début du siècle, se sont essoufflées devant l'invasion de produits manufacturés en Orient ou en Extrême-Orient. Restent les fabriques de chaussures et vêtements spécialisés (construction, hiver) et depuis peu un fort courant de dessinateurs de mode (Michel Robichaud, Jean-Claude Poitras, Shan, Marie Saint-Pierre). Lise Watier a fondé son

Secteurs d'activité et nombre d'entreprises

Primaire	12 109
Secondaire	35 926
Tertiaire	146 683

Source : Bureau de la statistique du Québec, 1996.

entreprise de cosmétiques en 1965 et s'est lancée dans l'exportation dans les années 1990.

Le secteur tertiaire (commerce, services) regroupe le plus grand nombre de petites et moyennes entreprises ; Claude Blanchet, président de la Société générale de financement (SGF), affirme que ce secteur représente 75 % de l'emploi. Les PME[23] ont un poids relatif très important dans l'économie québécoise (45 % des revenus déclarés par l'ensemble des sociétés). La Caisse de dépôt et de placement du Québec, qui gère des fonds de retraite, contribue de son côté à aider les entreprises à prendre de l'essor. Le Fonds de solidarité de la FTQ (Fédération des travailleurs du Québec, 6,4 milliards d'actif) investit une partie de son capital de façon plus audacieuse et plus risquée. Investissement-Québec, créé en 1998, peut aider aussi les gens à se lancer en affaires.

Le Québec dispose à l'heure actuelle d'outils de développement économique rentables, comme la Société générale de financement (SGF) mise sur pied en 1962, pour investir dans la mise en valeur des forces économiques du pays. En agissant comme levier, la SGF attire des milliards de dollars d'investissements étrangers. En 1963, la SGF avait un actif de 21,3 millions de dollars et en 2007 des placements de 2,5 milliards. La Caisse de dépôt et placement, gestionnaire de fonds institutionnels, avait, en 1965, 50 millions de dollars d'actif sous gestion ; elle en a 143 milliards en 2008.

Pendant que les descendants des paysans consolident leur patrimoine en renforçant les PME, les héritiers spirituels des conquérants et découvreurs se lancent dans la finance et les multinationales. Quelques entreprises de grande taille mettent le Québec contemporain sur la carte du monde. Bombardier, après avoir dominé le secteur de la motoneige, fabrique les wagons du métro de New York ou de Mexico, exporte des trains et des avions un peu partout dans le monde et deviendra le chef de file mondial pour ce qui est des avions moyen-courrier et des véhicules sur rails. Quebecor (journaux et revues, imprimerie, etc.) est très présente sur le continent et des deux côtés de l'Atlantique. Les papeteries Cascades (les frères Lemaire) se lancent aussi sur le marché français. SNC-Lavalin est un des plus gros bureaux mondiaux d'ingénierie : l'entreprise a envoyé un personnel qualifié dans plus de 100 pays où l'expertise d'ingénieurs audacieux est exigée. On parle aussi de l'« empire » de Paul Desmarais : son entreprise, Power Corporation, est un grand *holding* au sens américain du terme.

L'économie québécoise, comme l'économie canadienne, est nord-américaine, souvent tributaire des États-Unis. Le tsunami de Wall Street (2008) a créé une vague de fond, moins dommageable, au nord du 45e parallèle. L'Ontario, province toute voisine au dynamisme agressif, se relève deux fois plus vite que le Québec des crises ou périodes de stagnation. En outre, les poussées de nationalisme québécois font peur aux capitalistes, aussi les capitaux et sièges sociaux ont-ils tendance à se réfugier à Toronto dont le traditionalisme rassure. Le Québec a donc plus de mal à attirer les investisseurs et même à garder ses cerveaux. Des exceptions notoires : dans les années 1990, l'aérospatiale (le fameux bras articulé de la navette spatiale états-unienne vient du Québec, la jeune astronaute Julie Payette aussi), le pharmaceutique, les biotechnologies et le prodigieux essor des technologies de l'information (Softimage, Ubisoft, CGI, Autodesk, THQ) ont fait de Montréal une technopole exceptionnelle dans ces domaines qui emploient plus de 150 000 personnes. L'ensemble de ces secteurs a augmenté ses investissements de 40 % dans la décennie 1990. Les investissements en recherche et développement des entreprises ont été stimulés par des mesures fiscales incitatives.

En 1994 entrait en vigueur l'Accord de libre-échange nord-américain (ALENA). Malgré certaines difficultés, le Québec a su tirer son épingle du jeu complexe engendré ainsi et a dû défendre son identité linguistique et culturelle qui aurait risqué d'être noyée dans le grand tout de langue anglaise et de culture anglo-saxo-nord-américaine. Après une croissance rapide dans les années 2000, les exportations chutent à partir de 2008 (hausse du $ canadien). Le Cirque du Soleil, fondé et installé à Montréal, est devenu une multinationale qui a plusieurs bureaux « régionaux » (à Singapour, à Las Vegas et à Amsterdam !), des théâtres permanents. Son président-directeur général, Daniel Gauthier, gère de front plusieurs spectacles, est assisté par 16 personnes chargées de recruter 150 artistes par an, juste pour assurer la rotation minimale. Les 50 ingénieurs de Scenoplus, spécialisés en architecture de salles de spectacle, réalisent 80 % de leurs projets sur le marché international.

La préoccupation la plus importante des dernières années est le chômage, particulièrement chez les jeunes. L'État providence (la part de budget la plus importante est celle des affaires sociales) a connu de belles décennies, mais a dû faire machine arrière : le « dégraissage » massif de la fonction publique, le virage ambulatoire en matière de santé ont bousculé des habitudes prises au moment de la Révolution tranquille. La création d'emplois, à la faveur du virage technologique, reste la préoccupation dominante. Les baby-boomers (nés après la Seconde Guerre mondiale), bien assis sur leurs privilèges que défendent des syndicats souvent corporatistes, laissent toute une génération de jeunes vivoter d'un contrat temporaire à l'autre

Entreprises

Micro	de 1 à 7 employés
Petite	de 8 à 60 employés
Moyenne	de 61 à 300 employés

(soit 98 % de toutes les entreprises)

Source : Bureau de la statistique du Québec, 1996.

Principaux produits exportés (+ 130 % en 10 ans) en millions de dollars

1. Matériel de télécommunication et autres équipements	6 199,2
2. Aluminium et alliages	4 596,6
3. Papier journal	3 661,5
4. Avions entiers avec moteurs	2 450,0
5. Automobiles et châssis	2 310,2
6. Bois d'œuvre, résineux	2 045,7
7. Moteurs d'avion et pièces	1 342,1
8. Outils et autre matériel	1 195,4

Source : Bureau de la statistique du Québec, 1997.

comme dans tant d'autres sociétés occidentales. Plus grave encore, l'indice synthétique de fécondité (1,48 enfant par femme) est trop bas pour permettre le renouvellement des générations.

L'historien et sociologue Gérard Bouchard a noté, dans *Dialogues sur les pays neufs* (Boréal, 1999), que la culture savante et la culture populaire ont longtemps évolué en parallèle au Québec : alors que pour l'élite la référence était l'Europe avec ses valeurs, le peuple, tout naturellement, constituait son univers de références à partir de l'expérience directe d'un continent neuf, l'Amérique. Ce phénomène explique des décalages importants que l'on constate encore quant à la perception que chacun peut avoir de son identité, de son rapport au territoire, de ses idées politiques ou culturelles. Cependant, dans la deuxième moitié du XXe siècle, les brassages de société ont été si forts et si nombreux, pour toutes sortes de raisons, que la culture savante et la culture populaire ont fini par interférer l'une avec l'autre et façonner une culture québécoise, avec les nuances qui s'imposent dans toute société, culture qui cherche son équilibre entre la continuité avec le passé et le caractère radicalement neuf des problèmes qui marquent le début du troisième millénaire — mondialisation, immigration, etc.

La société québécoise d'aujourd'hui est une société dynamique qui, après deux siècles d'évolution à un rythme tranquille, a beaucoup changé dans la deuxième moitié du XXe siècle. Un évident métissage qui date des débuts de la colonisation a, au cours des siècles, profondément modifié les données culturelles des premiers colons français.

Enrichie au fil des ans des apports des cultures immigrantes, la société actuelle, plurielle et ouverte, possède une originalité exceptionnelle dans l'ensemble des sociétés américaines, d'une part, et francophones, d'autre part. Reconnaissant sa multiethnicité, très majoritairement francophone, elle a maintenant un rôle à jouer dans la francophonie mondiale dont on ne voyait jusque-là que l'axe nord-sud, de l'Europe à l'Afrique.

Notes

1. Traîne sauvage ou toboggan, de l'indien *odabagane* : traîneau. Mitasse : guêtre et parfois chaussure de feutre ou de peau.

2. On croit encore parfois que le peuplement des colonies servait d'exutoire à toute une racaille non désirable et qu'ainsi le pays vidait à bon

compte prisons et asiles en tous genres. En fait, nombre de ces colonies furent des colonies exemplaires selon la volonté du colonisateur : tel fut le bon plaisir de Louis XIV de fonder au Canada une colonie catholique et fidèle à sa monarchie.

3. Si la France compte ses sujets en âmes, l'Angleterre les compte en *bodies*.

4. La seigneurie des Éboulements, concédée en avril 1683 au frère de Charles Lessard, était ainsi décrite : « Des terres qui sont de front le long du fleuve Saint-Laurent, à prendre depuis celles concédées à Charles Lessard son frère en descendant le dit fleuve et jusqu'à la borne du sieur de Comporté, du côté du nord, contenant cinq quarts de lieues de profondeur dans les terres, pour en jouir à l'avenir en fief et seigneurie ». En 1710, elle passait aux mains de Pierre Tremblay.

5. Arpent : ancienne mesure agraire de longueur et de surface. Un arpent valait 100 perches, mais la perche de Paris et celle du Poitou n'avaient pas la même taille. Longueur : environ 60 mètres ou 200 pieds. Surface : environ 34 ares ou 32 500 pieds carrés.

6. Plutôt symbolique au début, la rente augmentera très nettement au XIXe siècle.

7. Avec un sommet pendant l'année 1847.

8. Le curé Labelle, surnommé le roi du Nord, en fonde soixante à lui seul.

9. Les deux tiers des Canadiens français sont issus des 3 380 personnes ayant fait souche avant 1680 : mariages et remariages hâtifs, fécondité déjà exceptionnelle.

10. L'agriculture et l'élevage ont cependant aussi fait partie du rêve américain.

11. Voir à ce sujet le très beau film d'Arthur Lamothe : *Les Bûcherons de la Manouane* (noir et blanc, ONF, 1963).

12. Draveur : de *driver* (*to drive*, conduire) ; le draveur est l'homme qui guide les billots de bois le long des lacs et rivières pour les amener au moulin où la pitoune sera transformée en bois d'œuvre ou en pâte à papier. Félix-Antoine Savard décrit le draveur et sa tâche en ces termes :
« On appelait ainsi au pays du Québec ceux qui, dès la première fonte des neiges, vont ouvrir les chenaux des rivières et préparer la grande drave.
« C'est, de toutes, la corvée la plus dure et la plus hasardeuse.
« Les hommes ont à se battre contre le froid, la neige et l'eau.
« D'une étoile à l'autre, ils doivent dégager les billes encavées dans la glace, courir sur le bois en mouvement, s'agripper aux branches, aux rochers de bordure quand l'eau débâcle et qu'elle veut tout emporter comme une bête en furie. »
(*Menaud, maître draveur*, 1937).

13. Les « cageux » pilotaient d'immenses radeaux de bois, parfois déjà équarri, sur les chemins d'eau.

14. Trâlée, du vieux français « trolée » qui signifie troupe, bande.

15. La télévision aura une influence sociologique considérable. Il n'est pas rare dans les archives familiales de trouver une photo où tous les membres de la maisonnée « posent » fièrement à côté du premier poste de télévision, alors presque un « personnage familier ». Fernand Seguin, animateur et célèbre vulgarisateur scientifique, dira plus tard par boutade : « Il y a eu deux événements importants dans l'histoire du Canada : l'arrivée de Jacques Cartier et la naissance de Radio-Canada. »

16. Le Québec ne peut choisir qu'une partie des immigrants venant s'établir chez lui, soit un total de 15 000 sur les 28 000 reçus en 1998. L'immigration augmente au cours des années 2000, pour atteindre 40 000 personnes par an, dont environ 4 500 Français.

17. Juan Garcia, originaire d'Espagne, obtient le prix des Études françaises pour un ouvrage de poésie ; Marilù Mallet, venue du Chili, a su dire magnifiquement en langage cinématographique les dures leçons de l'exil dans son *Journal inachevé* ; et l'Alsacien Frédéric Back a permis à Radio-Canada d'avoir deux Oscar pour ses films d'animation... pour ne nommer que quelques-uns des plus connus.
18. Thérèse Casgrain, chef du Parti social-démocratique du Québec (1955), est huit fois candidate aux élections fédérales ou provinciales, et huit fois défaite ; d'où le commentaire d'une historienne : « Comment l'électorat du Québec d'alors aurait-il pu élire une femme qui, de surcroît, était chef d'un parti de gauche ? »
19. En 1960, la revue *Commerce* proclame Justine Lacoste-Beaubien « homme de l'année » ! Elle avait fondé l'hôpital Sainte-Justine pour les enfants malades et y avait consacré un demi-siècle de bénévolat.
20. Le 6 décembre 1989, un forcené abat 14 étudiantes de l'École polytechnique de Montréal et en blesse 13 autres.
21. En 1946, le premier joueur de race noire professionnel, Jackie Robinson, amène son équipe de base-ball, les Royaux de Montréal, au championnat.
22. La première caisse populaire est ouverte par Alphonse Desjardins en 1901.
23. Entreprises employant moins de 200 personnes dans le secteur de la fabrication et moins de 100 personnes dans les autres secteurs.

Bibliographie

Études

ANCTIL, Pierre et Gary Caldwell, *Juifs et réalités juives au Québec*, Québec, IQRC, 1984, 371 p.

BAUER, Julien, *Les Minorités au Québec*, Montréal, Boréal Express, 1994, 126 p.

BEAULIEU, Alain (en collaboration avec Diane Bélanger), *Les Autochtones du Québec : des premières alliances aux revendications contemporaines*, Québec/Montréal, Musée de la civilisation/Fides, 1997, 183 p.

BÉLANGER, Yves, *Québec inc. L'entreprise québécoise à la croisée des chemins*, Montréal, Hurtubise-HMH, 1998, 202 p.

BOUCHARD, Gérard, *Genèse des nations et cultures du Nouveau Monde*, Montréal, Boréal, 2000, 504 p.

BOUCHARD, Jacques (en collaboration avec Antoine Désilets), *Les 36 cordes sensibles des Québécois d'après leurs six racines vitales*, Montréal, Héritage, 1978, 308 p.

COLLECTIF CLIO (Micheline Dumont-Johnson et *al.*), *L'Histoire des femmes au Québec depuis quatre siècles*, Montréal, Le Jour, 1992 [1982], 646 p.

CÔTÉ, Louise et *al.*, *L'Indien généreux — Ce que le monde doit aux Amériques*, Montréal/Québec, Boréal/Septentrion, 1992, 287 p.

COURVILLE, Serge et Normand Séguin (dirigent la collection « Atlas historique du Québec », ouvrages thématiques consacrés à l'expérience historique de la société québécoise, Québec, PUL), *Le Pays laurentien au XIXe siècle* (1995) ; *Population et territoire* (1996) ; *Le Territoire* (1997).

DESFONTAINES, Pierre, *Le Rang, type de peuplement rural du Canada français*, Institut d'histoire et de géographie, n° 5, Québec, PUL, 1953, 32 p.

DESROSIERS, Léo-Paul, *Iroquoisie (1534-1701)*, 4 vol., Sillery, Septentrion, 1998 [1947].

DIONNE, Bernard, *Le Syndicalisme au Québec*, Montréal, Boréal Express, 1991, 128 p.

DICKINSON, John A. et Brian Young, *Brève histoire socioéconomique du Québec*, Sillery, Septentrion, 1995 [1992], 383 p. (trad. par Hélène Fillion).

DUMONT, Fernand, *Genèse de la société québécoise*, Montréal, Boréal, 1996 [1993], 353 p.

DUMONT, Fernand (dir.), *La Société québécoise après 30 ans de changements*, Québec, IQRC, 1990, 360 p.

DUPUIS, Renée, *La Question indienne au Canada*, Montréal, Boréal, 1991, 126 p.

FRÉGAULT, Guy, *Le XVIIIe siècle canadien*, Montréal, Hurtubise-HMH, 1968, 387 p.

GERMAIN, Georges-Hébert, *Les Coureurs de bois. La saga des Indiens blancs*, Montréal, Libre Expression, 2003, 160 p.

GERMAIN, Georges-Hébert, *Le Génie québécois. Histoire d'une conquête*, Montréal, Libre Expression, 1996, 255 p.

GODBOUT, Luc et Marcelin Joannis (dir.), *Le Québec économique 2009. Le chemin parcouru depuis 40 ans*, Québec, PUL, 2009, 346 p.

GRACE, Robert T., *The Irish in Quebec — An introduction to the Historiography. Followed by an Annotated Bibliography on the Irish in Quebec*, Québec, IQRC/PUL, 1997 [1993], 265 p.

GRENON, Hector, *Us et coutumes du Québec*, Montréal, La Presse, 1980 [1974], 334 p.

GRESCOE, Taras, *Sacré Blues : An Unsentimental Journey through Quebec*, Toronto, Macfarlane, Walter and Ross, 2000.

GROULX, Patrice, *Pièges de la mémoire — Dollard des Ormeaux. Les Amérindiens et nous*, Hull, Vents d'Ouest, 1999, 436 p.

HAMELIN, Louis-Edmond, *Le Rang d'habitat. Le réel et l'imaginaire*, Montréal, Hurtubise-HMH, 1993, 328 p.

HELLY, Denise, *Le Québec face à la diversité culturelle, 1977-1994. Un bilan documentaire des politiques*, Québec, PUL/IQRC, 1996, 491 p.

LACHANCE, André, *Vivre, aimer et mourir en Nouvelle-France — La vie quotidienne au XVIIe et XVIIIe siècles*, Montréal, Libre Expression, 2000, 222 p.

LAMONDE, Yvan et Gérard Bouchard (dir.), *Québécois et Américains. La culture québécoise aux XIXe et XXe siècles*, Montréal, Fides, 1995, 418 p.

LANDRY, Yves, *Orphelines en France, pionnières au Canada. Les Filles du Roi au XVIIe siècle*, Montréal, Leméac, 1992, 434 p.

LAVIGNE, Marie et Yolande Pinard, *Travailleuses et féministes. Les femmes dans la société québécoise*, Montréal, Boréal Express, 1983, 430 p.

LINTEAU, Paul-André, René Durocher et Jean-Claude Robert, *Histoire du Québec contemporain*, t. I : *De la Confédération à la crise, 1867-1929*, 758 p. ; t. II : *Le Québec depuis 1930*, 834 p., Montréal, Boréal, coll. « Boréal compact », 1989.

MATHIEU, Jacques et Jacques Lacoursière, *Les Mémoires québécoises*, Québec, PUL, 1991, 383 p.

MACLURE, Jocelyn, *Récits identitaires. Le Québec à l'épreuve du pluralisme*, Montréal, Québec/Amérique, 2000, 219 p.

MCLEOD-ARNOPOULOS, Sheila et Dominique Clift, *Le Fait anglais au Québec*, Montréal, Libre Expression, 1979, 277 p.

MONTIGNY, Henri-Gaston de, *Le Livre du colon* (publié au début du siècle), réédité par Univers, Montréal, 1979, 102 p.

POULIN, Pierre, *Histoire du Mouvement Desjardins*, t. I : *Desjardins et la naissance des caisses populaires 1900-1920*, t. II : *De la caisse locale au complexe financier*, Montréal, Québec/Amérique, 1990.

PROVENCHER, Jean, *Les Quatre Saisons dans la vallée du Saint-Laurent*, Montréal, Boréal, 1988, 605 p.

RADICE, Martha, *Feeling Comfortable ? Les Anglo-Montréalais et leur ville*, Québec, PUL, 2000, 186 p.

RICHARD, Dominique et Jean-Guy Deschênes, *Cultures et sociétés autochtones du Québec — Bibliographie critique*, Québec, IQRC, 1985, 221 p.

RIOUX, Marcel, *Un peuple dans le siècle*, Montréal, Boréal, 1990, 448 p.

SÉGUIN, Robert-Lionel, *La Civilisation traditionnelle de « l'habitant » aux XVIIe et XVIIIe siècles*, Montréal, Fides, 1973 [1967], 701 p.

SIOUI, Georges E., *Pour une auto-histoire amérindienne. Essai sur les fondements d'une morale sociale*, Québec, Presses de l'Université Laval, 1989, 154 p.

THÉRIEN, Gilles (dir.), *Les Figures de l'Indien*, Montréal, Typo, 1995, 394 p.

THÉRY, Chantal, *De plume et d'audace. Femmes de la Nouvelle-France*, Montréal/Paris, Triptyque/Cerf, 2006, 266 p.

VAN BE LAM, *L'Immigration et les communautés culturelles du Québec*, t. I : *1968-1990*, Québec, Documentor, 1991, 142 p. ; t. II : *1990-1995*, Montréal, Éditions Sans frontières, 1995, 198 p.

WEINMANN, Heinz, *Du Canada au Québec, généalogie d'une histoire*, Montréal, L'Hexagone, 1987, 477 p.

Les livres de Marius Barbeau, de Michel Brunet, de Robert-Lionel Séguin, de Marcel Trudel, entre autres.

Forces, « Les Femmes québécoises : une révolution tranquille », n° 119, 1998.

Sur les Amérindiens, consulter les documents (livres, enregistrements divers) de Jean-Jacques Simard.

Pour le plaisir de l'œil, voir *Le Québec amérindien et inuit*, Québec, Sylvain Harvey, 1997, 60 p.

Concernant la multiethnicité, voir les études de Denise Helly sur la communauté d'origine chinoise, de Bruno Ramirez sur la communauté italienne et de Pierre Anctil sur la communauté juive.

Romans du terroir

AUBERT DE GASPÉ, Philippe (père), *Les Anciens Canadiens*, 1863.

GUÈVREMONT, Germaine, *Le Survenant*, 1945.

HÉMON, Louis, *Maria Chapdelaine*, 1914.

RINGUET, *Trente arpents*, 1938.

SAVARD, Félix-Antoine, *Menaud, maître-draveur*, 1937.

Romans « citadins »

LEMELIN, Roger, *Au pied de la pente douce*, 1944.

NOËL, Francine, *Maryse*, 1983.

PROULX, Monique, *Les Aurores montréales*, 1996.

ROY, Gabrielle, *Bonheur d'occasion*, 1945.

TREMBLAY, Michel, l'ensemble regroupé sous la rubrique : « Les chroniques du plateau Mont-Royal ».

VILLENEUVE, Paul, *Johnny Bungalow*, 1974.

Romans historiques

COUSTURE, Arlette, *Les Filles de Caleb*, 1988.

DESROSIERS, Léo-Paul, *Les Engagés du grand portage*, 1938.

FERRON, Madeleine, *Sur le chemin Craig*, Montréal, Stanké, 1983, 191 p.

TARD, Louis-Martin, *Il y aura toujours des printemps en Amérique*, 1987.

Audiovisuel

Montréal citée : 60 ans d'histoire à travers les archives sonores (1930-1990), La Littérature de l'oreille, Fondation Lionel-Groulx, 1993, 2 cassettes audio, 190 min.

Films

Les Bûcherons de la Manouane, Arthur Lamothe, noir et blanc, ONF, 1963, 28 min.

Crac, Frédéric Back, couleur, Radio-Canada, 1981, 16 min (gagnant d'un Oscar).

Des lumières dans la grande noirceur, Sophie Bissonnette, 1991 (sur la militante exceptionnelle que fut Léa Roback).

Deux secondes, couleur, Manon Briand, 1997, 100 min.

Le Film d'Ariane, couleur et noir et blanc, Josée Beaudet, 1985, 56 min.

J.-A. Martin, photographe, Jean Beaudin, couleur, ONF, 1976, 102 min.

Journal inachevé, Marilù Mallet, couleur, 1982, 50 min.

Partis pour la gloire, Clément Perron, couleur, 1975, 103 min.

Séries

Blanche, Charles Binamé, Montréal, Audio-ciné films, 1993, 12 épisodes (4 vidéos de 139 min).

La Belle Ouvrage, ONF et Radio-Canada, films d'environ 30 minutes concernant de vieux métiers, des artisanats divers, des habitudes de vie.

Le 60/80, série télévisée sur la période de 1960 à 1980, Radio-Québec, 28 vidéos, couleur de 29 min.

Les Filles de Caleb, Jean Beaudin et Fernand Dansereau, Cité-Amérique, 1990 (20 épisodes en 10 vidéos de 95 min).

4
La langue

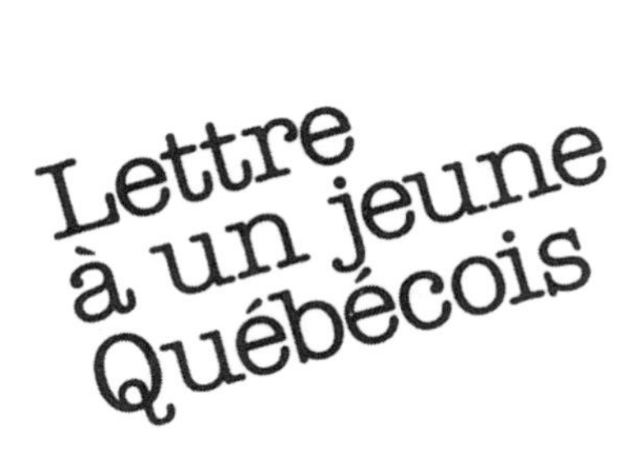

Page précédente : Affichette publicitaire de l'Office de la langue française, 1978. (Office de la langue française.)

> La langue française constitue le noyau de l'identité québécoise et, pour moi, l'univers linguistique qui a façonné et façonne tout mon être pensant et sentant. Et je me trouve très préoccupé du maintien de la place et de la force de cette langue en Amérique, profondément convaincu que son destin et le destin de la société québécoise coïncident très exactement.
>
> CLAUDE CORBO, *Mon appartenance.*

La langue d'un peuple est faite à son image. Besoin viscéral de se faire comprendre pour simplifier le quotidien, pour avancer dans la connaissance comme pour exprimer la douceur d'un jour de pluie, la langue que l'on parle est celle du milieu où on l'apprend. Un Ivoirien ne peut pas parler la même langue qu'un Parisien ou qu'un Québécois. Les réalités à nommer, géographiques et sociologiques, ne sont pas les mêmes : vivantes, les langues évoluent avec souplesse à la recherche d'un équilibre entre l'esthétique et la pratique.

Les problèmes que pose la langue aux Québécois sont multiples : le français parlé par environ six millions sur sept de Québécois, îlot de francophonie au milieu de 250 millions d'anglophones, représente une gageure de tous les instants dans ce siècle de communications audiovisuelles qui bombardent d'images, de publicités et de slogans l'imaginaire individuel et collectif. Or la langue est un des fondements de l'identité culturelle ; on n'avait pas attendu la Révolution tranquille pour le découvrir : depuis plus de deux siècles, les Canadiens ont tout fait pour préserver cette langue née en France, mais élevée sur un autre continent, dans des conditions parfois très difficiles. C'est ainsi que s'est construit le français québécois, incarnation en Amérique d'une langue parlée par plus de 200 millions de locuteurs dans une cinquantaine de pays des cinq continents.

Les particularités de l'usage

Le concept de français international est intellectuel et un peu irréel. C'est souvent le français parisien que recouvre ce concept : la conurbation de sept millions d'habitants impose ainsi sa loi du nombre qui est aussi celle d'une capitale de la culture. C'est cependant un concept commode, en ce qu'il constitue par convention un point de référence permettant d'apprécier les apports régionaux ou nationaux. Si les structures de la langue suivent plus ou moins la même logique, le lexique donne

Char allégorique du défilé de la Saint-Jean, 1957. (Société Saint-Jean-Baptiste de Montréal.)

libre cours à l'imagination des locuteurs. La richesse du français commun tient à ces particularités qui diffèrent dans chaque ville, sous chaque climat, dans chaque continent et dans chaque couche sociale.

Au Québec, le français de France était au XIXe siècle associé à l'idée du parler instruit, celui des notables (curés, avocats, médecins, institutrices, religieux). Le peuple évoquait respectueusement le « parler en termes ». Au contraire, le slogan des années 1970, « Le français, je le parle par cœur », apparaît dicté plus par une conviction première tout intérieure que par un ensemble de conventions. Il est à noter que tout le monde parlait français en Nouvelle-France alors que ce n'était pas le fait du peuple de France :

> Les Canadiens, c'est-à-dire les Créoles du Canada, respirent en naissant un air de liberté qui les rend fort agréables dans le commerce de la vie, et nulle part ailleurs, on ne parle plus purement notre langue. On ne remarque même ici aucun accent.
>
> PÈRE CHARLEVOIX, 1744.

De nombreux immigrants venaient d'Île-de-France ; c'est donc la langue de cette région — qui est en outre la langue de l'administration — qui va unifier l'expression des colons de toutes les provinces françaises confondues. Comme l'énorme majorité d'entre eux venaient du nord-ouest de la France, il est bien naturel qu'ils aient apporté avec eux leurs expressions tourangelles et « l'extrême civilité de ces parlers de Loire » qui furent à l'origine de la *Défense et illustration de la langue française.*

L'accent

C'est la première chose qui frappe l'oreille étrangère, prompte à repérer un « drôle d'accent » sans se douter que le sien est probablement tout aussi curieux pour ses auditeurs. Au Québec — comme partout ailleurs — il n'y a pas qu'un seul accent, de même qu'il n'y a pas seulement un accent. À Montréal, on roule les *r* tandis qu'on les grasseye à Québec. En certains endroits, on prononce à peine les consonnes, on réduit le nombre de sons, les chuintantes deviennent des *h* aspirés : « Je ne suis pas capable » devient « chu pa apab ». L'articulation perd de son énergie qui semble se transférer dans les voyelles sur lesquelles on traîne volontiers, allant même jusqu'à les diphtonguer fréquemment : « mère » devient « ma-ère », « notaire », « nota-ère ». En d'autres lieux, on entendra au contraire « mére ». Sur un aussi vaste territoire, peuplé de façon aussi clairsemée, il est bien naturel qu'existent ainsi des différences d'ordre phonétique.

Dans certaines régions, on prononce encore « oué » pour la diphtongue « oi », comme faisait le « roué Françoué » premier du nom, au XVIe siècle. Duplessis interpella ainsi un ministre qu'il trouvait trop bavard : « Toué, tais-toué ! » Le *a* est souvent très fermé et sa prononciation se rapproche parfois de celle du « ou » ; « pâte » devient « pa-oute »). La prononciation de la voyelle évolue parfois dans le même mot, allant du plus ouvert au plus fermé (« Canàdâ »). Certaines consonnes sont souvent mouillées, palatalisées ; l'assibilation (ajout du son « s » ou « z » au *t* et au *d*, « petit » devient « p'tsi ») est aussi une des caractéristiques phonétiques du français du Québec. On retrouve cette prononciation en Acadie et en Louisiane.

La plupart de ces façons de prononcer ont leur origine dans une province française. En Anjou, on entend ce type de *a* fermé, comme en Poitou le *i* très ouvert de « fils[1] ». De Normandie est venue la façon de prononcer « er » qu'on entend « ar », comme dans « une couvarte » ou « ça pard sa vartu », qui se dit d'une boisson alcoolisée que l'on a négligé de reboucher.

Du XVIIe siècle reste aussi le fait que l'on prononce certaines dentales en fin de mots : « dret(te) », « fret(te) », et par extension, « alphabet(te) », « debout(te) ». Peut-être cela entraînera-t-il d'autres allongements inusités en fin de mots : « les genses risent » ? On a gardé la diphtongaison continue du verbe « haïr » qui se décline « j'ha-ïs, tu l'ha-ïs » et dont on ne prononce pas le *h* aspiré, comme on avait gardé longtemps la nasalité intacte d'une voyelle devant les doubles consonnes. Quelques personnes prononcent encore « sainte An-ne », comme Molière qui, dans *Les Femmes savantes,* fait jouer ses personnages sur les termes « gram-maire » et « grand-mère ».

Ces façons anciennes de prononcer n'ont pas subi au Québec les transformations qui ont eu cours en France à la fin du XVIIIe siècle, ce qui est logique dans les conditions qui prévalaient sous le Régime anglais[2] où les contacts étaient rares avec le parler de France.

Les mots d'origine amérindienne

Les colons français débarqués en Nouvelle-France alignèrent souvent leur comportement sur les habitudes de ceux qui habitaient le territoire avant eux. Les Canadiens empruntèrent aux Amérindiens des mots pour désigner des réalités régionales. La toponymie est truffée de noms propres qui sont la transcription phonétique des noms que les Amérindiens avaient donnés aux lieux, de Natashquan au Témiscamingue en passant par Chicoutimi et la Métabetchouan. Sur la rive sud du fleuve Saint-Laurent, ce sont les joyeuses sonorités de Causapscal, Témiscouata ou Matapédia qui rappellent les premiers habitants du pays.

En ce qui concerne les noms communs, c'est surtout le vocabulaire de la faune et un peu celui de la flore qui affichent avec fierté leurs origines. Ainsi :

• les gros animaux que l'on chasse pour la viande et le cuir, comme le *wapiti* ou le *caribou* ;

• les petits animaux à fourrure, comme le *pécan,* cousin éloigné de la martre européenne;

• les poissons comme l'*achigan,* la *ouananiche* ;

• ou ce curieux batracien qui n'est ni un crapaud, ni une petite grenouille rainette et dont le nom est une charmante onomatopée : le *ouaouaron* qui coasse aussi en Louisiane;

• la *chicoutée,* dite aussi *plaquebière,* fruit orangé de la ronce des tourbières en milieu boréal.

Les archaïsmes et les provincialismes

L'isolement auquel sont contraints les Canadiens après la Conquête fixera des termes qui apparaissent désuets ou « provinciaux » à des locuteurs parisiens. Ces deux types de particularités font appel à la notion d'éloignement par rapport au français de référence, que ce soit dans le temps (archaïsmes) ou dans l'espace (provincialismes). Il faut prendre ces termes sans aucune connotation péjorative[3]. C'est aussi la conséquence d'un repli sur soi imposé par les conquérants qui veillèrent à ce qu'il y ait peu de contacts directs avec la France, alors même que « la langue du peuple se répand dans la société » (Claude Poirier). Au XIXe siècle, les arrivants français étaient plus souvent des clercs que des laïcs. Ils accentuèrent chez les Canadiens le sentiment que la France était le pays des révolutions et ne firent pas grand-chose pour promouvoir une littérature qui n'était pas « pavée de bons sentiments ». Le Québec a donc gardé de son long isolement quelques termes qui ont totalement disparu de France, ou ne se sont conservés dans cet usage que dans certaines régions bien précises.

• « Barrer la porte » signifie fermer la porte de façon que l'on ne puisse pas l'ouvrir, donc « à clé » de nos jours. C'est évidemment une allusion au mode de fermeture simple qui consistait à mettre une barre transversale sur l'ouverture. Cette expression s'emploie encore très fréquemment en Anjou avec le même sens qu'au Québec.

• « Catin » a gardé son premier sens de poupée, sens attesté en France encore au

XVIIe siècle, et n'a pas au Québec le seul sens qu'il ait gardé dans le français standard (prostituée). On utilise aussi « catiner » pour « jouer à la poupée ».

• « Trâlée » vient de Picardie et signifie « une bande, un grand groupe ».

• « Il mouille » s'utilise encore en Bretagne et dans tout l'ouest de la France pour « il pleut ».

• D'autres mots sont plus en usage ici qu'en France : « jaser », « achaler », « tanner », « s'adonner ».

• On utilise aussi des doublets qui permettent des nuances autrement impossibles : conter des « menteries » semble moins grave que de dire un mensonge.

Les anglicismes

Les anglicismes sont évidemment une des conséquences de la Conquête. Les langues en contact s'interpénètrent, s'influencent, empruntent une partie du lexique (on l'a vu pour les mots d'origine amérindienne) : c'est un phénomène connu. L'anglais a, de son côté, emprunté au français une grande partie du vocabulaire normand lorsque Guillaume, duc de Normandie, devint roi d'Angleterre après la bataille de Hastings en 1066. Le français du XXe siècle et bien d'autres langues à leur tour empruntent à l'anglais des mots, des expressions toutes faites, voire des tournures ou des structures. L'omniprésence en Occident de la chanson anglo-saxonne tant prisée des jeunes, l'hégémonie économique américaine, le très grand nombre de locuteurs anglais dans le monde comme le développement inouï de l'audiovisuel font que ces phénomènes d'emprunt deviennent monnaie courante, non sans danger cependant pour les langues d'accueil.

Au Québec plus qu'ailleurs aujourd'hui, le contact est immédiat, étroit, quotidien, perpétuel. Au XIXe siècle, il en allait autrement, l'Église avait en outre compris que pour garder sa foi il fallait garder sa langue ; c'est pourquoi, en général, on ne favorisait pas les contacts avec le conquérant. Peu à peu, le français vit son usage se restreindre à la paroisse, à la famille ; quand il existait, l'enseignement était en français, mais l'administration, le commerce, l'industrie parlaient et écrivaient l'autre langue.

Avec la montée de l'industrialisation, les vocabulaires techniques vont imposer le lexique anglais avec succès puisque l'on ne connaît pas l'équivalent français. Au XXe siècle, le phénomène s'accélère : l'industrie appartient en majorité à des Anglais ou à des États-Uniens, et toutes les spécialités modernes, plomberie, mécanique, électricité, ont tendance à utiliser le vocabulaire en usage dans presque toute l'Amérique du Nord, d'autant plus que les mesures sont « à l'anglaise » ; la performance d'une voiture en termes de consommation se faisait par milles au gallon jusqu'à ce que le Canada adopte le système métrique au milieu des années 1970. Tout étant présenté en anglais, les tournures françaises vont se calquer sur ce qui s'entend et ce qui se lit.

Ce contact permanent entraîne la domination de la langue anglaise, qui s'accentue avec la fréquentation de l'autoroute électronique, car les langues s'imposent

Tourigny and Marois Boot and Shoe Manufacturers, gravure, vers 1912. (Archives de la Ville de Québec. Collection de documents iconographiques. Tirée du volume *Quebec,* publié par The Publicity Bureau, 9026.)

par la force et la fréquence de leur utilisation. Le poids numérique de l'anglais est colossal. Les incidences, les conséquences de ces luttes sont de tout ordre : culturel, économique et politique. On comprend donc l'importance d'être vigilant et d'assurer le respect de sa langue.

Les anglicismes directs

Les anglicismes directs sont en général faciles à voir ou à déceler : le « vacancy » des motels sur les routes, comme « le roi du muffler » (du silencieux) sautent aux yeux. En revanche, le « payeur de taxes », traduction littérale de *tax payer,* n'a pas la sobriété de « contribuable » ; il est vrai qu'on ne lui demande que de payer ses impôts ! Le vocabulaire de l'économie est plein d'anglicismes sous des allures bien françaises : « As-tu du change ? » pour demander de la monnaie ; le verbe « charger », au sens de demander une somme d'argent en retour d'un service, vient de l'anglais *to charge.* L'emploi de ce verbe comme substantif ne peut être compris dans ce sens qu'au Québec. Ailleurs dans l'espace francophone, on ne sait pas ce que peut bien vouloir dire, par exemple, « un appel téléphonique à charge renversée ». « Je ne file pas », qui semble se rapprocher de « je file un mauvais coton », semble être une traduction littérale de *I don't feel well,* et risque de ne pas être compris ailleurs qu'au Québec. On a fait disparaître des parcs municipaux, dans les années 1960, ce panneau traduisant — bizarrement, pour le moins ! — l'interdiction *Do not trespass on the grass* par « ne pas trépasser sur le gazon ».

Certains anglicismes sont tellement subtils que l'on n'en a pas conscience. Les calques sont en effet conformes à la fois au vocabulaire et à la syntaxe françaises, mais la combinaison est souvent incompréhensible. Le danger est donc qu'ils prennent la place d'une expression ou d'un mot existant et que le français y perde à tout le moins de son originalité et de sa communicabilité : « mettre l'emphase sur » pour « mettre l'accent sur », « éligible » pour « admissible ». On entend « définitivement » (qui vient de *definitely*) pour « bien sûr, assurément, certainement ». On dit « dépendamment » pour « éventuellement ».

La prononciation aussi est teintée d'anglais. Il n'est pas rare d'entendre un Québécois dire « ticket » (utilisé aussi ici au sens de contravention), « thermostat » ou « standard », en prononçant la dernière lettre.

L'anglais est une langue fascinante parce que sa souplesse d'utilisation lui offre mille possibilités de créer des mots. C'est peut-être par similitude qu'on parle au Québec d'une distance « marchable » ou d'un « gars parlable ». Si le suffixe *-able* existe aussi en français, il est plus courant de ce côté-ci de l'Atlantique.

Le problème avec les anglicismes, c'est que le français perd alors un vocabulaire qui lui est propre et qui est souvent clair et nuancé, au profit de termes ou de structures vagues qui risquent d'apporter à la longue des changements majeurs. Beaucoup de Québécois, intellectuels, professionnels et gens cultivés, constatent cela avec inquiétude et désapprobation. Aussi les comités de normalisation de la langue recommandent-ils de suivre des normes, celles de l'usage international dans la plupart des cas. Les grammairiens, les fabricants de dictionnaires fixent des normes qu'il est sage de respecter si l'on veut que la communication s'établisse facilement avec le plus grand nombre d'interlocuteurs possibles.

Les solutions

Il y a plusieurs solutions. La plus simple, selon certains terminologues, consiste à franciser le mot quand c'est possible, à l'écrire carrément à la française (« coquetel » pour « cocktail »). Un bon exemple est fourni par le terme « drave » ou « draveur ». Au XIXe siècle, les Anglais lancent l'exploitation forestière, ils emploient pour ce faire les fils d'habitants qui n'ont pas de travail à la ferme en hiver. Ceux-ci montent au chantier, coupent le bois qui attend sur les berges des rivières gelées le dégel du printemps. Les bûcherons canadiens sont alors chargés par les *foremen* de surveiller la descente du bois jusqu'à l'usine de transformation. Ces contremaîtres anglais, qui s'expriment seulement dans la langue de Shakespeare, utilisent donc le verbe *to drive,* et les hommes deviennent des *drivers.* Cette opération, inconnue dans le langage canadien du XIXe siècle, s'appellera dorénavant

Affiche de 1981.

la « drave », d'où la formation subséquente de « draveur » et de « maître-draveur ».

Une deuxième solution, toute simple, consiste à remettre en usage un mot moins usuel ou tombé en désuétude : les Québécois parlent de « stationnement » plutôt que de *parking*, de « magasinage » plutôt que de *shopping*, d'« avion nolisé » plutôt que de *charter*, de « commanditaires » (intéressés), de « mécènes » (non intéressés) plutôt que de *sponsors*.

Une troisième solution consiste en la création de néologismes lorsqu'il s'agit de réalités nouvelles auxquelles on veut donner une identité française plutôt que d'emprunter un mot à l'anglais. Outre le fait que par une création originale on respecte l'esprit du français et qu'ainsi on agit de façon constructive[4] plutôt que d'accepter passivement un anglicisme, on joue également un rôle d'avant-garde pour toute la francophonie qui pourra adopter ces termes à son tour. Les exemples ne sont pas rares : il existe un vocabulaire de l'électricité qu'Hydro-Québec, dans ses techniques de pointe, a utilisé avant de l'exporter dans la francophonie. Ce fut la même chose pour une partie du vocabulaire du sport que René Lecavalier, commentant à la télévision les joutes de hockey, a fortement contribué à enrichir. Il en est ainsi également pour le vocabulaire de l'informatique (« courriel » pour *e-mail* et « babel », babillard électronique, pour *Bulletin Board System*) et de bien d'autres domaines encore. Dans le quotidien, on utilise « annonceur » pour *speaker* et l'on donne le nom d'« effeuilleuse » à la jeune femme qui exercerait en France le métier de *strip-teaseuse*.

Il est vrai que le Québec est en première ligne pour la défense du français, il peut même se sentir cerné par l'ennemi. Une attitude vigoureuse et très positive semble bien la bonne solution : « plutôt faire que se laisser faire ». Il est affligeant de noter dans la presse de France en vente dans les tabagies la quantité phénoménale d'anglicismes de toutes sortes. On dit que le gouvernement français s'alarme et qu'il prendra exemple sur ce qui se fait au Québec : voilà qui est rassurant.

Les sacres

On note la présence constante de « sacres » dans la parlure québécoise. Totalement absents dans la langue châtiée ou soutenue, ils deviennent de plus en plus nombreux dans la langue familière ou sous le coup d'une émotion. On a par ailleurs noté que la présence des sacres est plus grande dans les pays à forte tradition catholique.

> Si le dictionnaire définit un juron, un sacre et un blasphème comme des synonymes, il ne semble pas que les Québécois acceptent ces similitudes. Au Québec, jurer, sacrer ou blasphémer comportent des nuances qui sont peut-être strictement morales mais qui ne demeurent pas moins pertinentes.
> [...] En fait, jurer ce n'est pas beau, sacrer est un péché et blasphémer est une offense grave à Dieu, un péché mortel.
>
> GILLES CHAREST, *Le Livre des sacres et blasphèmes québécois,* 1974.

Il est évident que l'influence prépondérante de l'Église de 1840 à 1960 pesait sur les consciences : le sacre, interdit par le deuxième commandement (« Tu ne jureras point »), permettait aux locuteurs exaspérés de se défouler. En invoquant le nom de Dieu, du Christ, en citant les objets du culte en dehors du contexte sacré, le sacreur ramène à lui des concepts qui semblent intouchables : il désacralise ce qui est sacré ; il affirme sa possession de ce qui ne lui appartiendra jamais ; il s'identifie avec des personnages tout-puissants (le Christ, par exemple) pour masquer son impuissance du moment.

De nos jours, la crainte de Dieu n'existe plus guère, mais la forte tradition catholique a tant imprégné les esprits que le sacre a gardé sa charge émotive, même si le défi lancé ainsi semble avoir perdu de son importance puisque l'on ne craint pas plus les semonces de son curé que les remontrances de son institutrice. C'est le mot « christ » qui est au centre des sacres, avec ce qui le représente à la messe dans le mystère de la transsubstantiation, l'hostie, et les vases sacrés, ciboire et calice, comme le tabernacle qui les contient. Ce sont les plus importants des sacres. D'autres mots d'origine religieuse sont également employés, mais avec sans doute moins d'efficacité puisqu'ils semblent moins directement reliés au côté sacré de la personne même du Christ qu'à des manifestations ecclésiales : « baptême », « sacrement », « vierge » ou « calvaire ».

Pour ne pas être accusé de sacrer, le locuteur déguise le mot dont l'évidence disparaît ou feint de disparaître. C'est un procédé commun : au XVIIe siècle, Henri IV utilisait « corbleu », « palsambleu » ou « ventrebleu », sous lesquels il fallait comprendre que « bleu » voulait dire « Dieu » et que l'on jurait alors par le corps, par le sang ou par le ventre de Dieu.

Au Québec, « christ » devient « criss », « christie » ou « christophe » et même « cristal » : « Regarde la criss de belle fille ! » « Hostie » devient « sti », « stie » : « À demain, vieille boule. Salut Galarneau ! Stie » (Jacques Godbout). « Calice » devient « câline », « câlife ». « Ciboire » devient « cibole », « cibolak ». Victor-Lévy Beaulieu se sert de « caliboire ». « Tabernacle » devient « tabarnak », « tabaslak », « tabarouette ». « Baptême » devient « bateau », « batinse ». « Chrême » devient « crime ».

L'exploitation du sacre se double dans l'utilisation des sacres en composition : pour défier encore plus directement le ciel, on met l'épithète « saint » devant le sacre. Cela donne, par exemple, « saintcibouère ». On utilise les sacres en longues séries qui donnent des images parfois étonnantes : « calice d'hostie de tabernacle ! Si la guerre peut finir... » (Roch Carrier) ou « pactés comme des ciboires un dimanche matin » (Jacques Godbout).

Bien plus, on va fabriquer des mots à partir des sacres : « câlisser », « déconcrisser », « contrecrisser » ; c'est surtout « criss » qui se prête au plus grand nombre de manipulations : « Cossé qu'tu fais, toué ? — Moué ? Chu crisseuse de binnes dans'é cannes à'manufacture[5]. »

Le phénomène est surtout oral. Relié à la vitesse d'élocution, il est surtout employé en réaction à une agression physique ou émotive. Il sert également à intensifier l'expression qu'il accompagne. À l'écrit, il était tout à fait censuré jusque vers les années 1960. Maintenant il sert lorsque l'on veut retranscrire fidèlement la langue parlée et plus précisément celle de certains milieux sociaux.

Depuis que le citadin a déserté les églises, le sacre s'est déchargé de son contenu anticlérical et démystifiant, mais il n'en reste pas moins utilisé par diverses couches de la société. Défendu par l'Église, il l'est aussi par les parents qui préfèrent que leurs enfants parlent un français correct. L'adolescent sacre pour affirmer sa personnalité en face des autorités familiales et scolaires. C'est une sorte de rite de passage de l'état d'enfant à celui d'adulte. Les couches populaires de la société, ouvriers, manœuvres, assistés sociaux, sont aussi enclines à en faire un emploi abondant. Il semble bien que l'impuissance qui est exprimée ici se double de l'impossibilité de trouver les termes adéquats.

Dans cette société de loisirs où nous vivons, nombreux quittent le froid de l'hiver pour aller au soleil, dans le Sud. Les Québécois ont ainsi des destinations habituelles. Les Mexicains habitués à entendre sacrer les touristes québécois ont alors donné le surnom de *Tabarnacos* aux vacanciers qui envahissent leurs plages.

Usages québécois

Certains termes utilisés en français standard prennent un sens tout à fait particulier au Québec. Ainsi la forme pronominale du verbe « écarter » prend le sens de « se perdre » : « François Paradis s'est écarté » (*Maria Chapdelaine*). On a déjà noté que le tutoiement est très utilisé par la société québécoise contemporaine. Ainsi, la deuxième personne du singulier est employée à la place d'un impersonnel, comme le note l'héroïne de Béatrix Beck : « À Terre-Saine [Québec], les suppositions se font à la seconde personne du singulier, sans doute parce qu'on les adresse à soi-même » (*Noli*, 1978).

Certaines manières de dire défient carrément la norme habituelle du français standard. Elles peuvent être source de confusion dans un autre pays francophone, comme la double négation sans désir d'affirmation : « Y a pas personne ? »

- « Autobus », « habit » et « horaire » sont souvent mis au féminin.
- « Le monde » est souvent suivi d'un verbe au pluriel : « Le monde sont drôles. »
- « Comment » au lieu de « combien » : « Comment ça coûte ? », « Comment tu me

paierais pour ramasser les feuilles sur le terrain ? »

• Le « tu » explétif des questions ou des exclamations : « Vous voulez-tu du café ? » « Y fait-tu assez beau, aujourd'hui ! » « Tu veux-tu ta suce ? » « Vous allez-tu vous taire ! »

Canadianismes et québécismes

Pour nommer les réalités de la Nouvelle-France, il fallait fabriquer des termes. Le lexique français international se trouve ainsi enrichi d'une quantité de mots propres à traduire avec exactitude une pensée claire et des réalités d'ici[6] :

• Vocabulaire quotidien : barre du jour, brunante, noirceur ; débarbouillette, catalogne, ceinture fléchée ; ruine-babines, musique à bouche ; prendre une brosse ; traîne sauvage ; rang, pruche.

• Vocabulaire de l'agriculture : le temps des sucres, entailler, la tire ; épluchette de blé d'Inde, le voyage de foin.

• Vocabulaire de l'eau : traverse, traversier ; batture, barachois, bouscueil. Les scientifiques, océanographes et géographes ont ainsi 28 mots pour nommer les différentes étapes de l'eau en train de passer de l'état liquide à l'état solide (frasil, glaciel, etc.).

• Vocabulaire de l'hiver : poudrerie, banc de neige, souffleuse, raquetteur, caler, tuque, claques.

C'est une langue concrète à l'image du Québec et qui rappelle souvent ses origines maritimes et agricoles :

• Se (dé-)greyer ou se (dé-)greiller (s'habiller ou se déshabiller, de « gréer un navire ») ; embarquer, débarquer d'un autobus, d'un train (formation semblable au verbe arriver, venant de rive, qui a totalement perdu sa connotation fluviale) ; ne pas partir sans biscuit, avoir son voyage.

• Les amanchures de broche à foin (quelque chose de mal ficelé), les clôtures de broche piquante, avoir un bardeau de parti (une case en moins), faire le train (soigner les animaux à la ferme, faire sa routine), avoir les oreilles dans le crin (se méfier), pleuvoir à boire debout, avoir plus de voile que de gouvernail.

• Refouler au lavage, avoir pour mon/son dire (à mon/son avis), passer la nuit sur la corde à linge (nuit blanche), se faire passer un sapin[7]. C'est bien de valeur (dommage !), ça parle au diable, ça vient de s'éteindre, pousse mais pousse égal, attendre quelqu'un avec une brique et un fanal.

L'usage de la terminaison *-eux*[8] au lieu de *-eur* est souvent assorti d'une connotation légèrement péjorative : un quêteux, un chialeux, un péteux de broue (broue est la francisation de *brew* [mousse]), un pelleteux de nuages (l'intellectuel dont les idées apparaissent bien abstraites). Les fêtards n'aiment pas non plus les casseux de veillée (qui vont se coucher de trop bonne heure) ni les sauteux de clôture (qui font pousser des cornes au front des honnêtes maris).

Le sens du concret est une des qualités du français québécois. C'est sans doute aussi ce qui pousse les locuteurs du Québec à inventer très vite des termes nouveaux pour ne pas adopter des mots imposés par l'anglais. Le sens de l'image aussi stimule la créativité linguistique et, allié au sens de l'humour, donne lieu à des trouvailles savoureuses, notamment en publicité. C'est ainsi que le Conseil de la langue française propose d'appliquer « aux grands mots les grands remèdes », et que la boulangerie Gailuron se déclare « l'amie de tout le monde ».

On note un certain parallélisme de comportement à l'égard de la langue entre la Belgique et le Québec. Dans ces deux pays, on constate une double attitude. D'une part, on devient très normatif, voire puriste. Les grammairiens, les linguistes sont légion au Québec comme en Belgique. En même temps, il existe une autre tendance, celle de subvertir le français par plaisir, par goût du jeu (du « je ») créateur : le Belge Jean-Pierre Verhegghen titre une de ses œuvres *Divan le terrible*, le Québécois Réjean Ducharme écrit *L'Océantume*, et Jean Barbeau *Manon Last Call*.

Et c'est ainsi que le français parlé dans le monde devient véritablement un français international. Pendant longtemps, selon le linguiste Jean-Denis Gendron, la conception que l'on se faisait de la langue française d'ici a été inhibitrice. La référence absolue, le beau parler français, donnait aux Québécois un profond sentiment d'infériorité, d'où le très petit nombre d'œuvres littéraires jusqu'à la Révolution tranquille. À ce moment-là, les linguistes se sont rendu compte de la nécessité d'établir une norme québécoise, ce à quoi veille l'Office de la langue française.

Le joual

Toute langue vivante, étant communication, s'adapte au destinataire du message : un enfant de 10 ans sait parfaitement qu'il ne parle pas à sa grand-mère comme à un copain de jeux. De tout temps, par ailleurs, les capitales se sont adjugé le diplôme de l'absolue correction de la langue, rangeant du même coup la façon de s'exprimer en province, ou « en région », dans le tiroir des parlers populaires. Ce n'est pas le lieu de revenir ici sur l'extraordinaire richesse du lexique paysan, non plus que sur la sagesse profondément humaine que l'on trouve dans ces manières de dire qui n'ont plus presse dans les cités modernes.

Au Québec, l'isolement de personnes en groupes socialement restreints à des paroisses rurales d'abord, mais qui s'urbanisent dès le début du siècle, encouragera de nouvelles habitudes de langage, adaptées à des conditions de vie différentes. Les industries qui s'installent dans les villes sont en très grande majorité dirigées par des Anglo-Saxons qui absorbent sans peine ce surplus de main-d'œuvre qui n'a plus de place dans une économie rurale. C'est donc en ville que le contact entre le français rural et l'anglais industriel et commercial est le plus continu. Il en résulte un parler populaire à la prononciation relâchée — qu'on appellera le joual[9] — à base syntaxique et lexicale tout à fait française mais qui s'adjoindra pour les besoins d'une communication entre patrons et ouvriers un lexique, des expressions et des tournures empruntés à l'anglais. Au début du siècle, on sortait peu de son quartier, on n'avait pas accès aux moyens modernes d'information que sont la radio et la télévision, ce qui favorisait encore le développement de cette façon de parler. C'est surtout à Montréal, qui affirmait sa puissance économique et commerciale, que le phénomène acquiert une ampleur à laquelle ajoute encore l'économie de guerre des années 1940. Voici comment le sociologue Fernand Dumont explique ce phénomène à partir de l'existence presque exclusivement rurale de la société québécoise et de l'usage de la langue qui s'est trouvé réduit à l'oral par la force des choses. Sans la régulation qu'apporte l'écriture, cette langue orale « ne s'appropriait qu'un univers rendu familier par une longue histoire de l'isolement. Affrontée à un monde plus large, contrainte à l'abstraction, elle devait se trouver dépourvue ». Il exprime ainsi cette idée :

> Les choses de l'industrie et de la ville avaient été nommées dans une langue doublement étrangère. Tout ce qui n'était pas rural, la machine, les grands ensembles, les centres de décisions se révélaient en anglais. La modernité était anglaise. Le français rural s'y est perdu en vains efforts. Il a pu servir encore à exprimer le cercle des souvenirs, des amours, des loisirs, de la colère et de la résignation. Pour le reste, des mots vagues et interchangeables. La « chose », l'« affaire » : c'est tout ce que la génération des « non-instruits » [...] pouvait dire d'un vaste secteur du monde où pourtant se déroulait sa vie quotidienne. Du *dash* à la *factorie*, du *boiler* des lavages du lundi matin au *grill* du samedi soir, la précision venait d'ailleurs. Le joual, je parie que ce fut d'abord le compromis entre l'héritage du vieux langage et l'étrangeté des choses nouvelles.
>
> FERNAND DUMONT,
> dans la revue *Maintenant*, 1973.

Le joual semble loin du français standard : il apparaît très anglicisé ; il utilise un vocabulaire français pauvre puisque s'y est substitué un vocabulaire anglais ; il sert surtout à la communication orale. Ce niveau de langue existe en marge de la langue soutenue des intellectuels, des écrivains ou des médias et ne s'approprie plus qu'un univers réduit souvent à sa plus simple expression par des conditions socioéconomiques précaires. Le système scolaire aurait dû corriger le laxisme des structures comme l'orthographe déficiente et enrichir le vocabulaire, mais, avant 1960, l'école publique n'avait pas plus d'exigences que la société, littéralement débordée par une énorme popula-

En 1960, ce livre connut un succès phénoménal : plus de 100 000 exemplaires vendus à l'époque. Le frère Untel appartenait à une congrégation vouée à l'enseignement.

tion à scolariser. Le frère Untel[10] lançait alors un cri d'alarme dans ses *Insolences*: « C'est toute la société canadienne-française qui abandonne. [...] Et voyez les panneaux-réclame tout le long de nos routes. Nous sommes une race servile. Nous avons eu les reins cassés, il y a deux siècles, et ça paraît. »

Le frère Untel a eu le mérite d'attirer l'attention des lecteurs sur l'inadéquation du système d'enseignement québécois. Le gouvernement Lesage en fera une priorité dans ses réformes. Non content d'expliquer ce « parler joual » dont avait déjà parlé André Laurendeau dans *Le Devoir*, le frère Untel allait au fond du malaise et montrait qu'il recouvrait un problème de fond: « Nos élèves parlent joual parce qu'ils pensent joual, et ils pensent joual parce qu'ils vivent joual. »

Bien sûr, l'élite pouvait parler un très beau français, lire la littérature écrite en France, primée en France et qui daignait aboutir dans les librairies des grandes et petites villes québécoises. Ce qui faisait dire encore à Jean-Paul Desbiens : « Une certaine élite, chez nous, est une élite déracinée. Cultivée, raffinée tout ce que vous voudrez, mais absente; des exilés de l'intérieur. » À côté de ceux-là, des essayistes, des écrivains, d'autres êtres cultivés, se posaient la question fondamentale de leur identité et répondaient: « nous sommes d'ici ». Gérald Godin et les éditions Parti pris jouèrent alors la carte du joual écrit. Puisqu'il s'agissait d'une langue de communication, il fallait en asseoir les particularités par l'écriture : on se rapprocherait ainsi du peuple qui parlait cette langue imposée par les circonstances.

Gérard Bessette écrivit *La Bagarre*; André Major, *Le Cabochon, La Chair de poule*; Jacques Renaud, *Le Cassé*; Claude Jasmin, *Pleure pas, Germaine.* C'est surtout par le roman, une des formes populaires d'écriture, que se firent connaître ces écrivains. De son côté, Michel Tremblay trouvait le créneau idéal pour ce type d'expression; ce serait celui de personnages de théâtre qui utilisent obligatoirement la langue parlée. Il écrit *Les Belles-Sœurs* en 1965; on ne les jouera qu'en 1968, tant était grande la résistance à s'entendre vivre. Les personnages de Tremblay vivent de cette intensité qui ne peut venir que du quotidien qui conditionne l'imaginaire collectif. La révélation la plus précieuse de ce théâtre est sans doute de bien évoquer la solitude sans bornes de l'homme universel par le biais de monologues qui mettent à nu l'âme du spectateur. On se mit alors à écrire « à l'oreille », comme la grand-mère de Roch Carrier « qui n'était pas allée à l'école ». On buvait du « djinne », on mangeait des « paparmanes », en se promenant sur « l'aveniou », puisque c'est ainsi qu'on l'entendait, et l'on se servait d'expressions toutes faites comme « neveurmagne » (*never mind*). Gérald Godin exprime avec lucidité ce sentiment collectif:

> J'en suis réduit au joual [...]. Quand j'arrive à Paris, je suis traqué, j'ai des complexes, chaque mot que je dis, j'ai la crainte d'ailleurs presque toujours fondée qu'il ne désigne pas l'objet auquel je pense. Ce décalage entre les mots et mon cerveau, c'est la prairie où court le joual.

En fait, le moment où le joual devient écrit correspond à l'apogée de cette remise en question générale qui atteindra l'aigu avec ce qu'il a d'insupportable au moment des événements d'octobre 1970. Opposer le joual au français, c'était montrer que l'on n'avait pas peur de la décolonisation, que l'on devait accéder à l'autonomie, celle du langage étant la toute première. Cette démarche est analogue à celle de l'adolescent qui oppose au langage châtié de ses parents bourgeois la langue verte du groupe social, auquel il choisit d'appartenir, plutôt que celle de la contrainte scolaire et familiale.

L'analogie se vérifie : la mode du joual écrit a duré un peu moins de 10 ans, de 1965 à 1973 environ. Les écrivains se sont rendu compte de l'impasse littéraire dans laquelle ils s'étaient aventurés. Le peuple québécois qu'ils voulaient rejoindre par le langage ne se reconnaissait pas dans cette forme écrite qui n'était qu'une codification arbitraire de l'oral. Les romans et les poèmes ne seront pas lus par ceux à qui ils étaient destinés. Ceux-ci se reconnaissent beaucoup plus dans les téléromans, dont le petit écran distille toutes les semaines un épisode bien ficelé, ou le théâtre. Le joual traduit bien l'expression d'un milieu socioculturel précis qui a son imaginaire, ses perceptions, sa façon de conceptualiser; c'est pourquoi les écrivains utiliseront ces richesses linguistiques : toute langue orale a une influence considérable sur la littérature et l'on trouve ce niveau de langue dans plusieurs manifestations littéraires ou paralittéraires (chanson, théâtre, roman, etc.).

> Pourquoi croyez-vous qu'il existe des poèmes, des nouvelles, des romans et des manuscrits en joual ? Tout simplement pour ceci que l'on en parle et qu'en en parlant il apparaisse à tous que la situation d'écrivain dans la société québécoise n'est pas de tout repos...
>
> Un mot joual est plus chargé de signification pour nous Québécois que tous les manuels de la terre. Je dirai que le « joual » dans la littérature québécoise c'est tout simplement de la littérature-vérité.
>
> GÉRALD GODIN, *Le Devoir*, 6 novembre 1965.

En parler, en écrire, c'était nommer une réalité, c'était s'apercevoir, comme le linguiste Gilles Bibeau, que le joual est « le niveau familier populaire du français parlé du Québec ». Certaines strates de la société l'utilisent parce qu'il répond à leur besoin de communication : c'est le fait de groupes sociaux bien définis dont les innovations linguistiques sont souvent récupérées par ceux qui codifient la langue.

L'agilité verbale que l'on trouve chez des gens habitués à la tradition orale mène à une créativité peu ordinaire. Il y a d'excellents monologuistes au Québec, dont Yvon Deschamps qui, le premier, a su rendre avec justesse[11] ce parler dont l'anglicisation, très sensible pour une oreille francophone, s'explique dans les circonstances socioéconomiques que la région métropolitaine, entre autres villes, réunit sur un territoire assez délimité.

Gérard Bessette met en scène un professeur parfaitement à l'aise dans une ambiguïté qui n'est pas sans rappeler celle dont Jean Bouthillette fait état dans son essai intitulé *Le Canadien français et son double* (1972) :

> Il était maintenant tout à fait éveillé, à deux heures du matin, vigile et tendu. Ça parle au maudit calvaire, quand donc maintenant se rendormirait-il ? Ça parle au christ (il me reste au moins ça d'incontestablement québécois : sacrer — quand je suis en brosse ou en maudit, le joual revient au galop —), c'était surcon (se dit Marin redevenu hexagonal de langue) ce réveil en pleine nuit qui s'étalerait insomniaquement jusqu'aux petites heures de l'aube.
>
> GÉRARD BESSETTE,
> *Le Semestre*, 1979.

À la fin de ces quelques pages sur le joual, il importe de rappeler avec le professeur Jean Marcel que « le français parlé au Québec ne diffère en rien (du point de vue de la syntaxe et de la morphologie) du français commun à tous ceux qui parlent français dans le monde ». Notons cependant que la qualité de la langue parlée, souvent, et écrite, parfois, laisse à désirer : le système scolaire trop permissif, plus axé sur l'expression à tout prix, des programmes modernes et peu structurés ont balayé les normes et les règles du français. De part et d'autre, des intellectuels (Jean Larose, *La Petite Noirceur*), des écrivains (Georges Dor, *Anna braillé ène shot* [*Elle a beaucoup pleuré*], *essai sur le français parlé des Québécois*, premier d'une série de trois ouvrages sur la question) ont dénoncé avec courage ce laisser-aller — loin d'être d'ordre seulement langagier — que d'autres (Marty Laforest, *États d'âme, états de langue*) défendent avec passion : dans toutes les langues, l'oral a ses formes propres dont la convention est différente de celle de l'écrit.

Quand le sociolinguiste Marcel Cohen affirme « qu'en tout état de cause, le langage se trouve au départ et se retrouve à l'arrivée dans la prise de conscience individuelle et éventuellement pour l'explication à d'autres », il exprime fort bien la place viscérale, fondamentale et prépondérante que la langue occupe dans la vie de chacun. « Car si la langue n'est pas la pensée, il n'y a pas d'expression de la pensée sans les opérations mentales et linguistiques qui rendent possible l'analyse consciente du réel. »

De Jean-Paul Desbiens à Jean Marcel, en passant par Gaston Miron et Plume Latraverse, tous sont conscients que la langue n'a pas seulement une incidence sur la culture mais a surtout et d'abord une incidence sur la politique et l'économie.

Langue et politique

> Le français [au Québec] n'est pas une langue châtiée, c'est une langue punie. Alors ne vous étonnez pas si les mots se bousculent un peu pour sortir.
>
> GILLES VIGNEAULT.

La langue est au Québec au cœur même du problème politique. Il n'y a pas de journée qu'on n'en lise quelque chose dans les journaux, ou qu'on ne soit exaspéré par quelque incartade. Ces problèmes sont du ressort des deux paliers de gouvernement.

Le gouvernement fédéral et le français

Au fédéral, une commission d'enquête sur le bilinguisme et le biculturalisme (Laurendeau-Dunton, 1963-1965) a préparé le terrain à une reconnaissance plus complète du caractère bilingue du Canada tout en permettant une prise de conscience de l'oppression linguistique dans laquelle vivait le Québec. Trudeau se fit le champion du bilinguisme *a mari usque ad mare*, un projet à la mesure de son ambition. On « bilingualisa » les fonctionnaires fédéraux à grands renforts de formations diverses, on créa un Commissariat aux langues officielles dont les rapports fustigent tous les ans l'un ou l'autre des ministères ou organismes gouvernementaux. Il n'est pas facile de changer les institutions, moins facile encore de changer les mentalités.

Celles-ci ont évolué cependant. Dans la ville de Toronto des années 1960[12], on pouvait s'entendre répliquer : *speak white* si l'on avait l'audace d'émettre quelques mots en français. Les choses ont bien changé : Toronto est aujourd'hui une belle ville bourdonnante d'activités économiques et culturelles, dont certaines en français (la minorité francophone, toutes origines confondues, tourne autour de 150 000 personnes). Pendant des lustres, le Canadien français qui avait la moindre responsabilité dans une grande entreprise ou au gouvernement fédéral devait absolument parler anglais[13]. En revanche, la réciproque était l'exception et il n'était pas rare dans des réunions à majorité canadienne-française de voir l'ensemble se mettre à l'anglais à cause de la présence d'un seul anglophone. Surnommés « *Pea Soup* » ou « *Frogs* », les Canadiens français répliquaient à leur façon en se racontant des blagues racistes dont on retrouve l'équivalent un peu partout dans le monde. Ils devaient apprendre l'anglais pour ne pas rester économiquement une main-d'œuvre bon marché — des « porteurs d'eau » « nés pour un petit pain » — qui semblait écartée des instances de direction anglophones.

Le milieu de travail dans le reste du Canada est tout naturellement anglophone à de très rares exceptions près. Comment pourrait-il en être autrement ? L'environnement anglophone omniprésent est cause d'assimilation des minorités hors Québec. Dans le domaine de l'éducation, le fédéral est resté prudemment coi chaque fois qu'il y eut des problèmes de scolarisation en français, au Manitoba, au Nouveau-Brunswick ou plus récemment à Penetanguishene en Ontario. Toutefois, dans les provinces anglophones, on note un effort pour donner aux francophones quelques écoles « quand le nombre le justifie » et la décennie 1990 leur en a autorisé la gestion sans toutefois leur en donner tous les moyens financiers. D'autre part, maintenant, ont jailli partout des classes d'immersion en français pour les non-francophones. Les chiffres d'abord stupéfiants ont montré que loin d'être une mode passagère, cet engouement est un signe des temps : les multilingues auront quelques atouts de plus dans le jeu féroce de la mondialisation. Toutefois, comme l'affirme Pierre Martel du Conseil de la langue française, « il ne faut pas oublier

Charles Huot, *Débat relatif au statut des langues française et anglaise à la séance du 21 janvier 1793 de l'Assemblée législative du Bas-Canada.* (Archives nationales du Québec à Québec, fonds Jules-Ernest Livernois, P 1000, S4 [N79-2-48].)

que le français est la seule langue officielle qui soit menacée partout au Canada, y compris au Québec ».

Le gouvernement du Québec et le français

Au Québec, la question est préoccupante. Les francophones, en minorité à l'échelle du Canada (on tend vers 23 %) mais en majorité au Québec (80 %), risquent de devenir minoritaires sur leur propre terrain. Après l'efficace revanche des berceaux, la société québécoise a renié brusquement ce comportement séculaire. La présence accrue des femmes sur le marché du travail, la libéralisation des mœurs, la prééminence de l'individu sur la collectivité amènent une réduction dramatique du taux de natalité, un des plus bas du monde, d'où un taux de croissance plus faible également. Le problème est grave : « La dénatalité est le pire ennemi de la francophonie », déclarait Robert Bourassa au moment du deuxième Sommet de la francophonie. Un taux de croissance d'à peine 1,4 % ne permet pas le renouvellement de la société. L'immigration peut être d'un certain secours, mais le diplomate Jean-Marc Léger a raison de s'alarmer :

> Un peuple ne saurait, sans sombrer dans l'indignité, se défaire en quelque sorte sur autrui du soin de le perpétuer. On voit mal d'ailleurs quel intérêt des immigrants venus des horizons les plus divers auraient à assumer une histoire, une culture, une langue, des va-

leurs qui leur sont étrangères, alors même que le peuple concerné les aurait allègrement bradées et aurait renoncé à assurer sa propre survivance (*Le Devoir,* 17 juin 1988).

Plusieurs mesures natalistes ont été prises par les deux paliers de gouvernement, en particulier l'augmentation des allocations familiales, la prise en charge de la petite enfance (garderies, maternelles) par le gouvernement Bouchard, les crédits d'impôts alloués aux parents, mais c'est un palliatif du problème fondamental d'une société dont les familles sont de plus en plus éclatées et qui n'offre plus guère de stabilité.

La deuxième raison de la minorisation est le fait d'une immigration plus encline à adopter l'anglais que le français. Cette dernière langue, n'offrant de possibilités économiques qu'au seul Québec, ne peut avoir la puissance d'attraction de l'anglais qui ouvre les portes d'un continent. Après trois ans de séjour au Canada, un immigrant peut demander la citoyenneté et dès lors jouir d'une grande liberté de mouvement en Amérique du Nord. Aussi les immigrants veulent-ils, en grand nombre, s'assimiler à la minorité anglo-québécoise et surtout scolariser leurs enfants dans cette langue de la majorité en Amérique, qui leur apparaît être la langue de l'avenir. Ce courant a été partiellement enrayé par les lois visant la langue de l'éducation.

La troisième raison est l'anglicisation, presque inévitable dans certains secteurs de l'économie, qu'apporte le milieu de travail[14]. À cela s'ajoute la tentation permanente du mieux-être économique ontarien ou états-unien. C'est à un véritable

Langues parlées au Québec

	Langue maternelle en %	Langue parlée à la maison en %
Réponses uniques		
Français	79,05	81,06
Anglais	7,75	10,01
Autres langues dont les langues autochtones	11,09	6,90
Réponses multiples		
Français et anglais	0,6	0,70
Autres combinaisons	0,71	1,25

Source : Statistique Canada, 2006.

N.B. : Dans les recensements canadiens, la langue maternelle est la première langue apprise et encore comprise.

À Montréal, la concentration des allophones atteint 17 % de la population régionale.

exode des cerveaux que le Québec doit souvent faire face : les conditions d'engagement, de recherche, la variété et la qualité des débouchés sont nombreuses dans des régions en meilleure santé économique à condition d'en posséder la langue.

Les anglophones d'origine québécoise (400 000 en 1993) ou dont la langue maternelle est l'anglais (200 000) font face eux aussi à des sentiments d'inquiétude et de frustration. Ils ont des privilèges acquis qu'ils n'entendent céder à personne et sont prêts à prendre la défense des immigrants qui confortent leur position. Les réactions de leur part sont diverses : le désir d'adaptation peut les pousser à apprendre le français et à profiter au mieux des deux cultures ; la résistance peut au contraire en amener certains à vivre dans des quartiers, des villes très protégés (Westmount, Mont-Royal, Pointe-Claire dans l'île de Montréal), à faire un *lobbying* efficace auprès d'un gouvernement fédéral ou provincial allié, à s'opposer par tous les moyens aux lois linguistiques en vigueur[15]. Le regroupement Alliance-Québec est très actif dans ces domaines.

Un certain nombre a adopté un comportement de fuite, comme on l'a vu dans le déménagement de certains sièges sociaux de Montréal à Toronto, déménagement qui est aussi dû à des raisons économiques. Toronto est un centre financier de toute première importance où il est probablement rentable d'avoir le siège social d'une entreprise d'envergure. Au Québec, comme dans bien d'autres pays, l'anglais est la langue de l'économie dans ses grandes lignes, finances, industrie, commerce.

Les positions gouvernementales

Pendant deux siècles, écrivains, journalistes et clercs ont répété inlassablement que le français était la condition *sine qua non* de la survivance. « Pour être un citoyen, selon le sociologue Fernand Dumont, deux savoirs sont indispensables : la langue et l'histoire. » La langue s'est maintenue sans trop de difficultés parce que, au Québec, le peuple est resté majoritairement de langue française et majoritairement rural jusqu'au début du XXe siècle. C'est à partir de 1960 que, sous la poussée d'une nouvelle conscience collective, les gouvernements vont légiférer sur la question de la langue.

Pour le gouvernement Lesage (libéral, 1960-1966), « bien parler, c'est se respecter ». On crée l'Office de la langue française (1961) pour surveiller la qualité de la langue. C'est par exemple le moment où disparaissent les enseignes qui se lisaient « Ne stationnez pas en aucun temps ». Au même moment, la commission Parent étudie les problèmes d'éducation. Pierre Laporte, dans son *Livre blanc sur les affaires culturelles,* demande que le français devienne langue prioritaire ; mais on ne diffuse pas ce *Livre blanc.* On organise les premiers échanges franco-québécois (1965-1966).

Le gouvernement Johnson (Union nationale, 1966-1968) veut amener tous les Québécois à devenir des citoyens de première zone et veut que le français soit la langue dominante au Québec. Il rend obligatoire l'usage du français dans l'étiquetage des produits alimentaires. Attentif au problème des immigrants, il crée un ministère de l'Immigration et demande aux nouveaux arrivants une connaissance d'usage de la langue. Il intensifie la coopération avec la France; ce nouveau développement des relations internationales inquiète Ottawa qui veut protéger sa compétence en ce domaine.

Le gouvernement Bertrand (Union nationale, 1968-1970) entre sur la scène politique juste après la crise scolaire de Saint-Léonard en 1968: les allophones, qui forment 38 % de cette banlieue nord de Montréal, réclament une scolarité « bilingue » où 75 % des matières seront enseignées en anglais. Les francophones, qui forment 60 % de la population, voient le danger d'assimilation, là où les anglophones ne forment que 2 % de la population.

• Création de la commission Gendron qui analyse la situation de la langue française au Québec (1968 à 1972).

• Loi 63 (1969). Supposément créée « pour promouvoir l'enseignement de la langue française », la loi garantit le droit des parents, même non encore citoyens, de choisir la langue d'instruction des enfants, avec la conséquence que les allophones s'anglicisent à qui mieux mieux.

• Vives réactions des francophones qui découvrent que la Loi de l'instruction publique ne précise pas quelle est la langue d'enseignement du seul État francophone en Amérique du Nord; constitution du Front du Québec français.

• Le gouvernement Bourassa (libéral, 1970-1976) présente les conclusions de la commission Gendron: le français doit être la seule langue officielle; le français et l'anglais sont deux langues nationales; les mesures gouvernementales incitatives (milieu de travail) doivent être plus énergiques (étiquetage, affichage); en ce qui concerne la langue de l'éducation, la commission renvoie la balle dans le camp du gouvernement.

• Loi 22 (1974). Le français est la langue officielle mais les libéraux croient à la biethnicité et au biculturalisme du Québec: aussi la loi est-elle imprécise, équivoque, voire contradictoire. On y parle de priorité, de télécommunications en français. Le français est reconnu comme la langue d'enseignement et l'on demande aux élèves qui veulent entrer à l'école anglaise des tests d'aptitudes linguistiques qui démontrent que le candidat est vraiment anglophone et qu'il a ainsi le droit d'aller à l'école anglaise. Le problème concerne les immigrants — 8 % de la population — dont il faudrait changer l'habitude d'aller vers l'anglais.

Le gouvernement Bourassa veut faire la promotion de la langue par incitation. La nécessité de l'affichage en français fait surface, mais sans rigueur; on insiste sur le français en milieu de travail. La bonne volonté du gouvernement est évidente, mais les modalités d'application des lois sont soit peu claires, soit arbitraires ou même ressenties comme antidémocratiques par certains milieux.

• Pour le gouvernement Lévesque (Parti québécois, 1976-1985), la langue sera la première priorité politique. Le projet de loi 1 devient la loi 101 (1977). Cette Charte de la langue française est très claire et très précise, contrairement aux lois précédentes:

Charte de la langue française : préambule

Langue distinctive d'un peuple majoritairement francophone, la langue française permet au peuple québécois d'exprimer son identité.

L'Assemblée nationale reconnaît la volonté des Québécois d'assurer la qualité et le rayonnement de la langue française. Elle est donc résolue à faire du français la langue de l'État et de la Loi aussi bien que la langue normale et habituelle du travail, de l'enseignement, des communications, du commerce et des affaires.

L'Assemblée nationale entend poursuivre cet objectif dans un climat de justice et d'ouverture à l'égard des minorités ethniques, dont elle reconnaît l'apport précieux au développement du Québec.

L'Assemblée nationale reconnaît aux Amérindiens et aux Inuits du Québec, descendants des premiers habitants du pays, le droit qu'ils ont de maintenir et de développer leur langue et culture d'origine.

Ces principes s'inscrivent dans le mouvement universel de revalorisation de cultures nationales qui confère à chaque peuple l'obligation d'apporter une contribution particulière à la communauté internationale.

La loi 101 est faite dans le but précis de permettre aux Québécois de vivre et de s'épanouir en français. Camille Laurin, le « père » de la Charte de la langue française, en a fait une loi avec des modalités d'application très claires. Cette loi ne fera pas plaisir à tous et ses détracteurs lui reprocheront « d'avoir des dents » alors que d'autres louent le PQ d'avoir eu le courage de prendre des mesures strictes et de les appliquer.

La loi 101 donne au Québec des institutions : à l'Office de la langue française s'ajoutent un Conseil de la langue française, une Commission de surveillance, sous la responsabilité du ministre. La loi est positive et vise à la francisation de l'administration et des entreprises. Elle stipule que le français est la langue de la législation et de la justice, de l'administration, du travail, du commerce et des affaires, de l'enseignement.

Quelques articles ou clauses de la loi 101 seront déclarés « inconstitutionnels » par la Cour supême du Canada ; cela forcera les gouvernements du Québec à en amender ou à en préciser certains points ; par exemple, une clause du chapitre VIII, concernant la langue de l'enseignement, avait exaspéré bon nombre de personnes : la clause « Québec[16] » sera remplacée par la clause « Canada » et la loi 104 jugée invalide par la Cour suprême.

La loi 101 a le mérite d'être une loi claire même si elle a suscité de fortes oppositions. Le troisième gouvernement libéral de Robert Bourassa, à son tour, a voté en 1988 un projet de loi (178) qui réglemente l'affichage : il devra se faire uniquement en français à l'extérieur, sauf dans certains cas précis (taille des commerces, nombre d'employés, etc.) et pourra être bilingue à l'intérieur où l'on devra cependant accorder une visibilité plus grande à la langue de la majorité. Cela ne satisfait ni les anglophones qui se sentent trahis, ni les francophones qui craignent la « rebilingualisation ». La loi 86, en 1993, va dans le même sens. L'équilibre entre la fermeté et la tolérance est en ces matières bien difficile à trouver et plusieurs ministres s'y sont heurtés sans trouver de solution.

La bataille du français n'est pas gagnée pour autant; c'est une lutte journalière : le Québec francophone représente à peine 2,4 % du continent nord-américain anglophone. Claude Hagège, dans son ouvrage intitulé *Le Français et les siècles* (1987), montre à quel point la diffusion du français dans le monde lui apparaît comme un « choix humaniste face à toutes sortes d'hégémonie ». Lorsqu'il touche particulièrement au Québec, il ajoute avec une tranquille assurance : « en inscrivant dans sa constitution l'unilinguisme officiel en faveur du français (loi 101), le Québec a manifesté une claire saisie de la gravité des enjeux [et] du péril du bilinguisme ».

Conscient de la faiblesse que peut constituer pour le pays une immigration qui a été réticente à se mettre au français, le gouvernement Bouchard essaie d'attirer des immigrants francophones. Une vigoureuse publicité à l'étranger amène 10 % des immigrants d'origine française.

En 1989, après l'adoption par le gouvernement Bourassa du projet de loi 178, qui précise les modalités d'application de la loi 101, les stops, qui avaient autrefois été tout simplement barbouillés, sont transformés en « 101 », pour indiquer le désir de bon nombre de s'en tenir à la Charte de la langue française. (Photo : FTL.)

Il est bon cependant de rappeler que la culture québécoise n'est pas exclusivement de langue française : d'excellents écrivains, un théâtre ingénieux, des musiciens remarquables, des peintres fameux sont là pour dire le Québec en anglais. Les producteurs de télévision anglophones se retrouvent à Montréal chaque été pour sélectionner les humoristes que le festival *Just for Laughs* (jumeau du Juste pour rire) déniche tous les ans. La génération anglophone et allophone qui a été élevée sous la loi 101 a tendance à devenir de plus en plus bilingue et reconnaît qu'il est avantageux d'avoir deux langues — et plus — à son service. Les membres du Greater Quebec Movement (Mouvement du Grand Québec) n'appuient pas les revendications dépassées de certains « anglos », souvent plus âgés, et tendent la main aux jeunes francophones dont ils partagent les inquiétudes, notamment en matière d'emploi.

Affiche annonçant un spectacle de Sol, alias Marc Favreau.

Ils reconnaissent que le français est bien vivant au Québec, qu'il s'est parfaitement adapté à ce nouveau continent, que son adéquation au réel, son évolution ne peuvent qu'être bénéfiques à la langue française en général comme au continent où elle s'est marcottée. Le politologue Léon Dion a insisté à son tour sur le fait que « la langue française était avant tout le principe intégrateur de la société québécoise. Renoncer à ce principe, ce serait saper les fondements mêmes de cette société sous sa forme séculaire » (*Le Devoir*, 27 mai 1988).

L'urgence et la précarité de la situation linguistique au Québec ont conduit les esprits à décider d'une ligne de conduite ferme. Des observateurs ont noté en effet qu'en France même, les anglicismes sont fréquents et que les institutions spécialisées semblent moins convaincues de s'y opposer qu'au Québec ; il est vrai que cela porte moins à conséquence à court terme.

La vitalité du français québécois demeure néanmoins extraordinaire ; la créativité des publicitaires est remarquable ; les écrivains repoussent les limites de la littérature. De nombreux monologuistes, en jouant avec les mots, montrent à quel point le Québec tient à sa culture française spécifiquement québécoise. Maintenant on ne porte plus en écharpe un cœur meurtri par les assauts répétés des communications. C'est avec humour et finesse que l'on vit en français. Le personnage de Sol est sans doute le plus souple des acrobates d'une langue qu'il désautomatise[17] pour mieux en faire saisir la délicatesse et les infinies possibilités. Sous le couvert de la naïveté désarmante d'un pauvre diable, Marc Favreau fait danser les mots dans un imaginaire superbe : à coups de « transe-canadienne » et de « purée-culture », les messages passent.

La complainte au garnement

d'accord monsieur d'accord
montrer sa langue au monde
d'accord c'est pas poli
mais vous trouvez ça mieux
qu'on voye ma polyglotte ?
monsieur le garnement
plus je vous écoutille moins je
[compréhensionne

et si j'avais un chat
même un chat dans la gorge
je lui donnerais MA LANGUE
il aurait pas le choix
elle est pas si tant pôvre
elle vit dans un palais
rendez-la-moi monsieur
laissez-la-moi tranquille
et si sans le vouloir je mange un peu
[mes mots
ma langue jamais je voudrais
[l'avaler
et encore moins je jure me la faire ravaler

SOL.

Avec la présence massive des femmes dans tous les domaines d'emploi et de responsabilité, il est apparu logique de féminiser titres et fonctions à l'instar d'autres pays francophones comme la Suisse et la Belgique ; on trouve aussi bien une mécanicienne dans un garage qu'une rectrice à la tête d'une des universités montréalaises (pas d'état d'âme à ce sujet, seulement un état de fait). Du côté des lexicographes, « ces greffiers de l'usage », on a créé ici deux banques de terminologie. L'Office de la langue française innove constamment dans le domaine de la terminologie, que ce soit en informatique, ou en d'autres sciences ou techniques de pointe. D'après le linguiste Jean-Claude Corbeil, « cette légitimation linguistique [...] a donné un nouvel élan aux recherches sur la langue ». La recherche universitaire en linguistique emprunte plusieurs avenues, qu'il s'agisse de recherche pure ou appliquée (didacticiels, par exemple). Les données sociologiques expliquent en outre que le Québec ait acquis un savoir-faire particulier dans le domaine de l'enseignement des langues secondes, comme celui que pratiquent les nombreuses écoles d'immersion. Cet intérêt a suscité la publication de nombreux dictionnaires[18] au Québec. À cet égard, le *Dictionnaire visuel*, maintenant sur Cédérom et qui existe en plusieurs langues, a fourni aux utilisateurs un outil de référence sans pareil. Le *Multidictionnaire des difficultés de la langue française* donne une solution rapide et complète aux difficultés de tout ordre que peut rencontrer un locuteur. Mentionnons également Machina Sapiens, créateur de logiciels comme *Le*

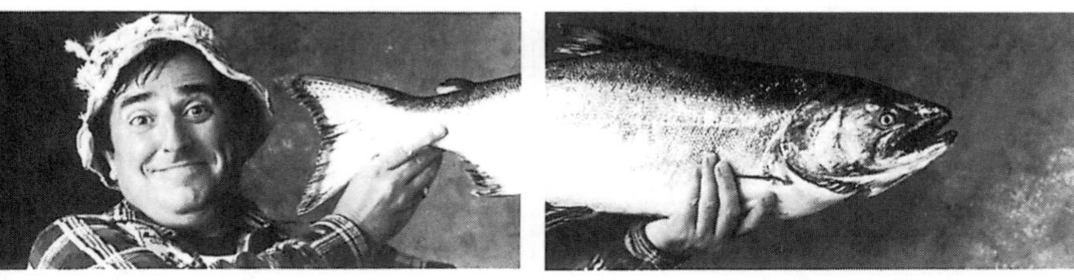

Les histoires de Mario. Le poisson de Provigo.

De l'utilité de passer par un supermarché (Provigo) au retour d'un voyage de pêche.

Correcteur 101, et dont le dernier projet, *Lingua Franca*, pourrait faciliter la rédaction en langue seconde.

Le Québec apporte plusieurs autres pierres à l'édifice de la francophonie mondiale, dans le domaine de la langue, tout spécialement. La municipalité de Lyon a offert à Rober Racine, artiste multidisciplinaire fasciné par la langue, de créer le *Parc de la langue française*, qui permettra au visiteur de se promener parmi 55 000 mots. Cet artiste inclassable allie le plaisir de la musique et la passion du verbe en découvrant les notes (*do, ré, mi*, etc.) contenues dans les mots dont il agence des *Phrases harmoniques* qui prennent vie sur un disque ou il découpe les dictionnaires de façon à surprendre et faire surgir d'autres sens. Les auteurs-compositeurs-interprètes du Québec eux aussi sont l'écho dans le monde entier des bulletins de la bonne santé du français québécois.

Notes

1. On remarque fréquemment ce « i » court dans « icitte », « criss ».

2. L'île de Grâce, ainsi nommée autrefois, s'entendait « grosse île » en anglais et devient Grosse-Île sur les cartes et atlas contemporains.

3. La nuance péjorative si fréquemment attribuée au provincialisme vient tout simplement du fait que le citadin, et plus spécialement le Parisien, est convaincu de sa supériorité. Si la Parisienne traite sa cousine de « provinciale » avec le mépris que l'on sait, c'est parce que la ville impose ainsi sa superbe. Les citadins traitent de « paysans » ceux qui ne conduisent pas un véhicule comme eux. Au Québec, ce type de comportement se retrouve dans l'expression « Arrive en ville ! ». Le gars mal dégrossi sera traité d'« habitant » ou de « colon » suivant la situation du locuteur. C'est bien connu, « on est toujours le Sauvage de quelqu'un ».

4. Même si l'interpénétration des langues reste un phénomène naturel et constant.

5. « Qu'est-ce que tu fais, toi ? — Moi ? je mets des haricots en boîte à l'usine. »

6. En 1930, la Société du parler français au Canada éditait un *Glossaire du parler français* (Québec, L'Action sociale) ; en 1957, Louis-Alexandre Bélisle, ancien typographe au *Soleil*, publiait et éditait lui-même, à Québec, le *Dictionnaire général de la langue française au Canada* (54 582 articles, 3 065 illustrations, 1 408 p.). (Compléter par la note 18.)

7. Ou « se faire passer un Québec », c'est-à-dire « se faire duper ». Voir le dictionnaire Bélisle ou le dictionnaire Meney.

8. « Chanteux » pour « chanteur » : le suffixe *-eux* est une forme populaire du suffixe *-eur*, attestée depuis longtemps dans plusieurs régions de France ; elle existe encore et sert même à l'heure actuelle à la formation de néologismes ; la connotation du suffixe *-eux* est plus péjorative en France qu'au Québec, où elle semble plutôt insister sur le côté convivial et bonhomme.

9. Le 21 octobre 1959, le politicien André Laurendeau « qualifiait le parler des écoliers canadiens-français de "parler joual". [...] Parler joual, c'est précisément dire joual au lieu de cheval. C'est parler comme on peut supposer que les chevaux parleraient s'ils n'avaient pas déjà opté pour le silence et le sourire de Fernandel » (*Les Insolences du frère Untel*, Montréal, Éditions de l'Homme, 1960).

10. Pseudonyme de Jean-Paul Desbiens dont le livre, *Les Insolences du frère Untel*, a connu un succès phénoménal (plus de 100 000 exemplaires à l'époque) et maintes rééditions depuis.

11. Il y a du Molière dans les mises en scène d'Yvon Deschamps. Le brave employé qui se contente « de sa job steady, ben safe » et d'un « maudit bon boss » fait rire à gorge déployée.
12. D'où la « farce plate » qui courait alors les rues de Montréal et de Québec concernant un concours d'anglais dont le premier prix était une semaine à Toronto, le deuxième prix, deux semaines à Toronto, le troisième prix, trois semaines à Toronto...
13. Pour monter dans l'échelle sociale, il fallait d'abord « être parfait bilingue ».
14. Jean-Pierre Proulx titrait un article sur la langue de l'école : « Démonter en français une auto qu'il faudra remonter en anglais » (*Le Devoir,* 26 septembre 1988).
15. Aux élections de 1989, le Parti égalité avait réussi à faire élire quatre députés anglophones dans des circonscriptions électorales traditionnellement acquises au Parti libéral.
16. En 1977, la loin 101 restreignait l'enseignement subventionné en anglais aux seuls enfants dont un parent ou un frère avait reçu au Québec, ou hors du Québec s'il y était domicilié, un enseignement en anglais (article 73). Le législateur canadien exigea le remplacement de la clause « Québec » par la clause « Canada » en 1984.
Pour contourner cette mince restriction, des familles, surtout allophones, achetèrent le droit à l'enseignement subventionné en anglais pour la suite des études de la fratrie et de leur descedance, en mettant l'aîné des enfants dans une école privée anglaise, non subventionnée, donc fort chère, surnommée « école passerelle ».
Pour colmater cette brèche dans la loi 101, en 2002, l'Assemblée nationale du Québec adopta à l'unanimité la loi 104, dont certaines dispositions sont jugées invalides par la Cour suprême du Canada en 2009.
17. « J'avais un chat dans la gorge, alors on m'a donné un sirop pour matou. » Sol (Marc Favreau).
18. Entre autres, le *Dictionnaire historique du français québécois* (Claude Poirier, dir., et l'équipe du Trésor de la langue française au Québec, Québec, PUL, 1998) qui offre des monographies lexicographiques de québécismes ; le *Dictionnaire du français plus* (Claude Poirier, dir., Montréal, CEC, 1988) ; le *Dictionnaire thématique visuel* de Jean-Claude Corbeil (Montréal, Québec/Amérique, 1986, réédité de multiples fois en de multiples langues) ; le *Multidictionnaire des difficultés de la langue française* de Marie-Éva de Villers (Montréal, Québec/Amérique, 5e édition en 2009) ; le *Dictionnaire québécois instantané* (Montréal, Fides, 2004) ; le *Dictionnaire des canadianismes* de Gaston Dulong (Paris, Larousse ; Québec, Le Septentrion, 1989) ; le *Dictionnaire québécois d'aujourd'hui* (Montréal, Dicorobert, et Paris, Dictionnaires Le Robert, 1992, dont certaines inscriptions ont été très controversées). Le *Dictionnaire québécois français, pour mieux se comprendre entre francophones* de Lionel Meney (Montréal, Guérin, 1999).
Il y eut même un *Bescherelle* québécois « *made in France* » en 1997, tellement ridicule dans sa transcription auditive des verbes, dont il donnait par ailleurs scrupuleusement la conjugaison, qu'il ne put garder que 17 des 608 soi-disant québécismes pour être distribué.

Bibliographie

Dictionnaires

Se référer à la note 18, ci-dessus, pour les parutions récentes concernant le français québécois et à la note 6 pour de plus anciens documents.

Franqus : Dictionnaire du français standard en

usage au Québec, Hélène Cajolet-Laganière et Pierre Martel, Université de Sherbrooke (60 000 mots; disponible en ligne), franqus.usherbrooke.ca

POIRIER, Claude (dir.) et l'équipe du Trésor de la langue française au Québec, *Dictionnaire historique du français québécois*, Québec, PUL, 1998, 640 p.

Études

BOUCHARD, Chantal, *La Langue et le nombril*, Montréal, Fides, 1998, 303 p.

BOUTHILLIER, Guy et Jean Mayrand, *Le Choc des langues au Québec, 1760-1970*, Montréal, PUQ, 1972, 767 p.

CHAREST, Gilles, *Sacres et blasphèmes québécois*, Montréal, Québec/Amérique, 1980 [1974], 123 p.

COLPRON, Gilles, *Le Nouveau Dictionnaire des anglicismes*, mis à jour par Constance Forest, Louis Forest, Laval, Beauchemin, 1994 [1970], 289 p.

Conseil de la langue française, *Le Français au Québec — 400 ans d'histoire et de vie* (Michel Plourde, dir.), Montréal, Québec, Fides/Publications du Québec, 2000, 516 p.

DESRUISSEAUX, Pierre, *Dictionnaire des expressions québécoises*, Montréal, Bibliothèque québécoise, 1990, 446 p.

DOR, Georges, *Anna braillé ène shot (Elle a beaucoup pleuré ; essai sur le français parlé des Québécois)*, Montréal, Lanctôt, 1996, 191 p. (suivi de trois autres essais sur le français parlé des Québécois).

DUFOUR, Christian, *Les Québécois et l'anglais. Le retour du mouton*, Montréal, Éd. réunis, 2008, 152 p.

DUGAS, André et Bernard Soucy, *Dictionnaire pratique des expressions québécoises*, Montréal, Logiques, 1992, 299 p.

FOREST, Jean, *Anatomie du québécois*, Montréal, Triptyque, 1996, 342 p., et *Chronologie du québécois*, Montréal, Triptyque, 1998, 378 p.

GENDRON, Jean-Denis, *D'où vient l'accent des Québécois ? Et celui des Parisiens ?*, essai sur l'origine des accents, Québec, PUL, 2007, 312 p.

GODIN, Pierre, *La Poudrière linguistique. La Révolution tranquille 1967-1970*, Montréal, Boréal, 1990, 370 p.

LAFOREST, Marty, *États d'âme, états de langue. Essai sur le français parlé au Québec*, Québec, Nuit blanche, 1997, 143 p.

LALONDE, Michèle, *Défense et illustration de la langue québécoise*, Paris, Seghers/Laffont, 1979, 239 p.

LAMONDE, Diane, *Le Maquignon et son joual, l'aménagement du français québécois*, Montréal, Liber, 1998, 216 p.

LECLERC, Jacques, *Qu'est-ce que la langue ?*, Chomedey, Mondia, 1989 [1979], 460 p.

Maintenant, nº 125, Montréal, 1973 ; nº 134, Montréal, 1974.

MARCEL, Jean, *Le Joual de Troie*, Montréal, E.I.P., 1982 [1973], 357 p.

MOUGEON, Raymond et Édouard Béniak, *Les Origines du français québécois*, Québec, PUL, 1994, 332 p.

OAKES, Leigh et Jane Warren, *Langue, citoyenneté et identité au Québec*, Québec, PUL, 2009, 340 p.

Parti pris, Montréal, janvier 1965.

STEFANESCU, Alexandre et Pierre Gorgeault (dir.), *Le Français au Québec : les nouveaux défis*, Montréal, Fides, 2005, 622 p.

VALDMAN, Albert, Julie Auger et Deborah Piston-Hatlen (dir.), *Le Français en Amérique du Nord*, Québec, PUL, 2005, 583 p.

Les articles dans divers journaux et périodiques, français et anglais, du mathématicien Charles Castonguay.

Deux collections à mentionner

L'Office de la langue française (Éditeur officiel du Québec) a publié : *Canadianismes de bon aloi* et des vocabulaires spécialisés (Alimentation, Assurance sur la vie, Hydroélectricité, Radio-télévision, Sport, etc.).

Les Presses de l'Université Laval ont une collection très étoffée intitulée « Langue française au Québec », dont *Problèmes de lexicographie québécoise* de Marcel Juneau (1977).

Création

RACINE, Rober, *Le Dictionnaire,* suivi de *La Musique des mots* (DC et partitions), Montréal, L'Hexagone, 1998, 209 p.

Audiovisuel

Le Beau Plaisir, B. Gosselin, P. Perrault et M. Brault, ONF, couleur, 1968, 15 min.

Françoise Durocher, waitress, A. Brassard et M. Tremblay. ONF, couleur, 1972, 29 min.

Histoire de la langue française au Québec, SRC (Montréal) et ACDI, cassette VHS, 12 min, son, couleur, 1991.

J'ai pas dit mon dernier mot, Yvon Provost, ONF et Office de la langue française du Québec, couleur, 1986, 60 min.

Speak White (Extrait de la nuit de la poésie. Michèle Lalonde), Jean-Claude Labrecque, ONF, couleur, 1970, 4 min.

Séries

« La langue au Québec », ONF et Radio-Québec, 1976.

« Sur le bout de la langue », ministère de l'Éducation, 1983.

« Le système de la langue française », OFQ.

« Tout le monde parle français », ONF.

Et les films de l'Office de la langue française.

Discographie

Les disques d'Yvon Deschamps, dont *L'Argent ou le Bonheur,* Polydor, 542. 508, août 1969.

Les disques et les livres de Sol (Marc Favreau), dont *Avec Sol rien détonnant!* ou *L'Univers est dans la pomme,* Montréal, Stanké, 1987.

« La langue de chez nous », chanson d'Yves Duteil, et une chanson de Daniel Lavoie, « Jours de plaine » sur sa langue dans les Plaines de l'Ouest.

« Le cœur de ma vie », chanson de Michel Rivard, Les Éditions sauvages, 1989, cassette Audiogram ADA 10034.

Le Trésor de la langue, DC de René Lussier, prod. Ambiance magnétique, 1989.

5
La politique

Page précédente : La place du Québec a été inaugurée à Paris le 17 décembre 1980.

> La politique, mariée avec la foule, a reconnu les aspirations naturelles de n'importe quel peuple de vivre son rapport à l'actuel à travers sa singularité.
>
> ANDRÉ RICARD.

Le XIXe siècle, qui a marqué le début d'un comportement spécifiquement « québécois » (même si à l'époque on se disait canadien), voit le sens de la politique agiter les passions. La société québécoise se passionne pour la politique en montrant les qualités et les défauts inhérents à tout sentiment excessif: à des périodes d'enthousiasme, d'engouement, d'engagement profond, d'idéalisme succèdent des moments de désillusion, de désaveu. À une activité intense fait souvent suite une passivité désarmante, une démobilisation massive.

Au cours des dernières années, nombreux sont les exemples de cette alternance qui touche aux fibres les plus sensibles de l'être et fait ressortir régulièrement les questions fondamentales. La période de passivité sociale des Québécois sous la « grande noirceur » de Duplessis (1944-1960) a été suivie des années d'ébullition collective (1960-1968) de la Révolution tranquille avec Lesage et Johnson. Sous Bertrand et Bourassa (1968-1976), on se sent moins concerné si ce n'est lors des événements d'octobre 1970. En 1976, l'arrivée du Parti québécois (PQ) au pouvoir, avec la personnalité politique exceptionnelle de René Lévesque, conscientise et politise le Québec au plus haut point jusqu'au référendum de 1980. Commence alors une autre période de désintérêt massif qui contraste brutalement avec l'euphorie des années précédentes et celle qui précède immédiatement le deuxième référendum de 1995, avant la nouvelle retombée postréférendaire.

Mais passion ne veut pas dire tocade. On est par tradition familiale attaché à un parti. Autrefois, on était « bleu » ou « rouge », de la couleur associée au Parti conservateur ou au Parti libéral, jusqu'au cimetière, et la famille choisissait, en conséquence, l'entrepreneur de pompes funèbres. Il y avait des comtés traditionnellement « bleus », et celui qui « virait son capot » était littéralement mis au ban de son petit monde quotidien. On apprenait aux élèves du cours classique à exercer leurs talents oratoires dans des « parlements » ; le goût qu'a le Québécois de parler, de faire de la rhétorique sans le savoir, se retrouve dans ces séries d'émissions de radio, dites de « lignes ouvertes », où l'on invite l'auditoire à discuter avec un

Hôtel du Parlement où siège l'Assemblée nationale. Il fut construit entre 1877 et 1887 d'après les plans de l'architecte Eugène-Étienne Taché. (Commission de la capitale nationale, T-001-039. Photo : Marc-André Grenier.)

meneur de jeu qui n'est jamais en panne d'appels de l'extérieur. À la télévision comme à la radio, on y va de commentaires, nombreux et quotidiens. On fait plus que parler, on écrit beaucoup : des éditoriaux de journaux, où l'on trouve parfois des prises de position contradictoires dans la même page, et quantités de livres dans lesquels on analyse, on disserte, on s'explique à longueur de page.

Les institutions

Le Québec est soumis à la Constitution canadienne, bien qu'il n'en ait pas signé le rapatriement de Londres, décidé en 1981, qui lui concède comme aux autres provinces la possibilité d'organiser ses propres institutions. Du statut de *dominion* qu'avait le Canada sont restées plusieurs habitudes britanniques. Le lieutenant-gouverneur, nommé et rétribué par le fédéral, est le représentant de la couronne britannique au Québec. Protocolairement, il est le plus haut des dignitaires : il est présent pour le « discours inaugural », discours-programme du gouvernement ; il sanctionne les lois votées par le Parlement (qui existe depuis 1791) pour les rendre exécutoires. Il fait partie du pouvoir exécutif d'un point de vue administratif, mais il n'a aucun pouvoir personnel.

Le chef de gouvernement est le premier ministre, qui gouverne et administre avec

Premiers ministres du Québec depuis 1867

Nom	Parti	Nomination
Pierre-Joseph-Olivier Chauveau	Parti conservateur	Juillet 1867
Gédéon Ouimet	Parti conservateur	Février 1873
Charles-Eugène Boucher de Boucherville	Parti conservateur	Novembre 1874
Henri-Gustave Joly de Lotbinière	Parti libéral	Mars 1878
Adolphe Chapleau	Parti conservateur	Octobre 1879
Joseph-Alfred Mousseau	Parti conservateur	Juillet 1882
John Jones Ross	Parti conservateur	Janvier 1884
Louis-Olivier Taillon	Parti conservateur	Janvier 1887
Honoré Mercier	Parti libéral	Janvier 1887
Charles-Eugène Boucher de Boucherville	Parti conservateur	Décembre 1891
Louis-Olivier Taillon	Parti conservateur	Décembre 1892
Edmund J. Flynn	Parti conservateur	Mai 1896
Félix-Gabriel Marchand	Parti libéral	Mai 1897
Simon-Napoléon Parent	Parti libéral	Octobre 1900
Lomer Gouin	Parti libéral	Mars 1905
Louis-Alexandre Taschereau	Parti libéral	Juillet 1920
Adélard Godbout	Parti libéral	Juin 1936
Maurice Duplessis	Union nationale	Août 1936
Adélard Godbout	Parti libéral	Novembre 1939
Maurice Duplessis	Union nationale	Août 1944
Paul Sauvé	Union nationale	Septembre 1959
Antonio Barrette	Union nationale	Janvier 1960
Jean Lesage	Parti libéral	Juillet 1960
Daniel Johnson (père)	Union nationale	Juin 1966
Jean-Jacques Bertrand	Union nationale	Octobre 1968
Robert Bourassa	Parti libéral	Mai 1970
René Lévesque	Parti québécois	Novembre 1976
Pierre-Marc Johnson	Parti québécois	Septembre 1985
Robert Bourassa	Parti libéral	Décembre 1985
Daniel Johnson (fils)	Parti libéral	Janvier 1994
Jacques Parizeau	Parti québécois	Septembre 1994
Lucien Bouchard	Parti québécois	Janvier 1996
Bernard Landry	Parti québécois	Mars 2001
Jean Charest	Parti libéral	Avril 2003

L'Assemblée nationale siège dans ce qu'on appelle encore le Salon bleu. (Assemblée nationale.)

un Conseil des ministres, appelé aussi Conseil exécutif, d'environ 25 personnes.

En 1968, le Québec a aboli le Conseil législatif qui, de fait, constituait une « Chambre haute » dont les membres n'étaient pas élus mais nommés par le gouvernement. Ce système de bicaméralisme fonctionne encore à Ottawa (Chambre des communes et Sénat).

Le premier ministre est le chef de la formation politique qui a obtenu le plus de sièges à l'Assemblée nationale. C'est dans son parti, parmi les députés qui ont été élus à l'Assemblée nationale (125 aux élections de 2007), qu'il choisit évidemment ses ministres pour orienter la politique qu'il préconise. Il peut remanier son Cabinet quand il le désire. Le mandat confié aux députés n'excède pas cinq ans ; dans la majorité des cas, le premier ministre déclenche les élections au bout de quatre ans.

Les chefs des partis d'opposition ont aussi à intervenir. L'opposition officielle est formée par le groupe parlementaire du parti qui se classe deuxième pour le nombre de sièges à l'Assemblée nationale. Les échanges entre le parti au pouvoir et le parti d'opposition sont parfois empreints d'une vivacité, pour ne pas dire d'une certaine agressivité envers les « amis d'en face » (les députés se font face, étant donné la disposition du lieu), qui exigent du président de l'Assemblée une connaissance parfaite des questions de procédure en même temps que des cordes vocales en excellente santé. Sans doute faut-il y voir un aspect du tempérament latin des Québécois.

Une autre habitude britannique est le recours aux commissions d'enquête, organismes paragouvernementaux créés au besoin pour l'étude d'une question particulière. Certaines ont abouti à des réformes de fond comme la Commission royale d'enquête sur l'enseignement dans la province de Québec (1961-1966), qui a donné lieu au rapport Parent, base de la réforme scolaire au Québec. Parallèlement à ces commissions d'enquête, temporaires par définition, existent des commissions parlementaires qui, à l'aide d'élus de toute obédience, passent au crible projets de loi et crédits alloués.

L'administration du Québec était devenue depuis la Révolution tranquille quelque peu pléthorique. Après les années de vaches grasses qui ont multiplié les services gouvernementaux ou paragouvernementaux, on a décidé de ramener la fonction publique à des proportions plus modestes comme dans maint autre pays occidental.

Le système électoral

Les députés de l'Assemblée nationale sont élus pour cinq ans au scrutin universel : la majorité est à 18 ans et les femmes votent depuis 1940. Le financement des campagnes électorales — et des partis politiques, depuis le premier gouvernement péquiste — a été réglementé très sévèrement pour protéger les élus contre d'éventuelles pressions.

Chaque député est élu selon le mode du scrutin uninominal majoritaire à un tour, comme ailleurs au Canada. Ce système a l'avantage d'être simple et rapide. Il s'avère plus ou moins équitable en cas de bipartisme. En revanche, il donne de bien curieux résultats si un tiers parti entre en jeu puisqu'il n'y a pas de deuxième tour de scrutin pour un éventuel report des votes et que chacun n'a qu'une seule chance d'exprimer son opinion politique. Par exemple, en pleine Révolution tranquille, alors même que le Parti libéral de Jean

Élections de 1973 : exemple de balayage

	Parti libéral	Parti québécois	Union nationale	Ralliement créditiste
Nombre des sièges sur 110	102	6	0	2
Pourcentage des sièges	92,7	5,5	0	1,8
Pourcentage des votes	54	30	5	11
Écart entre le pourcentage des sièges et le pourcentage des votes	+37,3	-24,5	-5	-9,2

Élections du 5 juin 1966

Parti	% des votes	% des sièges
Parti libéral	47,2	46,3
Union nationale	40,9	51,9
Rassemblement pour l'indépendance nationale	7,8	0
Ralliement national	3,2	0

Lesage semblait à l'abri des surprises, le parti indépendantiste RIN (Rassemblement pour l'indépendance nationale), partiellement à cause du découpage de la carte électorale, a contribué à renverser les prévisions et à pousser aux premières loges Daniel Johnson et l'Union nationale.

Le Parti libéral s'en serait sûrement tiré victorieusement avec quelques votes RIN et RN. Cela prouve que l'on peut gouverner avec environ 40 % du vote populaire quand l'opposition officielle en représente 47 % !

Un autre défaut du système est de favoriser les balayages qui donnent une majorité « sans bon sens » à un parti. Ce genre de raz-de-marée n'est jamais très positif. L'effet de surprise passé, le gouvernement en place se retrouve avec des députés qui n'ont ni l'habitude de l'arène politique, ni la ferveur de ceux qui doivent chaque jour affronter une opposition digne de ce nom. Le meilleur exemple de cette situation fut sans contredit l'élection générale de 1973. Robert Bourassa, trois ans après les événements d'Octobre, avait décidé, pour asseoir son autorité, de faire appel au peuple. Le tableau de la page 143 en dit long : ces écarts montrent bien la distorsion permise par le système (en 1998, un pourcentage de voix très proche donne 76 sièges, mais 42,70 % des votes seulement au Parti québécois et 48 sièges au Parti libéral du Québec, qui a obtenu 43,71 % des votes. L'usage de la démocratie n'en est d'ailleurs pas facilité. Le Parti québécois, qui avait souffert de cette situation, avait prévu une refonte de la loi électorale : affichage et dépenses des candidats très règlementés, carte d'identité avec photo obligatoire pour voter (première application de cette dernière mesure aux élections municipales de novembre 1999). Une liste électorale permanente a été dressée et vérifiée, ce qui ne permettra plus aux contrevenants de voter à la place d'un absent ou d'un mort. Autrefois, l'achat de votes était une pratique courante.

Les municipalités

Les municipalités, qui ont joué pendant longtemps un rôle d'organisation de services publics de base, ont graduellement été amenées, au cours du XXe siècle et surtout dans les dernières décennies, à accroître leurs responsabilités (environnement, loisirs, transports, etc.). Elles sont maintenant responsables des activités autrefois exercées par des associations volontaires souvent regroupées dans le cadre de l'administration religieuse paroissiale. Les grandes agglomérations ont donné naissance à des communautés urbaines (Montréal, Québec) à qui incombent, entre autres tâches, le transport public et d'autres problèmes d'intérêt général (sécurité publique, environnement, adduction d'eau). Dans les campagnes, on a créé des municipalités régionales de comté (MRC) regroupant plusieurs petites municipalités qui, autrement, auraient de la peine à financer leurs propres services publics. Le rôle des municipalités s'est accru progressivement dans l'organisation des loisirs à mesure qu'ils prenaient une place de plus en plus importante dans la vie du citoyen. Les élections municipales de la capitale et surtout celles de la métropole sont entourées d'une grande fébrilité, étant donné les enjeux politiques et économiques liés à ces deux villes. Certains maires ont connu une notoriété incontestable (Camillien Houde et Jean Drapeau à Montréal, Jean Pelletier et Jean-Paul L'Allier à l'hôtel de ville de Québec).

Les finances

La taxation foncière au Québec est strictement municipale. La municipalité décide du montant que chacun doit verser annuellement, en fonction de la valeur de ses biens immobiliers évalués indépendamment des revenus individuels. Plus une ville a de charges et de services, plus il est donc coûteux d'y vivre. C'est une des raisons de l'importance des banlieues et des villes satellites des grandes régions urbaines, qui se développent parfois abusivement en raison de l'espace et des facilités de communication alors que le centre-ville se dépeuple, ce qui augmente en conséquence la charge fiscale des résidents. Au début du XXIe siècle, le projet de fusion des municipalités autour de Montréal et de Québec mis de l'avant par le gouvernement Bouchard a connu une opposition farouche de la part des banlieues ; citoyens et échevins réunis dans la même crainte de perdre pouvoir et parfois dollars au profit d'un vaste rééquilibrage des impôts.

Le gouvernement provincial et le gouvernement fédéral perçoivent aussi des impôts. Les Québécois doivent faire une double déclaration depuis 1954 alors que, dans les autres provinces, le gouvernement fédéral se charge de la perception globale et redonne sa part à chaque gouvernement provincial. Ce système de taxation s'avère plus onéreux pour le contribuable du Québec.

Les services sociaux sont bien organisés, il ne coûte rien de se faire soigner dans des hôpitaux sophistiqués (mais aux urgences congestionnées) si l'on présente la « carte-soleil », carte d'identité utilisée en milieu médical, qui garantit l'accès gratuit à la majorité des soins de santé à tout résident du Québec. La facture est adressée à une régie d'État qui paie directement les services médicaux.

Le lourd fardeau fiscal des contribuables dans l'ensemble canadien est sans doute le tribut à payer pour assurer l'union sociale que défend Ottawa et qui différencie très nettement le Canada des États-Unis. Ces dernières années, on a assisté à une résistance farouche du gouvernement canadien à quelque forme que ce soit de « libéralisation » du système de santé par l'une ou l'autre des provinces. Les compressions spectaculaires, depuis 1995, des transferts du gouvernement fédéral aux provinces ont obligé le gouvernement Bouchard à revoir le fonctionnement des services de santé : le virage ambulatoire a réduit au minimum les séjours à l'hôpital et donné une plus grande responsabilité à de petites institutions plus près du public et d'administration plus légère (les centres locaux de services communautaires, CLSC). Cette réforme de la fin du millénaire ne s'est pas faite sans heurts : à partir des années 1960, on s'était vite habitué à un système confortable, voire luxueux par certains côtés, dont il a bien fallu limiter les ambitions quand les gouvernements ont décidé de ne plus être en déficit et de réduire leurs dettes.

Les relations internationales

Étant donné les deux paliers de gouvernement, on en est venu à créer deux entités spécifiques, chargées de la représentation du Québec, l'une auprès du fédéral et des autres provinces (Affaires intergouvernementales canadiennes), l'autre auprès des gouvernements étrangers (ministère des Relations internationales), parfois une troisième auprès de la Francophonie. Au fil des ans, les instances se sont trouvées tantôt dans le même ministère, tantôt séparées.

Dans beaucoup de pays, en particulier dans le monde francophone (France[1], Belgique[2], Afrique[3]), en Angleterre, aux États-Unis, en Amérique latine et au Japon, le Québec a cru bon d'ouvrir des délégations, des bureaux qui ont un rôle économique et culturel évident. Le Québec bénéficie, dans quelques ambassades canadiennes, d'un représentant clairement désigné ; c'est le cas en Côte-d'Ivoire ou en Corée.

L'Accord de libre-échange nord-américain (ALENA, 1994) occupe les spécialistes de droit international canadiens qui doivent protéger le commerce (bois canadien) et l'expression culturelle (contre les omniprésents médias états-uniens).

Les partis politiques

Il y a une bonne quinzaine de partis politiques officiels au Québec, dont certains ne sont qu'éphémères ou trop peu représentés à l'échelle du pays. Il ne sera question que des plus importants selon l'ordre chronologique d'entrée en scène.

Les partis traditionnels

Au moment de la Confédération (1867), les partis qui ont pris en mains les destinées du Québec étaient les héritiers des formations politiques qui existaient sous l'Union. Conservateurs et libéraux ont une vision politique assez proche et une idéologie voisine. Les conservateurs sont plus traditionalistes ; parmi eux, les ultramontains prônaient les valeurs sûres, religion, famille, vocation agriculturiste. À l'opposé, les plus progressistes des libéraux — les Rouges — insistaient sur la qualité de l'éducation et affichaient des idées plus ou moins anticléricales.

Le Parti libéral du Québec

Le Parti libéral du Québec (PLQ) a dominé la province sans arrêt de 1897 à 1936 ; ce fut longtemps une émanation

Jean Lesage entouré de membres de son équipe, le soir de sa victoire électorale, en 1960. Il sera premier ministre de 1960 à 1966. (Archives nationales du Québec à Québec, P 1000, S4 [N86-0496].)

du Parti libéral du Canada. Les organisations électorales ont été les mêmes jusqu'en 1960, année où les deux ailes, fédérale et provinciale, deviennent deux entités tout à fait distinctes.

Pendant les 20 années qui suivent la Confédération, c'est le Parti conservateur qui domine la scène politique. Peu à peu, le Parti libéral renforce son audience dans la population, trouvant des appuis même dans le clergé qui n'approuve pas toujours la puissance des ultramontains et leurs prétentions à tout régenter. Honoré Mercier s'impose comme chef de parti; il propose l'union de tous les Canadiens français; il rallie des conservateurs dissidents et donne un nouvel élan au Parti libéral, dégagé alors des aspects radicaux qui avaient marqué ses origines. Arrivé au pouvoir en 1887, il sera le premier à défendre énergiquement les intérêts de la province. Il affirme le nationalisme canadien-français et exige d'Ottawa le respect de l'autonomie du Québec. Il s'intéresse à l'agriculture et à la colonisation au point de nommer nul autre que le dynamique curé Labelle à un poste de sous-ministre. Il s'occupe également des communications, surtout dans les régions éloignées (Lac-Saint-Jean). Éclaboussé par un scandale financier lors de la construction du chemin de fer destiné à désenclaver la baie des Chaleurs, il doit quitter le pouvoir.

Après un intermède conservateur de 5 ans, le Parti libéral reprend le pouvoir en 1897; il le gardera pendant presque 40 ans. Cette longue période voit le Québec s'industrialiser et s'urbaniser : les orientations fondamentales du parti (développement de l'économie, mise en valeur des ressources naturelles) lui permettent de conserver son emprise sur le Québec. Lomer Gouin et Louis-Alexandre Taschereau resteront chacun une quinzaine d'années à la tête du Québec. La grande crise économique incite toutefois les électeurs à se défier des idées de modernisation des libéraux qui perdent le pouvoir en 1936. En 1940, Adélard Godbout redonne le pouvoir au Parti libéral : il a saisi le véritable enjeu de la transformation du Québec, qui passe par une politique sociale. Ces quatre années, 1940-1944, paraissent avec le recul du temps avoir été les lointaines prémices de ce qui sera plus tard la Révolution tranquille.

C'est en 1960 que celle-ci se matérialise avec tout ce qu'elle comporte de changement dans les mentalités et les institutions du Québec. On doit alors au PLQ de Jean Lesage la création d'un ministère de l'Éducation, la nationalisation de l'électricité, le développement hydroélectrique, la Société générale de financement et l'assurance-maladie. En outre, c'est ce parti qui donnera le premier l'importance qui convient aux affaires culturelles (c'est d'ailleurs avec cette même logique que le Parti libéral a présenté à l'Assemblée nationale en novembre 1987 un projet de loi définissant le statut de l'artiste). Le Parti libéral n'est sans doute pas seul responsable de ces changements. En fait, les idées avaient énormément évolué après la Seconde Guerre mondiale, artistes et écrivains s'étant déjà faits les porte-parole de ce nouvel individu qui se sentait tout à coup devenu Québécois jusqu'au plus profond de l'être.

L'histoire se souviendra de Jean Lesage dont le gouvernement orchestra le désir de changement de son peuple. Il avait su s'entourer d'une « équipe du tonnerre » (Paul Gérin-Lajoie, René Lévesque, Georges-Émile Lapalme) et créer un corps de hauts fonctionnaires dévoués, croyant passionnément au Québec. Ce groupe donnera plus tard au Parti québécois plusieurs de ses éléments les plus actifs (Jacques Parizeau, Claude Morin). Lorsque Jean Lesage se fera battre par Johnson en 1966, celui-ci continuera le travail de son prédécesseur alors même qu'il était du parti opposé. C'était un courant d'une telle force qu'il suffisait alors d'être à l'écoute du peuple. Le Parti libéral reprend le pouvoir en 1970, lorsque les électeurs élisent un économiste, Robert Bourassa, qui sera le plus jeune premier ministre de l'histoire du Québec. Son mérite aura été de croire plus que les autres à la force économique de l'hydroélectricité ; son nom est lié à la réalisation de l'énorme complexe hydroélectrique de la baie James. Il saura refuser au fédéral la proposition de réforme constitutionnelle appelée la charte de Victoria (1971).

Robert Bourassa, seul chef politique à avoir été au pouvoir dans les années 1970, 1980 et 1990, reconduira deux fois son parti au pouvoir après la décennie péquiste. L'orientation économique du parti reste la même, en particulier en ce qui concerne l'hydroélectricité et le développement de l'entreprise privée. Ses prises de position sur la langue (loi 178) priveront Bourassa de l'appui jusqu'alors inconditionnel de l'électorat anglophone qui lui manifestera son mécontentement aux élections de septembre 1989, lui opposant une nouvelle formation politique, exclusivement anglophone, le Parti égalité, qui propulsera quatre députés à l'Assemblée nationale, pour un temps assez court.

En 1998, Jean Charest, alors député du Parti progressiste-conservateur à Ottawa, reprend la direction du Parti libéral provincial. Il devient premier ministre en 2003, fait réélire un gouvernement minoritaire en 2007. Redevenu majoritaire en 2008, il signera avec la France une Entente sur la mobilité professionnelle.

Maurice Le Noblet Duplessis, premier ministre de 1936 à 1939 et de 1944 à sa mort, en 1959. (Assemblée nationale.)

L'Union nationale

Les années de la crise économique avaient essoufflé le Parti libéral, qui avait dominé l'arène politique depuis le début du siècle. L'opinion publique était prête pour un changement : il fallait un chef à cette opposition. Ce fut Maurice Duplessis.

Né en 1890, Duplessis se présente dans le comté de Trois-Rivières en 1927. Devenu en 1933 chef du Parti conservateur — parti battu 10 fois aux élections générales depuis 1897 —, il se fait le défenseur acharné des droits traditionnels du Québec.

C'est le temps où l'abbé Lionel Groulx exprime dans ses romans et ses essais des idées nationalistes fondées sur la « race canadienne-française ».

1935. Un groupe de libéraux sécessionnistes autour de Paul Gouin avaient formé l'Action libérale nationale ; avec ce dernier, Duplessis rallie les forces d'opposition et donne à ce nouveau parti de coalition le nom d'Union nationale. Devenu chef de cette formation, Duplessis élimine bientôt l'apport des libéraux sécessionnistes et donne à l'Union nationale une allure conservatrice.

1936 à 1939. Le premier gouvernement Duplessis assiste à l'effondrement de son parti aux élections suivantes : les libéraux avaient agité bien haut le spectre de la conscription, de mémoire toujours odieuse aux Canadiens français. Le chef de l'Union nationale prendra bientôt sa revanche.

1944 à 1959. On a appelé cette période le règne de Duplessis. Celui-ci a une forte personnalité, gouverne seul même s'il a des ministres. C'est un fin politique — on le dit même « ratoureux » — qui sait se servir

970

Février 1937 No 277

L'ÉCOLE SOCIALE POPULAIRE
PUBLICATION MENSUELLE

Petit catéchisme anticommuniste

PAR

LE P. RICHARD ARÈS, S. J.

Prix: 15 sous

L'ÉCOLE SOCIALE POPULAIRE
MONTRÉAL

Direction: SECRÉTARIAT DE L'É. S. P. 1961, RUE RACHEL EST

Administration: L'ACTION PAROISSIALE 4260, RUE DE BORDEAUX

1937

TOUS DROITS RÉSERVÉS

Le « catéchisme » était un type d'enseignement qui fonctionnait par questions et réponses qu'il fallait en général savoir par cœur. Duplessis récupéra ce modèle, généralement réservé à la religion, pour sa campagne électorale (*Le Catéchisme des électeurs*). (Centre de recherche Lionel-Groulx.)

des gens. Orateur médiocre mais doué d'une sorte de charisme, il est avant tout nationaliste : le Québec avant le Canada. On lui reprochera un favoritisme, appelé au Québec « patronage », dont la tradition s'était établie bien avant lui. Il s'appuie comme tous les conservateurs sur les valeurs traditionnelles (religion, famille, agriculturisme). Il mènera donc une politique axée sur l'agriculture et son développement : il électrifie les campagnes, fait drainer les terres, fonde le Crédit agricole et développe l'enseignement spécifiquement agricole (La Pocatière, Saint-Hyacinthe).

Il poursuit les « communistes », un peu comme Truman au même moment aux États-Unis. Il se méfie des artistes qui osent dire ce qu'ils pensent parce qu'ils éprouvent avec plus d'acuité ce que ressent la société qui les entoure. À cause de cette défiance, de tradition paysanne, pour tout ce qui est d'ordre intellectuel ou artistique, on appellera cette période « la grande noirceur ». La réaction des autorités à la publication du manifeste *Refus global* sera cinglante[4]. Le « Cheuf » s'opposait aussi à « cette engeance des syndicalistes » : logique avec lui-même, il interdira la grève dans les services publics. En 1957, la longue grève de la Gaspé Copper Mines à Murdochville est un symbole de la lutte du mouvement ouvrier pour la reconnaissance des droits des travailleurs. Duplessis se méfiera toujours des idées progressistes défendues par le dominicain fondateur de la Faculté des sciences sociales à l'Université Laval, Georges-Henri Lévesque. Il sera en conflit ouvert avec l'archevêque de Montréal, Mgr Charbonneau, qui avait osé soutenir les 5 000 grévistes de l'amiante (Asbestos, 1949) et rappelé en chaire les obligations de la charité chrétienne. La grève se soldera par un échec et Mgr Charbonneau sera muté hors du Québec.

Défenseur de l'autonomie de la province, il s'oppose aux plans d'Ottawa (en 1954, il forcera le fédéral à réduire de 10 % le régime de taxation pour instaurer un impôt provincial sur le revenu) mais invite les capitalistes américains à développer les ressources du Québec. On l'a d'ailleurs accusé d'avoir vendu à vil prix les minerais que les États-Unis transformaient ensuite chez eux, privant ainsi le Québec d'industries infiniment plus rémunératrices et donc d'emplois plus spécialisés.

C'était un homme de poigne. Certains parlent d'une autorité quasi dictatoriale. Son grand mérite aura sans doute été de résister à la politique nationale fédérale, de défendre l'autonomie du Québec et de préparer ainsi indirectement les voies de la Révolution tranquille.

Après Duplessis. On a vu dans quelles conditions l'Union nationale prit le pouvoir en 1966. Daniel Johnson s'avéra un bon premier ministre qui sut faire preuve de fermeté à l'égard d'Ottawa. N'avait-il pas défendu ses idées dans un ouvrage intitulé *Égalité ou indépendance*? Il a joué lui aussi un rôle de premier plan dans la Révolution tranquille et a su s'entourer de bons ministres (Jean-Guy Cardinal, Jean-Noël Tremblay).

L'entrée dans l'arène politique d'un tiers parti, le Parti québécois, brouille les cartes du bipartisme. L'Union nationale décline au fur et à mesure que le Parti québécois lui substitue un nationalisme plus musclé. Après un sursaut à la fin des années 1970, l'Union nationale disparaît rapidement par la suite.

Les « nouveaux » partis

La présence de plus en plus massive des médias permet aux citoyens un suivi qui, du coup, favorise l'implication du grand public qu'on appellera bientôt la « base ». Les gens s'expriment plus facilement et plus librement et, pour mettre en action de nouvelles idées, le font grâce à des mouvements, voire des partis politiques.

Le Parti créditiste

À partir de la doctrine du Crédit social[5] qui a connu une certaine fortune dans les provinces de l'Ouest, le Québec élit au fédéral dans les années 1960 un assez fort contingent de députés créditistes : leur chef, Réal Caouette, laissera le souvenir d'un homme dévoué et d'une vitalité exceptionnelle.

En 1968, on décide de la création d'une aile provinciale, sans doute pour contrebalancer l'option « socialiste » du Parti québécois. Les créditistes forment un parti de droite, très près des petites gens, qui s'appuie fortement sur les valeurs traditionnelles, donc sur les régions rurales et les petites villes où ces valeurs ont gardé un peu de poids. Il y a dans leur théorie de gouvernement du dévouement, un peu de naïveté, voire d'utopie, surtout lorsque l'on aborde les questions économiques. Un de leurs chefs, Camil Samson, fut un tribun étonnant. Dans le feu du discours lui échappaient des formules à l'emporte-pièce qui feront le bonheur des journalistes[6]. Le parti, cependant, ne résistera pas au grand remue-ménage référendaire.

Le Parti québécois

Historique. René Lévesque, journaliste et homme de télévision très populaire, élu député en 1960, s'était vu confier le minis-

Le Parti québécois aux premières élections		
1970	23 % des votes	7 sièges sur 108
1973	30 % des votes	6 sièges sur 108

tère des Ressources naturelles par Jean Lesage. Il devient le grand responsable de la nationalisation de l'électricité, dont le coup d'envoi avait été donné du temps du gouvernement libéral de Godbout. Avec « l'équipe du tonnerre », il sera l'un de ceux qui feront — politiquement — la Révolution tranquille.

Pendant ce temps, l'on assistait depuis 1957 à la naissance de divers mouvements indépendantistes, dont deux bien structurés, le Rassemblement pour l'indépendance nationale (RIN) et le Ralliement national (RN), avaient présenté des candidats aux élections de 1966 et avaient par leur présence fait basculer le gouvernement Lesage[7]. Une fois dans l'opposition, René Lévesque remet en cause son orientation politique. En octobre 1967, il quitte les libéraux et fonde le Mouvement souveraineté-association (MSA). En octobre 1968, le MSA et le RN fusionnent pour donner naissance au Parti québécois : « Un parti à fonder. Un pays à bâtir ». Le même mois, le RIN se saborde et Pierre Bourgault invite les membres à se joindre au Parti québécois.

De 1968 à 1976, on assiste à l'ascension du PQ sur l'échiquier politique, même si, en raison du système électoral, cela ne se traduit pas forcément en nombre de députés : en 1973, le résultat est terriblement décevant pour le PQ qui forme cependant l'opposition officielle.

Le 15 novembre 1976, le Parti québécois arrive au pouvoir avec un peu plus de 41 % des votes. La victoire est bouleversante : « Dix ans, c'est terriblement court dans l'histoire d'un peuple », dira ce soir-là René Lévesque qui ne s'est « jamais senti aussi fier d'être Québécois[8] ». Le premier ministre Robert Bourassa est défait dans sa propre circonscription par Gérald Godin, un écrivain qui avait même goûté à la prison lors des événements d'octobre 1970. René Lévesque devient premier ministre. Il le restera jusqu'en 1985.

Après le coup de force constitutionnel de Pierre Elliott Trudeau et le rapatriement

Le Parti québécois		
1976	41 % des votes	71 sièges sur 110 (au pouvoir)
1981	49 % des votes	80 sièges sur 122 (au pouvoir)
1985	39 % des votes	23 sièges sur 122
1989	39 % des votes	29 sièges sur 125
1994	44,7 % des votes	77 sièges sur 125 (au pouvoir)
1998	42,7 % des votes	76 sièges sur 125 (au pouvoir)
2003	33,24 % des votes	45 sièges sur 125
2007	28,35 % des votes	36 sièges sur 125
2008	35,17 % des votes	51 sièges sur 125

LE DEVOIR

Fais ce que dois

la météo: Généralement nuageux avec neige intermittente, dégagement en fin de soirée. Maximum de 2 à 5. Aperçu pour mercredi: plutôt ensoleillé et plus doux.

25 CENTS

Vol. LXVIII - No 267 — Montréal, mardi 16 novembre 1976 — Sainte Marguerite d'Écosse

LE PQ AU POUVOIR

par Gilles Lesage

Le Québec s'est donné hier un gouvernement fortement majoritaire du Parti québécois.

Le PQ a fait élire au moins 67 députés, n'en laissant que 27 aux libéraux, et 11 à l'Union nationale. Il y a également un créditiste, M. Camil Samson, et un député du Parti national populaire, M. Fabien Roy.

Le sort de trois comtés était encore imprécis au moment de mettre sous presse, mais il semblait que ces comtés devaient passer au PQ, ce qui lui en ferait 70, avec 40 seulement pour tous les partis d'opposition réunis.

Le premier ministre sortant et chef libéral, M. Robert Bourassa, a mordu la poussière dans Mercier, de même que M. Jérôme Choquette, chef du PNP, dans Outremont, et M. Nick Auf der Maur, chef de l'Alliance démocratique, dans Westmount.

Au milieu de la nuit, la proportion des suffrages exprimés était la suivante: 40% pour le PQ, 35% pour les libéraux, et près de 20% pour l'UN de M. Rodrigue Biron, lui-même élu dans Lotbinière. Tous les autres partis ne recueillaient qu'environ 5% des votes des Québécois.

Les plus récents sondages, dont celui de l'INCI dans Le Devoir, prévoyaient que le PQ ferait meilleure figure qu'en 1973, alors qu'il avait obtenu 30% des suffrages, mais bien peu osaient prédire publiquement un balayage.

Le premier ministre du Canada, M. Trudeau, s'est incliné hier soir devant les résultats qui signifient à ses yeux que le PQ a reçu le mandat de gouverner le Québec dans le cadre constitutionnel actuel, non pas de le séparer du Canada.

Facilement élu député de Taillon, sur la rive-sud de Montréal, M. René Lévesque devient ainsi premier ministre du Québec.

Non seulement M. Robert Bourassa doit-il céder les rênes du gouvernement au président du PQ, mais il ne sera même pas membre de la nouvelle Assemblée nationale, ayant été victime, quoique de justesse, du raz-de-marée péquiste. Il cède à M. Gérard Godin, journaliste et écrivain.

Une étape décisive

par Claude Ryan

Avant toute autre chose, la victoire spectaculaire qu'a remportée hier le Parti québécois exprime la volonté très ferme qu'avaient formée les Québécois de se défaire d'un gouvernement qui en était venu à incarner à leurs yeux l'impuissance et l'ambiguïté.

Les gouvernements, dit-on, se défont eux-mêmes, ils sont rarement battus. L'axiome n'a jamais été aussi vérifiable que depuis un mois. Averti de l'impopularité dans laquelle son gouvernement était tombé, M. Bourassa avait choisi d'affronter l'orage au lieu de se donner une année additionnelle pour l'apaiser. Les électeurs en ont été profondément irrités. Cet empressement du gouvernement à solliciter un renouvellement de mandat l'aura conduit à sa perte. Les électeurs n'aiment pas que l'on joue avec ces choses.

Dans l'immédiat, le PQ doit sur

Fort ému, le président du Parti québécois et nouveau premier ministre du Québec, M. René Lévesque, reçoit les acclamations de milliers de partisans, entouré de plusieurs nouveaux députés à l'Assemblée nationale. (Photo Alain Renaud)

Le Devoir du 16 novembre 1976 : de gauche à droite, Claude Charron, Camille Laurin, Gilbert Paquette, René Lévesque et Lise Payette. (Photo : FTL.)

unilatéral de la Constitution en 1982, René Lévesque sera contesté à l'intérieur de son parti. On parle alors de « schisme ». Des députés, tout un quarteron de ministres (dont Parizeau, Lazure, Laurin, Leblanc-Bentey) claqueront les portes de l'exécutif et du parti en 1985 lorsque l'option souverainiste sera mise en veilleuse.

1985. Pierre-Marc Johnson succède à René Lévesque. L'héritage est lourd, le parti essoufflé. En octobre-novembre 1987, au moment de la mort de René Lévesque, les dissensions intérieures se font plus graves. Jacques Parizeau devient chef du parti en 1988. Les élections de 1994 le reportent au pouvoir. En 1995, profondément déçu par le résultat du deuxième référendum sur la souveraineté, si proche de la victoire (49,4 % de Oui), Parizeau démissionne ; il sera remplacé par Lucien Bouchard, chef du Bloc québécois, opposition officielle à la Chambre des communes depuis les élections d'octobre 1993. Le charisme et le courage de Bouchard lui attirent la faveur populaire sans laquelle il est bien difficile de « concilier les contraires ».

La spécificité du Parti québécois. Très différent à ses débuts de ceux que l'on appellera souvent après sa naissance « les vieux partis », le PQ est un parti qui insiste sur l'honnêteté et qui fait campagne sur ce thème ; caisse électorale transparente, financement limité aux membres. On interdit les fortes sommes pour ne pas être lié à quelque industrie ni à quelque personne en particulier. Le programme du parti est basé sur l'idée de souveraineté linguistique et culturelle, sur l'idée d'autodétermination qui oscillera entre un indépendantisme carrément avoué chez certains et la mise en veilleuse de cette même option vers 1984.

C'est un parti populaire qui, surtout à l'origine, apparaissait plus à gauche qu'il n'est en réalité. En fait, l'objectif d'équité et de justice sociale a suscité de la part des syndicats un intérêt positif. Le PQ fait appel à un volontariat, un bénévolat de chaque membre, consulte sa base ; ce qui n'empêche pas le président de court-circuiter parfois habilement des prises de position qui ne vont pas dans le même sens que les siennes.

Le parti a eu le courage de ses interventions : la Charte de la langue française, les référendums, la décision d'exiger de certains salariés un effort particulier au moment de la récession économique de 1982, par le biais d'une loi impopulaire.

René Lévesque sut rassembler à ses côtés une équipe de qualité, dont un bon nombre des fonctionnaires qui avaient fait la Révolution tranquille dans les gouvernements Lesage. Le PQ a aussi marqué l'avènement en politique d'un assez grand nombre de femmes (Lise Payette, Pauline Marois, Louise Harel, Francine Lalonde, Louise Beaudoin). Le peuple était en tout cas satisfait du premier gouvernement péquiste puisqu'il n'a pas hésité à le reporter au pouvoir en avril 1981 avec 49 % du vote, et cela malgré l'échec référendaire de mai 1980, à peine un an plus tôt.

Les défauts du Parti québécois étaient à ses débuts des défauts de jeunesse : l'enthousiasme des idéalistes, le recrutement des élus presque uniquement chez les intellectuels (les détracteurs fustigeront ce « parti de professeurs hirsutes et de syndiqués irresponsables »), une évidente maladresse en politique et un découragement rapide. Vingt-cinq ans plus tard, le PQ paraît avoir glissé du côté du néolibéralisme : ses politiques sociales restent timides, en raison de la priorité accordée à la recherche du déficit zéro. Les promesses de ses programmes successifs sont loin d'être toutes tenues. Les purs et durs le disent devenu un « vieux parti ». À plusieurs reprises, des membres démissionnent, certains parce que le parti ne met pas tous ses efforts dans l'accès à la souveraineté, d'autres parce qu'il ne prend pas les décisions qu'une vigoureuse politique sociale exigerait. Le parti n'a pas fait tout ce qu'il pouvait pour corriger la représentation assez peu démocratique des élus à l'Assemblée nationale. Au début du XXIe siècle, les dossiers « chauds » sont les fusions municipales autour des villes-centres.

À la tête du PQ, Bernard Landry succède à Lucien Bouchard en 2001 et devient premier ministre du Québec mais est battu aux élections de 2003. Après la démission de Landry, le jeune André Boisclair prend la direction du parti en 2005, à la faveur d'élections internes par téléphone de tous les membres du Parti québécois. Le PQ connaît alors un passage à vide et va jusqu'à perdre son statut d'opposition officielle aux élections de 2007, au profit de l'Action démocratique du Québec de Mario Dumont ; statut qu'il retrouve dès 2008 avec la première femme à sa tête, Pauline Marois.

René Lévesque. Le rôle qu'il a joué pendant un quart de siècle dans l'histoire du Québec est considérable : la vague d'émotion qui a entouré sa mort survenue brusquement en novembre 1987 témoigne de l'admiration que le peuple lui portait. Meneur d'hommes, travailleur acharné dès l'aube de la Révolution tranquille, esprit brillant mais que sa simplicité rendait pratique, il avait un charisme hors du commun.

Il avait le respect du peuple : « Vous déterminerez vous-mêmes les chemins de votre avenir », disait-il. C'était un patriote, viscéralement québécois. Son opposition nette et claire au fédéralisme venait de la constatation que la collectivité québécoise n'avait pas la place qui lui revenait dans le contexte fédéral. Lévesque et Trudeau, « frères ennemis », étaient séparés par un fossé idéologique que ne comblera pas la retraite politique de l'un et de l'autre. Claude Ryan, l'adversaire politique de Lévesque au Québec, reconnaît que

> dans une période mouvementée et incertaine de notre histoire, René Lévesque a incarné avec une puissante sincérité la volonté de libre détermination du peuple québécois. Il a imprimé un souffle nouveau à la vie politique du Québec. La passion de l'intégrité, le souci fiévreux de la justice, l'amour jaloux de son peuple, l'indépendance farouche devant les conformités : autant de traits qui ont caractérisé son apport à la vie publique.

On le disait solitaire, très personnel dans le choix de ses collaborateurs. Lui-même se définissait comme un « idéaliste pratique » incarnant même dans ses contradictions tout un pan de la conscience collective des Québécois. Des années après sa mort, il demeure la personnalité politique la plus admirée du Québec contemporain.

René Lévesque, premier ministre de 1976 à 1985. (Assemblée nationale.)

L'Action démocratique du Québec

En 1994, un groupe de libéraux sécessionnistes (dont Jean Allaire et Mario Dumont) a fondé un nouveau parti, l'Action démocratique du Québec, sur la base d'une troisième voie, prônant un changement assez radical dans les rapports Qué-

Mario Dumont, chef de l'Action démocratique du Québec de 1994 à 2008. (Assemblée nationale. Photo : Daniel Lessard.)

bec-Canada. Ce parti a fait élire en 1994 son jeune chef, Mario Dumont, avec 6,5 % des votes. Il sera réélu seul aux élections de 1998 avec 11,78 % des voix.

En 2003, avec 4 députés, il représente un électorat désenchanté devant les politiques traditionnalistes des libéraux et les tergiversations des péquistes. La jeunesse de Mario Dumont, son âpreté à défendre ses idées plaît au point que l'ADQ forme l'opposition officielle après les élections de 2007 (41 députés pour 30,84 % des voix). Avec le PQ (36 députés pour 28,35 % des voix), l'ADQ met les libéraux en minorité. En 2008, l'ADQ ne fait élire que 7 personnes; même les piliers du parti mordent la poussière. Mario Dumont lâche alors la vie politique après avoir essayé pendant 15 ans de faire valoir ses options. Sa démission déclenche une course à la chefferie désastreuse qui déchire un parti que Gérard Deltell tente de rebâtir en 2009-2010.

Québec solidaire

Ce parti a été créé en février 2006 à Montréal à partir de la fusion de deux mouvements, Union des forces progressistes et Option citoyenne. Québec solidaire est résolument de gauche : il défend la démocratie participative, l'écologie et la souveraineté du Québec. Il prône les valeurs de l'anticapitalisme, se place du côté des féministes et des altermondialistes. Pour le parti, « l'humain est au centre de tout choix politique ». Québec solidaire a la particularité d'avoir deux porte-parole, la militante Françoise David, impliquée en 1995 dans la marche des femmes contre la pauvreté, « Du pain et des roses », et le médecin Amir Khadir. Aux élections de 2007, le parti récolte 3,64 % des suffrages; en 2008, avec 3,78 % des voix, il fait élire Amir Khadir, qui sait se faire entendre à l'Assemblée nationale.

Déjà au XIXe siècle, des partis étaient apparus qui n'avaient pas conservé longtemps l'appui de l'électorat. Le jeu du bipartisme traditionnel en pays anglo-saxon est de temps en temps déséquilibré par la création d'un ou de plusieurs tiers partis, occasionnels comme le Parti égalité (quatre députés et 3,7 % des voix en 1989, un seul élu en mars 1994) ou plus durables et qui précipitent la chute d'un parti jusque-là dominant; ce fut le cas de l'Union nationale en 1936, qui changea la donne politique des 35 années suivantes, avant d'être totalement éclipsée à son tour par le Parti québécois entrant en scène en 1970. Libéraux, péquistes et adéquistes étaient élus en septembre 1998 par 98,19 % des voix; les autres partis tous ensemble (une bonne dizaine) récoltent donc moins de 2 % des votes aux dernières élections provinciales du siècle. En général, la participation des électeurs est très importante lorsqu'il s'agit de référendums ou d'élections législatives fédérales ou provinciales. L'abstentionnisme augmente pour les élections municipales ou scolaires. On notera toutefois de curieuses manifestations de la volonté populaire « corrigée » par le mode de scrutin : Robert Bourassa, premier ministre à plusieurs reprises, était défait deux fois dans sa propre circonscription, notamment en 1985, alors même que sa formation politique balayait le Québec avec 56 % du vote.

Le Québec dans la politique fédérale

Le Québec, deuxième province la plus peuplée du Canada, a toujours joué un rôle important à Ottawa. Représenté par 75 députés sur 301, le Québec peut se faire entendre à la Chambre des communes comme au Sénat (24 sénateurs sur 105 choisis par le premier ministre canadien).

Au moment de la Première Guerre mondiale, les conservateurs avaient entraîné contre leur gré les Québécois dans la conscription mise de l'avant par la majorité canadienne. Les Québécois eurent tendance à porter dorénavant leur confiance aux libéraux[9] d'autant plus qu'existait, au sein de la formation conservatrice, un groupe d'anglophones intransigeants qui toléraient mal les prétentions particulières du Québec dans la Confédération.

Au cours des années 1960, en même temps que les Québécois prenaient conscience de leur spécificité en Amérique du Nord, ils portaient au pouvoir fédéral des hommes dont les idées avaient marqué la pensée des années 1950. Le flamboyant Pierre Elliott Trudeau, Jean Marchand et Gérard Pelletier (dits « les trois colombes ») allaient installer à Ottawa un *French power* dont la détermination fit frémir tout le Canada anglophone, avec la volonté d'implanter le bilinguisme d'un océan à l'autre. On envoie étudiants et fonctionnaires étudier l'autre langue, se familiariser avec l'autre culture, moyennant quoi on demande au Québec de se tenir tranquille et de cesser de jouer les empêcheurs de tourner en rond dans une fédération bien huilée.

En octobre 1970, le fédéral intervient rapidement et en force au moment des enlèvements du Front de libération du Québec; on va jusqu'à déclarer la Loi des mesures de guerre, avec son cortège de représailles, surveillances et emprisonnements sur simple présomption, pendant trois semaines (450 personnes environ). Le Québec aura l'impression d'une ingérence abusive du fédéral.

Dans les années suivantes, les relations sont difficiles entre Québec et Ottawa pour ce qui touche aux affaires extérieures, notamment la représentation diplomatique et les visites des ministres et hauts fonctionnaires étrangers. Ottawa se montrera jaloux de ses prérogatives en poli-

Les Forces canadiennes à Montréal pendant « l'insurrection appréhendée » d'octobre 1970. (Archives nationales du Canada, PA-129838.)

tique étrangère alors que le Québec tient à entretenir des relations privilégiées avec d'autres pays francophones. Il faudra attendre le départ de Trudeau pour que soit organisé en 1986 le premier Sommet de la Francophonie (Sommet des chefs d'État et de Gouvernement) et que soit réservée au Québec la place qui lui revenait de fait.

En 1984, après le retrait de Trudeau de la politique active, les Québécois votaient massivement pour les conservateurs et portaient au pouvoir un autre des leurs, Brian Mulroney[10]. Parallèlement, on assiste alors à la montée du Nouveau Parti démocratique dans le Canada anglophone. Un autre Québécois, Jean Chrétien, fidèle de Trudeau (décédé en 2000), remettra sur pied le Parti libéral, en lui donnant en 2000 un troisième gouvernement majoritaire de suite, et défendra âprement l'unité du Canada au moment du deuxième référendum sur la souveraineté. Par la suite, il déléguera à deux de ses lieutenants, québécois eux aussi, Stéphane Dion et Pierre Pettigrew, la charge de faire rentrer dans l'ordre canadien un Québec de plus en plus agacé par les démonstrations d'amour du *Rest of Canada* (peu avant le deuxième référendum, une manifestation monstre avait drainé vers Montréal, de partout au Canada, des dizaines de milliers de fédéralistes brandissant des pancartes *We love you*), qui, jusqu'à maintenant, ne sont guère suivies d'une véritable reconnaissance de la différence québécoise.

Ces frictions, dont les étrangers ne perçoivent souvent que l'aspect protocolaire, cachent le profond malaise qui persiste dans les relations entre le Québec et l'ensemble du Canada. On l'a vu en 1981-1982 dans les tractations qui accompagnèrent le rapatriement unilatéral de la Constitution, alors même que Trudeau avait mis son siège en jeu en 1980 et promis de grands changements constitutionnels. Depuis, l'État fédéral et les autres provinces font des efforts pour essayer de définir la place du Québec dans la Confédération ; est-ce une « société distincte[11] » comme le définissaient en 1987 les accords de principe du lac Meech, qui seront bloqués en juin 1990 par deux provinces, le Manitoba et Terre-Neuve ? Cet échec soulève de nouveau la question du Québec dans la Confédération. En 1992, un référendum pancanadien rejetait l'accord de Charlottetown, qui ne modifiait pas en profondeur les données de 1982. En 1997, neuf premiers ministres provinciaux, sans le Québec, parlent du « caractère unique » du Québec dans la déclaration de Calgary, tout en mentionnant l'égalité de toutes les provinces. Cette déclaration ne satisfait aucunement le peuple[12] québécois qui dépense beaucoup d'énergie à faire valoir des droits fondamentaux, puisque existant historiquement, politiquement et socialement bien avant la Confédération, et à défendre des champs de compétence provinciale que le fédéral a tendance à gruger au nom de l'unité nationale canadienne. En 1998, un jugement de la Cour suprême canadienne légitime la sécession possible du Québec après la réponse claire d'une majorité claire à une question non moins claire, et note que le Canada et les autres provinces auront alors l'obligation de négocier de bonne foi.

Dans ces conditions, comment ne pas s'étonner que soit né au Québec un parti canadien, maintenant disparu, qui exprimait par la dérision ses distances avec une politique fédérale incapable de contenter les descendants d'une des nations fondatrices du pays. Le *Parti rhinocéros* est une manière comme une autre d'en prendre son parti. Gaston Miron, Raoul Duguay et Robert Charlebois furent en leur temps les candidats de ce parti farfelu dont Jacques Ferron était « l'éminence de la grande corne ». Les rhinocéros « témoignent de la situation absurde des Québécois francophones sur ce continent ». Un des points du programme était de « raser les montagnes Rocheuses jusqu'à ce qu'il n'en reste aucune trace ; ainsi on aura éliminé la seconde odieuse bizarrerie du Canada, après la province de Québec ». Fait remarquable à noter : ce parti politique fédéral, contrairement aux habitudes politiques, a pris naissance au Québec et s'est répandu un peu partout au Canada puisqu'il y a eu des candidats jusqu'en Colombie-Britannique.

Le Bloc québécois

En 1990, Lucien Bouchard, ancien ambassadeur du Canada à Paris et ministre de Brian Mulroney, donne sa démission du gouvernement conservateur. Avec quelques autres députés devenus indépendants, il forme un groupe parlementaire souverainiste à Ottawa, le Bloc québécois, qui devient un parti politique fédéral en janvier 1991. Ce parti fédéral a pour objec-

Lucien Bouchard, premier ministre de 1995 à 2001. (Parti québécois.)

tif de représenter le Québec souverainiste à la Chambre des communes et d'y faire entendre sa voix puisque les députés des partis traditionnels n'y réussissent pas, tenus qu'ils sont de suivre « la ligne de parti », et donc les objectifs et les intérêts généraux du Canada. Les huit députés se prononcent en 1992 contre le référendum canadien prévu pour ratifier l'entente constitutionnelle de Charlottetown. Aux élections de 1993, le Bloc forme l'opposition officielle avec 54 bloquistes sur les 75 élus du Québec. Le chef du Bloc, Lucien Bouchard, donne un sérieux coup de main à Jacques Parizeau pour le référendum québécois de 1995, puis accepte de reprendre en mains le Parti québécois lorsque Parizeau démissionne après l'échec du référendum. Michel Gauthier lui succède, puis Gilles Duceppe qui fait élire 44 députés en 1997, mais perd le titre d'opposition officielle. Aux élections de novembre 2000, les Québécois reporteront sur le Bloc québécois (fédéral) la mauvaise humeur que le Parti québécois (provincial) a suscitée par certaines prises de position (fusions municipales autour des villes-centres, droit de passage dans les campagnes, utilisation des surplus des caisses de retraite). Au sein du Bloc, des députés parfois hauts en couleur, comme Suzanne Tremblay, qui n'a pas peur de parler assez fort pour se faire entendre. Elle et ses pairs en sont-ils plus écoutés pour autant des autres élus canadiens ? Le Bloc est pour la redéfinition du statut politique du Québec dont il défend la souveraineté à la Chambre des communes.

Les systèmes de gouvernement du Canada et du Québec souffrent, dans leur institution, d'une certaine rigidité qui rend parfois difficile l'exercice de la démocratie. Le Sénat, Chambre haute au fédéral, a peu de pouvoirs et peu de légitimité ; il a été question d'élire ses membres, jusque-là nommés par le premier ministre. Les députés sont tenus de suivre la discipline du parti. Un gouvernement majoritaire est pratiquement libre d'agir avec la plus grande autorité. Mais bien peu de chefs politiques, quand ils sont au pouvoir, songent à modifier les institutions existantes (cependant le Québec, à l'instar des autres provinces, a aboli le Conseil législatif en 1968).

Les 50 dernières années au Québec ont été étonnamment riches en événements, en surprises et en développements de toutes sortes. L'éveil de la conscience québécoise, qui s'est concrétisé à partir des années 1960, a marqué le début d'une nouvelle ère. Les conflits entre le Québec et le Canada sont loin d'être réglés (ne s'agit-il pas de réinventer la relation entre le Québec et le Canada?). Il en sera ainsi tant et aussi longtemps qu'une véritable volonté de changement ne modifiera pas les rapports de toutes les provinces avec Ottawa dont les visées centralisatrices se heurtent aux particularismes régionaux; ceux-ci se sont exprimés, aux élections fédérales du 2 juin 1997, par un clivage très net, chaque région élisant très majoritairement un parti: le Nouveau Parti démocratique dans les Maritimes, le Bloc au Québec, les libéraux en Ontario et le Parti de la réforme dans l'Ouest.

Les élections de novembre 2000 corrigent légèrement ce clivage en permettant aux libéraux d'être plus présents dans tout le pays notamment au Québec où le Parti libéral du Canada a connu sa meilleure performance depuis 1980.

Notes

1. Les sentiments à l'égard de la France sont un curieux mélange d'attirance et de rejet. Il y a du ressentiment contre l'abandon au moment de la Conquête, un agacement contre une culture trop longtemps imposée, une pointe d'exaspération contre ces « maudits Français » qui, trop souvent ethnocentristes et insupportables en dehors de chez eux, semblent n'afficher que dédain à l'égard des autres cultures. Tout cela n'empêche pas une coopération très étroite entre les deux pays qui, chacun d'un côté de l'Atlantique, tiennent bien haut le flambeau du français à la face du monde et qui ont en commun des siècles de littérature.

2. À l'égard de la Communauté Wallonie-Bruxelles (Belgique), il n'existe aucune sentimentalité passionnée. Le sentiment de fraternité très proche vient du fait qu'il existe là aussi des problèmes linguistiques et des problèmes politiques de rapports entre minorité et majorité qui ne sont pas sans rappeler ceux du Québec.

3. Y compris l'Afrique du Nord (où la firme d'ingénierie Lavalin a fait une percée spectaculaire). De nombreux ressortissants des pays du Maghreb viennent également étudier dans les universités québécoises francophones.

4. Voir le chapitre concernant la peinture.

5. La doctrine du Crédit social pourrait se définir comme une sorte de populisme de droite à fondement religieux, s'opposant au communisme et prônant la création de mesures sociales et communautaires.

6. On lui a prêté par exemple ces propos : « Le gouvernement a fait sortir le crucifix des écoles pour y faire rentrer le sexe », ou encore : « L'Union nationale a amené le Québec au bord de l'abîme, nous lui ferons faire un pas en avant. »

7. Voir le tableau « Élections du 5 juin 1966 », page 144.

8. Lors de la campagne électorale, les émissions de télévision réservées à parts égales aux partis en lice étaient traditionnellement clôturées par la chanson-thème ou le slogan du parti présent ce soir-là. Les libéraux disposaient notamment d'une brève vidéo où l'on voyait le premier ministre en poste, Robert Bourassa, distingué, sérieux, mais pensif et qui s'éloignait en marchant. Le Parti québécois présentait la séquence suivante : les figures importantes du parti entouraient René

Lévesque, face au public, comme autour d'une préfiguration du Conseil des ministres (on y reconnaissait notamment Lise Payette, très présente et aimée des téléspectateurs). L'image se terminait — positive et encourageante — par le slogan, chanté en voix *off* : « À partir d'aujourd'hui, demain nous appartient... »

9. Un autre parti fédéral avait recruté des membres au Québec, surtout en Abitibi-Témiscamingue et dans la Beauce : le Parti créditiste. Ce parti eut son heure de gloire avec Réal Caouette, mais son refus d'un certain progrès et son programme économique utopique ne résistèrent pas à l'éveil de la conscience collective au Québec.

10. Le conservateur Brian Mulroney, tout à fait bilingue, est issu d'une famille anglophone de la Côte-Nord. Avant lui, plusieurs premiers ministres du Canada, libéraux, eux, étaient sortis du Québec, mais du Québec francophone : Sir Wilfrid Laurier (1896-1911), Louis Saint-Laurent (1948-1957), Pierre Elliott Trudeau (1968-1984, sauf un court intermède conservateur en 1979). Après lui, deux autres libéraux, Jean Chrétien et Paul Martin, sont premiers ministres à Ottawa.

11. Le concept reste confus ; on n'y précise pas la question de la langue, par exemple.

12. Il est désagréable de se faire définir par les autres alors que l'on a une idée bien claire de son identité.

Bibliographie

Voir également la bibliographie du chapitre suivant.

BAUER, Julien, *Le Système politique canadien,* Paris, PUF, coll. « Que sais-je ? », 1998, 127 p.

BERGERON, Gérard, *Notre miroir à deux faces,* Montréal, Québec/Amérique, 1985, 340 p.

BERNARD, André, *Les Institutions politiques au Québec et au Canada,* Montréal, Boréal Express, 1995, 122 p.

BERNARD, André, *La Politique au Canada et au Québec,* Montréal, PUQ, 1977 [1976], 535 p.

CORBO, Claude et Yvan Lamonde, *Le Rouge et le Bleu : une anthologie de la pensée politique au Québec de la Conquête à la Révolution tranquille,* Montréal, PUM, 1999, 582 p.

CROISAT, Maurice, Franck Petiteville et Jean Tournon, *Le Canada, d'un référendum à l'autre. Les relations politiques entre le Canada et le Québec (1980-1992),* Talence (France), Association française d'études canadiennes, 1992, 136 p.

DION, Léon, *Le Duel constitutionnel Canada-Québec,* Montréal, Boréal, 1995, 378 p.

LAURIN, Serge, *La Saga des Prévost et des Nantel,* Québec, PUL, 1999, 325 p.

LEMIEUX, Vincent, *Personnel et partis politiques au Québec,* Montréal, Boréal Express, 1982, 350 p.

LÉVESQUE, René, *La Passion du Québec,* Montréal, Québec/Amérique, 1978, 238 p.

LÉVESQUE, René, *Attendez que je me rappelle,* Montréal, Québec/Amérique, 1986, 525 p.

MCDONOUGH, John Thomas, traduit et adapté par Paul Hébert et Pierre Morency, *Charbonneau et le chef* (théâtre), Montréal, Leméac, 1974, 106 p.

MCROBERTS, *Un pays à refaire. L'échec des politiques constitutionnelles canadiennes,* Montréal, Boréal, 1999, 483 p. (trad. de l'anglais par Christiane Teasdale).

MURRAY, Vera, *Le Parti québécois, de la fondation à la prise de pouvoir,* Montréal, Hurtubise-HMH, 1976, 242 p.

PELLETIER, Réjean, *Partis politiques et société québécoise de Duplessis à Bourassa, 1940-1970*, Montréal, Québec/Amérique, 1989, 397 p.

SAINT-AUBIN, Bernard, *Duplessis et son époque*, Montréal, La Presse, 1982 [1979], 278 p.

THOMSON, Dale C., *Jean Lesage et la Révolution tranquille*, Saint-Laurent, Trécarré, 1984, 615 p.

« Politique aujourd'hui », *Québec de l'indépendance au socialisme*, n°s 7-8, Paris, 1978.

L'Année politique au Québec, Montréal, PUM, n° 10 : 1997-1998 (on peut consulter la collection sur Internet : www.pum.umontreal.ca/apqc).

Audiovisuel

Films

Les Champions, Donald Brittain, ONF et Radio-Canada, couleur, 1978, 4 × 30 min (sur Trudeau et Lévesque).

Le Confort et l'indifférence, Denys Arcand, ONF, couleur, 1981, 109 min.

Les Johnson, John Kramer, ONF, couleur, 1980, 59 min.

Les Ordres, Michel Brault, couleur, Prisma, 1974, 107 min.

Québec, Duplessis et après, Denys Arcand, ONF, noir et blanc, 1972, 115 min.

Vidéos

René Lévesque : je me souviens. Extraits des discours de René Lévesque, Télé-Métropole, Montréal, novembre 1987.

Série télévisée

Chartrand et Simonne, Radio-Canada, 2000 (6 épisodes de 60 min).

6
Le mouvement des idées

Page précédente : « Un vieux de 37 », dessin de Henri Julien (dans *Album 1936*). Cette silhouette a été reprise par le FLQ au moment des événements d'Octobre. (Division des archives de l'Université Laval, F 1081, coll. Jean Simard, 77-148.)

Les idées qui orientent une société évoluent avec le temps et avec les conditions de vie qui lui sont imposées ou qu'elle choisit de se donner. La société québécoise a connu une histoire suffisamment mouvementée pour que divers courants de pensée l'aient agitée en s'opposant parfois. Elle fonctionne selon un système idéologique — ou système de références — qu'elle s'est donné peu à peu à la lumière de ses expériences. Cet ensemble d'idées, implicitement reconnu par la société, influence à son tour les individus.

En Nouvelle-France

La France transmet à sa colonie son système de références. Toutefois la Nouvelle-France connaît une orientation tout à fait particulière du fait que les colons ne vivent absolument pas dans les mêmes conditions que les sujets du roi vivant en France. Le monarque est loin de la Nouvelle-France. Son représentant dans la colonie, en raison de l'espace et des possibilités de l'époque, paraît aussi fort éloigné à beaucoup de colons : ce qui crée chez l'habitant un individualisme certain. L'éloignement géographique explique l'indépendance, tôt acquise dans l'esprit, des sujets français installés en Nouvelle-France. Il est d'autant plus facile dans ce vaste territoire de contourner les lois que le gouverneur et l'intendant n'ont ni le temps ni les effectifs nécessaires pour les faire respecter. De plus, le système social est simple, les devoirs légers et la bureaucratie inexistante. Les intérêts de la métropole demandent aussi que la colonie rapporte des revenus substantiels. Le peuple, de son côté, s'il participe à la santé de l'économie coloniale, ne joue aucun rôle dans les décisions politiques qui orientent sa vie. Il appartient à ce territoire qu'il a conquis de haute lutte sur les éléments; il se sent canadien à part entière. Il a tendance, comme l'ont noté les voyageurs, à contester l'autorité comme il est dit dans la chanson anonyme de cette époque :

> Bonhomme, Bonhomme
> Tu n'es pas maître en ta maison
> Quand nous y sommes.

À la fin du Régime français, la différence de perception entre la métropole, qui envoyait administrateurs et soldats, et la colonie crée un véritable malaise chez les Canadiens, qui se sentent de moins en moins compris et aidés, d'où une véritable dislocation des rapports entre métropole et colonie au XVIIIe siècle. C'est sans doute ce qui explique pourquoi Louis XV a cédé le Canada aux Anglais par le traité de Paris. Ses conseillers ne voyaient vraiment pas la colonie canadienne du même œil que ceux qui la construisaient.

La monarchie française est absolue, de droit divin. La France, « fille aînée de l'Église », se devait de confier des responsabilités à l'Église (la conversion des Sauvages étant un des buts avoués de la colonisation). Aussi a-t-elle un rôle à jouer dans l'administration de la colonie. Très vite et d'une manière générale, au Canada, le peuple prend ses distances à l'égard de l'Église et de ses représentants, tout en fréquentant les établissements d'enseignement et de santé dans la mesure du possible. L'évêque, près du pouvoir, est loin de ses ouailles. Il faudra un siècle aux autorités religieuses pour organiser l'Église canadienne à qui échapperont de toute façon découvreurs et coureurs de bois. Quant aux sédentaires, habitants et marchands rechignent à payer la dîme, qui doit, pour cette raison, être réduite à plusieurs reprises.

Cet esprit d'indépendance touchera également la classe bourgeoise des marchands, laquelle formulera des griefs qu'elle présentera aux autorités dans l'intérêt du commerce.

Après la Conquête

Le premier objectif d'un peuple qui sort de guerre est d'assurer sa survivance dans les meilleures conditions possibles. Étant donné le désir de conciliation, de la part des conquérants, qui semble s'affirmer d'une Constitution à l'autre, le peu d'élite qui reste — une poignée de seigneurs, de rares marchands, des religieux et quelques prêtres — obtient le maintien d'institutions comme le droit civil, la tenure seigneuriale ou le libre exercice de la religion. C'est ainsi que l'Église aura à cœur de garder ses privilèges, en retour d'une indéfectible loyauté à la couronne britannique. S'y ajoute chez les clercs[1] la crainte cachée des révolutions. Celle de France n'a pas bonne presse et celle des États-Unis se passe trop près pour qu'on n'en tienne pas compte. Le clergé se méfie du manque de soumission des paysans aux autorités légitimes et mobilise donc les forces canadiennes pour la défense du territoire contre les attaques des États-Unis qui tentent de s'emparer de Montréal en 1775 et en 1812.

Cependant, les idées transmises par les révolutions américaine et française trouvent un écho dans les journaux qui pénètrent le milieu intellectuel et petit-bourgeois. Dans nombre de pays, surtout dans les deux Amériques, le début du XIXe siècle est marqué par l'effervescence des nationalismes. Au Québec, le système politique octroyé par Londres en 1791 permet à la démocratie de s'affirmer dans la légalité. Louis-Joseph Papineau, qui jouera au XIXe siècle un grand rôle politique, croit très profondément à l'efficacité de ce processus. Intellectuels et politiciens sont tenus de préciser leur pensée. Ils recherchent et obtiennent l'appui du peuple notamment en 1810, en 1822, en 1834 et en 1837-1838. On assiste en ce début de siècle à une véritable et profonde prise de conscience nationale.

Du point de vue social, la structure de la colonie anglaise se transforme. À l'économie rurale, un peu simpliste et très fragile, basée sur le blé et la traite des fourrures se superpose une économie en voie de devenir industrielle qui s'appuie sur l'exploitation forestière. En ce qui concerne l'agriculture, il y a des problèmes manifestes : le sol s'épuise, les prix chutent, la zone seigneuriale ouverte à la culture ne suffit pas à l'extension naturelle des familles, cela remet en cause la vocation agricole des Canadiens[2] dont conquérants et conquis semblaient s'être accommodés depuis deux générations.

Parallèlement, l'élite de la société canadienne se tourne vers les professions ouvertes au peuple conquis : la religion, l'enseignement, le notariat, la médecine. Il y a également quelques entreprises et commerces modestes sans grande envergure. Les grands commerçants sont les conquérants. Cette nouvelle petite bourgeoisie reste très près des intérêts du peuple de cultivateurs. Elle va chercher à imposer sa politique parce que c'est la seule voie pour imposer ses idées. Il s'agit de faire front devant le mercantilisme de Londres qui étrangle la colonie, et devant ceux qui appuient l'autorité britannique : l'Église, quelques seigneurs et la clique gouvernementale qui défend ses intérêts économiques sous le couvert de l'intérêt de l'Empire.

On appelle toujours les conquérants « les Anglais ». Cette appellation, courante jusqu'en 1960, est parfois encore en usage dans certains milieux ruraux ; l'Anglais est celui qui n'est pas d'ici et ne peut donc être Canadien comme celui dont les ancêtres ont choisi ce pays. On fonde un journal, *Le Canadien*, en 1806. À l'Assemblée, les députés francophones sont d'abord du Parti canadien[3], qui deviendra ensuite le Parti patriote. Ce parti, dirigé par Louis-Joseph Papineau, compte aussi dans ses rangs des Irlandais d'origine (dont on ne s'étonnera pas qu'ils soient antibritanniques). L'éveil d'une conscience nationale a un effet d'entraînement dans plusieurs domaines. Les revendications sont d'ordre politique : avoir un rôle significatif et responsable en tant qu'Assemblée législative. Elles sont aussi d'ordre économique et social : s'opposer aux vues panterritoriales des Anglais — il y a déjà en 1822 un projet d'union entre le Haut et le Bas-Canada — et n'acheter que canadien en refusant tout produit d'importation. Sur le plan de la fidélité à une conscience nationale, l'opposition systématique au projet de scolarisation en anglais par la Royal Institution for the advancement of learning est éloquent : le peuple est déterminé à garder sa langue et ses valeurs culturelles envers et contre toute manifestation abusive du pouvoir politique.

Louis-Joseph Papineau et l'idéologie patriote

Homme d'une intelligence remarquable — d'où l'expression populaire « C'est pas la tête à Papineau » —, Louis-Joseph Papineau déplore l'infériorité dans laquelle sont maintenus les Canadiens. Son engagement intellectuel et politique vise à renverser ce courant ; à titre d'exemple, le boycottage des produits anglais doit mener à la création de nouvelles productions locales. Papineau incarne les aspirations du peuple. C'est en chef de parti (depuis 1826) qu'il combat inlassablement les visées de l'oligarchie anglaise et de l'Empire britannique. Dès 1823, il porte une première pétition à Londres. À partir de 1825, une partie des Canadiens se ligue derrière le chef des Patriotes. Ils ont compris que l'enjeu de la survie passe par le politique et que c'est donc sur ce plan qu'il faut combattre le colonialisme autoritaire et négatif qui freine l'essor de la colonie.

Dans l'ensemble, les Canadiens sont restés ruraux ; l'immigration de langue anglaise augmente, menaçant les habitants jusque sur leurs terres. Le contrôle du lucratif commerce du bois échappe aux Canadiens comme leur échappe le contrôle des dépenses de la colonie. Pendant deux décennies, la question des subsides, débattue en Chambre tous les ans, envenime les relations entre les gouverneurs nommés par Londres et l'Assemblée élue qui, tout compte fait, a peu de pouvoir et réclame en vain la responsabilité ministérielle. En 1834, fort d'un appui populaire massif et bien organisé, le Parti patriote présente les *Quatre-vingt-douze Résolutions* à l'Assemblée. La paysannerie et la bourgeoisie s'entendent dans la poursuite des objectifs démocratiques.

Les Patriotes résument dans ce document leurs exigences d'ordre politique, économique et social : ils dénoncent les abus d'une oligarchie capitaliste, remettent en cause un régime qui favorise un petit nombre de nantis et un grand nombre d'Anglais. Papineau et l'Assemblée, que le Parti patriote domine, réclament des changements constitutionnels et politiques fondamentaux. En utilisant le peu de pouvoir qu'ils ont, les députés paralysent le fonctionnement de l'Assemblée. Les tensions entre Londres et la colonie ne font que s'accroître : l'administration du gouverneur Craig emprisonne des journalistes, use de violence en période électorale et ne tient aucun compte des revendications des Canadiens. Dans ces conditions, l'exaspération des Canadiens mène à un affrontement au lendemain de la décision de Lord Russell d'autoriser le gouverneur à se servir dans le Trésor public sans consulter les députés.

Dans un premier temps, jusqu'en 1837, les Patriotes réclament un réaménagement de la Constitution. À Montréal, de jeunes Patriotes, les « Fils de la liberté », s'inspirant des mouvements d'indépendance de plusieurs colonies du continent américain, revendiquent ouvertement le droit à l'indépendance. La Déclaration d'indépendance de février 1838 est l'application en terre canadienne des principes républicains et l'affirmation d'une rupture nette et totale avec les monarchies européennes.

L'attitude du clergé est logique : depuis la Conquête, on se soumet aux conquérants. Mgr Lartigue, premier évêque de Montréal, par un mandement que les curés doivent communiquer aux fidèles « sans commentaires », définit la position cléricale antirévolutionnaire et résolument monarchique. Ce mandement qui stigmatise la scission entre la petite bourgeoisie libérale et l'Église est le point de départ d'une nouvelle autorité religieuse qui marquera le siècle suivant. Certains curés de campagne, davantage près du peuple, seront plus ouverts et participeront exceptionnellement à la rébellion. La hiérarchie catholique est tout de même très puissante et décrétera l'excommunication de « ceux qui meurent les armes à la main ». Beaucoup plus tard, l'Église canadienne reviendra sur cette position.

Papineau, pour sa part, défendait la laïcité. Il s'opposera vivement à son cousin, Mgr Lartigue. Pour Papineau, un État libéral est issu d'une société laïque, aussi s'insurge-t-il contre la collusion des pouvoirs politique et religieux issue de la Conquête. Dans le Parti patriote (le Parti canadien a changé de nom en 1826), il représentera cependant plus ou moins le centre, puisqu'il ne prône pas la résistance armée comme le font Nelson et Côté — « Le temps est venu de fondre nos plats et nos cuillers d'étain pour en faire des balles » — et qu'il y aura eu auparavant une scission dans le parti avec un autre groupe de députés modérés. Papineau, seigneur de la Petite-Nation, contrairement à Nelson, ne voulait pas bousculer la structure sociale du moment et ne remettait pas en cause la tenure seigneuriale.

1837. Orateur remarquable, Papineau se manifeste dans des assemblées populaires[4] mais quitte le Canada dès les premiers affrontements armés dont il n'était pas partisan. Il s'exile d'abord aux États-Unis, puis en France de 1839 à 1845 ; il reviendra au Canada où il continuera à jouer un rôle important dans l'équipe libérale des « Rouges ». Son nationalisme, son sens de la démocratie sont des qualités de premier ordre pour un homme politique. Sa vigueur intellectuelle, son opposition à une cléricalisation abusive, son opposition viscérale à l'Union comme au projet de fédération en font une des figures dominantes du XIXe siècle.

Louis-Joseph Papineau. Portrait à l'huile de R. A. Sproule.

Après la rébellion des Patriotes

L'échec de la rébellion marque un moment important dans l'histoire des idées au Québec. Les chefs du Parti patriote se sont réfugiés aux États-Unis, les meneurs ont été exécutés ou exilés en Australie, le peuple est désorienté. Mgr Bourget est nommé évêque de Montréal. Il va redonner à l'autorité religieuse un pouvoir que celle-ci avait laissé s'effriter au cours de la génération précédente.

L'économie du Canada-Uni se diversifie avec l'industrialisation naissante : exploitation du bois, transformation des produits de consommation, fabrication de matériel de transport. On construit des voies de communication (routes et voies ferrées), on aménage les voies de navigation pour le Canada-Uni. L'agriculture aussi va vers un autre système de production avec l'ouverture de l'Ouest à la colonisation, mais, déjà, le Québec ne participe que marginalement à cette transformation — les exhortations d'Étienne Parent et d'une bourgeoisie conservatrice qui croit au développement économique ne suffisent pas à entraîner la paysannerie — et la société rurale agricole se maintient pauvrement sur des terres qui s'épuisent alors même que les familles grandissantes ont des besoins de plus en plus importants.

La société canadienne-française (traduction du *French Canadian society* utilisé par Lord Durham dans son rapport) se tourne après 1840 vers les clercs qui reprennent en mains une autorité qu'ils ont failli perdre. L'Église va devenir, suivant l'expression du chanoine Lionel Groulx, « l'institution la plus musclée du Canada français ». Basée sur la religion, la langue et le respect des institutions, l'idéologie que prône l'Église est nettement conservatrice, son nationalisme orienté vers un passé que l'on peut perpétuer dans une survivance traditionnellement catholique, de langue française et de vocation agriculturiste. On fait venir de nombreuses communautés religieuses de France pour encadrer le bon peuple. L'Église — évêques, religieux et curés, chacun à sa place — prônent l'idée de la « vocation » agricole du Canadien français telle que définie par Mgr Laflèche, évêque de Trois-Rivières :

> Oui, la prospérité et l'avenir du Canada français se trouvent dans la culture et les pâturages de son riche territoire. Puisse le peuple canadien comprendre cette vérité importante et ne jamais la perdre de vue s'il veut accomplir les grandes destinées que lui réserve sans aucun doute la Providence !

On ouvre de nouvelles paroisses l'une après l'autre, les rangs s'ajoutent aux rangs déjà existants. L'esprit de corps en sera consolidé et, jusqu'en 1936, les prêtres appuieront le gouvernement dans ses campagnes de colonisation, dont certaines seront désastreuses.

Il reste encore aujourd'hui au plus profond des Québécois une vieille tendresse pour ce côté agriculturiste et le contexte qu'il évoque : cela explique une partie du succès de séries télévisées qui se passent en milieu rural, comme *Les Belles Histoires des Pays d'en haut* (diffusées du 8 octobre 1956 au 28 août 1973, puis en reprise en 1977-1978 et en 1986), *Le Temps d'une paix* (de 1978 à 1984), *L'Ombre de l'épervier* (1997-1998 et 2000), *Bouscotte* (encore à l'écran en 2000).

Le repli sur soi prêché par l'Église dans un réflexe d'autodéfense presque instinctif va se doubler du devoir de procréation, condition *sine qua non* pour éviter la minorisation. Aussi l'Église verra-t-elle d'un très mauvais œil ses ouailles partir pour les

Bénédiction du jour de l'An. Dessin d'Edmond-Joseph Massicotte.

usines de la Nouvelle-Angleterre où pourtant surgiront des « petits Canadas », copies conformes des paroisses d'origine.

En fait, la vocation agricole est subordonnée à la religion, qui va prendre la première place dans la vie d'une majorité de Canadiens français. Le vieux rêve collectif de l'Amérique catholique et française alimente les prêches et occupe les pensées[5]. On paie dîme et capitation sans renâcler comme autrefois, on construit des églises de plus en plus vastes dont l'intérieur recèle des trésors. L'Église inspire et commande beaucoup d'œuvres d'art.

En même temps, l'Église va se substituer à l'État dont elle préfère endosser certaines des responsabilités sociales par crainte d'assimilation (que prônait le rapport Durham). Les clercs désormais vont s'occuper, presque exclusivement, de l'enseignement, des services sociaux comme les hôpitaux, les crèches et les orphelinats, les loisirs, etc. La deuxième moitié du siècle voit d'autre part se constituer une classe ouvrière faite de Québécois et d'Irlandais (usines, chantiers, etc.), eux aussi en marge de l'« establishment » anglo-protestant. Au tournant du siècle, le mouvement ouvrier qui en naîtra sera même tenté par l'action politique. Le Parti ouvrier ne dépassera cependant guère les limites de Montréal.

La fin du XIXe siècle voit également l'émergence d'une grande bourgeoisie canadienne-française dont les idées se rapprochent de celles de la bourgeoisie anglophone, responsables toutes deux de l'expansion économique dont elles bénéficient l'une et l'autre. L'élite défend évidemment les idées capitalistes : progrès industriel, individualisme et entreprise privée. Peu à peu, les sphères d'influence de l'élite bourgeoise et du clergé se circonscriront : la bourgeoisie d'affaires laissera un certain nombre de responsabilités à l'Église qui, en retour, renoncera à son rêve de théocratie rurale.

Les journaux deviennent le lieu où les courants d'idées se précisent : *La Presse* reflète davantage les préoccupations sociales, tandis que de très nombreux imprimés religieux et laïques soutiennent le courant conservateur (*La Vérité*).

Cependant, l'esprit de contestation qui animait le Parti patriote n'a pas disparu avec l'écrasement de la rébellion. Au contraire, chez les intellectuels et chez certains politiciens se développe une pensée radicale qui s'exprime sur le plan politique (les « Rouges »), réclame la laïcisation de l'éducation et s'oppose avec énergie à l'autorité inconditionnelle de l'Église. Eux aussi affirmeront leurs idées par le biais d'une certaine presse. Malgré la présence de rédacteurs français installés ici, le socialisme à l'européenne reste marginal au Québec : le paysage idéologique sera jusqu'au XXe siècle dominé par les ultramontains et les libéraux.

L'ultramontanisme

L'ultramontanisme est la doctrine religieuse qui reconnaît l'autorité absolue du pape et la primauté de Rome sur les Églises nationales. Les ultramontains réagissent contre le gallicanisme, qui, au XVIIe siècle, prônait une certaine indépendance de l'Église et de l'État français à l'égard du Saint-Siège. Le courant ultramontain était à ce point important au Québec, que l'Église du Québec leva un contingent de zouaves pontificaux pour aller défendre le pouvoir temporel de la papauté contre l'armée de Garibaldi (1868).

Dans la deuxième moitié du XIXe siècle, l'Église du Québec renforce les institutions catholiques, qu'elle diversifie. Elle étendra son autorité dans de multiples domaines, y compris la politique. Les libéraux se montrant réfractaires, le clergé appuie plus volontiers le Parti conservateur : « Rouge, c'est l'enfer ; Bleu, c'est le paradis ».

> L'autorité vient de Dieu. La meilleure forme de gouvernement est la monarchie tempérée (l'Église et la Famille en sont des exemples) ; la plus imparfaite est la démocratie. Le libéralisme commet l'erreur fondamentale de vouloir édifier une société sur d'autres principes que les principes religieux. Les électeurs n'exercent pas seulement un droit ; ils remplissent un devoir, dont ils sont responsables devant Dieu. Le prêtre a donc le droit de les guider. C'est une erreur condamnée par la raison, par l'histoire et par la révélation, de dire que la politique est un terrain où la religion n'a pas le droit de mettre le pied, et où l'Église n'a rien à voir.
>
> MGR LAFLÈCHE, 1866.

La pensée ultramontaine est animée d'un nationalisme que l'on peut qualifier de culturel et de messianique :

> La nation est constituée par l'unité de langue, l'unité de foi, l'uniformité de mœurs, de coutumes et d'institutions. Les Canadiens français possèdent tout cela, et constituent bien une nation. Chaque nation a reçu de la Providence une mission à remplir. La mission du peuple canadien-français est de constituer un foyer de catholicisme dans le Nouveau-Monde.
>
> Mgr LAFLÈCHE, 1866.

L'idéologie ultramontaine s'appuie sur la structure sociale traditionnelle — le groupe plutôt que l'individu —, la famille se rassemble sous l'autorité du *Pater familias* pour recevoir la bénédiction du jour de l'An ou pour dire le chapelet vespéral[6]. Les clercs ont la haute main sur l'enseignement, aussi formera-t-on surtout d'autres enseignants, des médecins et des juristes, puisque le droit civil est spécifique aux Canadiens français[7]. À l'exception du Séminaire de Québec[8], le milieu de l'éducation ne favorise guère les vocations commerciales ou scientifiques : pour les ultramontains, le pouvoir temporel est soumis au pouvoir spirituel. La philosophie de saint Thomas est la seule enseignée.

La pensée ultramontaine est très conservatrice[9], peu ouverte aux revendications d'ordre social. Au Québec, la situation juridique et matérielle de l'Église se renforce en cette fin de XIXe siècle ; le second évêque de Montréal, Mgr Bourget, aura, de ce point de vue, un rôle de premier plan. Les publications catholiques sont truffées de conseils très clairs, de dessins suffisamment évocateurs pour que l'univers mental et l'imaginaire des Canadiens français soient occupés par le bon côté des choses.

Un tel désir de mainmise sur les esprits n'allait pas sans rencontrer de résistances. La deuxième moitié du siècle voit naître et se multiplier une quantité de journaux, de revues dont une partie réagit avec vigueur. Les anglo-protestants ne se soumettent pas à ce contrôle du clergé catholique, qu'ils jugent abusif, et ils ont une force politique et économique qui leur facilite la tâche ; chez les francophones, le noyau dur de ceux qui résistent est d'abord politique : l'opposition du libéralisme empêchera les ultramontains de réaliser cette théocratie dont ils rêvaient pour la société québécoise.

Le libéralisme

La pensée libérale existe depuis la fin du XVIIIe siècle au Québec ; elle est d'abord l'apanage d'une classe sociale, la bourgeoisie, qui affirmera ses prérogatives avec de plus en plus d'assurance au cours du XIXe siècle. Chez les anglophones, elle est orientée vers des réalisations économiques ; elle s'accompagne aussi de principes que les francophones exprimeront de façon politique à travers les ressources que la démocratie met à leur disposition (mouvements et partis politiques, députations, assemblées populaires). Les hommes politiques et quelques membres des professions libérales s'alarment au lendemain du rapport Durham devant le diagnostic de son auteur : « Un peuple ignare, apathique et rétrograde, [...] un peuple sans histoire et sans littérature »... Des historiens comme François-Xavier Garneau ou Benjamin Sulte se lèvent pour prouver le contraire. Des libéraux modérés (dont Louis-Hippolyte Lafontaine, puis George-Étienne Cartier) veulent une réforme politique : les réformistes obtiennent l'autonomie grâce à la responsabilité du gouvernement, obtenue en 1848, et à la reconnaissance du français comme langue officielle. Parallèlement, l'échec de la rébellion de 1837-1838, l'imposition par Londres de l'Acte d'union, la montée de la pensée ultramontaine vont, pendant deux décennies, renforcer chez certains politiciens des prises de position qu'ils vont radicaliser. Les Rouges représentent cette tendance ; ils défendent les principes démocratiques (suffrage universel, abolition de la tenure seigneuriale, etc.). Dans le même ordre d'idées, ils sont opposés à l'Union, qui ne soutient pas les intérêts des Canadiens français ; ils demandent aussi la séparation de l'Église et de l'État.

> Au milieu du XIXe siècle, une fraction de la petite bourgeoisie a tenté de définir la société canadienne-française et la position du Canada français face au Canada anglais. Elle l'a fait en invitant les Canadiens français à se libérer de la domination des conservateurs et du clergé et à chercher pour le Canada français d'autres voies d'avenir national que l'acceptation de l'Union de 1840 et de la Confédération de 1867. Voilà le rougisme.
>
> JEAN-PAUL BERNARD, *Les Rouges*, 1971.

Le Parti rouge est constitué d'éléments très actifs sur plusieurs plans : Papineau, Antoine-Aimé Dorion, plus tard Wilfrid Laurier. Intellectuels, ils s'expriment de façon claire, dans *L'Avenir* et *Le Pays*. Le radicalisme, l'anticléricalisme des Rouges leur aliènent une grande majorité des Canadiens français.

L'Institut canadien

Les Rouges insistaient sur l'importance de l'éducation et en réclamaient la laïcisation. C'est pour donner à la jeunesse un lieu de documentation et d'échanges que l'on fonde l'Institut canadien (1844), qui ne relève pas de l'autorité cléricale. On y trouve des salles de conférence et de lecture et une bibliothèque fournie. L'Institut canadien va bientôt devenir le lieu où les libéraux vont continuer à défendre un idéal de démocratie, d'autonomie, reconnaissant le droit des peuples à disposer d'eux-mêmes, dans la ligne de l'idéologie des Patriotes.

Mais Mgr Bourget veille ; il réussit à réduire considérablement l'influence de cette école de pensée en obligeant les catholiques à respecter les interdits de l'Index. Le libéralisme subit alors une cuisante défaite : la pensée ultramontaine l'emporte. Par voie de conséquence, dans une telle ambiance de soumission, il n'y aura pas de créateurs littéraires qui ne soient « du bon bord ». On publiera très peu de romans et, en poésie, on connaîtra une « École littéraire et patriotique de Québec » tournée vers le culte du passé et l'imitation de la production littéraire française. Seuls quelques journalistes comme Arthur Buies, Louis-Antoine Dessaules, ceux de *L'Avenir* ou du *Pays*, persistent à avoir une pensée originale et nettement démarquée de celle des clercs.

Au moment de la Confédération, l'aile radicale des libéraux était considérablement affaiblie, mais un libéralisme modéré continue d'exprimer des valeurs comme l'individualisme et la primauté de la propriété privée. Au tournant du siècle, selon l'historienne Fernande Roy, c'est la presse d'affaires qui expose la vision de société qui découle du libéralisme. Au XXᵉ siècle, les idées libérales s'affirmeront en s'appuyant sur le développement économique. Le Parti libéral, prenant le pouvoir et le gardant longtemps, sera à même de concrétiser ces aspirations.

Du nationalisme à l'idée d'indépendance

Dès le XIXᵉ siècle, les Canadiens se perçoivent et sont perçus comme une nation qui se redéfinit constamment. Or c'est autour du sens précis que l'on donne au mot « nation » que se bâtit le nationalisme, doctrine qui n'aura pas le même sens suivant les individus et les générations. Il y aura donc plusieurs nationalismes. Les premières manifestations tangibles de l'idée d'indépendance ont lieu en 1837-1838 par le biais du manifeste des Fils de la liberté et de la *Déclaration d'indépendance* de Robert Nelson. Les Rouges sont bien les seuls à s'opposer à la Confédération qui donne à la nation canadienne-française un territoire dont les hommes politiques vont défendre l'autonomie face à l'ensemble fédéral. Honoré Mercier sera un de ceux-ci. Mais il saura — et d'autres après lui — dépasser les stricts intérêts politiques de sa province pour rappeler à ses concitoyens que le Canada français ne se limite pas au Québec.

Le nationalisme canadien, Henri Bourassa et *Le Devoir*

Anti-impérialiste, Henri Bourassa, député au Parlement fédéral, s'oppose à la Grande-Bretagne, mais croit au Canada : « Nous, Canadiens français, nous n'appartenons qu'à un pays [...]. La patrie, pour nous, c'est le Canada tout entier. » En 1910, Henri Bourassa fonde *Le Devoir* dans cet esprit. Respectueux de la dualité canadienne, il préconise le développement parallèle et équilibré des deux cultures fondatrices. Somme toute, son nationalisme est d'ordre culturel et politique. Il veut défendre la langue et la culture françaises en Amérique et les droits des minorités au-delà des frontières du Québec.

Henri Bourassa[10] était très proche du nationalisme clérical qui avait peu à peu remplacé l'idéologie ultramontaine. Il se préoccupait peu d'économie puisqu'il avait pour principe que les biens matériels doivent être subordonnés aux biens spirituels. Député, journaliste d'envergure, il s'oppose à Wilfrid Laurier lorsque celui-ci ne défend pas les droits des francophones catholiques des autres provinces. Orateur brillant, il prononce en 1910 un discours célèbre à l'église Notre-Dame de Montréal, défendant du même souffle la foi catholique et la langue française. C'était un homme d'idéal, à qui l'on doit un journal d'opinion, toujours publié 100 ans après et lu par l'élite.

Le nationalisme économique

L'émergence de la grande bourgeoisie d'affaires francophone, à la fin du

Henri Bourassa (1868-1952), homme politique et fondateur du quotidien montréalais *Le Devoir.* (Bibliothèque nationale du Québec.)

XIXᵉ siècle, avait mis l'accent sur l'ouverture au libéralisme économique dont les États-Unis tout proches donnaient l'exemple (il y avait même eu un mouvement qui préconisait l'annexion aux États-Unis). Au tournant du XXᵉ siècle, Errol Bouchette, à son tour, a la certitude qu'au Québec cette économie peut et doit se faire en français. *L'Indépendance économique du Canada français* date de 1906 ; 60 ans plus tard, Bernard Landry, candidat du Parti québécois aux élections de 1970, redira que l'indépendance culturelle passe par l'indépendance économique, idée qu'il aura à cœur de mettre en pratique plus tard dans ses postes de vice-premier ministre et de ministre chargé de l'économie et des finances, puis de premier ministre.

Le libéralisme économique s'appuie sur la réussite matérielle individuelle, mais l'État a un rôle à jouer dans un monde industriel ; intellectuels et universitaires pressentaient des changements sans toujours en imaginer l'ampleur. À la suite de Bouchette, Esdras Mainville et Édouard Montpetit insistent sur le développement économique basé sur l'éducation moderne ; c'est là, pour Montpetit, le secret du progrès social qu'il espère pour le Québec. Influencé lui aussi par les universités américaines, il rêve de voir au Québec comme aux États-Unis « partout, des écoles, des collèges, des universités, des bibliothèques, des musées ».

Le nationalisme canadien-français

Les intellectuels constatent que le pacte confédératif ne profite pas aux Canadiens français. Les droits des minorités francophones diminuent pendant cette période. Un nouveau nationalisme, centré sur le Québec, se précise après la Première Guerre mondiale. Commence alors la grande période des revues qui vont se succéder, ou exister en parallèle, et qui témoignent de la vigueur intellectuelle de la société en ce deuxième quart du XXᵉ siècle. Les titres de ces revues sont d'ailleurs éloquents : *L'Action française, L'Action nationale, Vivre, La Relève.* Consciente de l'échec des idées de Bourassa en ce domaine, *L'Action française* met l'accent aussi bien sur les questions de culture et de

L'abbé Lionel Groulx, à son bureau, en 1925. Il sera élu peu après directeur de *L'Action française*. (Archives du Centre de recherche Lionel-Groulx, P1/T1, 2. 15.)

langue que sur les problèmes d'éducation et d'économie.

L'abbé Lionel Groulx, historien, publie *La Naissance d'une race* (1919) et *Notre maître le passé* (1936), aux titres évocateurs. Son dynamisme, sa conviction qu'il existe une « nation canadienne-française » catholique, si spécifique qu'il lui faudrait un État bien à elle où se développer à l'abri des tentations des autres « races », le font rêver un temps d'un État qui s'appellerait la « Laurentie ».

L'œuvre du chanoine Groulx, marquée au coin d'une intelligence claire, influencera toute une génération de penseurs. Le noyau de sa doctrine est la religion catholique, mais il veut qu'il en émerge un projet : l'élite doit guider le peuple ; il insistera sur la formation de celle-ci. Historien, le chanoine Groulx insiste sur l'autonomie provinciale ; il fait faire un grand pas au nationalisme[11] en le greffant directement sur le territoire du Québec et sur des valeurs spécifiquement québécoises. C'est un homme de droite qui se sert du passé pour entrevoir l'avenir. Son apport principal au mouvement des idées du XXe siècle « a été de hausser dans la conscience collective la province de Québec à un statut de grandeur nationale », comme le souligne le politologue Denis Monière. La crise de 1930 ébranle une société fragile et la ramènera à

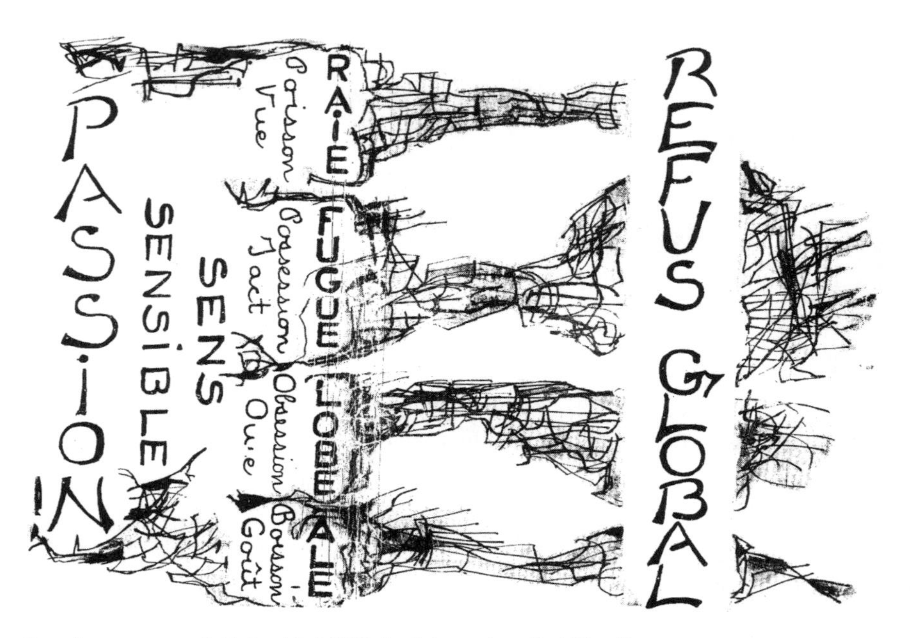

Page de couverture de *Refus global,* 1948, dessinée par Jean-Paul Riopelle.

des idées plus conservatrices. Il y aura même une mince fraction de personnes tentées par le nazisme et qui n'hésiteront pas à flirter avec l'antisémitisme.

Le duplessisme et ses détracteurs

Premier ministre, Maurice Duplessis s'affirme contre le pouvoir centralisateur du fédéral, contre le pancanadianisme, surtout économique, mais laisse aux capitaux privés le soin de développer l'industrie du Québec. Il privilégie la société rurale comme élément fondamental de la société québécoise au mépris de la réalité d'une société devenue depuis longtemps industrielle et urbaine. Socialement, il s'oppose à ce que les membres de la classe ouvrière, qui s'est développée énormément, aient une possibilité de dialogue avec les capitalistes qui les emploient. C'est un conservateur pour qui le respect de l'ordre fait les bons citoyens. Il s'appuie sur la puissante hiérarchie catholique, redoute le socialisme et les communistes, bien peu actifs, et impose la « loi du cadenas » en mettant des scellés sur les locaux de groupes soupçonnés de communisme.

Refus global — 1948

Un groupe d'artistes — peintres, poètes, danseuses et dramaturges regroupés autour de Paul-Émile Borduas — publie un manifeste, tiré à 400 exemplaires, qui s'oppose avec virulence à l'ordre établi et aux idées qui ont dominé le Québec depuis un siècle. Il s'agissait de « recréer un monde sans Dieu », de s'opposer à une structure sociale, à une censure étouffante. La cinéaste Manon Barbeau, dont les parents avaient signé le manifeste, reconnaît, dans son film *Les Enfants du Refus global*, que « les signataires de *Refus global* ont dynamité un avenir bouché ». Cette date marque pour une petite minorité de Québécois, convaincus depuis belle lurette, le passage du désir de changement à l'acte. La volonté de liberté, d'expression originale dans la création montre combien les artistes ont l'intuition juste de ce qui arrive à la société qui les produit : « Au Refus global, nous opposons la responsabilité entière. » Un nouvel espoir collectif naîtra dans un souci d'indépendance culturelle, en opposition à l'hégémonie du pouvoir duplessiste et de sa collusion avec l'Église. Après ce beau moment d'action collective, le groupe perd de sa cohésion. Borduas, qui avait 20 ans de plus que les 15 autres signataires, connaîtra l'amertume d'un exil tout autant intérieur qu'imposé par les circonstances.

André Laurendeau et le néonationalisme

C'est sans doute le contrecoup du bouleversement que causa la guerre de 1939-1945 qui amena les plus sensibles des Québécois à « sentir le monde trembler sous leurs pieds », suivant l'expression de l'historien Georges Vincenthier. André Laurendeau[12], avec lucidité et calme, entretenait les lecteurs de *L'Action nationale*, puis du *Devoir*, comme en leur temps Ernest Gagnon et François Hertel. Caractérisés par une formation et une culture littéraires, par un esprit d'ouverture qui savait s'enrichir d'échanges avec une certaine intelligentsia européenne, ces artistes du verbe alertaient, par la puissance des mots, la collectivité dont ils voulaient, chacun à leur manière, faire une société moderne, plus consciente de ses possibilités.

Ce courant néonationaliste, né autour des économistes et historiens de l'Université de Montréal et de l'École des Hautes Études Commerciales est l'aboutissement d'une tendance datant de l'Action libérale nationale des années 1930. Ses manifestations politiques s'incarnent dans la formation du Bloc populaire, affirmation claire de l'identité nationale du peuple canadien-français, mais aussi rejet du traditionalisme qui avait marqué le nationalisme précédent. Le Parti libéral reprendra à son compte la plupart des idées de ce courant et bénéficiera d'un renouveau idéologique qui lui vaudra une popularité nouvelle.

Les sciences sociales à l'Université Laval

Après 1950, un dominicain, le père Georges-Henri Lévesque, doyen-fondateur de la Faculté des sciences sociales de l'Université Laval, se révèle un éveilleur d'esprits hors pair. Il croyait en l'Université comme instrument de transformation de la société. Il forma dans la capitale, avec beaucoup de rigueur intellectuelle, une pépinière de penseurs : Guy Rocher, Fernand Dumont, Jean-Charles Falardeau, Gérard Bergeron, Doris Lussier, Jean Marchand, Gérard Dion, Arthur Tremblay, pour n'en nommer que quelques-uns. Le

André Laurendeau au cours d'une assemblée du Bloc populaire au marché Jean-Talon, à Montréal, le 12 juillet 1944. (Archives du Centre de recherche Lionel-Groulx, P2/T1, 53. 4.)

père Lévesque sera d'ailleurs contraint à quitter l'Université Laval ; le gouvernement obtiendra de l'Église qu'on l'éloigne pour un temps, à Rome d'abord, puis en Afrique où on le chargera de mettre en place les structures de la nouvelle Université du Rwanda.

La revue Cité libre — *1950-1966*

Le Québec s'ouvre au monde qui bouge ; la conjoncture de décolonisation en Afrique n'est pas étrangère non plus à ce nouveau sentiment d'insatisfaction, à ce nouveau questionnement concernant l'identité canadienne-française. C'est une période d'intenses échanges d'information facilités par la prolifération de moyens médiatiques, surtout audiovisuels.

L'équipe de la revue *Cité libre* affirme sa foi catholique, mais réclame aussi le droit à la liberté individuelle. La revue insiste sur le respect de la personne humaine, et donc sur une politique démocratique fondée sur une pensée économique et sociale qui n'est pas sans rappeler les idées qui animaient au même moment en France la revue *Esprit*. Au Québec, *Cité libre* rejette le cléricalisme et prône l'idée que la justice et la prospérité peuvent exister dans une société industrialisée et urbanisée. Sur le plan politique, « les cité-libristes » sont fondamentalement fédéralistes et veulent que le Québec joue le rôle qui lui revient dans la Confédération. On ne s'étonnera donc pas de retrouver plus tard au gouvernement fédéral certains de ses animateurs : les « trois colombes », Trudeau, Marchand, Pelletier. Ils installeront à Ottawa un *French power* à la fin des années 1960, qu'on peut voir comme un contrepoids fédéral au nationalisme québécois.

Outre ces futurs hommes politiques, on retrouvait dans *Cité libre* d'autres signatures connues : celle de René Lévesque, celle de penseurs lucides comme Fernand Dumont ou Pierre Vadeboncœur.

Dans les années 1990, *Cité libre* renaîtra, sous l'impulsion de Trudeau (et de quelques autres) qui, de sa retraite politique, ajoute périodiquement son grain de sel dans le débat constitutionnel.

La revue Liberté — *1959*

Pendant qu'à Québec naissait une nouvelle école de pensée autour du père Lévesque, on fondait à Montréal la revue *Liberté* (Jean-Guy Pilon, puis Fernand Ouellette et André Belleau, etc.). Des écrivains, essayistes, romanciers et poètes en tête, réclameront, 10 ans après *Refus global,* une liberté surtout culturelle; une nouvelle notion se fait jour : la collectivité québécoise doit s'exprimer dans sa langue avec fierté. La sécurité culturelle permettra à la société du Québec d'accéder à la sécurité économique puis politique. À une vision d'un monde canadien-français, imposée aux Québécois depuis plus d'un siècle, va succéder l'idée que le pays est ainsi mal nommé. Bien plus, il ne l'est pas encore. Ce sont les poètes et les chansonniers qui, les premiers[13], le chantent sur tous les tons et sur tous les toits.

> Je suis d'un pays qui est comme une tache sous le pôle, comme un fait divers, comme un film sans images. [...] Sache au moins qu'un jour, j'ai voulu donner un nom à mon pays, pour le meilleur ou pour le pire; que j'ai voulu me reconnaître en lui, non par faux jeux de miroirs, mais par exigeante volonté.
>
> JEAN-GUY PILON, 1961.

Des intellectuels réfléchissent; leurs écrits mettent à nu une âme collective qui se souvient et écrit à son tour les pages d'une histoire qui se répète. C'est ainsi que le Québec naît au monde, prenant ses assises dans la conscience aiguë que ce sont les Québécois qui feront leur pays à partir de ce qui les distingue. Cette analyse du dedans sera faite par chacun ou presque, à des degrés divers.

La Révolution tranquille

Dans les années 1960, les idées que prônaient autrefois des solitaires ou de petits groupes d'intellectuels sont embrassées par la majorité. Opinions et perspectives circulent plus librement dans une société qui se diversifie. On remplace les structures traditionnelles vétustes par un nouveau système de valeurs. L'arrivée au pouvoir des libéraux de Jean Lesage concrétise cette soif de renouveau et la traduit en gestes politiques, sociaux et culturels concrets. Mais les origines de ce changement[14], véritable révolution en raison de la rapidité de la transformation, remontent plus loin qu'à la mort du chef de l'Union nationale.

L'après-guerre avait favorisé un nouveau fédéralisme et justifié l'intervention de l'État permettant un meilleur équilibre économique et une plus grande justice sociale. Parallèlement au néonationalisme se forme un néolibéralisme conciliant les éléments nationalistes d'une politique québécoise avec une planification économique plus rigoureuse. Pendant quelques années, le Québec suivra très majoritairement cette vision incarnée par « l'équipe du tonnerre » de Jean Lesage. Son successeur au pouvoir, Daniel Johnson, prolongera la Révolution tranquille, bien que n'étant pas de la même formation politique que Lesage.

Dans son autobiographie (*Récit d'une émigration*), le sociologue Fernand Dumont, tout en reconnaissant les divers apports de cette période, demeure réservé, sinon déçu, devant ses résultats. La Révolution tranquille, selon lui, n'a pas tenu ses promesses dans le domaine de l'éducation, de la « restauration » de la langue, n'a pas démocratisé la culture, ni fait beaucoup avancer la souveraineté politique.

Le mouvement Parti pris — *1963-1968*

Le Parti libéral donne un contenu politique et social à des aspirations encore confuses, mais en train de se décanter dans des avalanches de mots écrits, parlés, lus ou chantés. Parti pris est un mouvement de gauche qui définit très clairement ses objectifs et sa grille d'analyse dans la revue qui porte ce nom. Cette revue sera laïque, marxiste et indépendantiste.

Pour les tenants de ce mouvement, le Québec a été et est toujours colonisé, par les Anglais, par les *Canadians,* par l'élite cléricale et bourgeoise, par les exploiteurs capitalistes américains ; même la littérature française a trop longtemps colonisé les lettres québécoises. C'est bien à une lutte des classes qu'appellent certains théoriciens de la revue *Parti pris,* tandis que d'autres, plus modérés, se rallient au mouvement à tendance technocratique qui réalise au même moment la Révolution tranquille. Il faut faire table rase de presque tout et écrire la langue que le peuple comprend : de 1965 à 1972, des poètes, des romanciers et des dramaturges s'exprimeront en joual.

Ils seront nombreux, les collaborateurs de *Parti pris* : des poètes, des romanciers, à côté d'essayistes que redoute particulièrement la bourgeoisie qui continue à se dire canadienne-française. Sans doute ne se reconnaît-elle pas dans ces livres bon marché en format de poche qui touchent les domaines politique, sociologique et littéraire. Le mouvement Parti pris suscitera dialogues et polémiques : c'était sans doute une étape nécessaire dans l'histoire des idéologies qui ont aidé le Québec à se faire une idée de ce qu'il est réellement.

Plus tard, d'autres publications contribueront à propager une nouvelle culture (ou même une contre-culture), notamment en milieu étudiant. Ainsi *Mainmise* (écologique, libertaire, marginale), *Presqu'Amérique* (nationaliste nouvelle manière), *Quartier latin* (étudiant et frondeur). Ces titres n'existent plus — ni le quotidien indépendantiste *Le Jour* qui naîtra par la suite — mais témoignent d'une effervescence des idées et des modes de vie dont les ramifications s'étendaient bien au-delà d'une certaine sphère intellectuelle ou politique.

1967 : « Vive le Québec libre ! »

Le Québec vit dans l'enthousiasme de l'Exposition universelle de Montréal lorsque le général de Gaulle, après avoir remonté le Saint-Laurent, empruntant de Saint-Joachim à Montréal le chemin du Roy, fait aux Québécois survoltés son fameux discours impromptu du haut du balcon de l'hôtel de ville à Montréal. L'enregistrement sonore des discours du général est révélateur de l'état d'esprit des Québécois en 1967. Les applaudissements éclatent frénétiquement devant l'audace du « Vive le Québec libre ! ».

Dans la société québécoise, cette déclaration provoque un mélange de surprise et d'enthousiasme. De Gaulle apportait sa caution de grand homme d'État à un mouvement populaire et, selon lui, faisait gagner 10 ans aux Québécois. Mais de quoi se mêlait-il tout à coup, de se demander d'aucuns — tant ici qu'en France où son retour fut accueilli avec une certaine froideur. Quoi qu'il en soit, le Général avait trop le sens de l'histoire pour ne pas faire un geste symbolique et fort, situant le débat au-delà des chicanes protocolaires de l'« intendance ». Un sociologue n'a-t-il pas émis l'idée que le Général avait pressenti qu'un certain avenir de la France passerait par un Nouveau Monde, celui du Québec ?

Visite du général de Gaulle en juillet 1967. De Gaulle lance son fameux « Vive le Québec libre ! » du balcon de l'hôtel de ville de Montréal. (Ville de Montréal, Service des affaires corporatives.)

Le chef de l'État français mettait ainsi, à sa façon, le Québec sur la carte du monde. D'après le journaliste Pierre O'Neil, « le premier ministre Johnson se faisait traiter de crypto-séparatiste, et l'épisode du Général ne manquait pas de fouetter l'ardeur du militantisme indépendantiste ». Les vives tensions qui en résultèrent à l'intérieur du Parti libéral du Québec amenèrent d'ailleurs François Aquin à quitter les rangs libéraux pour siéger comme indépendant à l'Assemblée nationale.

Les mouvements indépendantistes et le FLQ

À partir de 1957, le mouvement vers une action politique se précise avec la formation d'un parti résolument indépendantiste. Le mouvement s'accélère à partir de 1960. Les partis s'engendrent les uns les autres, naissant de divergences internes ou de convergences profondes. Le Parti québécois résultera du regroupement de trois de ces mouvements et partis dont deux avaient d'ailleurs participé aux élections générales de 1966.

Pendant que les libéraux, puis l'Union nationale, donnaient un contenu politique à certaines aspirations de la société québécoise, notamment en matière de culture, d'éducation et d'économie provinciale axée sur les ressources naturelles du Québec, une petite fraction de jeunes gens trouvaient que l'indépendance n'arrivait pas assez vite. Le Front de libération du Québec (FLQ) décide alors de passer aux actes. La violence commence en 1963 et trouve son apogée et son dénouement en 1970. C'est la technique de la guérilla urbaine qui fait éclater les bombes (200 environ) dans des endroits symboliques de l'oppression du peuple québécois. On fait sauter la statue de la reine Victoria à Québec et des boîtes aux lettres à Westmount, ville anglaise de bon ton et majoritairement anglophone de l'île de Montréal. La Bourse de Montréal est visée. On dévalise les banques; on vole des armes dans les dépôts de l'armée canadienne; on écrit des manifestes flamboyants pour expliquer ses idées.

Le FLQ fonctionne en petites cellules, de 10 personnes environ, qui ignorent tout ou presque des autres cellules et qui n'ont pas toutes la même vision de ce type d'action : des marxistes-léninistes, une tendance maoïste, une autre tendance qui se défend de toute allégeance marxiste. Chez tous, une prise de position socialiste et anticléricale très nette. Pierre Vallières et Charles Gagnon sont les théoriciens du FLQ. Leurs analyses ne manquent ni de lucidité ni d'à-propos. Quand *Nègres blancs d'Amérique* sort des presses aux Éditions Parti pris, le FLQ n'en est déjà plus à son premier geste terroriste.

En octobre 1970, le FLQ enlève deux personnalités : un diplomate britannique et le ministre québécois du Travail, Pierre Laporte. La crise d'Octobre secoue le Québec : le premier ministre Bourassa demande l'aide du fédéral qui applique la Loi des mesures de guerre[15]. De nombreux intellectuels, des artistes, fichés séparatistes, sont emprisonnés sans autre raison. La mort de Pierre Laporte stupéfie les Québécois, résolument pacifistes et agacés par les réactions gouvernementales. Le diplomate britannique est relâché, les felquistes ayant obtenu un sauf-conduit pour Cuba.

Les commissions d'enquête prouveront plus tard, comme les déclarations de certains felquistes, que ce mouvement terroriste était le fait d'un groupe minuscule, peut-être une trentaine de personnes, et que, d'autre part, la Gendarmerie royale du Canada était loin d'être ignorante des agissements de ces groupuscules. De toute façon, ce type d'action révolutionnaire ne paraissait convenir ni au tempérament ni à la situation relativement confortable des Québécois. Une conséquence inattendue :

front de libération du québec

communiqué

Numéro 5

8 octobre 1970. 12 heures (midi); délai: 12 heures;

opération libération

Le Front de Libération du Québec tient, une dernière fois, à mettre en en garde les autorités en place. Si d'ici douze heures (minuit), les autorités en place n'ont pas:

1. Prouvé leur bonne foi en diffusant sur les ondes de Radio-Canada notre manifeste politique, tel que stipulé dans le communiqué 4;
2. Ordonné aux forces policières facistes d'arrêter sur-le-champ leurs fouilles, perquisitions, arrestations ou tortures;

Le Front de Libération du Québec se verra dans l'obligation de supprimer le diplomate J. Cross.

Une fois ces conditions réalisées, le Front de Libération du Québec demande aux autorités en place de spécifier concrètement ce qu'elles qualifient de demandes "irraisonnables".

Quant aux garanties que demandent les autorités en place, elles doivent exister selon la bonne foi des deux parties en cause. Nous le répétons, nous ne mettrons pas la vie de J. Cross en jeux pour une question de "piastres". Nous libérerons le diplomate Cross dans les vingt quatre heures qui suivront la réalisation d'une autre condition ayant trait à la libération des prisonniers politiques "consentant".

NOUS VAINCRONS

Front de Libération du Québec

Remarque: Nous rejettons l'idée d'un médiateur. Nous continuerons d'établir nos communications selon nos normes, en évitant les pièges tendus par la police faciste.

Au plus fort de la crise d'Octobre, le Front de libération du Québec avait exigé que tous les médias (radio, télévision, journaux) diffusent ce communiqué. (Bibliothèque nationale du Québec.)

le FLQ pèsera lourd sur le proche avenir du Parti québécois, que ses détracteurs auront tôt fait d'assimiler à des « terroristes assoiffés de sang ».

En 1970, le PQ, qui participe pour la première fois aux élections générales, prend le relais de l'idée d'indépendance, mais dans une stratégie électorale parfaitement démocratique : il lui faudra six ans de purgatoire avant d'accéder au pouvoir.

Les référendums sur la souveraineté

1980. Fidèle à sa promesse de mettre aux voix la question de la souveraineté, le Parti québécois propose un référendum populaire. Celui-ci est précédé d'un débat à l'Assemblée nationale qui restera dans les annales du Québec comme l'un des grands moments parlementaires. Le débat dure trois semaines et permet à la population, par le biais des retransmissions télévisées, de juger — sur pièces oratoires au moins — les souverainistes et les fédéralistes. Le vent semblait souffler en faveur des souverainistes qui abordaient la question avec calme et logique. En revanche, les députés regroupés sous le parapluie du Non paraissaient plus sur la défensive et leurs discours n'avaient pas l'allure positive et claire des premiers. Mais c'était au mois de mars. Le référendum était prévu pour le 20 mai : cet éloignement dans le temps sera un des points faibles de la stratégie gouvernementale. Ces deux mois furent utilisés à fond par les tenants du Non — y compris les députés fédéraux mobilisés pour la circonstance — pour discréditer l'option souverainiste. Tous les dangers du Oui furent mis de l'avant, alors que grandissait l'inquiétude ou, dans l'inconscient, une certaine angoisse de la séparation d'avec la mère patrie symbolique.

L'autre erreur de stratégie du Parti québécois, plus fondamentale, résidait sans doute dans le libellé même de la question posée au référendum. Les tenants de l'étapisme ayant imposé la modération, la question posée[16] pouvait sembler trop édulcorée ou suspecte. Par ailleurs, longue et un peu alambiquée, est-elle apparue assez claire aux citoyens qui ne pouvaient répondre que par « oui » ou « non » ?

Toujours est-il que la société québécoise refusa la souveraineté avec une majorité de 59 % pour l'ensemble du Québec. Le vote des francophones était partagé (50 %/50 %). Le Oui l'emporta dans 15 circonscriptions contre 95 pour le Non. La Côte-Nord et le Saguenay–Lac-Saint-Jean avaient même une majorité (56 %) de Oui, mais cela ne suffit pas pour contrebalancer l'ouest de l'île de Montréal (21 % de Oui) où réside la majorité des anglophones.

Quelques années plus tard, le Parti québécois réuni en congrès substituera à la thèse souverainiste celle de l'affirmation nationale. Des inconditionnels de la souveraineté préféreront alors partir en nombre. Ils fonderont même le Rassemblement démocratique pour l'indépendance. D'autres créeront à Québec un Parti indépendantiste. La mort, en novembre 1987, de René Lévesque, a redonné un nouveau souffle à l'option souverainiste du Parti québécois.

1995. Entre le référendum de 1980 et celui de 1995, une partie du milieu écono-

Chronologie de l'idée d'indépendance

1837	Manifeste des Fils de la liberté
1837-1838	Rébellion des Patriotes
1838	Déclaration d'indépendance du Bas-Canada
1910	Henri Bourassa fonde *Le Devoir*
1917	Motion de Francœur et Laferté à l'Assemblée législative du Québec
Vers 1920	La Laurentie de Lionel Groulx
1936	*La Nation* est le journal d'un mouvement de jeunes séparatistes
1948	*Refus global*
1957	Alliance laurentienne (Raymond Barbeau)
1960	Action socialiste pour l'indépendance du Québec (Raoul Roy)
1960	Rassemblement pour l'indépendance nationale (Marcel Chaput, André d'Allemagne)
1962	Parti républicain du Québec (Marcel Chaput)
1963	Le Front de libération du Québec (FLQ) commence sa guérilla urbaine
1964	Ralliement national (RN) (René Jutras)
1967	« Vive le Québec libre ! » (le général de Gaulle)
1967	René Lévesque fonde le Mouvement Souveraineté-Association (MSA)
1968	MSA+RN+RIN= Parti québécois (PQ)
1970	Événements d'Octobre (FLQ)
1976	Arrivée du PQ au pouvoir
1980	1er référendum sur la souveraineté (59 % de Non, 41 % de Oui)
1995	2e référendum sur la souveraineté (50,6 % de Non, 49,4 % de Oui)

mique francophone avait nettement compris qu'il ne perdrait pas au changement de statut, idée reprise par des magazines étrangers (*Le Point* en France, *Time* et *The Economist*). En 15 ans, cette évolution avait connu des accélérants : le rapatriement de la Constitution par Trudeau (1982) modifiait en profondeur l'ancienne Constitution de 1867, en particulier la définition des « principes de répartition des pouvoirs des deux niveaux de gouvernement », en y enchâssant la Charte des droits et libertés (« individuels plutôt que collectifs » selon l'historien Alfred Dubuc). Les accords de principe du lac Meech, puis le référendum pancanadien sur l'accord de Charlottetown, maladroits et insuffisants, avaient renforcé chez beaucoup de Québécois l'impression que tout changement en profondeur des relations entre le Québec et le reste du Canada serait impossible. Un nouveau nationalisme avait rapproché les libéraux des péquistes avec la conviction que le Québec a les moyens économiques de sa souveraineté politique, comme l'affirme le politologue français Maurice Croisat.

Les élections fédérales de 1993 avaient amené le Bloc québécois à Ottawa avec un Lucien Bouchard décidé à défendre le Québec contre les ambitions centralisatrices du pouvoir fédéral. En septembre 1994, le Parti québécois, dont l'indépendantiste Jacques Parizeau avait repris la tête, se retrouva de nouveau au pouvoir. Au deuxième référendum sur la souveraineté, le Parti québécois vint tout près de se voir accorder le mandat de discuter avec le fédéral les modalités d'une sécession « après avoir offert au Canada un nouveau partenariat économique et politique » (49,4 % de Oui, contre 50,6 % de Non)[17].

Dans les deux cas, outre les engagements financiers massifs d'Ottawa, une intervention de l'extérieur — celle de Trudeau mettant en 1980 son siège en jeu si de profonds changements constitutionnels n'avaient pas lieu et, en 1995, une manifestation monstre de *Canadians* venus dire aux Québécois : « *We love you* » — avait changé le rapport de forces. Commentant l'échec du référendum, l'économiste Parizeau, pas toujours télégénique, y allait d'une petite phrase, jugée « assassine » par les intéressés, rejetant la responsabilité de la défaite sur « l'argent et les votes ethniques ». Il démissionnait le lendemain, laissant finalement la place à Bouchard qui lui avait donné un sérieux coup de main pendant la campagne référendaire. Le clivage de la société québécoise est alors évident : la majorité des anglophones et des descendants d'immigrants préférant la sécurité d'un grand pays au Québec autonome dont rêvent de nombreux Québécois dits de souche et quelques autres.

Comme on le voit, l'idée d'indépendance — ou au moins d'autonomie — existe donc toujours dans les esprits. Certains la souhaitent, d'autres la redoutent, tous y pensent. Cinéaste, écrivain, volontiers provocateur, Pierre Falardeau en fut courageusement le polémiste attitré jusqu'à sa mort (2009). Depuis Duplessis, tous les premiers ministres québécois se sont, un jour ou l'autre, montrés fermes à l'égard du fédéral qui, de son côté, essaie différentes formules, jamais assez radicales, pour assurer au Québec la place qui lui revient dans les institutions centrales. Du droit de veto de la charte de Victoria à la « société distincte » de l'accord du lac Meech, de l'entente de Charlottetown à la déclaration de Calgary, le dernier quart de siècle fédéral-provincial a été plutôt agité. Les provinces de l'Ouest ont aussi des velléités de plus grande autonomie. L'avenir seul dira si cette idée d'indépendance se concrétisera, mais le débat constitutionnel use les énergies politiques et individuelles. Quoi qu'il advienne, cette idée est devenue une composante de la réalité québécoise à laquelle le Canada ne peut se soustraire. Le fédéral, qui s'est ému du résultat quasi égal du deuxième référendum, a demandé à la Cour suprême canadienne de se prononcer sur une éventuelle sécession du Québec. À quoi la Cour, dans un jugement que n'aurait pas réprouvé Salomon, a répondu que cet acte serait illégal selon la Constitution canadienne, mais que sa légitimité forcerait le Canada et les provinces à négocier de bonne foi.

D'ailleurs le Québec n'est plus seul à essayer de limiter les appétits centralisateurs d'Ottawa. Depuis 1995, Ottawa a décrété

Affiche de la campagne pour le Oui au deuxième référendum sur la souveraineté (1995). (Photo : FTL.)

des compressions dans les transferts aux provinces et dispose ainsi de surplus (le budget fédéral n'était alors plus déficitaire) qu'il est tenté d'utiliser dans des programmes qu'on dit « à frais partagés ». En 1998, par exemple, la politique d'union sociale de Jean Chrétien a été contestée par les provinces, qui étaient décidées à restreindre le pouvoir fédéral dans les champs de compétence provinciale (santé, éducation et programmes sociaux). Le partage des pouvoirs dans l'état actuel de la Constitution revient constamment sur le tapis des tables de négociation fédérales-provinciales. Ainsi en fut-il encore en janvier 2000, lorsque, à l'unanimité, les 10 premiers ministres provinciaux réunis à Québec demandèrent au gouvernement fédéral de leur redonner l'argent qui, selon eux, leur revient. Avec la crise des *subprimes* aux États-Unis, tous les gouvernements ont retrouvé le spectre du déficit (2009).

Francophonie et américanité

En 1968, le Québec signe les accords de coopération franco-québécoise, puis participe à Niamey en 1970 à la création de l'Agence de coopération culturelle et technique dont les destinées ont d'ailleurs été dirigées à deux reprises par des Québécois (Jean-Marc Léger, Jean-Louis Roy). Ainsi se concrétise une action internationale sur la base de la langue française qui touche parlementaires, juristes et universitaires.

Le drapeau du Québec, communément appelé le fleurdelisé. (Commission de la capitale nationale du Québec, Publications du Québec.)

Québec organise en 1974 une Superfrancofête où se côtoient tambourineurs du Rwanda, conteurs haïtiens, musiciens malgaches, chansonniers belges et québécois. On songe à un développement plus large, qui engloberait tous les pays et les gouvernements de langue française. Mais Ottawa, entendez P. E. Trudeau, dénie au Québec tout rôle officiel au niveau international. Il faudra attendre que Brian Mulroney, plus conciliant, arrive à Ottawa pour que le premier Sommet francophone ait lieu à Paris. Le deuxième Sommet a lieu à Québec en 1987. Depuis 1986, le Québec participe de plein droit à toutes les institutions de la Francophonie comme gouvernement participant et y joue un rôle de premier plan étant donné son dynamisme et sa position historico-géographique qui en fait le cœur de l'Amérique française. Le Québec se voit ainsi fortifié dans son rôle international (coopération multinationale) à l'égard de ses voisins et de ses partenaires économiques habituels. Les Québécois, que l'on a parfois accusés, non sans raison, de nombrilisme y gagnent une dimension planétaire que leur avance technologique, en matière d'informatique particulièrement, confirme au tournant du millénaire.

Parallèllement à la prise de conscience du peuple qui se dit et se veut majoritairement québécois, on assiste à une nouvelle

fierté d'appartenance au continent américain, appartenance qui explique des comportements, une vision du monde, voire une sensibilité propres. Le Québec a tôt pris conscience de l'enjeu planétaire que représente le réchauffement climatique. Bien en avance sur le Canada en général, grâce à son hydro-électricité, il applique le protocole de Kyoto et va à Copenhague défendre sa position, sans même avoir officiellement le droit de parole.

Notes

1. À une France mythique, de tradition catholique et monarchique, s'opposait la France réelle, républicaine et anticléricale.

2. Jusqu'à tout récemment, le terme de « Canadiens » conservait, au Québec, sa portée sémantique première : les premiers habitants de souche européenne du Canada, puis leurs descendants, les Canadiens français. C'est dans cet esprit que le club de hockey, les Habitants, a choisi de s'appeler Le Canadien. Son sigle, CH, en témoigne d'ailleurs aujourd'hui encore : il associe étroitement, dans un même logo, l'initiale des deux mots « Canadiens » et « Habitants ». Que *Canadians* puisse être synonyme de « Canadiens » est une réalité tout à fait récente dans l'histoire des idées au pays (cf. Renald Bérubé, « Les Québécois, le hockey et le Graal », dans *Voix et Images du pays,* 1973, nº 7).

3. En 1810, deux députés du Parti canadien, Bédard et Blanchet, sont emprisonnés par le gouverneur Craig, sous prétexte de « pratiques traîtresses ». Le peuple canadien montre alors sa détermination en réélisant les députés prisonniers. Craig doit céder devant la pression populaire.

4. Le Parti patriote est le premier parti canadien dont le fonctionnement est rigoureusement démocratique.

5. C'est ainsi que la Société Saint-Jean-Baptiste, organisation patriotique fondée en 1844, devient « une sorte de bras séculier du nationalisme clérical » (Réjean Beaudoin).

6. Jusque dans les années 1960, plusieurs postes de radio diffusaient encore chaque soir la récitation du chapelet.

7. Le Code civil du Canada-Est entre en vigueur en 1866. Une nouvelle version, revue en profondeur, fait force de loi au Québec depuis 1994.

8. Les prêtres du Séminaire font ici preuve de clairvoyance en étant les premiers « vulgarisateurs scientifiques » et en incitant leurs élèves à se diriger du côté des sciences.

9. Chez les ultramontains, il y a les intransigeants, dont l'intolérance est manifeste, et un courant plus modéré (Mgr Taschereau) qui s'accommodera des nouvelles réalités.

10. Henri Bourassa était le petit-fils de Louis-Joseph Papineau ; son attitude à l'égard de l'Église était bien différente de celle de son grand-père.

11. On qualifie plutôt cette période de « clérico-nationaliste ».

12. « Il a plus fait, pour structurer les Canadiens français (instruire, c'est structurer par l'intérieur), que la plupart des politiques » (Le frère Untel).

13. En 1953, Gaston Miron fonde les Éditions de l'Hexagone.

14. Création d'un appareil d'État moderne, processus de prise de décision plus méthodique et plus efficace, amélioration des services publics, meilleur équilibre entre le fédéral et le provincial.

15. Imposée pour la première fois en temps de paix, cette loi a suscité un débat qui se poursuit encore sur « la pertinence de cette mesure controversée ».

16. « Le Gouvernement du Québec a fait

connaître sa proposition d'en arriver, avec le reste du Canada, à une nouvelle entente fondée sur le principe de l'égalité des peuples ; cette entente permettrait au Québec d'acquérir le pouvoir exclusif de faire ses lois, de percevoir ses impôts et d'établir ses relations extérieures, ce qui est la souveraineté — et, en même temps, de maintenir avec le Canada une association économique comportant l'utilisation de la même monnaie ; aucun changement de statut politique résultant de ces négociations ne sera réalisé sans l'accord de la population lors d'un autre référendum ; en conséquence, accordez-vous au Gouvernement du Québec le mandat de négocier l'entente proposée entre le Québec et le Canada ? »

17. Le 30 octobre 1995 : « Acceptez-vous que le Québec devienne souverain, après avoir offert formellement au Canada un nouveau partenariat économique et politique, dans le cadre du projet de loi sur l'avenir du Québec et de l'entente signée le 12 juin 1995 ? » Résultat : moins de 55 000 voix d'écart sur plus de 4 668 000. L'absence de liste électorale permanente à l'époque aurait-elle permis à certains non-Québécois d'exprimer illégalement une opinion ? On découvrira plus tard que plus de 100 000 votants n'avaient pas la fameuse carte d'assurance-maladie que possède chaque citoyen québécois.

Bibliographie

Voir aussi la bibliographie du chapitre précédent.

BALTHAZAR, Louis, *Bilan du nationalisme au Québec*, Montréal, L'Hexagone, 1986, 212 p.

BASTIEN, Frédéric, *Relations particulières : la France face au Québec après De Gaulle*, Montréal, Boréal, 1999, 423 p.

BÉLANGER, André-J., *Ruptures et constantes. Quatre idéologies du Québec en éclatement : la Relève, la JEC, Cité libre, Parti pris*, Montréal, Hurtubise-HMH, 1977, 219 p.

BERNARD, Jean-Paul, *Les Rouges, libéralisme, nationalisme et anticléricalisme au milieu du XIXe siècle*, Montréal, PUQ, 1971, 394 p.

BOUCHARD, Gérard, *La Nation québécoise au futur et au passé*, Montréal, VLB, 1999, 157 p.

CROISAT, Maurice, Frank Petiteville et Jean Tournon, *Le Canada, d'un référendum à l'autre. Les relations politiques entre le Canada et le Québec (1980-1992)*, Talence (France), AFEC, 1992, 136 p.

DION, Léon, *La Révolution déroutée*, Montréal, Boréal, 1998, 324 p.

DUFOUR, Christian, *Le Défi québécois*, Québec, PUL, 2000, 192 p. (1re éd. : 1989).

DUMONT, Fernand (dir.), *Idéologies au Canada français*, Québec, PUL, en 4 t. : *1850-1900* (1971) ; *1900-1929* (1974) ; *1930-1939* (1978) ; *1940-1976* (1981).

ÉPINETTE, Françoise, *La Question nationale au Québec*, Paris, PUF, coll. « Que sais-je ? », 1998, 126 p.

FALARDEAU, Pierre, *Rien n'est plus précieux que la liberté et l'indépendance*, Montréal, VLB, 2009, 264 p.

FOURNIER, Louis, *FLQ — Histoire d'un mouvement clandestin*, Montréal, Lanctôt, 1998 [1982], 533 p.

GOUGEON, Gilles, *Histoire du nationalisme québécois*, Montréal, VLB, 1993, 171 p. (Série également diffusée à la télévision de Radio-Canada.)

LAMONDE, Yvan, *Histoire sociale des idées au Québec*, t. I : *1760-1896*, Montréal, Fides, 2000, 576 p.

LISÉE, Jean-François, *Sortie de secours — Comment échapper au déclin du Québec*, Montréal, Boréal, 2000, 430 p.

MONIÈRE, Denis, *Le Développement des idéologies au Québec des origines à nos jours*, Montréal, Québec/Amérique, 1977, 381 p.

MORIN, Claude, *Lendemains piégés. Du référendum à la nuit des longs couteaux*, Montréal, Boréal Express, 1988, 395 p.

PHILPOT, Robin, *Le Référendum volé*, Montréal, Les Intouchables, 2005, 208 p.

RIOUX, Marcel, *Un peuple dans le siècle*, Montréal, Boréal, 1990, 448 p.

ROBERT, Jean-Claude, *Du Canada français au Québec libre. Histoire d'un mouvement indépendantiste*, Paris, Flammarion, 1975, 323 p.

ROY, Fernande, *Histoire des idéologies au Québec aux XIXe et XXe siècles*, Montréal, Boréal Express, 1993, 128 p.

ROY, Fernande, *Progrès, harmonie, liberté. Le libéralisme des milieux d'affaires francophones à Montréal au tournant du siècle*, Montréal, Boréal, 1988, 301 p.

SLOAN, Thomas, *The Not-so-quiet Revolution*, Toronto, Ryerson Press, 1965. Traduit par Michel van Schendel, *Une révolution tranquille ?*, Montréal, Hurtubise-HMH, 1965, 121 p.

TOUSIGNANT, Pierre et Madeleine Dionne-Tousignant et *al.*, *« Les Normes » de Maurice Séguin, le théoricien du néonationalisme*, Montréal, Guérin, 1999, 276 p.

VALLIÈRES, Pierre, *Nègres blancs d'Amérique*, Montréal, Typo, Essais, 1994 [Parti pris, 1968], 472 p.

VINCENTHIER, Georges [Georges-V. Fournier], *Une idéologie québécoise, de Louis-Joseph Papineau à Pierre Vallières*, Montréal, Hurtubise-HMH, 1979, 119 p.

L'Année francophone internationale (traite de « la francophonie dans tous ses États »), Québec, CIDEF, annuel depuis 1992 (une trentaine de pages résument ce qui s'est passé l'année précédente dans la francophonie nord-américaine, avec une insistance particulière sur le Québec).

Les Patriotes : de nombreux ouvrages depuis 2000 chez Septentrion, Guérin, VLB.

Société, nos 20-21, été 1999, 452 p.

Filmographie

Le Confort et l'indifférence, Denys Arcand, ONF, couleur, 1981, 109 min.

La Visite du général de Gaulle au Québec, Gouvernement du Québec, couleur, 1967, 29 min.

Le 30/60 et *Le 60/80*, séries télévisées (Radio-Québec), qui font revivre ces périodes de façon très vivante avec, entre autres, des documents d'archives.

Les Ordres, Michel Brault, Prisma, couleur, 1974, 112 min (sur la crise d'Octobre).

Nô, Robert Lepage, couleur, 1998, 85 min (comédie sur fond de crise d'Octobre).

Octobre, Pierre Falardeau, ACPAV et ONF, couleur, 1994, 97 min.

Québec, un peu, beaucoup, passionnément, Dorothy Todd-Hénault, couleur, 1989, 54' (un quart de siècle avec le couple Pauline Julien/Gérald Godin).

Discographie

Vive le Québec libre ! Extraits des discours du général de Gaulle au Québec, Trans-Canada Maximum, TCM, 917.

7
L'Église

Page précédente : Croix de chemin avec corpus surmonté d'une gloire ; le coq du reniement de saint Pierre est juché sur un piquet voisin (Beauce). (Photo : FTL.)

« L'histoire du Canada français, c'est l'histoire de l'Église au Canada », disait Jean-Charles Falardeau. C'est si vrai que l'on ne peut parler du Québec d'une manière globale sans en revenir presque systématiquement à l'Église catholique. Celle-ci s'est départie, au moment de la Révolution tranquille, du rôle important qu'elle a joué sous le Régime français, rôle devenu prépondérant après 1840 jusqu'au milieu du XXe siècle, pour passer au rang d'acteur de soutien au moment où la société québécoise subissait des changements radicaux. Ainsi les mentalités ont-elles été marquées par une vision du monde dont plusieurs aspects sont particuliers à la religion catholique romaine.

Sous le Régime français

Jacques Cartier, en plantant une croix à Gaspé en 1534, mettait le continent sous la protection de Dieu. Cette croix était-elle un « signe » du destin peu commun du Québec ? Au même moment, Henri VIII, roi d'Angleterre, opposé à François Ier, rompait avec Rome et devenait chef de l'Église d'Angleterre. Le catholicisme en France était alors religion d'État et les relations entre l'Église et l'État étaient étroites, régies entre autres par le concordat de Bologne (1516).

L'expansionnisme des divers États européens se double du désir de faire partager ou d'imposer à d'autres peuples une culture dont la religion est la clé de voûte. C'est la grande époque des missions. Le pape avait approuvé en 1540 la constitution de l'ordre des Jésuites dont une des priorités était précisément l'activité missionnaire.

En 1598, l'édit de Nantes apporte la paix à la France qui avait été déchirée, pendant plus de 30 ans, par les guerres de religion entre catholiques et huguenots. En 1603, le roi Henri IV désigne Pierre Dugua de Mons lieutenant général de la Nouvelle-France pour le représenter en Acadie et à Québec. Dugua avait notamment comme mission de convertir les Amérindiens à la foi catholique, tâche qu'il accepta de bon gré, même si lui-même était protestant.

Les religieux

Sept ans après la fondation de Québec grâce à la ténacité et aux finances de Pierre Dugua, Champlain fait venir quatre fran-

Jeanne Mance, fondatrice de l'Hôtel-Dieu de Montréal. Aquarelle de Sophia Louisa Elliot, d'après un vitrail de Francis Chicot à la basilique Notre-Dame de Montréal. (Archives nationales du Canada, C-003202.)

ciscains plus connus au Québec sous le nom de récollets, pour assurer l'encadrement spirituel de la toute jeune colonie (1615). On leur doit le premier dictionnaire de la langue huronne. En 1625, un groupe de jésuites arrive à Québec (les pères Briard et Massé avaient déjà passé quelque temps en Acadie vers 1612). Ils mettent tout en œuvre pour que les deux priorités de l'ordre, évangélisation et éducation, soient respectées. D'une part, les missionnaires apprennent la langue et les coutumes des Amérindiens pour pouvoir les convertir. D'autre part, ils fondent

Jésuite cherchant à convertir les Indiens. Dessin de Charles W. Jefferys, 1934. (Archives nationales du Canada, C-005855.)

en 1635 le premier collège d'Amérique (le Collège Harvard de Boston date de 1636) et le seul au Canada pendant 33 ans. La conversion des autochtones ne va pas sans mal. Les suivre dans les expéditions de chasse qui font partie de leur mode de vie est périlleux. Après avoir passé plusieurs hivers dans l'incertitude du lendemain, les jésuites missionnaires s'installent à Sillery, à quelques kilomètres en amont de Québec. Ils ont remarqué que des tribus amérindiennes se retrouvent dans ces anses poissonneuses du Saint-Laurent pour faire provision d'anguilles et échanger des femmes entre tribus. Il est moins difficile de convertir des gens qui n'ont pas le ventre vide[1]. Sillery sera dès 1637 le premier centre de préparation au mariage.

L'ordre d'Ignace de Loyola était hiérarchisé de façon rigoureuse. Tous les ans, ceux que leurs fonctions appelaient à l'extérieur devaient faire rapport à leur supérieur, le provincial. Leurs *Relations* furent publiées à Paris pour réchauffer le zèle missionnaire des Français. Ce document de 73 volumes est irremplaçable à tous points de vue pour son intérêt sociologique et littéraire, surtout lorsqu'il s'agit des écrits des pères Lejeune et Jérôme Lalemant. La reconnaissance de la culture amérindienne, jointe à l'étonnement devant des manifestations naturelles étranges comme les aurores boréales, en fait un témoignage passionnant. Lorsque l'on parle d'échange avec les Amérindiens, il est toujours question de traite des fourrures. Aussi les mauvaises langues accuseront-elles les jésuites d'être venus pour évangéliser davantage les castors que les Amérindiens. Très bien organisés, les jésuites étaient les plus gros propriétaires fonciers de la Nouvelle-France au moment de la Conquête.

Si les Hurons entretinrent de bonnes relations avec les Français et leurs prêtres, il n'en alla pas de même avec les Iroquois, ennemis des Hurons, et devenus par le jeu des alliances ennemis des Français : huit missionnaires périrent torturés par ceux que l'on appelait « Sauvages ». Cet épisode est une des manifestations de la guerre que les Iroquois, répartis en cinq nations, mènent contre les établissements français. La population blanche en souffrira, surtout à Montréal. (Les Hurons seront presque anéantis par les autres tribus iroquoises ; ramenés par les jésuites de Huronie, ils s'installent près de Québec à l'île d'Orléans, puis à Lorette.) Évidemment, l'imaginaire collectif ne retient que des pratiques guerrières inusitées (tortures, scalps qui permettaient un compte exact des tués, etc.). Se développe ainsi la conviction de la barbarie des Iroquois, puis de tous les Amérindiens. Du particulier au général, il n'y a qu'un pas que la conscience collective franchit d'habitude avec célérité, se forgeant alors des certitudes qu'historiens[2] et anthropologues auront du mal à ébranler beaucoup plus tard lorsque les sciences de l'homme se seront penchées plus attentivement sur ces questions.

Les communautés de femmes à Québec

L'organisation de la colonie en est à ses balbutiements lorsque les jésuites de la Nouvelle-France incitent les premières religieuses françaises à venir au Canada. Or, cette même période est un temps de renouveau religieux qui transforme la France du XVIIe siècle sous l'influence de Richelieu et de saint Vincent-de-Paul.

1639. Une jeune femme, Marie Guyart, devenue en religion Marie de l'Incarnation, décide de fonder un couvent d'ursulines à Québec pour répondre à une vocation, à un appel divin dont elle ressent l'urgence. Portée par un idéal mystique, elle consacrera tous les efforts de sa longue vie à bâtir et rebâtir de quoi abriter religieuses et enfants de toutes origines qu'elle a charge d'éduquer. Ses lettres sont un modèle de littérature mystique et surprennent par le ton élevé de spiritualité qu'elles atteignent, surtout si l'on considère les incroyables difficultés matérielles que ces religieuses devaient résoudre jour après jour. L'enseignement était assuré aux garçons et aux filles. Il fallait aussi un hôpital : des hospitalières (de la règle de saint Augustin comme les ursulines), encouragées par la duchesse d'Aiguillon, viennent s'installer au même moment à Québec. Sans doute entraînés par le courant spirituel et mystique qui régnait en France au XVIIe siècle, les civils aident les ordres religieux à s'établir en Nouvelle-France, ainsi Mme de La Peltrie aux côtés de Marie de l'Incarnation.

La fondation de Montréal

En France, la lecture des *Relations* porte ses fruits : Jérôme Le Royer de La Dauversière, à son tour, fonde la Compagnie de Notre-Dame. Parmi ses membres, Paul de Maisonneuve et une jeune fille d'un dynamisme étonnant, Jeanne Mance. En 1642, ils fondent Montréal, appelée aussi alors Ville-Marie, site dont on devine l'importance stratégique. Commercialement, c'est un endroit de premier ordre, comme le prouvera plus tard le développement économique de la métropole. Du point de vue religieux, les « Montréalistes » — comme on les appelle alors — manifestent un remarquable esprit de communauté : on y trouve rapidement un hôpital, dont les agressions iroquoises assurent la clientèle, et une école à partir de 1657 (Marguerite Bourgeoys, canonisée en 1982, avait fondé à cet effet la Congrégation de Notre-Dame en 1669). Toutefois, la colonisation de l'île restera très modeste jusqu'à la Grande Paix de Montréal, conclue avec les Indiens en 1701. Il fallait une foi à toute épreuve et une ferveur de tous les instants pour résister au découragement.

En 1657, les sulpiciens assurent les services pastoraux à Montréal et mettent en chantier un premier séminaire. Six ans plus tard, ils achètent la seigneurie de l'île à la Compagnie de Notre-Dame. En 1737, Marguerite d'Youville, avec des associées, envisage la reprise en mains de l'Hôpital général de Montréal que les frères Charon ne peuvent plus administrer. En 1755, les Sœurs grises (ou Sœurs de la charité) reconnaissent Mme d'Youville pour leur supérieure et acquièrent dans l'Église canadienne un statut officiel.

L'institutionnalisation de l'Église

Les grands élans mystiques des civils et des religieux n'empêchent pas l'exercice du pouvoir. On a vu la puissance d'attraction que la publication des *Relations* avait sur les esprits généreux ; le supérieur des Jésuites fait partie du Conseil souverain de la Nouvelle-France et, à ce titre, participe de près aux décisions du colonisateur. Il faut cependant attendre 1663 pour qu'une véritable organisation structure l'ensemble du clergé.

Mgr François de Montmorency Laval est le premier évêque de la jeune colonie (son austérité et son rigorisme le rendent impopulaire, lit-on chez Marie de l'Incar-

Portrait de Mgr François de Montmorency Laval, d'après une gravure de Claude Duflos, vers 1788. (Musée de la civilisation, dépôt du Séminaire de Québec, 1995. 3480. Photo : Pierre Soulard.)

nation). Le territoire de son diocèse est gigantesque, mais les habitants y sont clairsemés et les prêtres peu nombreux. Pour pallier cette lacune, Mgr de Laval fonde le Grand Séminaire de Québec[3] en 1663 parce qu'il songe au recrutement des vocations canadiennes. Ce clergé séculier formé sur place, très proche du peuple, représentera environ la moitié des effectifs cléricaux au XVIIIe siècle et manifestera un certain esprit d'indépendance à l'égard de la hiérarchie française, d'autant plus que l'évêque sera souvent absent de la colonie.

Mgr de Laval diversifie encore l'œuvre d'enseignement dont l'Église s'est tout naturellement chargée. Il crée en 1663 l'école de métiers de Saint-Joachim, en aval de Québec. Peinture et sculpture sont à l'honneur, mais on forme surtout des charpentiers, des couvreurs, des menuisiers et des maçons. Les frères Charon feront de même à Montréal à la fin du XVIIe siècle. Le Grand Séminaire de Québec s'adjoint également un Petit Séminaire.

Mgr de Saint-Vallier relaie Mgr de Laval. Longtemps évêque, et malgré le fait qu'il ait passé plusieurs années dans les prisons anglaises, il aura cependant le temps de décentraliser l'autorité ecclésiastique et d'organiser des paroisses au début du XVIIIe siècle. On compte 80 églises vers 1720.

Les rôles de l'Église

Louis XIII — sans doute à cause de Richelieu — et, après lui, Louis XIV veulent faire de la Nouvelle-France une colonie exemplaire. Dès 1627, seuls les catholiques sont autorisés à s'y établir. Les franco-protestants qui s'expatrient choisissent donc de coloniser les 13 colonies des futurs États-Unis. Leur nombre là-bas sera supérieur au nombre de colons envoyés en Nouvelle-France pendant tout le Régime français. La Nouvelle-France a payé bien cher cette intransigeance !

L'Église assume la *pastorale* de cette nouvelle colonie avec les limites que l'on sait : pénurie de prêtres pour les fidèles et évangélisation des autochtones. Les communautés religieuses de femmes, nombreuses et bien organisées, participent aussi à cette présence spirituelle en Nouvelle-France mais elles sont exclusivement dans les agglomérations.

L'Église assure aussi l'*enseignement* à tous les niveaux et la formation des prêtres. L'éducation est donnée dans toutes les disciplines par des clercs et des religieux ou par des maîtres engagés par l'évêque ou par les curés, grands responsables de leur paroisse. L'État aide d'ailleurs de ses deniers les autorités ecclésiastiques en matière d'éducation.

Il en est de même en matière d'*assistance sociale*. Comme pour l'éducation, on recrée dans la colonie le modèle métropolitain. Les hôpitaux soignent malades et blessés ennemis sans distinction et s'occupent des nécessiteux. L'État donnera aux communautés de grosses seigneuries dont les revenus serviront à leurs œuvres de bienfaisance. Mgr de Saint-Vallier s'emploie à créer l'Hôpital général de Québec pour accueillir aussi bien les malades et les blessés que les vieillards (lui-même y terminera ses jours), les orphelins et les mères célibataires. Première institution du genre en Amérique du Nord, c'est de loin la préfiguration du système de soins de santé gratuit pour tous que connaît le Québec contemporain avec la Régie de l'assurance-maladie.

L'État confie aussi à l'Église la *tenue des registres de l'état civil*. Le curé va même parfois faire un travail d'arbitre, voire de notaire. L'Église joue un rôle politique. L'évêque participe de près à certaines décisions du gouverneur et les curés se font les porte-parole des dirigeants politiques, ce qui signifie que les clercs influent parfois sur les décisions des autorités gouvernementales (défense du territoire, collecte des impôts).

Cela n'empêche pas les Canadiens de garder un esprit d'indépendance, même s'ils s'acquittent des obligations religieuses qui jalonnent leur vie. En général, le peuple semble s'accommoder des vérités qu'on lui sert, plus facilement d'ailleurs que du taux de la dîme (le vingt-sixième de la récolte en 1700 dans l'île de Montréal), qu'il s'efforce de faire baisser et ne paie que de mauvaise grâce.

Après la Conquête

L'Église met finalement peu de temps à reconstruire ses édifices en ruine et à se réorganiser après le siège de Québec, même si Wolfe avait dévasté les campagnes autour de la capitale et ainsi fait partir en fumée les ressources des communautés religieuses. Le problème du recrutement du clergé est plus grave. Une fois l'évêque mort, il ne pourra y avoir d'ordination pour remplacer les prêtres qui vieillissent. La nouvelle métropole, contrairement à l'ancienne, protège une minorité protestante et enlève à l'Église catholique le pouvoir que lui avait donné la France. Les catholiques ne peuvent faire le serment du Test sans abjurer leur foi et, sans cet acte d'allégeance, ils ne peuvent occuper aucune charge publique. L'Angleterre veille à supprimer tout lien de la colonie tant avec la France qu'avec Rome. Récollets et jésuites sont interdits de recrutement et les biens, considérables dans le cas de ces derniers, reviennent à la couronne (*crown land*) au moment de la mort du dernier religieux de chaque ordre.

Il faut beaucoup d'acharnement pour arriver à faire accepter à l'Angleterre le retour, en 1766, d'un évêque consacré en France (Mgr Briand). Depuis la Conquête jusqu'en 1840, l'Église s'évertue à regagner la confiance de l'État et à obtenir de voir ses anciens privilèges reconduits (la collecte de la dîme, par exemple). Mgr Briand parle de « bonne harmonie entre l'Église et l'État ». C'est sans doute vrai, mais il faut une vigilance de tous les instants pour assurer ce droit à l'existence avec un certain nombre de prérogatives. En retour de ces concessions de l'État, l'Église incite les Canadiens — par les mandements d'évêque et les prônes des curés — à la fidélité envers les conquérants et à la soumission au nouvel ordre des choses. La défiance de l'Église catholique devant les idées libérales détourne du clergé l'élite montante : un certain anticléricalisme apparaît chez ceux qui sont bien conscients que l'Église est soumise à un pouvoir temporel abusif, soumission qui permettra par aillleurs à l'Anglais de composer avec la société en place plutôt que d'imposer des modèles. L'attitude des évêques est sans ambiguïté. Mgr Briand oblige les fidèles — sous peine de sanctions graves — à défendre leur roi (anglais) contre les États-Unis en 1775. D'après l'historien Nive Voisine, Mgr Plessis ira jusqu'à remercier « la Providence du changement d'allégeance de 1760 et des bienfaits du gouvernement britannique ». Mgr Lartigue joue un rôle politique de premier plan lors de la rébellion des Patriotes.

Comme la Compagnie de Jésus et les Récollets ont été interdits au moment de la Conquête, seuls les Sulpiciens restent présents à Montréal. Ils devront attendre 50 ans avant que la couronne britannique reconnaisse leurs droits de propriété dans l'île de Montréal. En revanche, les sept communautés de religieuses sont tolérées par les Britanniques en raison de services de bienfaisance évidents. Leurs effectifs augmentent doucement jusqu'en 1840.

Vers 1840, deux diocèses se partagent 241 paroisses : il y a 330 prêtres pour s'occuper de 500 000 fidèles. Plusieurs paroisses n'ont que des chapelles de mission où le desservant ne fait que passer.

Après 1840

Le changement de régime politique pour le Bas-Canada marque un point tournant dans l'histoire politique, religieuse et sociale du pays. Le désarroi de la société laisse la porte ouverte à la défense d'un nouvel idéal. Le sentiment nationaliste va être utilisé par l'Église pour asseoir son autorité dans de très nombreux domaines de la vie civile. Mgr Bourget, deuxième évêque de Montréal, est jeune, entreprenant et dynamique. Il va diriger son diocèse avec rigueur et efficacité, en parfait accord avec Rome. Parmi les pays catholiques, le Québec est l'un de ceux où l'influence de l'ultramontanisme a été la plus forte.

La population canadienne catholique et francophone double presque tous les 25 ans. Il faut composer avec cet incroyable accroissement démographique qui pousse les fils de pauvres habitants vers le mirage des États-Unis. Vers les années 1840, les élites traditionnelles incitent ceux qui habitent les bords du fleuve, maintenant surpeuplés, à coloniser les Cantons-de-l'Est, la Beauce et le Saguenay. Plus tard, ce sera la Mauricie, les Pays d'en haut, le Lac-Saint-Jean et le Témiscamingue (après 1883). C'est la grande période de fondation de paroisses nouvelles qui prennent à leur tour en mains l'administration civile[4] comme les services caritatifs indispensables à la collectivité. Des prêtres sont à la tête des mouvements de colonisation : ils organisent les moyens de transport, dénichent les candidats « aux terres neuves » et se font les champions de l'idéologie canadienne du temps : la langue et l'agriculture gardiennes de la foi. De ces personnalités généreuses et attachantes, on retiendra les noms du curé Labelle, du curé Hébert et du père Lacasse. De leur côté, les Anglais se dotent d'institutions solides, notamment sur le plan éducatif, dont les effets ne seront pas sans importance jusque dans le Québec moderne.

Les diocèses se multiplient et renforcent le système hiérarchique déjà puissant dans le catholicisme. La position sociale de curé devient enviable : le pouvoir autoritaire que détiennent les prêtres sur leurs ouailles donne le vertige à plus d'un. On exige à bien des égards une obéissance aveugle des fidèles. Les esprits forts sont excommuniés et ne font donc plus partie de ce groupe homogène qui vit dans ce qui lui semble la seule voie possible[5]. L'Église s'oppose, sur le plan politique, aux libéraux et, sur le plan culturel, à l'Institut canadien.

Il y a de plus en plus d'institutrices au primaire, surtout dans les « écoles de rang » : le travail est ingrat et difficile ; les femmes, plus dociles, acceptent plus facilement d'être mal payées. Les séminaires s'occupent de l'éducation secondaire. Ils ne forment pas que des prêtres : ce sont en même temps des collèges classiques, dont l'enseignement (français, latin, grec, rhétorique et philosophie) oriente les élèves plus volontiers vers les professions libérales. L'Université Laval, fondée en 1852, reste sous la haute main des prêtres du Séminaire de Québec jusqu'en 1970. Mgr Langevin, en 1877, est persuadé que « toute la pédagogie catholique est centrée autour de l'Église et dominée par elle, comme toute la vie du catholique ».

Le curé Antoine Labelle, d'une corpulence remarquable (150 kg pour 1,85 m), fut curé de Saint-Jérôme pendant 23 ans. Un timbre fut émis en 1983 à l'effigie du « roi du Nord ». (Société canadienne des postes.)

Des communautés religieuses sont fondées « tous azimuts » et investissent le champ libre non seulement de l'assistance sociale, mais aussi des services à la communauté (« relèvement moral de la femme »,

« service du clergé », etc.). Toutes les congrégations relèvent de l'évêque et sont plus souvent séculières que cloîtrées. Émilie Gamelin fonde à Montréal la Congrégation des Sœurs de la Providence en 1843 ; pendant 120 ans, elles serviront des repas aux indigents à l'Œuvre de la soupe. Travailleuse sociale avant la lettre, elle mourra à 51 ans, victime de son dévouement pendant une épidémie de choléra.

Du côté des hommes, l'arrivée des Frères des écoles chrétiennes au Bas-Canada en 1837 marque aussi le début d'un temps propice à l'installation de nouveaux ordres religieux. Les jésuites reviennent de France en 1842 et recommencent à zéro ; le Collège Sainte-Marie est fondé à Montréal en 1848. Les oblats, dès 1841, joueront un rôle de premier plan dans l'encadrement religieux et social des nouvelles communautés francophones, souvent métisses, de l'Ouest canadien.

Après 1870, les communautés croissent et se multiplient. Elles s'occupent des écoles ou couvents de village ; elles transplantent dans les nouvelles paroisses les institutions auxquelles elles ont été habituées dans les villages d'où elles viennent ; elles vont jusqu'en Nouvelle-Angleterre perpétuer dans les « Petits Canadas » une organisation sociale jusque-là spécifiquement canadienne.

L'Église triomphante

Le Québec entre sans heurt dans l'ère industrielle. Les voies de communication sont excellentes. Les qualités de la main-d'œuvre (efficacité et docilité) permettent l'installation de nombreuses petites manufactures ou d'usines dont la direction et les capitaux sont majoritairement anglais ou états-uniens. La confection, le textile, la chaussure, les pâtes et papiers drainent vers les villes une population qui, rurale à 62 % en 1900, ne le sera plus qu'à 25 % en 1960. Montréal croît à vue d'œil. Québec garde des proportions humaines[6]. La société canadienne-française a toujours à sa tête une élite politico-religieuse assez compétente, mais également une élite dont le pouvoir économique grandit. À côté d'une bourgeoisie d'affaires anglophone et protestante s'affirment des Canadiens français qui ouvrent, entre autres entreprises, des manufactures et de grands magasins (Dupuis à Montréal, Paquet à Québec). On assiste à une reconquête par les Canadiens français d'un aspect non négligeable de l'économie dans ces temps d'urbanisation. Le petit commerce, en revanche, appartient de plus en plus à une nouvelle classe de la société faite d'immigrants.

Au Québec, l'attitude de l'Église face à ces changements sociaux est inspirée par la méfiance envers le matérialisme que génère ce nouveau mode de vie. L'Église va donc se persuader et essayer de persuader ses fidèles que l'idéologie agriculturiste qu'elle préconise depuis 1840 est toujours la meilleure. L'industrialisation et donc l'urbanisation ne sont tolérées que parce qu'elles contribuent à garder au Québec des gens qui autrement[7] échapperaient définitivement à l'influence de l'Église. Soucieux de protéger leurs responsabilités en matière d'éducation, les clercs, évêques en

Page de couverture de *La Tempérance*, livre paru en 1929. (Service des ressources pédagogiques, Université Laval.)

tête, et spécialement Mgr Bruchési, font des pressions sur les gouvernements. Ils s'opposent à la création d'un ministère de l'Éducation et aux groupes qui demandent l'instruction obligatoire. Ils permettent cependant une adaptation au nouveau marché du travail par la création d'un secteur professionnel. À la fin du XIXe siècle, l'Église doit composer avec d'autres élites qui viennent en partie des milieux en mouvement.

La ville apparaît au clergé comme le principal danger qui menace la société : les autorités ecclésiastiques vont donc condamner systématiquement toutes les manifestations de la société urbaine moderne, ce qui n'empêche certes pas les citadins de succomber à leurs charmes. Ni le théâtre ni le cinéma (les « vues ») ne sont considérés comme recommandables. On tolère une littérature qui défend les valeurs traditionnelles, mais on dénonce la trop grande liberté de la presse.

L'Église canadienne, qui défend des valeurs capitalistes, a une attitude triomphaliste. En cela, elle sera encore renforcée par l'arrivée massive d'un nombre imposant de petites communautés religieuses chassées de France par les lois Combes (1903-1904), interdisant à tout membre d'une communauté religieuse d'enseigner et privant d'existence légale 54 congrégations : 2 000 religieux français, répartis en 50 communautés, arrivent donc au Québec entre 1900 et 1914. La carrière sacerdotale devient prestigieuse au même titre que la médecine ou d'autres professions libérales. Elle partage avec la carrière politique l'irrésistible attrait du pouvoir — un pouvoir plus total encore puisqu'il s'agit de l'être tout entier, corps et âme. Aussi, vers 1900, le taux d'encadrement est-il de 600 fidèles par prêtre, sans tenir compte des religieux en communauté.

Pendant la première moitié du XXe siècle, on assiste à une véritable prolifération des groupes qui associent piété et services publics[8]. Certaines congrégations restent très locales, d'autres, plus dynamiques, essaiment vers l'Ouest et vers les Maritimes où elles se chargent généreusement de l'enseignement en français, dans les conditions défavorables auxquelles les contraignent les lois scolaires votées par ces provinces après leur entrée dans la Confédération. On dénombrait en 1940 un prêtre pour 510 personnes et, seulement pour les femmes, une centaine de communautés aux effectifs parfois énormes. Au début du siècle, mettant en application les encycliques de Léon XIII et de Pie X, les clercs aident les ouvriers à former des syndicats catholiques, mais ils freinent les revendications sociales. Ils font preuve d'initiative dans le secteur économique en appuyant fortement le mouvement coopératif; ils aident à l'essor des caisses populaires que l'on trouve jusqu'à Maillardville, en Colombie-Britannique, ou dans certaines villes de la Nouvelle-Angleterre. Certains prêtres agronomes ont leurs entrées à l'Université Cornell (Maurice Proulx), d'autres se font cinéastes (Albert Tessier) et produisent des documentaires où le souci pédagogique et moral évident s'ajoute à leurs qualités de créateurs. Dans le domaine du théâtre, le père Legault anime les Compagnons de Saint-Laurent. Dans les années 1920, par son enseignement réputé de la botanique à l'Université de Montréal, le frère Marie-Victorin a ouvert le Québec à la recherche scientifique (fondation de l'Association canadienne-française pour l'avancement des sciences), que l'engouement des prêtres du Séminaire de Québec suscitait depuis bon nombre d'années. En outre, plusieurs ordres d'enseignants, d'obédience religieuse mais voués à la démocratisation du savoir, contribuèrent largement à sortir la société d'un certain élitisme ainsi qu'à promouvoir une plus large diffusion de la culture[9].

L'Église apparaît cependant embourgeoisée à la fin des années 1930. Les églises sont constamment agrandies, parfois améliorées — cela dépend du goût du curé. Les presbytères sont spacieux et d'une esthétique qui prouve une aisance certaine. Des bâtiments conventuels magnifiques témoignent des temps anciens à Québec, à Nicolet, à Montréal. Les bâtisses plus récentes, moins belles mais combien plus imposantes, s'élèvent au milieu de terrains immenses. L'Église apparaît comme une classe sociale privilégiée à l'intérieur d'une société qui l'est beaucoup moins. Les clercs (de toute obédience, au Canada et au Québec) échappent à l'obligation de payer les principaux impôts et taxes. L'Église offre encore généreusement ses services, mais elle en fait payer une bonne part : se faire soigner peut coûter une fortune, envoyer ses enfants au collège classique aussi. Cela favorise un élitisme qui ne permet pas un renouvellement des cadres laïques et qui génère peu d'initiative sur le plan des idées.

La basilique Notre-Dame, également cathédrale de Québec, a été reconstruite après maint incendie sur l'emplacement de la plus ancienne église du continent au nord du Mexique. (Photo : FTL.)

Pour renforcer, pour rendre visible et palpable par des manifestations une spiritualité qui relève de l'acte de foi, l'Église du Québec, à l'instar de ce qui se fait ailleurs en Occident, organise de grandes manifestations : congrès eucharistiques, pèlerinages à Sainte-Anne-de-Beaupré, au Cap-de-la-Madeleine et à l'oratoire Saint-Joseph, qui drainent une foule de fidèles venant de partout au Canada et même des États-Unis. La munificence de ces bâtiments, le côté grandiose des cérémonies catholiques, les rassemblements de foules

Église Saint-Marc, à Bagotville, construite entre 1958 et 1960 d'après les plans de l'architecte Paul-Marie Côté.

pas uniquement francophones renforcent chez les Canadiens un sentiment de fierté qui compense la frustration engendrée par un enseignement religieux doctrinaire et parfois étroit d'esprit.

La dévotion populaire pousse les fidèles à élever des croix de chemin au bout de leur terre, à entreprendre des croisades de tempérance, à organiser des mouvements d'action catholique dans tous les milieux. Les énergies ainsi canalisées, une grosse majorité se laisse embrigader, tant il est vrai que l'homme est foncièrement un être de discipline.

La société québécoise est-elle à ce point contrôlée qu'il ne s'élève des voix pour contester cette ligne idéologique immuable et pas toujours encline à voir la réalité du modernisme ? Sa grande homogénéité mettait l'Église relativement à l'abri des critiques nées de l'intérieur. Beaucoup de gens, hommes politiques en tête, profitaient du système : les héritiers de la pensée radicale des Rouges sont des solitaires qui « crient dans le désert » et qui, jusqu'à la guerre, paient souvent cher leur outrecuidance. La presse est surveillée, aussi les idées nouvelles ne circulent-elles pas facilement. L'emprise sur les consciences est terriblement forte, cependant les idées nouvelles se propagent, toute la presse ne pouvant pas être étroitement surveillée. Il existe des limites au pouvoir de l'Église qui voit son influence en milieu urbain et industriel se réduire : dans les années 1940, à Montréal, la pratique religieuse a déjà baissé de façon notable. À l'intérieur même de l'institution, des tensions apparaissent : à côté de traditionalistes encore nombreux émergent des personnes (Mgr Charbonneau, Mgr Desranleau, le père Lévesque) et des groupes (les dominicains, l'Action catholique) qui contestent un conservatisme en mal d'adaptation. Dans son *Histoire de l'Église catholique au Québec*, Nive Voisine, qui est prêtre, décrit ainsi cette période :

> Jusqu'à la Seconde Guerre mondiale, l'utopie d'une chrétienté médiévale oriente donc l'action de l'Église du Québec. Engagée à fond dans la construction de la cité temporelle, et traumatisée par les assauts que subit l'Église dans les pays modernes, elle ne voit pas vers quel but convergent les forces qui façonnent le Québec nouveau. Entre l'idéologie de l'Église et les réalités québécoises, le fossé ne cesse de croître. Au faîte de sa puissance, l'Église donne l'impression d'un colosse au pied d'argile qui s'écroulera dès que l'État en se mettant au service d'une société pluraliste va remettre en cause ses rôles de suppléance.

Sécularisation et déchristianisation

La Seconde Guerre mondiale consacre les mutations profondes de la société québécoise en cours depuis une centaine d'années. Celle-ci tourne irrémédiablement le dos à la ruralité pour adopter la vie de la cité suivant le mode nord-américain. L'Église profite de la vitesse acquise au cours du dernier siècle et court sur son erre. Des signes d'essoufflement, cependant, balisent le décalage de plus en plus grand entre la doctrine et la réalité du monde moderne.

La procession grandiose de juin 1940[10], commencée dans une atmosphère exaltée, déçoit les participants : convaincus au départ d'obtenir l'appui de l'Église au refus viscéral de la conscription, ils voient le haut clergé se rallier au gouvernement. À la certitude mystique succède la déception de la foule lorsque le cardinal Villeneuve incite les fidèles au sacrifice de leur vie pour défendre les vieux pays. L'Église continue donc à prôner la soumission à l'autorité civile sans tenir compte du fait que les sociétés, comme les individus, ont profondément changé.

En 1948, le milieu artistique secoue les colonnes du temple. La publication du *Refus global,* foncièrement critique à l'égard de l'Église catholique, ne touche cependant qu'un tout petit nombre de personnes, et seulement dans les milieux traditionnellement d'avant-garde.

En 1949, un affrontement met aux prises patrons et ouvriers dans la grève de l'amiante. L'évêque de Montréal prend parti pour les grévistes. C'est un fait inhabituel, tout à l'honneur de Mgr Charbonneau et de ceux qu'il entraînera dans son sillage. L'aile conservatrice, sur laquelle s'appuie le pouvoir de Duplessis, obtient la démission de l'évêque, alors même que l'épiscopat canadien commence à faire sienne la doctrine sociale de l'Église.

En 1960, les libéraux clament « C'est le temps que ça change » et c'est le début de la Révolution tranquille. Arrivés au pouvoir, ils valorisent l'État, enlevant coup sur coup à l'Église plusieurs de ses champs d'action et de ses prérogatives. Les aspirations du Québec moderne se concrétisent par la création des ministères du Bien-Être social et de la Jeunesse (1958), des Affaires culturelles (1961), de l'Éducation (1964). Le régime d'assurance-maladie entre en vigueur en 1970. Les laïcs investissent les maisons d'enseignement à tous les niveaux. C'est maintenant vers l'État providence que l'on se tourne pour obtenir des faveurs ou des subventions.

En 1955, 55 000 prêtres, religieuses et religieux encadraient solidement la catholicité québécoise. La pratique religieuse était systématique, les activités de soutien nombreuses et variées[11]. Moins de 10 ans plus tard, le malaise, voire la panique, s'empare de ces hommes et de ces femmes qui avaient consacré une fois pour toutes leur vie à Dieu. Collectivement, le Québec change sa hiérarchie des valeurs. Individuellement, chacun remet en question sa vision du monde. Religieux et prêtres, désemparés, retournent « dans le siècle ». La déconfessionnalisation des institutions s'accélère : la presse catholique, déjà moins lue, le mouvement coopératif, les universités, les syndicats nationaux ne sont plus, à la fin des années 1960, les émanations d'un catholicisme qui semblait aller de soi. L'Église n'est plus installée confortablement sur des positions imprenables.

Dans les milieux urbains, qui croissent sans cesse, les fidèles désertent les églises. La pratique religieuse catholique, encore fervente en régions rurales, tombe à beaucoup moins de 20 % dans les villes. Des institutions publiques, seul perdurera le curieux système scolaire qui partage la population scolarisable en catholiques et en non-catholiques. En 1999, le rapport Proulx sur la place de l'enseignement de la religion à l'école suscite encore de vifs débats de société. Au primaire comme au secondaire, les cours d'éducation sexuelle ou de choix de carrière se sont ajoutés aux programmes. On publie de nouvelles éditions du *Catéchisme* comme « souvenir » que l'on vend dans les tabagies au prix d'un magazine, alors que Duplessis, en 1936, « récupérait » ce modèle pour faire passer ses idées politiques dans *Le Catéchisme des électeurs* ! Les jeunes générations peuvent vivre totalement en marge de l'Église et tout ignorer d'un héritage qui a façonné la société et dont ils sont inconscients ; certaines façons d'agir de leurs parents leur paraissent remonter à la préhistoire[12].

L'histoire au Québec s'est singulièrement accélérée depuis 50 ans. L'incertitude qui résulte de cette recherche d'équilibre des individus comme de la collectivité, a bouleversé les données qui les régissaient autrefois. Signes des temps, d'autres manifestations religieuses se sont implantées dans le Québec des années 1970 : les groupes charismatiques ont rameuté des foules dans les stades, à grand renfort de pieuses chansons et de prières spontanées. Les témoins de Jéhovah (33 500 en 1993) et autres sectes[13] semblent, par la seule conviction de leurs membres, gagner du terrain. On assiste à un regain de pratique religieuse chez les immigrants (entre 1981 et 1991, le nombre d'adeptes de l'islam croissait de 271 % et les bouddhistes de 164 %) qui assimilent religion, culture et identité. La ferveur des pentecôtistes et des adventistes draîne d'anciens catholiques. Y aurait-il quelque part un vide à combler ? La venue du pape Jean-Paul II en septembre 1984 avait suscité un regain de ferveur. « L'Esprit souffle où il veut » et anime un clergé clairsemé (2 790 prêtres séculiers et 1 792 prêtres religieux[14] en 2007), mais de plus en plus engagé dans une redéfinition de son rôle dans la société québécoise, où le recensement de 2006 dénombre plus de 6 millions de personnes (78,6 % de la population) qui se disent catholiques (51 % des Français au même moment). Robert LeBel, curé de Thetford Mines, consacre ses talents d'auteur-compositeur-interprète à la musique sacrée. Le dominicain Georges-Henri Lévesque, dans la Faculté des sciences sociales de l'Université Laval, avait formé une génération de remarquables sociologues. Le jésuite Jacques Couture, devenu ministre du Parti québécois, a négocié avec Ottawa le partage des responsabilités en matière d'immigration. Le cardinal Turcotte (diocèse de Montréal : 259 paroisses, 554 prêtres et 740 prêtres religieux), en 2007, tient des propos, qui seront vertement critiqués par les traditionalistes, sur le droit du Québec à l'autodétermination.

Parmi les fondateurs se trouvaient des huguenots, qui se voient ensuite interdire le territoire, et iront donc établir une certaine prospérité sur la côte est de la Nouvelle-Angleterre. Vers 1834, la présence protestante reprend chez les francophones, s'affirme et se diversifie par la suite.

Dans le contexte de mondialisation du XXIe siècle, au moment même où la dénatalité inquiète, au moment où le religieux compte de moins en moins pour les Québécois, l'immigration par ailleurs désirée amène toutes sortes de rites, de cultures et de croyances. L'État se tourne délibérément vers la laïcité (valeur reconnue dès la Révolution tranquille) dans l'éducation et dans ses rapports avec le public. Se pose alors la question de savoir qui doit s'adapter à l'autre. La commission Bouchard-Taylor (2007-2008) consulte un vaste public (241 témoignages, 900 mémoires), prône la tolérance et des accommodements raisonnables. Bien après le rapport de la Commission, des cas particuliers occupent toujours les médias, par ailleurs préoccupés par un nouveau programme en éducation: Éthique et culture religieuse. En 2010, les débats sont loin d'être clos.

Dans l'histoire de l'Église catholique, il y a peu de peuples qui lui doivent autant. Et pourtant, à l'heure des bilans, nombreux ont été ses détracteurs qui reprochent à juste titre à l'Église, autrefois tournée essentiellement vers le passé, de n'avoir pas su orienter les Québécois vers un avenir qu'il fallait et qu'il faut encore imaginer.

Mais ils oublient à quel point la société est redevable à l'Église de cet esprit de continuité qu'elle lui a inculqué. Que l'Église ait été trop riche, qu'elle ait triomphé avec trop de tranquille assurance alors même que l'étau se resserrait sur le peuple est éminemment regrettable. Mais sans l'Église, le Québec d'aujourd'hui n'existerait sans doute pas, du moins pas tel qu'il est : il serait un État américain ou en aurait le visage — et tout le Canada avec lui.

Notes

1. On raconte qu'un Amérindien, juste après son baptême, avait partagé le repas de sagamité des pères ; aussi est-il revenu le lendemain pour demander le baptême parce qu'il avait faim.

2. L'historien Jacques Lacoursière a récemment prouvé que l'on avait beaucoup exagéré en relatant — tradition orale oblige — le comportement des guerriers iroquois. On note un phénomène semblable à propos des croisades contre les « Infidèles », une tendance à rappeler les actes violents plutôt que les marques d'une culture de raffinement, voire de compassion (le sultan Saladin était considéré par les croisés comme un « modèle des valeurs chevaleresques »).

3. Le Séminaire porte encore, au fronton de sa grille d'entrée, l'inscription « SME ». En effet, plutôt que de bâtir à partir de maigres ressources un « Séminaire de Québec », Mgr de Laval avait eu la brillante idée de faire commanditer le projet par les Missions étrangères, qui le financèrent sous le couvert du nom de Séminaire des Missions étrangères.

4. Deux jeunes gens qui voulaient se marier sans le consentement de leurs parents pouvaient se présenter à la grand-messe et s'engager devant la communauté : c'est le mariage « à la Gaumine ».

5. Même les morts n'auront pas droit aux

funérailles ou au cimetière paroissial s'ils ont, de leur vivant, dérogé aux préceptes de l'Église. Ils seront jetés en terre sans cérémonie, dans un espace séparé de l'asile béni de la communauté paroissiale. La menace de privation de sépulture devait aussi dissuader débauchés, impies, ivresmorts ou noyés suspects : « ne les recommandez pas aux prières, ne leur chantez pas de service, et ne les enterrez pas en terre sainte, si leurs corps sont trouvés » (lettre de l'évêque de Montréal à l'un de ses curés en 1860, dans *Mourir, hier et aujourd'hui*, PUL).

6. À l'heure actuelle, ses plus gros employeurs sont encore le gouvernement et l'Université Laval.

7. C'est la grande période de l'émigration vers les États-Unis (env. 1 million entre 1840 et 1930).

8. En 1903, on remet en vigueur une vieille coutume française, la guignolée ; avant Noël, des laïcs parcourent rues et rangs pour ramasser des denrées pour les démunis en échange d'un petit air de chanson.

9. Fernand Dumont en témoigne ainsi : « Pour ma part, je dois me réjouir de ce que des frères maristes ne m'aient rien enseigné qui supposât des parents savants ou une bibliothèque bien garnie » (*Cette culture qu'on dit savante*).

10. Voir *Les Plouffe* de Roger Lemelin (1948), porté à l'écran par Gilles Carle (1981 et 1984).

11. La station CHRC a diffusé la récitation du chapelet à la radio de février 1951 à mars 1973.

12. Traditionnellement, on allait faire provision d'eau de Pâques, véritable eau de vie, au petit matin de ce jour au moment où — dit-on — le soleil, encore tout jeune, danse à l'horizon.

13. Selon Richard Bergeron, théologien de l'Université de Montréal, il y aurait plus de 300 sectes, groupes religieux et parareligieux au Québec (*Le Cortège des fous de Dieu*). D'autres sources avancent le chiffre de 800, d'après un compte qui a été fait après les suicides collectifs de l'Ordre du temple solaire.

14. Les communautés de femmes comptaient près de 15 000 religieuses en 2007.

Bibliographie

BEAULIEU, Alain, *Convertir les fils de Caïn : jésuites et Amérindiens nomades en Nouvelle-France, 1632-1642*, Québec, Nuit blanche, 1990, 177 p.

CARRIER, Hervé et Lucien Roy, *Évolution de l'Église au Canada-Français*, Montréal, Bellarmin, 1968, 78 p.

CLICHE, Marie-Aimée, *Les Pratiques de dévotion en Nouvelle-France*, Québec, PUL, 1988, 354 p.

Commission d'étude sur les laïcs et l'Église, *L'Église du Québec : un héritage, un projet*, Montréal, Fides, 1971, 323 p.

DUMONT, Fernand, *Situation et avenir du catholicisme québécois*, 2 t., Montréal, Leméac, 1982.

DUMONT-JOHNSON, Micheline, *Les religieuses sont-elles féministes ?*, Montréal, Bellarmin, 1995, 204 p.

EID, Nadia F., *Le Clergé et le pouvoir politique au Québec. Une analyse de l'idéologie ultramontaine au milieu du XIXe siècle*, Montréal, Hurtubise-HMH, 1978, 318 p.

FERRETTI, Lucia, *Brève histoire de l'Église catholique au Québec*, Montréal, Boréal, 1999, 204 p.

GAUDETTE, Michel, *Guerres de religion d'ici. Catholicisme et protestantisme face à l'histoire*, Trois-Rivières, Souffle de vent, 2001, 138 p.

GRAND'MAISON, Jacques, *Nationalisme et religion*, t. I : *Nationalisme et révolution culturelle* ; t. II : *Religion et idéologies politiques*, Montréal, Beauchemin, 1970.

GRAND'MAISON, Jacques (dir.), *Le Défi des générations — Enjeux sociaux et religieux du Québec d'aujourd'hui*, Montréal, Fides, 1995, 496 p.

HAMELIN, Jean (dir.), Raymond Brodeur *et al.*, *Les Catholiques d'expression française en Amérique du Nord*, Turnhout, Brépols, 1995, 210 p.

JEAN, Marguerite, *Évolution des communautés religieuses de femmes au Canada de 1639 à nos jours*, Montréal, Fides, 1977, 324 p.

LAVALLÉE, Madeleine et Pierre Vadeboncœur, *Les Communautés religieuses au Québec. Il était une fois la foi*, Québec, Septentrion, 2009, 396 p.

LEVER, Yves, *Petite critique de la déraison religieuse*, Montréal, Liber, 1998.

NOPPEN, Luc et Lucie K. Morisset, *Art et architecture des églises à Québec*, Publications du Québec, 1996, 179 p.

SIMARD, Jean, *Un patrimoine méprisé : la religion populaire des Québécois*, Montréal, Hurtubise-HMH, 1979, 309 p.

VOISINE, Nive, *Histoire de l'Église catholique au Québec, 1608-1970*, Montréal, Fides, 1971.

VOISINE, Nive (dir.), *Histoire du catholicisme québécois*, Montréal, Boréal Express, vol. 3 : *Le XXe siècle*, t. I : *1898-1940* (J. Hamelin et N. Gagnon), 1986 ; vol. 3, t. II : *De 1940 à nos jours* (J. Hamelin), 1984 ; vol. 2 : *Les XVIIIe et XIXe siècles*, t. I : *Les Années difficiles, 1760-1839* (L. Lemieux), 1989 ; vol. 2, t. II : *Réveil et consolidation, 1840-1898* (P. Sylvain), 1991.

MCDONOUGH, John-Thomas, *Charbonneau et le Chef*, Montréal, Leméac, 1974, 106 p.

SIMARD, Jean, *Les Arts sacrés au Québec*, Boucherville, Éd. de Mortagne, 1989, 319 p.

Le Grand Héritage. *L'Église catholique et les arts au Québec*, Québec, Éditeur officiel du Québec, 1984, 2 vol.

Les *Relations*, écrites par plusieurs pères jésuites entre 1632 et 1693. Réédité par Éditions du Jour, Montréal, 1972, 6 vol.

La Bible. Nouvelle traduction, Paris/Montréal, Bayard/Médiapaul, 2001, 3 186 p. (On a couplé 27 exégètes et 20 écrivains, dont Jacques Brault, Pierre Ouellet, Marie N'Diaye, pour cette édition résolument moderne.)

Filmographie

Femmes et religieuses, Lucie Lachapelle, ONF, 1999 ; 1 : *Épouses de Dieu* (49 min) ; 2 : *Ouvrières de Dieu* (50 min).

Folle de Dieu, Jean-Daniel Lafond, ONF, 2009, 74 min, sur Marie de l'Incarnation.

Le Frère André, Jean-Claude Labrecque, couleur, 1987, 88 min.

Joseph Charbonneau : sixième évêque de Montréal, Pierre Valcour, Radio-Canada, couleur, 1976, 4 x 28 min.

Servantes du bon Dieu, Diane Létourneau, Prisma-Office de radio-télévision du Québec (cassette), couleur, 1978, 29 min.

Trois séries en couleurs produites par Radio-Canada, Gérard Chapdelaine, animateur Claude Lafortune :

La Bible en papier (15 émissions de 28 min) ;

L'Église en papier (15 émissions de 28 min) ;

L'Évangile en papier (14 émissions de 28 min).

La série *Les Arts sacrés au Québec*, ONF, couleur, François Brault, 1982 à 1984 (24 films de 28 min).

8
L'éducation

Page précédente : Une école de rang, à Montmagny. (Ministère des Affaires culturelles. Fonds Morisset.)

Un peuple façonne sa mentalité avec les outils dont il dispose et qui peuvent varier énormément selon les pays et selon les époques ; tous connaissent la nécessité de transférer les connaissances d'une génération à l'autre, pour ne pas avoir à refaire le chemin parcouru par les aînés et avoir accès plus vite aux techniques nouvelles. Depuis l'établissement de la toute jeune colonie jusqu'aux directives, régulières et abondantes, du ministère de l'Éducation, l'enseignement au Québec s'est renforcé par paliers successifs qui en expliquent en partie l'évolution.

Colons français et enseignement

En général, les colonies du Nouveau Monde transposaient sur leur territoire les modèles proposés par les métropoles. L'enseignement relève alors de l'Église et non de l'État qui a néanmoins un rôle incitatif d'importance : il apporte le soutien financier nécessaire, même si l'évêque a toute autorité en la matière. Les subsides royaux généreux[1] n'étaient pas toujours réguliers de par la nature des relations économiques entre la France et la colonie. Mais dès les origines, une des préoccupations des gouvernants fut d'assurer l'enseignement aux enfants des colons comme aux petits Amérindiens.

L'enseignement primaire

À Québec, en 1635, les 300 colons de Nouvelle-France obtiennent des jésuites qu'ils mettent sur pied un collège pour garçons. À l'époque, il n'était pas question de mixité, pas plus que de confier à des êtres humains d'un sexe donné l'éducation de l'autre. En 1640, les ursulines, arrivées de fraîche date, organisent à leur tour une école pour filles, avec l'aide financière de Mme de La Peltrie. La formation de la jeunesse féminine est d'ailleurs la vocation de l'ordre, fondé un siècle plus tôt en Italie par Angèle de Mérici.

À Montréal, Marguerite Bourgeoys était prête à s'occuper de l'enseignement (en 1653, la première école fut installée dans une étable) même s'il y avait peu d'enfants pour en profiter. Les conditions extraordinairement précaires et dangereuses du poste de Ville-Marie ne facilitaient pas l'accroissement naturel des familles. Plus tard, ayant prouvé sa grande utilité à Montréal, elle obtiendra l'autorisation de fonder ailleurs d'autres établissements scolaires, à la demande de Mgr de Saint-Vallier. Les sulpiciens, vers 1666, ouvrent aussi une petite école pour les garçons et regroupent les forces enseignantes de cet « avant-poste de la civilisation chrétienne en continent américain ». À la fin du XVIIe siècle, les sœurs de la Congrégation de Notre-Dame de Montréal construisent aussi un couvent et assurent un enseignement à Québec. Un peu plus tard, en 1725, les sœurs de l'Hôpital général adjoignent un pensionnat à leurs bâtiments hospitaliers. À l'extérieur de ces deux centres vitaux, Trois-Rivières reste une très modeste concentration de colons qui bénéficient tout de même rapidement de services efficaces (en 1697, les ursulines assurent un enseignement à Trois-Rivières).

En dehors des villes, les paroisses qui prennent forme au XVIIIe siècle, dès qu'elles sont quelque peu organisées, possèdent une école. Les maîtres sont la plupart du temps de passage et y dispensent les rudiments du savoir. Ce sont souvent les curés qui s'acquittent de cette fonction en même temps que de leur ministère. Dans quelques rares endroits, les laïcs secondent les prêtres. L'abbé Amédée Gosselin parle de 47 « petites écoles [...] dont le programme était succinct : apprendre aux enfants à lire, à écrire et à compter, leur enseigner le catéchisme, les former à la vertu... Pas d'histoire, pas de géographie, très peu de grammaire ».

L'enseignement pour les filles se complétait de notions d'art ménager, au premier sens du terme. Les ursulines sont, de toutes les religieuses du Canada, celles qui ont élevé la broderie au rang de métier d'art : elles l'apprenaient à leurs élèves en même temps que « la crainte de Dieu et l'exercice des vertus chrétiennes », comme le leur conseillait Mgr de Laval.

Les arts et métiers

À Saint-Joachim (aile technique du Séminaire de Québec), on formait des artisans dont les plus habiles devenaient des artistes (sculpteurs surtout). Frère Luc, peintre français reconnu, y a passé un an ou deux pour enseigner un peu de cet art difficile qu'est la peinture. À Montréal, les frères Charon, voués au départ aux soins des « nécessiteux mâles », eurent vers 1900 la permission d'enseigner aussi les arts et métiers puisqu'ils avaient la charge « de faire apprendre des métiers aux dits-enfants ».

L'enseignement secondaire et postsecondaire

Le Collège des Jésuites assure une formation classique semblable à celle que les Jésuites offrent en France. Le Séminaire de Québec, fondé en 1663, sert aussi de pension : il envoie ses élèves au Collège des jésuites tout proche. Cet établissement est le seul à assurer la continuité d'une formation. On parle à ce moment-là aussi d'écoles qui enseignent un peu de latin ici et là, mais uniquement pour dépanner et préparer au collège de Québec. Outre la grammaire et les humanités, c'était la rhétorique et la philosophie qui préparaient

Mère Marie de l'Incarnation enseignant à de jeunes Indiennes. Dessin de Charles W. Jefferys. On préférait offrir l'instruction à l'extérieur pour ne pas traumatiser ces jeunes filles habituées à vivre dehors. (Archives nationales du Canada, C-073422.)

les jeunes garçons — certains d'entre eux du moins — à des carrières administratives plutôt incertaines et plus sûrement à la prêtrise. Des 120 à 150 élèves qui fréquentaient le collège, tous ne pouvaient se vanter d'avoir suivi régulièrement le cours des études : c'était un véritable luxe au milieu des incertitudes de la vie en Nouvelle-France. On donnait aussi des leçons de mathématiques, pour la plupart après le cours secondaire, qui serviront de base à la formation des capitaines, des explorateurs comme Louis Jolliet, des « hydrographes », des pilotes et même des ingénieurs.

Le Grand Séminaire enseignait la théologie pour former des prêtres recrutés sur place et, à la fin du Régime français, les futurs notaires pouvaient y recevoir des cours de droit. Ceux qui voulaient faire des études de médecine étaient envoyés à Paris. Le cas le plus connu est celui de Michel Sarrazin, arrivé en 1685, dont les travaux scientifiques touchent plusieurs domaines, de la chirurgie à la botanique, en passant par la recherche médicale. Il obtint son diplôme de médecine au cours d'un séjour en France de 1694 à 1697. Correspondant de l'Académie des sciences de Paris, il était en relation suivie avec d'autres savants de la métropole, à qui il faisait découvrir les ressources naturelles du Canada. Il a inauguré une tradition scientifique qui se perpétua sous le Régime français, mais s'estompa sous le Régime anglais.

La société canadienne de l'époque est très petite : c'est là son drame. Mais c'est une société pratiquement autonome en matière d'éducation — fait remarquable dans les conditions qui étaient imposées à la colonie.

Après la Conquête

La guerre avait fermé les portes des collèges et réduit le niveau primaire à une quasi-inexistence. Les Anglais réquisitionnent les bâtiments (Collège des Jésuites à Québec, des Sulpiciens à Montréal) ; ils vont jusqu'à saisir les biens des jésuites et des récollets, plus nombreux mais plus pauvres, qui procuraient l'essentiel des revenus pour l'éducation. On interdit aux religieux de recruter sur place. Les ponts sont coupés avec la France. Il est miraculeux que, dans ces conditions, ursulines, hospitalières et sœurs de la Congrégation de Notre-Dame aient réussi à maintenir, vaille que vaille, un enseignement primaire dans une trentaine de minuscules établissements. Le jésuite Lucien Campeau pense qu'une génération, voire deux à de rares exceptions près, a été privée d'instruction et d'accès à la culture savante jusqu'en 1800, date à laquelle les fabriques prennent en charge l'organisation des écoles. Au secondaire, le Séminaire de Québec prend la relève (1768) du Collège des Jésuites et définit un fonctionnement qui durera deux siècles : on y donne la formation qui conduit à la prêtrise et à certaines professions libérales, dans un internat-externat suivant un modèle de séminaire pour les futurs prêtres qui est aussi un collège. La nécessité de ne compter que sur ses propres forces fait se développer un certain type d'enseignement secondaire et supérieur, spécifique aux besoins immédiats d'une société décapitée d'une partie de son élite et coupée de ses racines[2] linguistiques.

Mais cela ne se fait pas tout seul. En ville, il est relativement facile de se faire instruire en français. C'est là que sont les écoles privées destinées à une élite qui reconstruit petit à petit ses forces vives. Mais plus de quatre Canadiens sur cinq habitent la campagne où l'on voit de moins en moins l'utilité de s'instruire, étant donné la seule voie — ou presque — ouverte aux enfants d'habitants. Le gouvernement propose des écoles publiques, donc anglaises, que les curés proscrivent, et les habitants ne se donnent pas forcément la peine d'or-

La rentrée au Séminaire de Québec, gravure de W. T. Smedley, tirée de *Picturesque Canada,* 1888. (Archives de folklore, Division des Archives de l'Université Laval.)

ganiser une école française ni surtout d'y envoyer régulièrement les enfants, avec la conséquence inévitable que l'ignorance et l'analphabétisme gagnent du terrain dans une population qui accélère sa progression. Au tournant du siècle, on estime à 4 000 personnes sur 150 000 le nombre de celles qui savent lire et écrire. Le gouverneur de l'époque tente une réorganisation de l'enseignement. Ce sont les évêques, le catholique et l'anglican, qui coulent le projet. L'un trouve que le gouvernement protège trop les francophones, l'autre, que le contrôle de l'éducation lui échappe.

1801. Le début du siècle voit naître une deuxième tentative de pourvoir le pays d'un système d'écoles gratuites avec des maîtres anglais payés par le gouvernement. Bien sûr, les curés canadiens sont contre cette intrusion des Anglais dans un champ de responsabilités qui leur appartient. On instaure donc peu de ces écoles royales dans le Bas-Canada : on a réussi à sauver de la juridiction de la Royal Institution for the Advancement of Learning les écoles privées, catholiques et françaises, mais le système privé n'est pas gratuit et ne s'adresse donc qu'aux plus aisés. Le fossé se creuse entre les classes sociales, autrefois plus homogènes. Par la force des choses, on se désintéresse peu à peu du primaire, alors même que se fondent, entre 1802 et 1832, sept nouveaux collèges classiques.

1824. Une loi permet de remédier à cet état de fait. On permet aux curés d'utiliser une partie de leurs revenus pour fonder une « école de fabrique » ne relevant que des autorités paroissiales. Ces nouvelles dispositions ne connaissent pas le succès : les fabriques paroissiales trouvent ces nouvelles charges lourdes et le décalage s'élargit entre la campagne (90 % des francophones sont des ruraux) et la ville.

1829. Une loi innovatrice va bouleverser cet état de choses. Le gouvernement invente les « commissions scolaires » élues par les propriétaires. Elles peuvent lever des taxes — ce qui causera des troubles dans certaines paroisses lorsque cette possibilité deviendra une obligation — et elles contrôlent l'enseignement. Le gouvernement contribue financièrement à l'opération (construction des écoles, salaire du maître, frais de scolarité[3]). L'idée fait son chemin et le désir de scolarisation fait de grands progrès. Seul défaut du système : on n'a prévu aucune formation des maîtres et ceux-ci — des laïcs — sont choisis par les députés d'après des critères curieux, la loyauté envers le député en étant le premier sinon le seul.

1857. Les Frères des écoles chrétiennes étaient arrivés de France en 1837. Vingt ans plus tard, on fonde des écoles normales (une à Québec et deux à Montréal) et l'on donne à quelques instituteurs les moyens de s'acquitter de leurs responsabilités (manuels, salaires). Pendant un demi-siècle, cependant, la médiocrité presque habituelle de la profession hypothèque lourdement le Québec : des générations de mal-instruits ne sont pas convaincues de l'utilité d'une instruction quelconque (on note, jusqu'à la veille de la Révolution tranquille, une forme assez subtile de mépris à l'égard des instituteurs, mépris qui englobe longtemps tous les laïcs s'occupant d'enseignement à quelque niveau que ce soit). Comment s'étonner alors du retard que le Québec prend sur les autres provinces, retard qui ne fait que s'accentuer et dont il lui faudra se relever avec précipitation vers 1960 ?

En milieu rural, le fort taux de natalité, joint au système d'occupation des sols propre au Québec, oblige les paroisses à créer des *écoles de rang*. Celles-ci sont plus proches de leur clientèle journalière et plus petites que l'école paroissiale. Pratiques, les commissaires les font construire comme des maisons qui pourront, le cas échéant, être vendues ou déménagées.

Les filles ont été longtemps plus éduquées que leurs frères, dont la présence aux champs était requise rapidement. Les plus douées et les plus assidues d'entre elles pouvaient devenir institutrices. Pourtant, dans les familles nombreuses, les filles n'allaient pas régulièrement à l'école, tenues qu'elles étaient d'aider une mère surchargée de rejetons et de travaux en tous genres.

Laure Gaudreault. (Archives de la Centrale des enseignants du Québec.)

Cléricalisation de l'enseignement

Après 1840, l'Église, dont l'autorité se fait de plus en plus sentir sur le peuple canadien, va, tranquillement mais sûrement, regagner les pouvoirs dont le gouvernement l'avait privée avec la loi de 1829 instituant les commissions scolaires. Alors même que la préoccupation de former des maîtres revalorise la profession, l'Église triomphante de la fin de siècle infiltre victorieusement les rangs des enseignants. Déjà installés au secondaire dans les collèges classiques-séminaires et au supérieur (l'Université Laval[4] est un épigone du Séminaire de Québec), clercs et religieux, dont les effectifs augmentent de façon vertigineuse, occupent les postes de maîtres — sauf les moins intéressants, qui restent l'apanage des femmes ; ces dernières sont très peu payées, quand l'arbitraire des commissaires ne les oblige pas à accepter un paiement en nature, sous forme de « poches de patates », par exemple ! Il faudra attendre Laure Gaudreault pour dénoncer vers 1940 la situation misérable de ce corps enseignant et créer un premier syndicat. L'Église sait quelle peut être la force de persuasion des gens qui possèdent le savoir et ne néglige aucun champ connexe à l'éducation. Le clergé se met à faire des manuels pédagogiques et la menace de l'anticléricalisme français renforce sa position d'autorité.

On multiplie aussi les écoles normales (150 en 1960 pour 6 millions d'habitants) et de nombreuses communautés religieuses font reconnaître la formation de leur scolasticat à l'égal de celle d'une école normale. L'enseignement secondaire public, par un effet d'entraînement, calque certains de ses programmes et de ses méthodes sur ce qui se fait au primaire, tout en offrant une solution de rechange à un type d'enseignement privé qui avait créé depuis le début du siècle un enseignement professionnel et commercial (secrétariat, comptabilité). Parallèlement, les collèges classiques voient leur nombre augmenter, mais leur accès est pratiquement réservé à une élite qui a parfaitement compris que l'enseignement public ne menait dans la plupart des cas qu'à un cul-de-sac.

Pour diffuser l'information relative à l'éducation, il existe une presse pédagogique. Il est intéressant de constater qu'après plusieurs essais, plus ou moins fructueux, de diverses tendances idéologiques, le seul journal à publier régulièrement pendant la première moitié du XXe siècle s'appelle *L'Enseignement primaire*, journal d'éducation et d'instruction qui est envoyé à tous les enseignants.

Le système public

Au sommet, les surintendants de l'éducation jouent un rôle de premier plan : ils ont la lourde charge d'animer presque seuls un système bourré de lacunes. Jean-Baptiste Meilleur, puis Olivier Chauveau, présentent des projets de loi intelligents et mettent sur pied un corps d'inspecteurs et un Conseil de l'instruction publique (1850) formé de catholiques et de protestants. On sépare bientôt les deux comités par confession ; par ce biais, entre autres, l'Église fera évoluer à sa guise et selon ses idées l'enseignement qu'elle préconise.

Ces comités imposent une pédagogie, des manuels, voient au financement comme au personnel enseignant. Leur autorité deviendra de plus en plus directrice. Le Comité catholique, responsable d'une majorité surtout francophone de plus en plus grande, se transformera en un organisme centralisateur de première grandeur et décidera d'une orientation du système public qui durera jusqu'au rapport Parent (1966). Le Comité protestant, plutôt anglophone et plus ouvert aux immigrants sans égard à la religion, évolue de son côté d'une manière tout à fait indépendante de l'autre comité et consacre les différences fondamentales qui existent entre les nations fondatrices jusque dans leur évolution.

L'Acte de l'Amérique du Nord britannique qui crée la Confédération attribue aux provinces le contrôle de l'enseignement. L'article 93 de la Constitution garantit en principe aux minorités catholiques (Nouvelle-Écosse, Nouveau-Brunswick) les mêmes droits qu'à la minorité protestante du Québec et qu'aux catholiques de l'Ontario (le législateur voulait ainsi protéger la confession religieuse, pas la langue). Un amendement astucieux fait en sorte que seuls les protestants du Québec peuvent bénéficier de ces droits ; lorsque les catholiques, surtout francophones, voudront s'en prévaloir au Nouveau-Brunswick et au Manitoba, ce sera sans succès. À la fin du XIXe siècle, les ultramontains, dont le but est « d'assurer la suprématie de l'Église sur l'État dans tous les domaines de la vie politique et sociale, et plus particulièrement encore dans le secteur éducatif » selon l'historienne Nadia F. Eid, sont ravis de ce détail qui confessionnalise l'éducation jusqu'à nouvel avis. Le système public, confessionnel, est très développé au primaire; il augmentera au secondaire au fur et à mesure des modestes besoins de la société québécoise.

Le système privé

Le système privé offre des institutions de plus en plus nombreuses: au secondaire, des collèges classiques, qui sont aussi des séminaires quand il s'agit de garçons; des collèges industriels (pour les classes moyennes de Montréal surtout). L'Université Laval, à Québec, qui a une charte pontificale, fonde au début du XXe siècle une succursale à Montréal (la future Université de Montréal). Elle se méfie de l'État, même des subventions qu'elle trouve trop orientées vers les sciences. Cependant en 1923, le frère Marie-Victorin, auteur de *La Flore laurentienne* et professeur à l'Université de Montréal, fondait avec d'autres intellectuels, dont le Dr Léo Parizeau, l'ACFAS (Association canadienne-française pour l'avancement des sciences[5]). Les étudiants brillants obtenaient des bourses instituées par Athanase David pour aller se spécialiser outre-Atlantique. Ces boursiers, comme le mycologue René Pomerleau, allaient avoir une influence capitale sur le milieu scientifique et intellectuel du Québec.

En revanche, les clercs se méfient de l'instruction obligatoire qui est préconisée en France en même temps que la laïcité qu'ils redoutent; le danger s'approche d'ailleurs car l'Ontario vient de l'instituer sur le continent américain. N'ira-t-on pas

Le double système d'enseignement catholique avant les années 1960

Niveau	Public	Privé
Primaire	7 ans	7 ans
Secondaire	5 ans (une option « classique » après 1945)	8 ans (le cours classique mène au baccalauréat ès arts +1 an (option technique)
Postsecondaire	École normale (2 ou 3 ans) Brevet A, B ou C	
Universitaire	Partiel (commerce, génie, sciences et sciences sociales)	Entièrement accessible

Élèves au travail à l'École des arts et métiers de Montréal, en 1950. (Archives nationales du Québec à Québec, fonds OFQ, E6, S7, P49025-50. Photo : Joseph Guibord.)

jusqu'à écrire que « l'ignorance est de beaucoup préférable à l'enseignement qui n'a point pour fondement la connaissance de Dieu, de sa foi et de sa moralité » (*Le Nouveau Monde*) ? En 1868, l'abbé Alexis Pelletier dira que « pour former des chrétiens, seul but de l'éducation, il faut parler christianisme aux enfants sur tous les tons et sous toutes les formes, tous les jours et à chaque heure du jour ».

En ce qui concerne la formation technique, outre les écoles d'enseignement ménager qui datent du début du XXe siècle (une cinquantaine en 1959), c'est, dans les années 1950, l'enseignement du secrétariat qui draine la majorité des énergies féminines vers le monde du travail un peu spécialisé. Au privé, on assiste, en 1908 seulement, à la fondation d'un premier collège classique pour filles. Si l'Université McGill acceptait les filles dans les rangs de ses étudiants depuis 1885, il fallut attendre une cinquantaine d'années pour voir la réciproque en milieu catholique[6].

Le fait que cette structure reste en place jusqu'en 1964 explique en partie le retard du Québec francophone en matière d'éducation au moment de la Révolution tranquille : la séparation complète et l'autonomie à tous les niveaux des deux comités confessionnels et des deux systèmes scolaires ainsi créés ; la juridiction exclusive du Comité catholique sur « tout ce qui concerne spécialement les écoles et l'Instruction publique en général des catholiques romains ». Les conséquences sont graves : l'État et l'Église feront bien quelques parties de bras de fer mais l'État ne gagnera rien à ce jeu de forces. On uniformise bientôt les manuels, passés alors au peigne fin par le Comité catholique comme ils le sont maintenant, pour d'autres raisons, par les fonctionnaires du ministère de l'Éducation. Problèmes et exemples étaient souvent puisés dans les domaines autorisés (religion, famille, agriculture). Même les cartes de géographie devaient avoir reçu l'approbation du Comité catholique pour être utilisées en classe.

Dans le secteur privé catholique l'État n'avait aucun droit de regard, mais l'Église, toute-puissante là aussi, était vigilante. Avant 1960, la seule philosophie était celle de saint Thomas. Les bibliothèques, par ailleurs bien montées, avaient toutes un « enfer » où les « mauvais » livres, à commencer par ceux qui étaient inscrits à l'Index, étaient à l'abri de lecteurs concupiscents. On a ainsi refusé à un ecclésiastique de donner à l'université un cours sur *L'Éducation sentimentale* de Flaubert[7].

Jusqu'en 1929, la population scolaire se partageait en deux : les enfants des classes privilégiées pouvaient, après leur primaire, passer au secondaire qui les amenait à l'Université ; les autres étaient forcés de se contenter des programmes du primaire (six ans) que couronnaient deux années d'enseignement primaire complémentaire. On pouvait alors s'y préparer — modestement — à l'agriculture, à l'art ménager, au commerce ou à l'industrie, lointain début d'un enseignement professionnel. Après 1929, on ajoute trois ans de primaire supérieur.

C'étaient là en fait les prémices d'un enseignement secondaire qui permettra aux francophones d'accéder à certaines carrières (commerce, génie, sciences). En 1951, ce secteur des études prend le nom de secondaire (au total, 11 ans d'études avec le primaire). En 1960, on ajoute une douzième année. Le système anglais, par le *high school,* préparait à l'éventail des programmes universitaires anglais. Dans le système français existait un clivage entre la formation offerte alors par le système public, qui permettait à un petit nombre d'élèves doués « d'entrer à l'Université par la petite porte », et la formation des collèges classiques (privés), qui mettait à la portée des catholiques plus fortunés toutes les options universitaires.

Cette disparité entre les systèmes privé et public des Canadiens français accentuait l'énorme décalage qui se creusait de plus en plus entre les Franco-Québécois et les Anglo-Québécois. En 1925, 94 % des élèves de la Commission des écoles catholiques de Montréal[8] quittent l'école en sixième année. L'instruction ne deviendra obligatoire qu'en 1942, 30 ans après que le Comité protestant se fut prononcé en sa faveur. Cette question avait fait l'objet de nombreux débats ; la mesure était réclamée par divers milieux mais les évêques s'y opposaient farouchement, craignant ainsi l'ingérence du politique dans un domaine que l'Église revendiquait.

À partir de 1910, un enseignement technique spécialisé (papeterie, textile, marine, arts graphiques, agriculture) se consacrait à de nouvelles orientations plus scientifiques : certaines de ces écoles deviendront par la suite des centres de for-

Cours d'arts ménagers à l'orphelinat des Sœurs de la charité. (Archives nationales du Québec à Québec, fonds des Sœurs de la charité, P292, PN 874-157.)

mation renommés à travers le pays : écoles des Beaux-Arts de Montréal (1928) et de Québec (1929), École du meuble de Montréal (1935).

Avant 1930, l'enseignement secondaire public pour les catholiques était donc très peu développé, sauf peut-être à Montréal, le privé étant réservé à ceux qui pouvaient payer — ou à ceux que la main de Dieu désignait au curé comme de futurs séminaristes — ; les milieux sociologiquement défavorisés, les ruraux éloignés des grandes villes ne pouvaient donc envisager que la prêtrise comme moyen d'accès à une instruction supérieure et à une carrière de prestige. Ils entraient alors au séminaire avec leurs camarades plus fortunés, revêtant un uniforme[9] qui préparait à endosser les toges et autres insignes des fonctions sociales les plus hautes et les plus hautement rémunérées.

Pendant ce temps, les filles pouvaient aller à deux collèges classiques (contre 34 pour les garçons). Elles se retrouvent en rangs serrés dans 119 écoles ménagères et 20 écoles normales qui préparent 10 fois plus de filles que de garçons à la fonction d'instituteur. Les hommes sont alors payés quatre fois plus que les femmes qui constituent 80 % de l'effectif du primaire. Les commissaires d'école veillent au portefeuille des propriétaires fonciers qui les élisent.

Après la Seconde Guerre mondiale, une loi assure la gratuité de l'enseignement de base et la fourniture des manuels dans certaines écoles. L'évêque de Chicoutimi autorise l'ouverture d'un cours classique gratuit dans un établissement public.

On fixe pour les institutrices un salaire minimum qui met fin à l'arbitraire des commissaires d'école et à l'exploitation du corps enseignant féminin. On précise les programmes pour chacune des cinq années du secondaire public. Le ministère du Bien-Être social et de la Jeunesse, créé par Duplessis en 1946, prend en charge l'enseignement professionnel.

Les événements se précipitent : les blessures de la Seconde Guerre mondiale pansées, la fièvre de la technologie s'empare des grandes puissances qui veulent assurer la relève par l'injection systématique dans le système de matière grise fraîchement sortie des instituts de haut savoir. Les nations nouvellement décolonisées n'échappent pas à cette frénésie calquée souvent sur les anciennes métropoles. À Rome, un nouveau pape pense à organiser le Concile de Vatican II. Au Québec, la télévision entre dans tous les foyers et contribue à propulser au pouvoir (1960) l'équipe Lesage qui trouve que « C'est le temps que ça change ». Le frère Untel publie ses *Insolences*: le premier chapitre porte sur « l'échec de notre enseignement du français » et le deuxième sur « l'échec de notre système d'enseignement ».

Les trois frères au Petit Séminaire de Québec, vers 1939 ; ils portent la redingote ceinturée, dont le liséré blanc avait valu à l'uniforme alors en vigueur le nom de « suisse ». (Musée de la civilisation, dépôt du Séminaire de Québec, Ph 1987-1916. Photo : Montminy et Cie.)

Le rapport Parent et la réorganisation du système scolaire

Paul Gérin-Lajoie, ministre libéral de la Jeunesse, confie à Mgr Alphonse-Marie Parent la présidence d'une commission royale d'enquête sur l'éducation. Le rapport de cette commission aborde les questions d'organisation, de structures, de programmes et de financement. Le travail d'analyse et de synthèse est gigantesque mais rapide (1963-1966) ; les résultats seront-ils à la mesure de l'espoir de la société québécoise des années 1960 ?

Dès le début de son gouvernement, l'équipe libérale avait décrété la gratuité scolaire jusqu'à la onzième année, et le droit de vote pour tous les parents aux élections scolaires (seuls jusque-là votaient les propriétaires fonciers) ; quelque 30 ans plus tard, les parents semblent encore l'ignorer puisqu'ils ne se servent pas de ce droit. Mais l'accès plus facile démocratise véritablement l'enseignement. Les religieux qui veulent enseigner doivent se soumettre aux mêmes obligations que les laïcs.

Le ministère de l'Éducation

La première recommandation du rapport Parent demande la création d'un ministère de l'Éducation (1964). Aussitôt dit, aussitôt fait. Paul Gérin-Lajoie en devient le premier titulaire et commence à mettre en pratique les demandes du rapport Parent. La fin des années 1960 consacre à ces énormes bouleversements une énergie considérable. L'État a décidé de jouer son rôle : l'effort est colossal et les changements se font en un temps record de cinq ans.

Les structures

Le primaire est raccourci d'une année. Au secondaire, on décide de regrouper les effectifs d'un très grand nombre de petites écoles en écoles régionales polyvalentes qui offriront une plus grande variété de programmes pour éviter les nombreuses impasses des structures précédentes : l'État déplace chaque jour des milliers d'élèves dans les désormais célèbres autobus jaunes qui les emmènent dans des écoles modernes.

Au niveau postsecondaire, le gros défaut de l'ancien système était l'étanchéité presque complète entre les deux systèmes, public et privé, et la grande difficulté pour un élève du public d'entrer à l'université. L'égalité d'accès fut l'un des principaux objectifs de la réforme scolaire des années 1960, qui créa un niveau collégial : « la création du collège public québécois a représenté une innovation pédagogique majeure, une sorte de quatrième dimension de l'enseignement » (Jacques-Yvan Morin). Le rapport Parent transforme une quarantaine de collèges classiques et d'écoles normales en « cégeps » (collèges d'enseignement général et professionnel) entre 1968 et 1970. Cette nouvelle institution, qui n'a pas son équivalent dans le reste du Canada, offre un enseignement à orientations diverses. Après deux ans, la majorité des élèves du secteur général obtient un DEC (diplôme d'études collégiales) qui permet l'entrée à l'université. Ceux qui choisissent la voie professionnelle bénéficient dans certains cas d'une troisième année pour obtenir un diplôme qui les met sur le marché du travail, mais peut aussi permettre une réorientation universitaire.

À l'université, désormais plus ouverte, certaines disciplines sont plus restrictives que d'autres et certaines carrières plus convoitées (droit, médecine, gestion des affaires, sciences pures et appliquées). Avant le rapport Parent, trois universités se partageaient la clientèle francophone : l'Université Laval (un des plus anciens établissements d'enseignement supérieur d'Amérique du Nord avec l'Université Harvard) ; son ancienne filiale devenue indépendante, l'Université de Montréal, et la plus récente Université de Sherbrooke[10]. Les étudiants de l'Ouest québécois fré-

La Polyvalente de Charlesbourg. La commission Parent avait recommandé la création de grandes polyvalentes régionales au niveau secondaire.

quentaient traditionnellement l'Université d'Ottawa, la plus importante institution bilingue en Amérique du Nord.

Afin d'accueillir les nouveaux diplômés des cégeps fraîchement implantés, l'Assemblée nationale crée, en 1968, l'Université du Québec. Cette université publique, mais non d'État, se voit alors confier le mandat de favoriser l'accès aux études universitaires auprès des personnes qui en sont traditionnellement éloignées pour des raisons géographiques et sociologiques. Une des premières universités constituantes, l'Université du Québec à Montréal, offrait dans cet esprit un nouvel éventail de formations universitaires en français dans l'est de la métropole. Ce nouveau réseau universitaire panquébécois, qui regroupe 11 partenaires, est ainsi présent à Montréal, à Trois-Rivières, à Québec, à Chicoutimi, à Rimouski, à Hull et en Abitibi. Il a créé certains programmes spécifiques à ces régions d'appartenance (l'océanographie dans le Bas-du-Fleuve ou les pâtes et papiers à Trois-Rivières).

Pour les anglophones montréalais, l'Université McGill, réputée depuis longtemps en Amérique du Nord et premier établissement d'enseignement supérieur au pays, garde son prestige ; le rapport Parent réunit les collèges universitaires Sir-George-William et Loyola en une seule institution, Concordia University. À Lennoxville, la Bishop's University desservait déjà la clientèle anglophone des Cantons-de-l'Est.

Aujourd'hui, la gratuité scolaire est totale y compris jusqu'au cégep (sauf quelques restrictions appliquées depuis 1997 en cas d'échecs répétés). À l'université, les droits de scolarité de base (de 2 500 $ à 3 500 $ par an), tout en étant plus importants que dans certains pays européens, sont les plus bas de toute l'Amérique du Nord.

Des états généraux de l'éducation au Sommet de la jeunesse (2000)

Le Québec a ainsi mis les bouchées doubles pour rattraper un retard évident. Il s'est senti un peu essoufflé 25 ans plus tard. Les changements ont été radicaux[11] : ils ont parfois perturbé des familles et ont sûrement secoué plusieurs générations. Les diplômés des cégeps ou des universités ressemblent maintenant aux diplômés des autres pays, et, comme beaucoup d'entre eux, ils souffrent du manque de débouchés chronique dans certaines disciplines.

Avec un peu de recul, on voit mieux maintenant les défauts du système : les écoles régionales et polyvalentes[12] sont trop grosses. Au cégep (il en existe une cinquantaine), la moindre erreur de choix de cours — dans un système comparable à celui de l'université — peut fermer trop tôt la voie à certaines carrières alors que des filières professionnelles manquent de candidats. Au cours des années 1990, les

Campus de l'Université Laval à Québec. (Division des photos, Archives de l'Université Laval, U540, C4T.)

Informatique au primaire. (Ministère de l'Éducation, 97007-C23. Photo : François Nadeau/Photomedia.)

professeurs en viennent à se sentir démobilisés. La conjoncture les dessert : la notion de service à l'élève s'estompe alors que les charges de travail ont augmenté. On a accusé l'Administration, devenue lourde et complexe et coûtant très cher au gouvernement qui consacrait, en 1995-1996, 8,3 % du produit intérieur brut au budget de l'éducation (contre 7,1 % en Ontario ; le contribuable, plus lourdement taxé au Québec qu'ailleurs au Canada, se demande pourquoi le même élève coûte moins cher en Ontario). Le secteur public (2 795 écoles primaires et secondaires), ne jouissant pas toujours de la même bonne réputation que le secteur privé (346 écoles privées et 52 établissements hors réseau en 2006), a créé des formations spécialisées du type international (plusieurs langues, programmes enrichis) dont les universités rêvent qu'elles deviennent la norme. La dénatalité chronique de la so-

Le système d'enseignement actuel (public et privé)

Primaire	6 ans
Secondaire	5 ans
Collégial	2 ou 3 ans
Universitaire	3 ou 4 ans (baccalauréat) ou plus (maîtrise, doctorat)

ciété québécoise est aussi à l'origine d'un autre aspect de la relative instabilité du système scolaire. S'il y a de moins en moins de Québécois « de souche » dans quelques écoles, c'est que ces dernières reflètent maintenant le côté multiethnique de zones urbaines où l'on peut entendre jusqu'à une centaine de langues. La loi 101 a imposé l'école en français à ces nouveaux arrivants. Les résultats sont positifs, mais il reste que le petit nombre de Québécois francophones de certains quartiers complique la situation.

Aussi a-t-on convoqué en 1996 des états généraux sur l'éducation pour s'attaquer à de multiples problèmes : décrochage scolaire effarant (15 %), taux de réussite peu brillant, pauvreté et mauvaise articulation des programmes, piètre qualité de la langue tant écrite qu'orale, taux d'analphabétisme étonnant chez les adultes[13], sans parler d'un manque de bases ou de références culturelles. En 1999, l'universitaire Jean-Pierre Proulx a déposé le rapport du groupe de travail sur la place de la religion à l'école. Ce rapport, intitulé *Laïcité et religions. Perspective nouvelle pour l'école québécoise,* laisse entrevoir les vigoureuses discussions dont sera nourri le débat public. Pour la société, il s'agit d'un choix entre le respect de la place traditionnelle de la religion dans l'école québécoise et le respect des droits de la personne dans une société de moins en moins homogène. À la lumière des diverses prises de position et des élections scolaires de Montréal, le débat s'annonce passionné.

Le corporatisme des syndicats nord-américains rend les patrons frileux devant l'embauche, aussi la tâche d'enseignement s'est-elle alourdie alors que les ressources matérielles connexes diminuent. Comme dans le domaine de la santé, nombreux ont été les enseignants qui ont profité des offres alléchantes que faisait le gouvernement pour envoyer des « vieux » en retraite à 50 ou 55 ans. Cela a permis l'ouverture de milliers de postes (9 000 en 1998) à des jeunes, autrefois sous-employés et sous-payés comme suppléants, substituts ou chargés de cours. Ils y ont enfin gagné une nouvelle sécurité d'emploi.

Le gouvernement Bouchard a obtenu en 1997 une modification constitutionnelle d'Ottawa pour transformer les 156 commissions scolaires confessionnelles, structures dévoreuses de budgets de plus en plus minces, en 72 commissions scolaires linguistiques (qu'on devrait nommer plus justement conseils scolaires). La ministre de l'Éducation, Pauline Marois, dans une période de récession, a institué des conseils d'établissement pour responsabiliser les parents. Elle a amélioré nettement les services à la petite enfance

Nombre d'élèves et d'étudiants en 2005-2006

Péscolaire et primaire	599 271
Secondaire jeunes	489 054
Secondaire adultes	257 568
Collégial	189 101
Universitaire	264 242

Source : Statistiques de l'éducation, Québec.

(garderies, maternelles) et réformé les programmes du primaire et du secondaire, en français et en mathématiques surtout (certaines écoles ont aussi remis la dictée, l'histoire, l'effort et la discipline à l'honneur) avant de s'attaquer au premier cycle des universités.

La Grande Bibliothèque nationale du Québec, à l'orée du troisième millénaire, permettra l'accès du grand nombre à la culture sous toutes ses formes, réelles et virtuelles (le Québec est plutôt en avance sur le reste de la francophonie en matière de technologies de l'information).

Le retard qu'avait le Québec au milieu du XXe siècle est maintenant comblé. La formation professionnelle et technique (106 000 élèves en 2006) fournit du travail à presque tous ses diplômés. Par exemple, l'Institut du tourisme et de l'hôtellerie, à deux pas de l'Université du Québec à Montréal, offre des formations aux niveaux secondaire, collégial et universitaire. On a créé des écoles spécialisées dans le rattrapage des décrocheurs. Les efforts des gouvernements ont porté des fruits : les adolescents québécois de la fin du siècle sont « forts en maths », les filles meilleures encore que les garçons. Cependant le niveau de français laisse encore à désirer, d'où l'imposition par les universités, puis par le gouvernement, de tests de français à réussir absolument pour poursuivre des études au cégep et à l'université.

Deux établissements d'enseignement supérieur à Montréal (l'Université de Montréal et l'Université du Québec à Montréal), l'Université Laval à Québec, l'Université de Sherbrooke et les autres composantes de l'Université du Québec, dont le siège social est dans la capitale (à Chicoutimi, à Trois-Rivières, à Hull, à Rimouski entre autres) forment un réseau universitaire francophone bien répandu sur le territoire, auquel il faut rajouter les universités de langue anglaise, McGill, Concordia et Bishop's. Le Québec a été un des premiers pays de langue française à se doter d'un réseau parallèle et complémentaire d'enseignement supérieur à distance, dont la Télé-université, autre composante de l'Université du Québec. Près de 40 % de la population de 25 à 64 ans a fait des études postsecondaires, un des taux les plus élevés des pays de l'OCDE.

La haute recherche universitaire. Le Dr Pomerleau, mycologue, a identifié le champignon responsable de la maladie hollandaise de l'orme.

Le premier cycle d'études universitaires, après 13 ans de scolarité, dure trois ans et permet dans la plupart des disciplines l'acquisition du premier grade, le baccalauréat ès arts (B. A.) de type nord-américain. Les cours permettent d'accumuler des crédits, à raison d'une trentaine par an. La maîtrise requiert deux ans d'études et de recherche, le doctorat, cinq en général. Pour certaines disciplines universitaires (gestion de l'administration, ingénierie, informatique appliquée, biotechnologies), le Québec se situe à l'avant-garde dans la francophonie ; la Faculté des sciences de l'administration de l'Université Laval avait commencé en 1924, timidement, en formant trois étudiants ; 75 ans plus tard, plus de 4 000 étudiants en suivent les programmes. La recherche se fait de plus en plus en collaboration avec l'industrie (pharmaceutique, agroalimentaire, etc.). Pendant des années, trop d'universitaires québécois, surtout francophones[14], ont été forcés de s'exiler pour faire avancer leurs travaux (les États-Unis en ont grandement bénéficié).

Le Québec fait preuve d'un dynamisme et d'un sens de l'adaptation assez remarquables ; 60 % de l'activité aérospatiale canadienne se passe au Québec, aussi a-t-on créé un éventail d'institutions spécialisées aux niveaux secondaire, collégial et universitaire. L'inconvénient de son retard historique est devenu un avantage : n'étant pas prisonnières de traditions sclérosantes, les institutions québécoises, plus souples et plus ouvertes au développement régional et à la justice sociale, permettent d'audacieux projets et donnent des résultats surprenants amenant la collaboration de la communauté universitaire et scientifique internationale. Néanmoins, depuis 1995, les compressions budgétaires des gouvernements visant le déficit zéro ont compromis le financement de tous les secteurs de l'éducation et des universités en particulier. De trop nombreux programmes dans certains domaines de recherche ont vu leurs spécialistes partir à la retraite sans être remplacés.

Le gouvernement doit injecter un milliard de dollars en éducation, créer un fonds jeunesse, reconduire et améliorer deux autres programmes pour lutter contre la pauvreté endémique de cette tranche d'âge. L'éducation est en perpétuel renouvellement : une réforme n'attend pas l'autre. Le ministère décide, des enseignants rouspètent, les parents ne sont pas toujours d'accord ; c'est le signe de bonne santé. La première décennie de ce siècle a vu un nouveau programme (donc de nouveaux livres du professeur, de nouveaux manuels de l'élève) mis de l'avant dans un esprit d'ouverture par un État qui se veut laïque : Éthique et culture religieuse. Ce programme fait couler des litres d'encre et agite les esprits d'une société pluriethnique, comme beaucoup d'autres en ce troisième millénaire, qui a du mal à trouver un équilibre entre tradition et modernité, entre innovation et rigueur dans le jugement.

Notes

1. « Les subventions assez importantes accordées aux communautés enseignantes d'hommes et de femmes montrent que le roi fit presque autant, toutes proportions gardées, pour l'ins-

truction du peuple que pour le commerce, l'industrie, la colonisation et parfois même la défense du pays » (L.-P. Audet).

2. Mais qui réussira ce qu'on appelle le marcottage en agriculture.

3. À condition que l'école fonctionne 90 jours avec un minimum de 20 élèves par jour.

4. Les premières œuvres imprimées sous l'égide de l'Université le seront en 1870.

5. En 1998, pour son 75e anniversaire, l'ACFAS réunissait à Québec 5 000 participants pour assister à 3 300 communications scientifiques, présentées dans 140 colloques.

6. Marie Lacoste-Gérin-Lajoie, première femme « bachelier » en 1911, arrivée en outre en tête de tous les candidats du Québec, ne peut recevoir le prix Prince-de-Galles, parce que le prix comprenait une bourse pour des études universitaires qui n'étaient pas alors accessibles aux filles ; le prix fut donc attribué au garçon arrivé deuxième !

7. C'était aussi l'époque où une brillante religieuse, souhaitant préparer un doctorat sur la correspondance entre Gide et Claudel, avait reçu l'autorisation de lire les lettres de Claudel à Gide et non celles de Gide à Claudel.

8. En 1917, la CECM gère 160 écoles et instruit 75 000 élèves. Montréal comptera 619 000 habitants au recensement de 1921.

9. Voir le roman de Bertrand B. Leblanc, *Horace ou l'art de porter la redingote* (Montréal, Leméac, 1980).

10. Les discussions concernant l'Université de Sherbrooke avaient été laborieuses étant donné qu'une des particularités de l'Estrie était d'avoir une assez grande proportion d'anglophones.

11. Mgr Parent avait formulé les bases d'une réforme en profondeur du système scolaire et en voyait plutôt la réalisation progressive. Or, le projet, dans une conjoncture favorable, s'est actualisé presque simultanément à tous les niveaux scolaires, et tant sur le plan structural que pédagogique ; certains dérapages étaient inévitables.

12. L'idée première était justement d'introduire la notion de polyvalence, qui fait référence à une approche pédagogique supprimant les impasses bien plus qu'à une structure et encore moins à un ensemble bâti.

13. En 1997, plus de un million d'adultes (que l'on compte à partir de l'âge auquel on termine le secondaire) ont des « capacités en lecture limitées ».

14. Raymond Laflamme, astrophysicien québécois comme Hubert Reeves, a corrigé à Cambridge, dans les années 1980, le modèle cosmologique quantique de Stephen Hawking.

Bibliographie

Études

AUDET, Louis-Philippe, *Histoire de l'enseignement au Québec*, t. I et II, Montréal, Toronto, Holt Rinehart et Winston, 1971.

CHARLAND, Jean-Pierre, *L'Entreprise éducative au Québec, 1840-1900*, Québec, Presses de l'Université Laval, 2000, 452 p.

DORION, Jacques, *Les Écoles de rang au Québec*, Montréal, Éditions de l'Homme, 1979, 428 p.

DUFOUR, Andrée, *Histoire de l'éducation au Québec*, Montréal, Boréal, coll. « Boréal express », 1997, 128 p.

GALARNEAU, Claude, *Les Collèges classiques au Canada français*, Montréal, Fides, 1978, 287 p.

LEROUX, Georges, *Éthique, culture religieuse, dialogue*, Montréal, Fides, 2007, 117 p.

TREMBLAY, Arthur (avec la collaboration de Robert Blais et de Marc Simard), *Le Ministère de l'Éducation et le Conseil supérieur ; antécédents et création, 1867-1967*, Québec, PUL, 1989, 426 p.

Rapport Parent, *Rapport de la Commission royale d'enquête sur l'enseignement dans la Province de Québec*, Québec, Éditeur officiel du Québec, 1966, 3 t. en 5 vol.

Une histoire de l'éducation au Québec, Québec, Éditeur officiel du Québec, 1989, 57 p.

Romans

BERNIER, Jovette, *Non Monsieur*, Montréal, CLF, 1969, 220 p.

BERSIANIK, Louky, *Permafrost*, Montréal, Leméac, 1997, 180 p.

BOMBARDIER, Denise, *Une enfance à l'eau bénite*, Paris, Le Seuil, 1985, 222 p.

COUSTURE, Arlette, *Les Filles de Caleb*, Montréal, Québec/Amérique, 1985, t. I : *Le Chant du coq, 1892-1918*, t. II : *Le Cri de l'oie blanche*; Paris, La Table ronde, 1988, 526 p.

LEBLANC, Bertrand B., *Horace ou l'Art de porter la redingote*, Montréal, Leméac, 1980 [1974], 226 p.

MARTIN, Claire, *Dans un gant de fer*, Montréal, Pierre Tisseyre, 1979 [1965], 235 p.

TREMBLAY, Michel, *Thérèse et Pierrette à l'école des Saints-Anges*, Montréal, Leméac, B. Q., 1980, 327 p.

À consulter

Les Études supérieures au Québec, Montréal, Ma carrière, 1999, 193 p.

Filmographie

Les Enfants des normes, Georges Dufaux, série de huit épisodes de 60 min chacun, ONF, couleur, 1979.

Pour un bout de papier, ONF, noir et blanc, 1966, 28 min.

Rencontre avec une femme remarquable : Laure Gaudreault, Yolande Cadrin-Rossignol, Cénatos/Radio-Québec/IQC/CEQ, couleur, 1983, 90 min.

Les Vrais Perdants, André Melançon, ONF, couleur, 1978, 94 min.

Victorin, le naturaliste, Nicole Gravel, ONF, 1998, 52 min.

Série

Les Filles de Caleb, Jean Beaudin et Fernand Dansereau, Cité-Amérique Cinéma-télévision (20 épisodes, 10 vidéos de 95 min).

Internet

www.crepuq.qc.ca Le site de la Conférence des recteurs et des principaux d'universités du Québec permet d'accéder aux sites de l'ensemble des établissements d'enseignement universitaires québécois.

www.eduquebec.gouv.qc.ca Ce site permet de retrouver les programmes d'études et de savoir quelles universités les dispensent ; informations sur les formulaires d'immigration, l'aide financière et la vie au Québec.

Deuxième partie

S'il devait finalement arriver que l'homme ne pût plus rien produire, former ni transmettre du monde qui l'entoure réellement, que tout servît à la seule satisfaction des besoins instantanés, à la consommation et à l'échange, que l'habitation elle-même fût construite mécaniquement, qu'il ne restât plus d'esprit dans le monde environnant individuel, que le travail ne fût plus qu'une activité au jour le jour et que rien ne pût plus se construire à la dimension d'une vie, l'homme deviendrait pour ainsi dire privé de monde. Séparé de ses origines, dépourvu d'histoire consciente et de toute continuité d'existence, l'homme ne peut rester l'homme.

Karl Jaspers, cité par Jacques Dorion,
dans *Les Écoles de rang au Québec.*

9
L'architecture

Page précédente : Maisons en rangée, de style anglais, de la Grande-Allée, à Québec. (Photo : Michel Latouche.)

Il faut construire pour affirmer la possession du sol, défendre un territoire, se retrouver dans un lieu de culte, répandre ses idées. Baliser l'espace est aussi affaire de temps : aux premières constructions, faites dans l'urgence, succédera l'installation permanente qui précède dans les sociétés sédentaires toute autre expression de la collectivité. On en vient donc à adapter au climat les matériaux et les techniques, en s'inspirant également des constructions voisines.

Comme l'*homo faber* a un sens esthétique inné, les améliorations pratiques gagneront aussi en harmonie. De meilleures proportions donneront au bâtiment belle allure. L'ensemble des constructions puise une partie de son esthétique dans ses rapports avec la « terre » où sont leurs fondations, crée un équilibre agréable à l'œil et présente une facture spécifique à une époque donnée de telle culture, de telle région, ou même de tel village.

Le premier aspect culturel qui frappe l'œil étranger est l'architecture extérieure, qu'il remarque bien avant l'aménagement intérieur auquel il n'aura accès que lorsqu'il sera accueilli dans la maison. Certaines civilisations ne nous sont d'ailleurs connues que par les monuments qu'elles ont autrefois érigés et qui ont, avec plus ou moins de bonheur, défié les déprédations du temps.

Si les constructions peuvent être légères en pays chauds, elles doivent être plus résistantes en pays froids, parce qu'elles assurent confort et survie malgré la persistance du gel. Les premiers colons à traverser l'Atlantique ont appris à leurs dépens combien la moindre erreur de jugement à ce sujet pouvait leur être fatale. Aussi leur adaptation à un territoire très différent se fit-elle rapidement, avec le bon sens qui caractérise celui qui doit tirer sa subsistance de la terre nourricière. À cet égard, l'architecture constitue le premier domaine où la culture québécoise prit ses distances par rapport à la culture traditionnelle importée de France.

En milieu rural

Tous les colons qui désirent s'installer sur une nouvelle terre, du XVIIe au XXe siècle, font face à une forêt à défricher. La première tâche consiste donc simultanément à couper des arbres pour « faire de la terre neuve » et à les trier pour en tirer de quoi construire une maison, puis des bâtiments annexes et de quoi les aména-

Maison d'esprit français, de tradition normande, avec toit à pavillon (fin XVIIe siècle). (Gouvernement du Québec, 72-35-A3.)

ger. Cette matière première permettra aussi de fabriquer des clôtures, et servira de combustible pour la cuisine et le chauffage. Ainsi, toutes les premières constructions canadiennes sont en général en bois, dont on apprendra qu'il est très inflammable et d'un entretien exigeant en raison des sautes d'humeur du thermomètre.

La maison d'esprit français

Des toutes premières constructions du XVIIe siècle, il ne reste pas grand-chose aujourd'hui. Il s'agissait de constructions temporaires, faites dans l'urgence d'une situation dont la précarité ne permettait pas d'envisager le bâtiment fait pour durer. On met au point cependant très rapidement des techniques adaptées au nouveau pays. Puisque le bois y est en surabondance, on monte des murs avec ce matériau, soit verticalement en pieux sur sole, soit horizontalement en pièce sur pièce. Les arbres, grossièrement équarris, sont juxtaposés et l'on bourre tout simplement les interstices avec de la mousse ou des écorces ; idéalement, on calfeutre avec de l'étoupe, comme sur les bateaux, et on tire le joint avec un mortier. Cette technique de construction fut utilisée longtemps pour le chalet[1], résidence secondaire des citadins d'aujourd'hui qui aiment à se retrouver en pleine nature. Une autre méthode, qui remonte au Moyen Âge, le colombage, connaît une transformation notable ici, à cause des problèmes de résistance des matériaux aux écarts de températures subits et de grande amplitude. Au Québec, on rapproche les poutres de bois de façon à diminuer les surfaces de remplissage que l'on comble avec un mélange de petites pierres et de mortier. Il n'existe plus que deux ou trois exemples de maisons en colombage pierroté. La charpente est lourde, la poutraison énorme en raison de l'abondance du matériau, qui constitue 80 % de l'architecture domestique jusqu'au début du XVIIIe siècle.

Rapidement, les colons venus de France ont le désir de laisser quelque chose à leurs enfants. L'habitant, propriétaire de sa terre, considère sa maison comme une partie importante de son capital. Sa maison est en outre le signe extérieur de sa fierté d'être maître chez lui. Dès qu'il atteint un niveau de vie qui lui permet d'entrevoir l'avenir avec une relative sérénité, il se tourne vers un autre matériau, également abondant en certaines régions, la pierre des champs. Les champs sont remplis de ces pierres qui semblent pousser chaque printemps et que le paysan doit enlever pour cultiver. C'est un schiste gris que l'on taille grossièrement pour mettre la face lisse à l'extérieur et offrir ainsi plus de résistance à la pénétration d'eau, donc aux dégâts occasionnés par le gel. Le bois reste un matériau de base en maint endroit; le premier abri des colons sur une nouvelle terre est fait du bois que l'on coupe en défrichant (on colonisait encore vers 1930 en Abitibi).

On garde d'abord les habitudes des provinces d'origine, Normandie, Bretagne, même si les conditions climatiques y sont différentes (peu de grands froids, beaucoup de pluie). Les caractéristiques générales des toutes premières constructions allient la petitesse des carrés à une liaison étroite avec le sol. Les murs très épais (trois pieds à la base, deux pieds au sommet) consistent en deux parements agréables à l'œil dont l'intérieur est bourré de pierres informes et de mortier. Les maisons n'ont qu'un seul étage, les murs ne sont donc pas hauts et cependant ont du fruit[2]. Cela donne du charme à l'ensemble de la bâtisse dont le toit occupe les deux tiers ou même les trois quarts du volume entier du bâtiment.

La pente des toits est très raide et permet l'évacuation rapide de l'eau de pluie et de la neige. La tradition normande avait imposé le toit à quatre pentes, dit toit à pavillon; la tradition bretonne retient l'idée des murs de pignon qui montent jusqu'au faîte du bâtiment et ne permettent que deux pentes pour l'écoulement des eaux. Sommairement, on peut dire que l'on trouve plus de maisons de type breton dans les environs de Montréal et plus de maisons de type normand dans la région de Québec. Il n'y a au début qu'une souche de cheminée centrale puis, plus tard, une de chaque côté; ce dernier aménagement sera plus fréquent, parce que plus facile, dans la forme bretonne, plus massive, dont le rectangle se rapproche du carré alors que la maison à pavillon est plus allongée. Souvent, le bâtiment s'allonge pour s'agrandir.

Les ouvertures sont rares et petites : une porte et trois fenêtres en façade, du côté qui regarde le fleuve, première voie de communication ou plus tard le chemin. Aucune ouverture en pignon : on s'abrite de la violence des vents de nordet ou du vent d'ouest qui sévit par beau temps froid. On trouve aux fenêtres de petits carreaux de mêmes proportions que ceux des XVIIe et XVIIIe siècles français. À l'intérieur, le plus souvent, il n'y a qu'une salle commune autour de la cheminée, l'intimité des couples s'abritant dans des lits-clos ou lits-cabanes propres à conserver la chaleur.

Déjà la maison d'esprit français, que l'on construira encore longtemps, s'adapte au milieu de vie : elle s'oriente vers le soleil, elle ajoute un épais plancher de cèdre ou de bouleau pour faire échec à l'humidité et au froid de la terre battue.

La maison québécoise

La maison québécoise réalise l'équilibre entre les traditions anciennes et les nouvelles conditions de vie. L'évolution est constante depuis les premiers essais de colonisation jusqu'au XIXe siècle où l'on semble avoir trouvé le modèle idéal. C'est le prototype de cette maison que l'on appelle maison québécoise et dont on trouve d'innombrables témoins le long des routes et des chemins de rang. La construction peut en remonter jusqu'au XVIIIe siècle, comme être beaucoup plus récente tant le modèle a fait ses preuves.

Le bois reste un matériau fréquemment utilisé mais on lui préfère la pierre, plus solide. Les conditions climatiques ont orienté les transformations : pour une question de confort et d'isolation, on surélève le carré du sol et l'on obtient ainsi un sous-sol utilisable ; vers 1800, au moment où la pomme de terre commence à faire partie de l'alimentation courante, on a ainsi un lieu de conservation tout proche de la cuisine. L'étage d'habitation n'est plus alors au rez-de-chaussée. On y accède par un perron que, pour des raisons esthétiques et récréatives, on fera déboucher sur une galerie plutôt que de le raccorder directement au bâtiment. On recherche, par ailleurs, une meilleure utilisation de l'espace du comble. Pour ce faire, on adoucit la pente du toit, on y installe des lucarnes et l'on double ainsi la surface d'habitation. Un des inconvénients majeurs du toit à la française était le fait qu'il naissait au ras des murs et que la neige fondant au soleil de l'après-midi y ruisselait. S'il y avait le moindre défaut dans les pierres, la moindre fissure dans le mortier, le gel de la nuit faisait éclater les matériaux dont la détérioration s'accélérait. En allongeant le bord du toit et en le terminant par un arrondi qui le relevait gracieusement (le larmier), on évitait ce ruissellement et on favorisait en outre la retenue de la neige, donc une meilleure isolation du comble (au début de l'hiver, on rechaussait aussi les murs des maisons dès les premières chutes de neige). Avec le temps, on allongera encore le larmier qui couvrira et protégera la galerie des intempéries, la rendant plus utilisable.

La charpente s'allège, les murs perdent

Maison d'artisan de la Côte-de-Beaupré, avec des huisseries décorées, un larmier et un perron-galerie (XIXe siècle). (Photo : FTL.)

en épaisseur et gagnent en hauteur, les ouvertures s'agrandissent. La technique de fabrication du verre s'améliorant, on remplace les petits carreaux par de plus larges vitres que l'on double. L'amélioration du chauffage par l'utilisation de feux fermés (poêles, fourneaux, « truies ») permet de partager la salle commune en pièces à fonctions diverses. Enfin, dans les villages où se sont regroupés les artisans, ceux-ci utilisent le sous-sol comme lieu de travail, comme magasin et boutique. C'est sur la Côte-de-Beaupré que l'on trouve le plus de ces maisons d'artisan, variantes du modèle québécois.

Les toits sont au début en bardeaux de cèdre, bois imperméable et quasi imputrescible mais hautement inflammable. On lui substituera peu à peu la tôle, soit en grandes feuilles repliées sur des nervures de bois, la tôle à baguettes d'une solidité imbattable, soit découpée en carreaux superposés en losange et cloués un à un, la tôle à la canadienne, elle aussi d'un bel effet.

Déjà au XVIIIe siècle, on crépissait souvent les murs des bâtiments pour les abriter des intempéries. Au XIXe siècle on les recouvrira, du moins le pignon aveugle, le plus froid, de bardeaux ou d'un « déclin » de planches amincies d'un côté pour être superposées horizontalement. On avait d'ailleurs utilisé ce mode de recouvrement pour les toits des maisons urbaines dès le XVIIIe siècle.

Les dépendances

Les maisons françaises modestes sont souvent des maisons-blocs qui regroupent sous le même toit êtres humains, animaux et pièces à fonction utilitaire. On voit aussi les différents bâtiments enserrant une cour. Au Canada, on observe plus souvent le type de maison à cour ouverte. Les bâtiments distincts et séparés les uns des autres ont des fonctions bien définies : habitation, laiterie, grange, étable, etc. La maison multicellulaire témoigne sur le plan individuel du même désir d'occupation des sols qui animait les autorités gouvernementales au début de la colonie. La gestion de l'espace apparaît comme une ligne de force de la culture québécoise en train de naître.

Pour agrandir l'espace habitable, on jouxte le mur de pignon d'un petit bâtiment qui semble la réduction du premier : c'est la cuisine d'été qui permet de garder la grande salle au frais pendant la belle saison et qui conserve le bois sec à portée de la main en saison froide.

L'habitant a en général conservé un boisé au bout de sa terre. S'il a la chance d'y avoir des érables, il construira une cabane à sucre, en bois rond, avec une énorme cheminée qui permettra l'évaporation par ébullition de 40 à 50 volumes de sève d'érable pour la fabrication d'un volume de sirop, dont on pourra faire de la « tire » et du sucre en poursuivant la cuisson.

Au début, le four à pain était à l'intérieur même de la maison. On le construit bientôt à l'extérieur, séparément. Quant aux granges, elles sont en bois, donc moins durables que la maison d'habitation. Cependant, l'imagination de l'habitant confère à ce bâtiment utilitaire une certaine originalité qui tient soit à la façon dont il dispose les planches (murs, portes et fenêtres), soit à la forme même du bâtiment. D'habitude rectangulaire, celui-ci a parfois une forme ronde ou polygonale du plus heureux effet. Un plan incliné, utilisant la déclivité du terrain, permet l'accès direct des chars au fenil, au-dessus de l'étable. Au besoin, on construit une sorte de ponton de pierre et de terre qui conduit à l'étage.

Une dépendance, très fréquente aux alentours de Québec, est le caveau à légumes, original (mais dont il existe de bons exemples en Anjou) à cause de la forme qu'épouse la côte le long de la rive nord du fleuve. Il s'agit d'un trou sous la terre, à ouverture étroite mais qui s'enfonce sous la colline. On n'en voit guère de l'extérieur que la porte et le bâti de pierre qui l'entoure. Au mois de février, des tailleurs de glace extirpaient du fleuve d'énormes blocs de plusieurs pieds d'épaisseur qu'ils vendaient aux riverains pour transformer leur cache à légumes en glacière pour des mois de fraîcheur jusqu'à la fin de l'été.

Le manoir

La résidence du seigneur aurait dû être plus grande, plus belle, plus imposante que la maison de l'habitant. Mais le seigneur n'habite pas toujours sur sa terre et n'y construit alors que quelque chose de modeste. Parfois aussi il est tombé sur une seigneurie difficile et il a autant de mal que

Moulin à vent, à l'île aux Coudres, reconstruit en 1836 à partir d'un ancien moulin datant du XVIIIe siècle. (Photo : FTL.)

ses censitaires à faire produire une terre maigre et ingrate. Aussi les manoirs ressemblent-ils, la plupart du temps, aux maisons rurales, étant parfois à peine plus grands que les maisons qui sont alignées sur les terres voisines.

Pourtant on trouve de belles exceptions aux dimensions moins modestes qui datent d'époques diverses ou qui ont subi des transformations de forme ou de fonction au cours des âges. Philippe Aubert de Gaspé décrit ainsi le manoir seigneurial de son enfance :

> Le manoir seigneurial, situé entre le fleuve Saint-Laurent et le promontoire, n'en était séparé que par une vaste cour, le chemin du roi et le bocage. C'était une belle bâtisse à un seul étage, à comble raide, longue de cent pieds, flanquée de deux ailes de quinze pieds avançant sur la cour principale. Un fournil, attenant du côté du nord-est à la cuisine, servait aussi de buanderie. Un petit pavillon contigu à un grand salon au sud-ouest, donnait quelque régularité à ce manoir d'ancienne construction canadienne.
>
> Deux autres pavillons au sud-est servaient, l'un de laiterie, et l'autre d'une seconde buanderie, recouvrant un puits qui communiquait par un long dalot à la cuisine du logis principal. Des remises, granges et étables, cinq petits pavillons, dont trois dans le

bocage, un jardin potager au sud-ouest du manoir, deux vergers, l'un au nord et l'autre au nord-est, peuvent donner une idée de cette résidence d'un ancien seigneur canadien.

Les Anciens Canadiens, 1864.

Un autre exemple en est le château Bellevue à Petit-Cap, magnifique corps de bâtiment (XVIIIe siècle) dont Mgr de Laval avait judicieusement choisi l'emplacement, à l'abri du cap Tourmente, en face de la pointe nord-est de l'île d'Orléans. Beaucoup plus à l'intérieur des terres sur la rivière des Outaouais, s'étendait la seigneurie des Papineau, dite la Petite-Nation, du nom d'une tribu d'Algonquins qui habitaient la région. Louis-Joseph Papineau, de retour d'exil en France en 1845, y construisit une réplique en miniature du château de la Villeneuve, près de Dijon, où il avait été reçu. Montebello est un genre de demeure seigneuriale telle qu'il s'en construira au XIXe siècle en territoire laurentien.

Ses dépendances

Le seigneur devait mettre à la disposition de ses censitaires un moulin. Selon les possibilités qui s'offrent, chute d'eau, dénivellation, il construit un moulin à vent comme à Pointe-du-Lac, ou un moulin à eau comme à Beaumont. Certains moulins bénéficient de la biénergie (vent et

Le manoir Mauvide-Genest, à l'île d'Orléans, a été construit entre 1720 et 1750 par le seigneur Jean Mauvide, mari d'Anne-Marie Genest. Jean Mauvide était chirurgien, militaire et commerçant. (Jean Barry, huile sur toile. Photo : Jean Barry.)

Presbytère de Charlesbourg. Le toit brisé, à quatre pentes, est couvert de tôle à la canadienne (XIXe siècle). (Photo : FTL.)

eau). Les relevés font état de 41 moulins en 1685 et de 118 en 1734.

Il fallait des installations différentes pour moudre les diverses céréales qui n'offrent pas la même résistance à la meule. Par ailleurs on se sert rapidement de l'énergie ainsi transformée pour diversifier le travail. À la majorité des moulins s'adjoignent une scie pour le bois et un moulin à cardes pour la préparation de la laine, qui pouvait se doubler de la machinerie nécessaire pour le foulage donc la fabrication finale d'étoffe du pays. En 1842, il y avait dans le Bas-Canada 186 moulins à carder et 144 à fouler.

Le presbytère

La résidence du curé devient, au XIXe siècle, une autre bâtisse d'importance dans le village, souvent la seule de cette nature à l'exception du couvent ou de l'hôpital. Majestueux, admirablement situé près de l'église, au centre du village, il en impose par ses proportions harmonieuses. C'est, en beaucoup plus grand, la réplique du modèle québécois de la maison rurale. Très souvent recouverts de planches à clin destinées à protéger du froid et à présenter un fini plus soigné, admirablement entretenus par une communauté soucieuse de voir son pasteur bien logé, ces bâtiments jouissent parfois de vues inoubliables. Ceux de Saint-Jean-Port-Joli, ou de Sainte-Famille, offrent une large perspective sur le fleuve, et celui de Saint-Charles-Borromée à Charlesbourg présente un beau dégagement vers le sud où se découpe la ligne d'horizon de la falaise de Québec puis de sa colline parlementaire.

Influences de l'étranger

Le prototype de la maison rurale ou maison québécoise, mis au point comme on l'a vu au XIXe siècle, a été reproduit jusqu'au XXe siècle. Cependant, parallèlement à cet esprit de continuité, le XIXe siècle ajoutait de nombreuses influences de l'étranger ; c'est une des conséquences de la convergence à la base de la culture québécoise actuelle.

Le toit brisé. Toujours guidé par le désir de ménager plus d'espace dans le comble, on redresse encore la pente du toit tout en la brisant brusquement sur le côté, à la hauteur des fenêtres que l'on percera dans le toit. C'est la technique de Mansart, d'où le nom de mansarde pour désigner indifféremment le comble, la chambre ou la fenêtre de cette partie du bâtiment. On utilisait cette technique dès le Régime français, en ville surtout, mais c'est au XIXe siècle que la mode du toit à pans brisés se répand dans les campagnes et dans les faubourgs des villes, en partie à cause des échanges plus fréquents avec les États-Unis. Des habitudes loyalistes, on adopte les fenêtres à guillotine, on donne une certaine majesté à l'entrée avec un fronton ou un portique à colonnes : le style néoclassique est à la mode. On note un échange d'idées plus fréquent entre les bâtisseurs des centres urbains et ceux des maisons rurales (mur en coupe-feu sur bâtiments isolés, portique géorgien, etc.).

L'élite anglaise, qui s'était établie en ville, en vient à la déserter pour des questions de salubrité et de confort. Elle préfère l'air pur des banlieues et des campagnes lorsque la chaleur de l'été devient oppressante. Les bords du fleuve sont alors recherchés pour leur ventilation continue. Au XIXe siècle, plusieurs épidémies (choléra, typhus) frappent surtout la ville de Québec. Elles arrivent avec les bateaux d'immigrants irlandais et donnent une raison de plus aux gens à l'aise de fuir les miasmes particulièrement dangereux en été.

C'est la période où riches marchands, officiers et administrateurs se font construire des *villas*, parfaitement intégrées à des sites généralement remarquables. Elles répondent aux goûts de leur propriétaire et sont très variées. Il y a la maison monumentale (deux étages, en pierre de taille, fréquente aux environs de Montréal), la villa anglo-normande (toit peu incliné à quatre eaux, galerie tout le tour, dont on trouve de beaux exemples dans l'agglomération de Québec), la maison victorienne, parfois très ouvragée et qui se caractérise par une abondance de corniches, tourelles, baies, saillies et par de multiples ruptures de plans. Ce dernier style, bâti en une période que l'historien Michel Lessard appellera éclectique, laissera libre cours à de fertiles imaginations pendant de longues décennies. Le goût démesuré pour les éléments

Maison urbaine, à Québec, avec murs coupe-feu, toit brisé et tôle à la canadienne. (Photo : FTL.)

décoratifs en bois ne facilitera pas l'entretien dans ce climat rigoureux et changeant.

Des influences étrangères, surtout américaines et anglaises, il faut retenir l'importance accordée à l'*environnement* des bâtiments : jardins à l'anglaise, serres, jardins d'hiver disent assez le respect que l'Anglais a toujours eu pour la nature. Dans son habitude de défricher (obligation « d'effardocher » autour des bâtiments afin d'empêcher les Amérindiens de s'embusquer, du moins au début de la colonie), le Canadien avait persisté à faire le vide autour de sa maison. Le changement de mentalité est attribuable à l'influence britannique. C'est probablement cette étroite communion entre l'être humain et la nature qui agrandit les ouvertures classiques en fenêtres palladiennes ou en baies vitrées souvent en saillie. La pierre de taille est un matériau noble, mais qui reste coûteux. Les personnes moins aisées lui préféreront la brique, dont on peut tirer des effets architecturaux intéressants. Les Anglais aimaient à orner leurs galeries de fer forgé, de colonnades en bois torsadé. Les Canadiens prennent alors plaisir à individualiser leur maison par une ornementation de l'entourage des fenêtres, des portes ou de la galerie. On ajoute un fronton, un portique, le plus souvent en pin ou en érable. On apprend aussi à utiliser une couche d'air pour isoler les murs.

Toutes ces influences étrangères sont plus vite sensibles dans l'architecture des villes, majoritairement habitées par les Anglais au XIXe siècle, alors que les campagnes restent résolument canadiennes.

En milieu urbain

Les toutes premières constructions urbaines sont très semblables aux maisons rurales : la différenciation se fera au début du XVIIIe siècle et s'accentuera au fur et à mesure du développement des cités. Le principe qui régit la construction des villes est la mitoyenneté souvent obligatoire, étant donné le peu d'espace dévolu à une densité élevée, toutes proportions gardées. Les villes du Québec n'ont jamais été surpeuplées, tout au plus assiste-t-on au développement classique de faubourgs, Saint-Roch et Saint-Jean, par exemple, hors les murs de la ville de Québec. Les corollaires de la mitoyenneté sont le danger de conflagration, directement proportionnel à la nécessité absolue de bien chauffer l'intérieur pendant de longs mois, et le besoin de gagner de l'espace en hauteur, tout en ménageant une certaine ordonnance des rues.

Au XVIIe siècle, Champlain décrit son « abitation », laquelle est tout en bois. Les autres maisons devaient être également en bois. Lorsqu'on parle de l'incendie qui a ravagé toutes les maisons de la ville basse de Québec, sauf une, en 1682, on comprend la catastrophe que représente la conflagration. Avec les bâtiments disparaissaient non seulement l'abri des personnes, mais aussi les magasins où l'on avait mis de côté de quoi « subsister/Jusqu'à la saison nouvelle ».

L'histoire mouvementée — Québec sera souvent assiégé, depuis la tentative réussie des frères Kirke en 1629 jusqu'au siège de 1759 — a eu comme premier résultat de détruire beaucoup de bâtiments et de faire peser chaque fois la menace de conflagration sur les citadins. Le feu apparaît donc comme un grand destructeur. Le climat, sec et très froid, et l'usage de conifères, essences très inflammables, doublent le danger. Aussi en vient-on à préférer pour les murs un matériau plus résistant. Très vite, les maisons de ville sont donc reconstruites ou bâties directement en pierre. La forme du toit la plus pratique est bien sûr le toit à pignon, à cause de la mitoyenneté, mais parfois un bâtiment isolé est recouvert d'une toiture à pavillon qui se transforme en croupe si le bâtiment est mitoyen d'un seul côté.

Après l'intendant Bégon (en 1721, 171 bâtisses sont incendiées à Montréal), l'intendant Dupuy, en 1727, complète l'instauration d'une série de mesures rendues nécessaires par le développement des villes de Nouvelle-France. Il décrète qu'il faut construire, le long d'une rue et à l'intérieur des remparts, des maisons qui n'auront pas plus de deux étages. Ses *ordonnances* et celles qui les avaient précédées visaient surtout à réduire au minimum les occasions de conflagrations : il prescrit l'emploi de la pierre ; la construction au-dessus d'une excavation voûtée pouvant servir de magasin doit être égale à la moitié du bâtiment ; il exige que les larges cheminées soient encastrées dans les murs de pignon, et que ces murs débordent du toit en hauteur et en largeur pour servir de *coupe-feu* (ce faisant, les Canadiens utiliseront un mode de construction fréquent sur les côtes de Bretagne pour servir de coupe-vent). Il interdit les volets, les escaliers apparents et fait carreler les greniers ; il recommande l'usage de longues planches de bois à clins pour la couverture, plus faciles à arracher sur de grandes surfaces qu'une multitude de bardeaux. Le toit en mansarde très charpenté des villes françaises fait place au toit à deux pentes, dont le gros œuvre est plus léger. On double les carrés de maison, ce qui permet la construction de corridors et la suppression de l'enfilade des pièces. Le maître d'œuvre le plus connu de l'époque est l'ingénieur militaire Gaspard Chaussegros de Léry, dont il reste quantité de plans (le pavillon du gouverneur au château Saint-Louis, le palais épiscopal, le magasin du Roy, etc.).

À la fin du XVIIIe siècle, on ajoute un troisième étage et le bois des toitures commence à être remplacé par le fer-blanc (tôle à baguettes ou à la canadienne). Les murs deviennent moins épais. Au XIXe siècle, comme en milieu rural, on cherche à agrandir l'espace habitable. Le toit adoucit sa pente et le comble déjà carrelé est prêt à l'usage. En agglomération urbaine, les toitures, souvent refaites, se transforment régulièrement. Le toit à brisées devient chose commune. Le coupe-feu perd un peu de sa fonction de prévention et y gagne celle d'ornementation. Deux familles de maîtres d'œuvre tiennent une place importante, tout au long du siècle : les Baillairgé (on doit à Thomas l'unité unifamiliale desservie par la ruelle en arrière) et les Berlinguet.

Dans la deuxième moitié du XIXe siècle, de beaux ensembles avaient été réalisés (la Grande-Allée à Québec) dont des urbanistes en mal de modernisme détruiront une partie notable. De cette période victorienne, il reste cependant, au hasard d'une

La place Royale, à Québec. Alignement de maisons datant du Régime français où les toits sont séparés par des murs en coupe-feu. (Photo : FTL.)

promenade, un oriel, un balcon suspendu, une tourelle audacieusement projetée dans le vide ou une frise majesteuse, pour le simple plaisir de l'œil. Vers 1880, les familles d'ouvriers qui débarquaient à Montréal louaient de petites maisons de fond de cour ; plus tard ces familles déménageront dans les étages de maisons en façade. Les Anglais alignent le long des rues des maisons *en rangée* d'inspiration très voisines, en pierre de taille ou en brique, matériau plus commun. Ce goût des maisons de ville attachées les unes aux autres

Sucession d'escaliers, à Montréal, typique des constructions des années 1880 à 1930. (Service des affaires corporatives, Ville de Montréal.)

et qui se répètent sur des centaines de mètres de rues entières est surtout visible à Montréal (le quartier Rosemont) dans les constructions du début du XXe siècle. Un autre détail typique du Montréal de cette époque est la succession d'*escaliers* qui s'élancent depuis la rue pour desservir les deuxième et troisième étages. Amusantes à l'œil, ces volutes d'acier n'en sont pas moins périlleuses en hiver.

Traditionnellement, les maisons étaient construites par des entrepreneurs qui mettaient à profit les techniques et les matériaux de l'époque. Un certain éclectisme régnait, selon les modes ou selon les désirs des propriétaires. Les maisons privées opulentes, comme les édifices publics et les usines, étaient l'œuvre de véritables architectes (les Baillairgé, Thomas Berlinguet, les Staveley, John Ostell, O'Donnel, etc.) qui soumettaient des plans très travaillés incluant l'aménagement intérieur et allant parfois jusqu'à l'ornementation et aux boiseries. Souvent inspirés de l'architecture classique, leurs travaux témoignent d'une certaine forme de culture qu'on trouve aussi bien dans les résidences privées que dans les banques des quartiers portuaires (Montréal et Québec) ou dans des édifices publics, par exemple.

Une autre caractéristique du développement urbain est le déplacement vers l'ouest, particulièrement net pour le quartier résidentiel anglophone de Montréal. Au cours du XIXe siècle, les banques créent un nouveau centre des affaires à partir de la rue Saint-Jacques, toutes raisons d'incliner l'évêque de Montréal, Mgr Bourget, à faire construire la cathédrale Marie-Reine-du-Monde (Joseph Michaud, 1870-1894) beaucoup plus à l'ouest que l'imposant édifice religieux qu'est la basilique Notre-Dame (1824-1829), pour affirmer une présence catholique et française dans un milieu qu'il sait très anglophone.

Après la Seconde Guerre mondiale, le processus d'urbanisation s'intensifie. Mais la faible tradition urbanistique ainsi que la fébrilité de certains promoteurs, plus alléchés par l'appât du gain que par le souci esthétique, transforment des quartiers entiers en triste succession de bâtisses de briques sinistres à toit plat, autre influence des États-Unis. Après 1960, la vague des *grands immeubles d'habitation* de tout niveau déferle sur les villes. S'élèvent alors des tours de béton précontraint dont certaines ne manquent pas d'allure. On commence à parler de « condominiums[3] ». Les banlieues se sont considérablement développées autour des agglomérations et de centres commerciaux gigantesques qui vident le centre-ville. Pour pallier cet abandon au profit des banlieues, les maires

Caserne de pompiers, place d'Youville, à Montréal, 1903. (Photo : FTL.)

remplacent les tonnes de béton de la génération précédente par des espaces verts où fleurissent plates-bandes et statues : la population vieillissante se rabat de plus en plus sur la formule de copropriété et revient en ville, plus près des services. Dans les banlieues, les maisons unifamiliales gardent la cote malgré quelques essais de regroupements en maisons de ville suivant la tradition anglo-saxonne. On remplace le revêtement de bois par le déclin d'aluminium, qui exige moins d'entretien et dont le Québec est producteur. On recouvre d'habitude les toits en pente de bardeaux d'asphalte, plus rarement de bardeaux d'aluminium emboîtables et vivement colorés.

Un autre phénomène intéressant est celui des *maisons mobiles*. Strictement rectangulaires mais confortables, celles-ci doivent pouvoir être mises sur roues et déménagées en quarante-huit heures. Utilisé comme mode d'habitation normal, ce système est peu courant en Europe, mais répandu çà et là au Québec[4]. Des municipalités louant des parcs dotés de tous les services (eau, égout, électricité) ne perçoivent pas de taxes foncières ou scolaires pour ces maisons mais récupèrent des frais de location.

Les édifices publics

La fin du XIXe siècle voit se multiplier les édifices publics en milieu urbain : édifices du Parlement, hôtels de ville, palais de justice, bureaux de poste, casernes de pompiers. La construction de deux chemins de fer transcontinentaux fait surgir d'énormes hôtels (le Château Frontenac à Québec, le Château Laurier à Ottawa) qui offrent gîte et couvert aux voyageurs sortant des gares (la gare Viger à Montréal, la gare du Palais à Québec) où les architectes ont laissé vagabonder leur imagination (style château à la mode états-unienne). Ces édifices donnent volontiers en Amérique du Nord dans le style victorien ou néogothique. D'autres artistes copient l'architecture Renaissance, dont Eugène-Étienne Taché à Québec (le palais du Parlement, le palais de justice, l'hôtel de ville). Cette période abonde en constructions spectaculaires. Ce fut l'âge d'or pour les architectes comme Joseph-Pierre Ouellet, Joseph-Ferdinand Peachy, Pierre Gauvreau, Georges-Émile Tanguay, etc. Au début du XXe siècle, des États-Unis viennent beaucoup d'architectes, qui influencent ceux d'ici commme Joseph Venne qui enseigne aussi. Montréal s'enrichit ; la métropole du Canada attire une multitude de gens d'affaires dans les demeures cossues du Golden Square Mile. Le style Beaux-Arts fleurit. On fait au goût du jour : l'ancienne prison des femmes de Québec ressemble beaucoup plus à un décor de Walt Disney qu'à un édifice carcéral ! Dans un autre ordre d'idées, on peut évoquer Ernest Cormier, qui a construit l'Université de Montréal dans le style Art déco, aménagement intérieur inclus. Il existe d'autres beaux exemples de l'Art déco dans la métropole, comme le célèbre restaurant au neuvième étage de l'ancien magasin Eaton.

Le milieu s'internationalise ; des concepteurs viennent de l'étranger tandis que des Québécois exportent leur savoir-faire. Vers 1965, des *gratte-ciel* de plus en

Ancien palais de justice de Québec, rue Saint-Louis, 1887, d'après les plans d'Eugène-Étienne Taché. (Photo : FTL.)

Montréal ancien et moderne. (Photo : FTL.)

plus vitrés émergent, dont certains sont des réussites. Plusieurs constituent des complexes[5] (la Place-des-Arts, le complexe Desjardins, la Place-Ville-Marie dans la métropole) ou abritent des *galeries marchandes* confortables (nécessité fait loi) pour concurrencer les centres commerciaux des banlieues. Le verre, matériau solide, isolant et versatile, a permis d'heureuses réalisations (Moshe Safdie : le Musée de la civilisation à Québec). Dan S. Hanganu est un architecte recherché pour son inventivité (le nouvel édifice des HEC, la bibliothèque de l'Université McGill, le siège social du Cirque du Soleil, bâti dans une ancienne carrière), comme Dimakopoulos qui a intégré d'anciens bâtiments au campus de l'UQAM. Marc Côté et la firme Scéno-plus, spécialisée dans les salles de spectacle, ont construit à Las Vegas, Orlando, Hollywood, Montréal, Toronto et Paris.

Le centre des villes devient le milieu de travail pour des milliers de banlieusards, majoritairement propriétaires d'une maison unifamiliale située au milieu d'un terrain dont il faut tondre le gazon toutes les semaines et déblayer les entrées de la neige les jours de grosses bordées.

Les édifices conventuels

Il fallait accorder un espace de choix aux édifices conventuels, étant donné la nature des services qui y sont offerts à la population (santé, éducation). Entretenus par des ordres religieux nantis, mais parfois eux aussi la proie des flammes, ces bâtiments sont encore nombreux à offrir aux visiteurs une architecture d'allure classique, à la québécoise : la cour intérieure du Séminaire de Québec est un modèle du genre.

Les églises

Parmi les édifices communautaires, les églises sont le témoin d'une vie religieuse intense. Dans la très grande majorité des cas, situées au cœur de la paroisse, elles rappellent le rôle de premier plan que l'institution religieuse a joué dans l'évolution de la société canadienne et québécoise. Centre spirituel et social, l'église était aussi le foyer artistique où se rassemblaient les forces vives d'architectes, de sculpteurs, de peintres, d'ornemanistes et d'orfèvres dont le but ultime était de proclamer la gloire de Dieu et le rayonnement de son Église.

La tradition québécoise

En 1665, alors que la colonie est encore bien peu peuplée, on dénombre 28 églises dont la majorité sont en bois, mais il y en a déjà 9 en pierre. En 1722 l'autorité ecclésiastique, jusque-là centralisée, créera 82 paroisses indépendantes. Les églises rurales seront de proportions modestes comparativement aux lieux de culte de la ville de Québec, quelquefois plus monumentaux, qui s'inspirent directement de l'architecture classique pratiquée en France au XVIIe siècle et que les maîtres d'œuvre savent adapter aux conditions climatiques de l'Amérique du Nord. Claude

Église de Saint-Mathias de Rouville (XIXe siècle), transept, toit de tôle à la canadienne. (Photo : FTL.)

Baillif a participé à l'érection de la plupart de ces édifices religieux.

En milieu rural, on s'inspirera du modèle édifié par les jésuites à Québec (église à transept avec deux tours en façade, clocher à la croisée des transepts) ou de celui des récollets (église sans transept, avec une petite abside greffée sur l'un des petits côtés du rectangle).

On a retrouvé au Séminaire de Québec un plan qui a été souvent suivi pour la construction des églises. Au bâtiment rectangulaire fort peu différent d'un carré de maison, Jean Maillou ajoutait une abside pour abriter le chœur. La nef est éclairée de trois fenêtres arrondies à leur partie supérieure. Les murs, de type roman, larges à la base, soutiennent une toiture à pente aiguë. Un clocher surmonte la façade. Ce bâtiment, très simple, sans transept, dit « à la récollette », prévaut dans les premiers temps de la colonie. On en vient à lui préférer souvent un bâtiment presque aussi simple mais plus stable et plus solide, l'ajout d'un transept donnant plus de noblesse à l'ensemble. La toiture du transept peut soit rejoindre la poutre faîtière, soit se raccrocher en un endroit quelconque de la toiture principale. De 1720 à 1735, on construit 75 nouvelles églises dans ce style. L'église à transept s'impose avec des variantes dans la deuxième moitié du XVIIIe siècle. En 1743, une nouvelle amélioration consolide encore le bâtiment qui peut prendre de plus amples proportions et ajoute plus de solennité à la façade en

Église Notre-Dame-de-Grâce, à Montréal, 1850.

général très modeste : on met deux tours de chaque côté, qui encadrent un pignon, troué d'un portail, d'une fenêtre, d'œils-de-bœuf et de niches pour abriter des statues en bois.

La Conquête avait beaucoup détruit, mais n'avait pas diminué la foi des fidèles qui reconstruisent, agrandissent, améliorent l'édifice où ils se retrouvent tous les dimanches. Entre 1790 et 1800, l'abbé Conefroy codifie un plan somme toute assez semblable à celui de Jean Maillou, un siècle plus tôt. En 15 ans, l'abbé Conefroy donne des conseils pour une quinzaine d'églises de la région de Montréal (Boucherville, Longueuil, Verchères).

Dans la région de Québec, c'est François Baillairgé, d'une famille qui deviendra connue dans le milieu des créateurs artistiques de la capitale, qui applique les connaissances de Conefroy. Son fils Thomas travaille dans le même sens, mais ne refuse pas les influences anglaises ou américaines (fronton, urnes, formes ovales d'un œil-de-bœuf à Charlesbourg, 1828). La composition très rigoureuse de ses façades, le nouveau type de clochers dont il les surmonte font une synthèse heureuse de la tradition québécoise et des apports de l'architecture classique.

Les influences extérieures

Même si les Canadiens français, conquis, se réfugiaient le plus souvent dans une tradition dont ils assuraient les paramètres, ils ne pouvaient pas ne pas être sensibles à ce qui se passait à l'extérieur. Comme toujours, les maîtres d'œuvre, à l'affût des nouveautés comme beaucoup d'artistes, vinrent enrichir les connaissances et le goût en matière d'architecture religieuse. Le protestantisme affirme sa présence par de beaux édifices. Cela fouette l'énergie des catholiques qui veulent faire mieux et, en attendant, reprennent les idées de Robe et Hall, les architectes de la cathédrale anglicane de Québec (1804) : clocher, fronton, pilastres, jubé au bas de la nef et des bas-côtés[6].

Le premier quart du XIXe siècle est marqué par le fait que l'Église assure son emprise sur la société canadienne et, se sentant plus forte, veut exprimer dans son architecture sacrée cette nouvelle autorité. En 1824, Notre-Dame de Montréal, tenant à la fois de Notre-Dame de Paris et de Westminster Abbey à Londres, est résolument différente de tout ce qui avait été fait ici auparavant. C'est un monument à la hauteur des circonstances et même l'intérieur offre un type d'ornementation plus européen.

Les Anglais ont un penchant marqué pour le style gothique : nombre d'églises, de bâtiments publics parsèment le continent américain d'édifices néogothiques. Les Canadiens, après s'être laissé séduire à leur tour, tentent de se démarquer de cette mode, dont ils n'avaient pas prévu la diffusion. Victor Bourgeau construit d'abord du néogothique puis du néobaroque. Il bâtira beaucoup d'églises à Montréal et dans les environs (dont Saint-Pierre-Apôtre) et trois cathédrales au Québec.

Dans la deuxième moitié du XIXe siècle, l'état florissant de l'Église canadienne s'exprime par la taille des monuments qu'érigent les fidèles : on adjoint un sous-sol au bâtiment, dont on double ainsi l'efficacité. On laisse aller son imagination pour enjoliver les façades, leur donner plus de solennité, plus de poids dans la communauté par rapport aux minorités protestantes qui, elles, doivent se contenter de construire des chapelles de dimensions modestes. Le protestantisme ne forme pas un mouvement unifié : il y a les anglicans, les baptistes, les épiscopaliens ou les méthodistes qui se réunissent dans des « mitaines » (*meeting place*), reléguées au coin de rues anonymes. L'Église catholique, elle, bénéficie d'un site privilégié et se voit de partout.

Mgr Bourget, responsable en grande partie de l'idéologie ultramontaine, guide le crayon des architectes vers le baroque italien. Cela saute aux yeux à Notre-Dame-de-Grâce, à Montréal. Cette soumission au modèle romain s'imposera lors de la construction dans l'ouest de la ville de la nouvelle cathédrale de Montréal : Joseph Michaud exécute une réplique, en plus modeste, de la basilique Saint-Pierre de Rome. Le style néoroman connaît aussi une grande vogue. Joseph-Ferdinand Peachy reconstruit ainsi l'église Saint-Jean-Baptiste, à Québec, détruite dans l'incendie du faubourg Saint-Jean en 1881.

De 1850 à 1940, beaucoup de nouvelles paroisses sont fondées, où les fidèles, pressés par un curé désireux de disposer d'un lieu de culte digne de l'Église, érigent des bâtiments d'une taille parfois stupéfiante. Saint-Anselme (Beauce), belle construction dans la tradition québécoise, a des dimensions étonnantes, comparativement aux églises du XVIIIe siècle, mais ce n'est rien en regard de la munificence de l'église paroissiale de Sainte-Hénédine, toujours dans la même région, directement inspirée des grandes cathédrales du Moyen Âge). En outre, dans leur désir de toujours aller plus loin pour glorifier Dieu dans ces lieux de culte, nombre de curés transformeront « leurs » églises en en détruisant parfois l'harmonie préétablie au nom d'un modernisme douteux.

Le dom-bellotisme

Moine bénédictin qui mit ses talents d'architecte et la fantaisie d'une inspiration moderne au service de l'architecture sacrée, dom Bellot était très connu en Europe (Hollande, Belgique, France) dans les années 1930. Influencé par Viollet-le-Duc et Gaudí, dom Bellot avait une passion pour la brique, dont un bon architecte peut faire jouer les tons et les agencements, ajoutant ainsi à la décoration. De ses principes architecturaux, retenons « la priorité de la ligne et de la forme sur la lumière et la couleur » et « l'importance secondaire, mais encore essentielle de la lumière et de la couleur[7] ». Il utilise la polychromie de la brique pour souligner des arcs paraboliques d'un tracé parfaitement justifié dans une église, ou des arcs polygonaux dont la poussée se réduit à chaque articulation et qui permettent une utilisation maximale de l'espace. Il aura des disciples québécois : vers 1925, Adrien Dufresne puis Edgard Courchesne se mettent en contact avec dom Bellot; ils le font venir à Montréal en 1934. Bellot termine l'oratoire Saint-Joseph et, avec dom Claude-Marie Côté, construit le bel ensemble de l'abbaye de Saint-Benoît-du-Lac.

Ces constructions du maître ne portent pas ombrage aux multiples réalisations de ses trois disciples. C'est surtout dans la région de Québec qu'Adrien Dufresne laissa libre cours à son enthousiasme dombellotiste : Sainte-Thérèse, Saint-Pascal, Saint-Fidèle, Notre-Dame-de-la-Paix, aujourd'hui désaffectée et transformée en appartements. L'œuvre la plus monumentale est sans contredit la basilique de Cap-de-la-Madeleine. En fait, Adrien Dufresne utilise à l'extérieur plutôt la pierre grise, par fidélité aux ressources locales, et reste ainsi le disciple le plus personnel que dom Bellot ait eu au Québec.

Edgard Courchesne ne construira d'églises au Québec qu'après la mort de dom Bellot. Elles présentent les caractéristiques suivantes : ossature en béton, nef très large, utilisation de briques de couleur en dessins géométriques, recours aux formes brisées, angulaires, où la lumière ajoute contraste et chaleur (Sainte-Madeleine-Sophie à Montréal et bon nombre d'églises paroissiales de l'est du Québec : Forestville, Rimouski, etc.).

Dom Claude-Marie Côté, élève d'Adrien Dufresne, puis de dom Bellot et bénédictin comme celui-ci, travaille beaucoup avec le maître au Québec puis avec Edgard Courchesne (Saint-Benoît de Granby). Il mettra en pratique ce qu'il appelait « cette composition au moyen de l'équerre » dans l'un des trois monastères construits au Québec dans le style dombellotiste.

Cette période de renouveau d'art religieux tombait à un moment où l'inspiration des architectes semblait particulièrement émoussée en matière d'architecture sacrée. Beaucoup d'autres maîtres d'œuvre emprunteront à dom Bellot certaines de ses idées sans toutefois souscrire aveuglément à l'ensemble de ses réalisations. L'influence de dom Bellot s'étend de 1930 à 1955 au Québec et prépare les esprits à une autre période de renouveau religieux qui ne devra cependant pas grand-chose à ses devanciers.

Du modernisme dans l'art sacré

Dom Bellot avait souscrit au béton. De plus en plus, on apprend à en maîtriser la force, en lui imposant toutes sortes de lignes et de formes. Vers 1950, le besoin en nouvelles paroisses croît dans les banlieues des villes notamment, ou dans de petites villes de moindre importance qui voient leur population augmenter à un rythme accéléré. Ce sont là les derniers élans démographiques — mais nul ne s'en doute encore — d'un peuple dont les conditions de vie ont radicalement changé.

Une foule d'architectes de grand talent construisent des cathédrales en bois (Gaspé) ou en brique (Nicolet). On laisse libre cours à l'imagination des individus. Partout, au Québec, surgissent d'étonnants bâtiments de formes étranges et belles, dont certaines inspirées des Amérindiens (Jonquière, Bagotville), d'autres, de bateaux (Gaspé, Saint-Nicolas). L'éclairage, étudié avec un soin extrême, le bois, utilisé avec sagacité, donnent de la chaleur aux envolées de béton dont les proportions harmonieuses s'inscrivent dans les nouveaux paysages suburbains. Il est certain que Le Corbusier aura eu aussi une influence non négligeable sur les architectes de cette période.

De 1950 à 1965, c'est dans la région du Lac-Saint-Jean que le mouvement de renouveau religieux donne naissance à la plus grande concentration de ce genre d'édifice. En majeure partie, il s'agit de chefs-d'œuvre d'originalité, qu'ils soient de Desgagné, de Côté, de Saint-Gelais, de Tremblay, pour n'en nommer que quelques-uns. Le mouvement de déchristianisation qui frappe soudain le Québec de la Révolution tranquille mettra un arrêt brutal à cette architecture sacrée et ira jusqu'à désaffecter des églises qu'on avait construites à peine une génération plus tôt.

Intérieur de l'église Sainte-Thérèse-de-Lisieux (1936), à Beauport, d'après les plans d'Adrien Dufresne. (Photo : FTL.)

De tous les arts, celui de l'architecte est le plus visible de tous, partant le plus « parlant ». Aussi la politique culturelle dite du 1 % (1981) spécifie-t-elle de réserver cette part du budget des constructions publiques à l'intégration d'œuvres d'art : ainsi Lucienne Cornet fait-elle sauter ses loups de bronze à la porte du Centre des congrès de Québec tandis que le hall d'entrée est confié à Rose-Marie Goulet, spécialiste de l'art environnemental. Art constamment en évolution, il témoigne des changements intervenus dans une société. Au tournant du siècle, Arontec a mis au point un matériau révolutionnaire : l'architecte Jacques Poirier affirme « qu'un couple, même arthritique, peut ainsi construire sa maison en deux jours avec quelques boulons et une clé plate en suivant la notice fournie[8] ». Pierre Thibault privilégie le dialogue avec l'environnement, l'interaction entre bâti et non-bâti, comme dans la nouvelle abbaye de Saint-Jean-de-Matha (2009), dont il avait remporté le concours sur 60 équipes d'architectes québécois.

La seconde moitié du XXe siècle a vu le Québec prendre conscience d'un patrimoine exceptionnel et en entreprendre la restauration (Vieux-Montréal, églises, villages et seigneuries, etc.), qui a valu à la ville de Québec l'inscription sur la liste du patrimoine mondial de l'Unesco.

Phyllis Lambert a doté Montréal du Centre canadien d'architecture, seul musée au monde qui allie les fonctions de musée et de centre de recherche et dont les préoccupations sont tournées vers la discipline dans ce qu'elle a d'universel.

Glossaire

Bardeau : *n. m.* Planchette de bois (cèdre en général) qui sert à recouvrir les toits (cf. la chanson : « Murs blancs, toit de bardeaux/Devant la porte, un vieux bouleau… ») et parfois les murs de pignon, dans ce cas pouvant offrir des motifs divers. Au figuré : « avoir un bardeau de parti » au Québec est l'équivalent de « il lui manque une case » en France.

Faîte : n. m. Pièce de charpente horizontale tout au sommet du toit (poutre faîtière).

Déclin : *n. m.* revêtement de bois en planches à clin biseautées pour permettre le chevauchement, comme sur des bordages de navire ; au XXe siècle, on lance le déclin d'aluminium.

Fronton : *n. m.* Ornement en saillie au-dessus d'une porte, d'une fenêtre, d'un mur de façade.

Fruit (d'un mur) : *n. m.* obliquité donnée au parement extérieur d'une construction pour contrer la poussée du toit ou du mur.

Lanterne : *n. f.* Partie basse du clocher construite de façon circulaire ou carrée, très ajourée.

Larmier : *n. m.* Saillie du toit incurvée pour retenir la neige et éloigner des murs les eaux de ruissellement.

Lucarne : *n. f.* ouverture pratiquée dans un comble, dans un toit,

Mansarde : *n. f.* Comble brisé, pratiqué par Mansart, architecte de Louis XIV, et, par extension, la pièce ainsi située sous le comble.

Niche : *n. f.* Enfoncement pratiqué dans un mur pour y placer une statue (façade d'église).

Œil-de-bœuf : *n. m.* Fenêtre ronde (dite aussi oculus lorsqu'elle est de forme ovale).

Palladien : *adj.* (de Palladio, architecte italien du XVIe siècle). Se dit des bâtiments (les villas), des détails d'architecture, notamment les larges fenêtres construites au XIXe siècle par les architectes canadiens qui pratiquaient les enseignements de Palladio.

Notes

1. La fameuse « cabane au Canada » popularisée en France par la chanson. Le chalet français, construit en bois, désigne surtout une construction montagnarde.
2. Voir le glossaire en fin de chapitre.
3. « Condominium » : immeuble d'appartements en copropriété ; le « condo » est une unité en copropriété.
4. De même qu'en Floride où nombre de Québécois résident l'hiver.
5. En architecture, un complexe est une construction comprenant de nombreux éléments coordonnés, de fonctions parfois différentes (bureaux, résidences, hôtel, galerie marchande, cinémas, etc.).
6. On trouve par exemple à Deschambault (Thomas Baillairgé) le même type de jubé et de voûte, en berceau dans la nef et à plafond plat pour les bas-côtés.
7. « Le premier de ces principes assimile ce qu'il y a de plus authentique dans les théories purement rationalistes de l'art ; le second assimile ce qu'il y a de plus authentique également dans les théories opposées, de caractère plutôt sensualiste » (Nicole Tardif-Painchaud, *Dom Bellot et l'architecture religieuse au Québec*).
8. Faites vos plans et vous pourrez à bon droit réciter la comptine : « Ceci est la porte de la maison que [Pierre ou Monique ou...] a bâtie / Ceci est la clé de la porte de la maison que [Pierre ou Monique ou...] a bâtie », etc.

Bibliographie

AUGER, Jules et Nicolas Roquet (coll.), *Mémoire de bâtisseurs du Québec : répertoire illustré de systèmes de construction du XVIIIe siècle à nos jours,* Montréal, Méridien, 1998, 155 p.

BÉDARD, Hélène, *Maisons et églises du Québec, du XVIIe, XVIIIe, XIXe siècle,* Québec, MAC, 1971, 50 p.

BERGERON, Claude, *L'Architecture des églises du Québec, 1940-1985,* Québec, PUL, 1987, 383 p.

BERGERON, Claude, *Architectures du XXe siècle au Québec,* Montréal/Québec, Méridien/Musée de la civilisation, 1989, 271 p.

CULOT, Maurice et Martin Meade (dir.), *Dom Bellot, moine-architecte, 1876-1944,* Paris, Norma, 1996, 271 p.

DUNTON, Nancy et Helen Malkin (dir.), *Guide de l'architecture contemporaine de Montréal,* Montréal, PUM, 2008, 192 p.

GAUTHIER, Raymonde, *La Tradition en architecture québécoise — Le XXe siècle,* Montréal/Québec, Méridien/Musée de la civilisation, 1989, 104 p.

LAFRAMBOISE, Yves, *La Maison au Québec (de la colonie française au XXe siècle),* Montréal, Éditions de l'Homme, 2001, 368 p.

LAMY, Laurent, *Architecture contemporaine au Québec 1960-1970,* Montréal, L'Hexagone, 1983, 179 p.

LESSARD, Michel et Gilles Vilandré, *La Maison traditionnelle au Québec, construction, inventaire, restauration,* Montréal, Éditions de l'Homme, 1974, 493 p.

MARSAN, Jean-Claude, *Montréal en évolution. Historique et développement de l'architecture et de l'environnement montréalais,* Montréal, Méridien, 1994, 515 p.

MARTIN, Paul-Louis, *À la façon du temps présent : trois siècles d'architecture populaire au Québec,* Québec, PUL, 1999, 378 p.

MORISSET, Gérard, *L'Architecture en Nouvelle-France,* Québec, Pélican, 1980 [1946], 130 p.

NOPPEN, Luc et *al., Les Églises du Québec (1600-1850),* Québec/Montréal, Éditeur officiel du Québec/Fides, 1978, 298 p.

NOPPEN, Luc et Lucie K. Morisset, *Québec, de roc et de pierre. La capitale en architecture,* Québec, Multimondes/Commission de la capitale nationale, 1998.

O'NEIL, Jean (texte) et Pierre-Philippe Brunet (photos), *Les Escaliers de Montréal,* Montréal, Hurtubise-HMH, 1998, 115 p.

ROBITAILLE, André, *Habiter en Nouvelle-France, 1534-1648,* Beauport, MNH, 1996, 397 p.

TARDIF-PAINCHAUD, Nicole, *Dom Bellot et l'architecture religieuse au Québec,* Québec, PUL, 1978, 262 p.

Les Chemins de la mémoire. Monuments et sites historiques du Québec, 2 t., Québec, Publications du Québec, 1991 et 1996.

Périodiques

LESSARD, Michel et Huguette Marquis, « La maison québécoise, une maison qui se souvient », *Forces,* n° 17, 1971.

Structures-Art chrétien, nos 43-44 (c1968), numéro spécial : « Les églises nouvelles au Canada ».

Audiovisuel

L'Architecture religieuse au Canada 1640-1790, Brault, Lessard, ONF, noir et blanc, 1982, 30 min.

Charpentier du ciel, Don Owen, ONF, couleur, 1965, 14 min.

La Maison québécoise, Jacques Faure, Radio-télédiffusion du Québec, 1972, vidéo, 60 min.

La Mémoire des murs, Simon Poulin, Synercom téléproductions et INRS-Culture et Société, coll. « La culture dans tous ses états », 1998, 60 min.

Mon père a fait bâtir maison, René Avon, OFQ, 1972, 16 min.

Le Presbytère ancien au Québec, Brault, Lessard, ONF, noir et blanc, 1982, 2 x 30 min.

Victor Bourgeau, architecte 1809-1888, François Brault, Yvon Provost, ONF, couleur, 1984, 26 min.

Deux séries de cours télévisés de Jean-Claude Marsan (une dizaine de cassettes de 57 min de l'Université de Montréal) : *Histoire des formes urbaines* (1990) et *Montréal en évolution* (1992).

10
Le mobilier

Page précédente : Armoire typiquement québécoise, par le mélange des styles Louis XIII (panneaux à caissons) et Louis XV (panneaux du haut chantournés), par la moulure qui encadre la façade et l'ornementation de la corniche. Le style Louis XIII prédomine dans ce meuble très original, à fiches simples (pin, XVIIIe siècle). (Musée de la civilisation. Collection Coverdale. Source : Canada Steamship Line, 68-656.)

Ancrées sur la terre de leur propriétaire, maisons et granges font partie du patrimoine foncier. L'intérieur, comme l'extérieur, se transforme et améliore la qualité de vie. On cloisonne, on donne à certaines pièces des fonctions particulières (chambre, cuisine) dont le mobilier devient de plus en plus spécifique. Autrefois, les personnes de haut rang qui voyageaient transportaient avec elles leur mobilier composé de tapisseries, de peaux d'animaux, de coffres et de tabourets. Même les lits — quand il y en avait — étaient démontés pour leur permettre de suivre leurs propriétaires. De nos jours, on n'emporte pas son canapé pour la fin de semaine, mais on a gardé le nom originel de « mobilier », qui conserve l'idée de mobilité (déménagement, héritage) et désigne ce qui confère à une maison le degré d'intimité et d'originalité de son propriétaire.

Le meuble est, après les outils et le bâtiment qu'ils auront permis de construire, un des premiers objets de la civilisation matérielle. Le long du Saint-Laurent, la longueur et la rigueur de l'hiver forcent l'habitant à rester longtemps chez lui : à part le travail sur le boisé au bout de la terre, il n'y a pas grand ouvrage à entreprendre à l'extérieur. S'occuper en ayant pour but d'agrémenter son intérieur, de le rendre plus fonctionnel, plus chaleureux, ne pouvait qu'inciter les Québécois d'autrefois à transformer ce bois qu'ils avaient en abondance.

Les essences de la forêt laurentienne produisent des bois différents de ceux de l'ouest de la France ; tout en conservant au début les traditions françaises, habitants et artisans du meuble apprendront à utiliser les espèces locales. Les administrateurs de la Nouvelle-France traversent l'océan avec de belles pièces de mobilier dont on s'inspirera au Canada. Lorsque la Conquête isole les artisans et les ébénistes canadiens des influences françaises, d'autres influences — britanniques et états-uniennes — viendront se greffer sur le fond traditionnel. Comme le peuple canadien vit économiquement replié sur lui-même, mais en expansion démographique constante pendant tout le XIXe siècle, les artisans fabriquent beaucoup de meubles. L'originalité du mobilier québécois, au cours des quatre siècles de son histoire, vient du métissage de tous ces éléments, traditions et emprunts divers, de l'omniprésence de certaines essences, de l'adaptation en finesse aux conditions spécifiques du pays grâce à une inventivité étonnante. Il sera ici surtout question du mobilier artisanal, celui de la très grande majorité de la société québécoise.

Du matériau à l'objet

La forêt couvre encore une bonne moitié du territoire laurentien, mais elle ne peut donner l'idée de la richesse de celle qui recouvrait le pays jusqu'au XIXe siècle. Jacques Cartier, remontant le Saint-Laurent le long de la côte nord, a dû confronter ses origines bretonnes à des forêts de conifères foncés comme à des rochers gris qui plongeaient de façon abrupte dans un estuaire dont la taille ne lui rappelait pas les proportions plus humaines de l'embouchure de la Rance. Après avoir longé la « terre que Dieu donna à Caïn », selon ses propres mots, il ne put que se féliciter d'avoir continué son chemin lorsque ses yeux découvrirent la riante végétation d'une île qu'il baptisa l'île de Bacchus et qui deviendra l'île d'Orléans. Des bois tendres comme le pin, le sapin ou le noyer cendré, des bois fruitiers, merisier et noyer noir (plus dense que le cendré), des bois francs, frênes, érables, ormes, bouleaux et chênes, formaient un manteau forestier riche et diversifié au voisinage du Saint-Laurent et dont la qualité augmentait encore en descendant vers le sud-ouest.

À l'état brut

Les arbres étaient alors de très belle taille. Le défrichage systématique des colons et le lucratif commerce du bois, par les marchands anglais et états-uniens, n'ont laissé pratiquement aucun sujet de grande stature dans tout le sud du territoire. Vers le nord, les essences se raréfient : bouleaux et épinettes poussent en rangs serrés mais n'atteignent qu'une taille modeste. La forêt boréale croît lentement. Plus au sud, les chênes avaient été de tout temps réservés au « domaine royal », en général pour les constructions navales. Peu utilisés sous le Régime français, ils étaient encore en grand nombre lorsque les Anglais avaient eu à faire face au blocus continental imposé par Napoléon et étaient venus se servir dans leur nouvelle colonie.

Les gens de l'ouest de la France découvrirent le pin, bois tendre au grain lisse, qui a l'avantage de se travailler facilement, de se polir admirablement et d'acquérir avec le temps une patine d'une belle teinte blonde, si on le laisse tel quel. De plus, il prend bien la teinture si l'on en veut changer la couleur. Cette essence poussait en abondance et la taille remarquable de certains arbres permettait de faire des planches d'une très grande surface. On taillait alors parfois en un seul panneau tout le dessus d'un coffre.

Si le pin se sculpte facilement, il n'a cependant pas beaucoup de résistance : l'usure marque rapidement le bord des portes manipulées à longueur de jour. C'est pourquoi on lui préfère un bois plus dur comme le frêne ou le merisier — le chêne étant réservé — pour les pieds de chaise, de table, ou les montants de lit qui ont à supporter d'être tirés sans ménagement sur des planchers parfois irréguliers. Le bouleau, très résistant, sert pour les planchers. Le sapin s'utilise pour la construction : il se polit très mal et, en séchant, laisse se détacher des fibres qui rendent son usage désagréable. On comprend alors l'expression populaire « On s'est fait

Ensemble de meubles traditionnels de la maison Chevalier, à Québec : l'armoire et le buffet sont de style Louis XIII (panneaux à losanges, croisillons et pointes de diamant) ; les portes du placard, avec leurs panneaux chantournés, sont de style Louis XV ; la grande table du milieu provient du réfectoire d'un édifice conventuel. (Archives nationales du Québec à Québec. Inventaire des biens culturels, E6, D240. 72.)

passer un sapin ! », exprimant le dépit, alors qu'on croyait avoir acheté du pin.

Au XXe siècle, on utilise plus fréquemment l'érable. Le pin est moins présent dans les forêts. On a, jusqu'à très récemment, négligé de reboiser et la rigueur du climat ne permet pas une repousse rapide. Cependant, dans la région des Bois-Francs notamment, l'industrie du meuble québécois tient encore une place importante dans l'économie régionale et la réputation de certains fabricants s'est étendue bien au-delà des frontières.

La fabrication

Les artisans. Comme on faisait appel à un charpentier pour le gros œuvre du toit, on demandait au menuisier de travailler le bois en plus « menu », pour l'aménagement intérieur de la maison (planchers, huisseries, meubles). Des hommes de métier étaient venus de France avec leurs techniques et leurs habitudes. Ils formeront à leur tour des Canadiens, sur place, dans leurs ateliers ou dans des écoles d'arts et métiers (à Saint-Joachim vers 1670 et à Montréal au tournant du XVIIIe siècle). Ces artisans n'ont pas signé leurs œuvres. On a pu cependant établir l'origine de certaines, grâce aux cahiers de comptes des communautés et aux inventaires après décès. D'autre part, des ateliers polyvalents ont laissé des noms : ceux de Liébert, de Quévillon, de Pépin sont également associés à la sculpture et à la décoration d'églises. Des familles aussi créaient une tradition dans le travail du bois : ce fut le cas des Levasseur (XVIIe-XVIIIe siècle), des Labrosse (XVIIIe siècle) ou des Baillairgé (XVIIIe, XIXe et XXe siècles) qui se firent remarquer aussi en architecture, en peinture et toucheront même à ce que l'on appellerait aujourd'hui l'ingénierie.

Au XIXe siècle, les Anglais importent au Canada la mode des bois exotiques et foncés. Des ébénistes fabriquent alors de belles pièces originales, plus raffinées. Des meubliers, comme Octave Morel, emploient des sculpteurs. À l'époque victorienne, on se tourne bientôt vers la fabrication en série qui gagne le monde occidental en général. Si les anglophones mécanisent rapidement leurs industries[1], des artisans canadiens continuent cependant à travailler à la pièce pour une clientèle rurale modeste ou urbaine et bourgeoise, plus à l'aise et très ouverte aux modes des autres pays.

L'assemblage à l'ancienne. On utilisait du bois massif et l'on insistait sur la solidité de l'ensemble ; pas de colle mais des emboîtements précis d'une pièce dans l'autre, que l'on fixait à demeure avec une cheville de bois, ce qui permettait un éventuel démontage de la pièce ouvrée. Les montages les plus communs étaient à tenon et mortaise ou à queue d'aronde, et les grands plateaux de planches embouvetées étaient encadrés par un montant qui consolidait encore l'ensemble et finissait soigneusement ces grandes surfaces. Quant aux sièges, l'usage se répandit de prendre du bois sec pour les barreaux et traverses et du bois vert pour les pieds et montants ; ceux-ci emprisonnaient ceux-là en séchant, les empêchant à tout jamais de bouger, une fois en place. C'est sans doute à ce soin apporté au montage que

Coffre en pin de la fin du XVIIe siècle, à piètement tourné. La taille des planches, d'un seul tenant, indique qu'elles proviennent d'un arbre de très grande taille comme il n'en existe plus. (Photo : FTL.)

l'on doit la grande solidité du meuble québécois. La tradition française s'est conservée au Québec où chacun essayait le plus possible de résister à la difficulté des conditions de vie.

La finition. Le pin qui vient d'être travaillé est clair, presque blanc, et d'une tonalité uniforme. Exposé à l'air, au contact journalier des mains, il prend en moins de deux ans une teinte chaude, blonde, très lumineuse. Le passer régulièrement à la cire d'abeille fait ressortir le veinage caractéristique du bois et permet à la moindre courbe, au moindre méplat, d'accrocher la lumière. Cette patine agréable à l'œil apporte de la chaleur à l'intérieur des maisons québécoises que la neige hivernale éclaire d'un éclat bleuté, donc froid. Le bouleau dont on fait des incrustations est d'un jaune plus clair, le merisier tire sur le rouge, l'érable aussi. Le noyer et le chêne vont foncer sous l'action de l'air ; le sapin, pour sa part, a tendance à garder une teinte grisâtre.

Un des avantages du pin est qu'il se travaille facilement : aussi n'hésite-t-on pas à le transformer en taillant des panneaux de formes diverses, en traçant des moulures autour des panneaux ou dormants des portes, des tiroirs, au bord des tables, en chanfreinant traverses et entretoises. On crée ainsi quantité de petites surfaces qui, en plus d'adoucir une arête trop vive ou de souligner une ligne, accrochent la lumière et donnent du relief à la forme. Comme on a du bois de qualité et qu'on en a beaucoup, on fait des panneaux dans lesquels on a suffisamment d'épaisseur pour sculpter des droites, des courbes, des motifs qui évoquent souvent la nature : arabesques,

Poignée de porte en fer forgé très rustique. Notez les moulures des panneaux et le montant en pin chanfreiné. (Photo : FTL.)

fleurs, feuilles d'acanthe, etc. Et voilà pourquoi l'on trouvait dans le même atelier, et souvent dans la même personne, un menuisier, un sculpteur et un ornemaniste[2].

La forme une fois définie, on pouvait songer à la couleur. Est-ce parce que la teinte très pâle du bois fraîchement travaillé incitait l'artisan à vouloir en changer l'apparence ? Est-ce parce que la luminosité de l'éclairage hivernal que reflète le sol enneigé invitait le Canadien à créer des contrastes ? Il était fréquent de teindre les meubles une fois finis. La caséine qu'on trouve dans le lait caillé sert de fixatif à des colorants d'origine végétale (brou de noix, écorce de pruche, bleuet, plus tard de l'indigo importé), d'origine animale (sang de bœuf, noir de fumée venant des chandelles de suif) ou d'origine minérale (ocre jaune ou rouge, terre de Sienne). Les bleus tirant sur le vert et les ocres auront la faveur populaire. La teinture, pénétrant le pin de façon inégale, souligne les veines du bois et en fait ressortir chaque détail.

Ce goût généralisé pour la couleur fera qu'on n'hésitera pas, plus tard, à appliquer, parfois en couches successives, des peintures très vives dont on trouvait les diverses composantes au magasin général. Dans la deuxième moitié du XIXe siècle, le goût de la décoration ira toujours croissant : l'influence de l'art victorien, de plus en plus axé sur l'ornementation, est alors en vogue au Québec. En même temps, la fabrication du meuble, d'exclusivement artisanale qu'elle était, devient en grande partie industrielle. On fait les meubles en série, les vis remplacent chevilles et clous forgés, les motifs découpés ou tournés par procédé mécanique sont collés, imprimés à la presse à vapeur et non plus sculptés à même le panneau. La mise au point de techniques de collage permet le placage de minces couches de bois l'une sur l'autre. On peut dorénavant choisir son mobilier dans le catalogue du magasin Légaré ou Eaton qui, selon les mots de l'éditeur de 1901, « arrive au second rang dans la plupart des maisons canadiennes, derrière la Bible familiale ».

Dans les espèces de bois que l'on trouvait sur place, une essence abondante, le cèdre, avait des utilisations particulières : outre les bardeaux de formes différentes, il était utilisé pour certains coffres à habit (on y plaçait son « butin de corps »). Par la suite, et encore aujourd'hui, on en faisait un garde-robe[3], petite pièce dont on habillait de cèdre systématiquement tous les côtés et les tablettes. Le cèdre a la propriété d'être bactéricide, insecticide et agréablement parfumé. On rapporte également l'habitude de certains chasseurs d'enfermer dans un coffre en cèdre leurs habits de chasse et d'y ajouter des branches de « sapinage » quelques semaines avant de partir dans les bois, l'opération ayant pour but de transformer l'odeur humaine de façon à déjouer l'odorat très sensible des grands cervidés.

Les garnitures de métal. À côté de la cheville de bois, on utilise beaucoup les clous forgés. Faits un à un par le forgeron, une fois en place et la pointe retournée à l'intérieur du meuble, ils deviennent inamovibles. De belles pièces « de main de forge » servent même de décor sur des tabourets ou de petites tables du XVIIIe siècle.

Banc-lit ouvert, dit banc de quêteux. On aperçoit au bas du dossier les anneaux où passent les crochets qui retiennent la partie avant du lit en position de siège. (Musée de la civilisation. Source : La maison Forgues, 42. 17.)

Le forgeron produisait aussi des poignées, des entrées de serrure et surtout des charnières nécessaires à l'articulation des portes de buffet ou d'armoire. Les plus fréquentes sont les fiches simples, les plus françaises sont à perle ou à balustre, les plus populaires (fin XVIIIe et XIXe siècles) sont en queue de rat, les plus anglo-saxonnes sont en H, en L ou en ailes de papillon : le ton foncé du fer ouvré sur le bois clair offre un contraste plaisant.

Le meuble québécois ancien se ferme très majoritairement avec un loquet de bois tout simple, de préférence à tout autre moyen. Quant aux poignées, ce sont souvent de gros boutons de bois tourné, remplacé au XIXe siècle par de la porcelaine blanche. L'usage se répand aussi, plus tardivement, des poignées en fer-blanc ou en laiton. Les meubliers utiliseront aussi des garnitures importées pour les pièces plus ouvragées.

Les meubles

Le meuble de base, celui que l'on commande en premier, celui que l'on offre à une jeune épousée, est un coffre : multifonctionnel, il peut servir de chaise, de table, de marche-pied, de berceau. On peut aussi y ranger bien des choses, y compris « les papiers de conséquence » dans l'équipette, un petit tiroir placé près du dessus.

Sans doute est-ce à cause de son sens pratique que le Québécois affectionne les meubles à fonctions diverses : on trouve des tables dont le dessus se rabat pour devenir un dossier de chaise, des bancs dont l'avant et le dessus basculent d'un seul coup, ménageant alors un espace suffisant pour y coucher un adulte ou des enfants. Le banc-lit, aussi appelé banc de quêteux[4], devient une pièce de mobilier fréquente au XIXe siècle. Comme il y a la table-chaise, il y a aussi la chaise-coffre à multiples usages et à multiples variantes.

Au fur et à mesure que les gens s'installent, leurs besoins évoluent, le mode de rangement se raffine et le confort crée de nouvelles exigences. Le coffre va peu à peu voir sa forme évoluer : on le monte sur un piètement, on l'agrandit, on le dote de deux portes, puis de tiroirs. Avec l'aménagement intérieur, il devient alors bahut, buffet, armoire. Celle-ci reste de taille modeste. Il existe bien sûr des maisons hautes de plafond, à commencer par les couvents et certains manoirs, mais la nécessité de chauffer a longtemps contraint la majorité à se contenter de plafonds relativement bas et donc à ne faire faire que des meubles de proportions plutôt réduites.

On surperpose un autre meuble sur le dessus du buffet bas et apparaissent les buffets à deux, trois et même quatre corps. La partie supérieure peut aussi être un vaisselier, ou un buffet vitré. Une armoire moins large, à un seul vantail, peut servir à ranger diverses pièces d'habillement — c'est alors une bonnetière — ou bien elle est ajourée et sert de garde-manger. Se répand aussi la mode des encoignures : hautes, généralement à deux corps, vitrées dans leur partie supérieure, souvent bombées, elles sont caractéristiques du mobilier du Bas-Canada.

Comme dans les vieux pays, une autre

Buffet deux-corps, avec des pentures en queue-de-rat. Meuble d'esprit Louis XIII, mais dont le piètement est chantourné (début XIXe siècle). (Archives nationales du Québec à Québec. Inventaire des biens culturels, E6, D254. 72.)

des variations sur le coffre va créer la commode qui deviendra l'un des classiques de la chambre à coucher aussitôt que l'aménagement intérieur de la maison le permettra. Il s'en est fait des quantités dont nulle n'est absolument semblable à celle du voisin. Les proportions changeaient ou peut-être le découpage des tiroirs ; on en chantournait la traverse du bas, on imaginait des pieds originaux (tête, griffes, motifs bizarres), on montait des colonnettes en façade, on jouait sur les teintes des boutons de tiroir, on allait même — mais c'était très rare — jusqu'à incruster une date ou un nom en bois de bouleau pour personnaliser le meuble. Les modèles plus travaillés auront une façade galbée, reprendront le dessin d'une arbalète, ou seront à ressaut : ceux-ci exigeront de bonnes notions d'ébénisterie.

Du côté des sièges, lorsque les États voisins introduisent le *rocking chair,* chaque famille se fait un devoir d'avoir sa chaise berceuse, sa « berçante ». Le meuble doit être particulièrement solide à cause du mouvement continu auquel il est soumis. Et la mode dure encore : « les chaises sorties sur la galerie », comme le chante le groupe Beau Dommage, sont indubitablement ici le signe que l'été est enfin arrivé et qu'on va pouvoir se bercer à la brunante en bavardant avec les voisins.

Styles et influences

En France et en Angleterre, c'était la cour qui lançait la mode dans le vêtement comme en architecture ou dans le mobilier. Les artisans canadiens firent comme les artisans des provinces françaises : on imitait ce qui se faisait à Versailles ou à Paris avec parfois beaucoup de retard et souvent un solide bon sens esthétique.

Le mobilier d'esprit français. Les premières personnalités importantes qui vinrent en Nouvelle-France tenir des postes d'administrateurs civils ou ecclésiastiques emportèrent avec eux quelques rares pièces de mobilier. Ce furent les modèles des artisans du pays : les tout premiers meubles étaient d'époque Louis XIII et c'est ce style, qui, en outre, convenait à la rusticité de l'environnement, qui va prévaloir jusqu'au milieu du XVIIIe siècle. Mais on le retrouve encore fréquemment un siècle plus tard, alors parfois mêlé à un autre style sur un même meuble.

Le style Louis XIII se caractérise par des lignes droites, une allure générale massive : les montants sont épais, les formes sont angulaires, les piètements renforcés d'une entretoise en H. L'ensemble respire la solidité. Les premiers artisans étaient venus avec leurs tours à bois, aussi les meubles plus raffinés sont-ils montés sur des pieds élégamment tournés. Les panneaux privilégient la ligne droite, le losange, le croisillon, la pointe de diamant. Les ferrures imposantes sur les coffres ajoutent encore à l'impression de robustesse.

Vu de l'Amérique du Nord, le style Louis XIV apparaît moins répandu en Nouvelle-France, mais caractérise plus d'un siège. Le style Louis XV est à l'opposé du style Louis XIII : tout en courbes gracieuses, en volutes, il affine les piètements qu'il allège souvent de leur entretoise, il arrondit les angles, il décore les ferrures d'arabesques, allonge les lignes, agrémente

Buffet bas d'esprit Louis XIII en pin et à pointes de diamant, taquet en bois, entrée de serrures de style Louis XV, pentures à perles. (Archives nationales du Québec à Québec. Inventaire des biens culturels, E6, D270. 72.)

Commode galbée de style Régence en merisier incrusté de bouleau, fin XVIIIe. (Photo : FTL.)

les panneaux, ceintures et traverses de moulures chantournées, de motifs sculptés, rinceaux et feuilles d'acanthe. Jusqu'à l'union du Haut-Canada et du Bas-Canada et même encore après, les artisans canadiens aimeront à imposer au fil du bois les courbes qu'exige ce style.

Cependant, et c'est là l'une des charmantes particularités du mobilier québécois, très nombreuses sont les pièces qui tiennent à la fois des deux styles : un buffet peut avoir des panneaux de porte Louis XV et des tiroirs en losange Louis XIII. De toute façon, le style Louis XV à la québécoise est majoritairement rustique : il est fait pour une société surtout rurale. Il reste massif et demeure très solide.

Les influences anglo-américaines. À leur tour, des administrateurs anglais vinrent s'établir après la Conquête, apportant avec eux leurs habitudes et leurs mobiliers cossus. Les suivent quelques artisans d'Angleterre, d'Irlande — venus avec les autres immigrés du début du XIXe siècle — et d'Écosse où l'on fabriquait de fort beaux meubles avec le pin, abondant aussi là-bas.

Cette présence des styles anglais, le va-et-vient fréquent des négociants anglais ou américains ainsi que l'émigration massive des Québécois vers le mirage états-unien familiarisent peu à peu l'artisan et sa clientèle avec des modèles jusque-là inconnus. Les formes se superposent aux styles traditionnellement français et le mélange des cultures d'origine apporte une nouvelle vie au mobilier québécois. On note ainsi la mode des sièges Windsor, à « pattes » et dossier en barreaux tournés, des chaises berceuses et des bancs-lits dont la vogue se répand à partir des États-Unis même si certains modèles ont d'autres origines plus anciennes. Un ébéniste anglais reconnu, Chippendale, a beaucoup utilisé et mis à la mode le dessin du pied terminé par des griffes qui enferment une balle : on le retrouve fréquemment au Québec. D'autres variantes du piètement, du profil et des proportions sont également nées sous l'influence du style Chippendale.

Les styles Adam et Hepplewhite avec leurs pieds carrés et effilés, les cannelures, les denticules en corniche ont quelque parenté avec le style Louis XVI et correspondent d'ailleurs à la période de ce règne. Les meubles, de part et d'autre de la Manche, allient à ce moment-là grâce et légèreté. À l'instar des styles européens, l'ethno-historien Michel Lessard a nommé les styles québécois dont il a fixé les dates ; au style Nouvelle-France succède le style constitutionnel, de 1790 à 1840, qui « combine les traits de trois axes culturels », le troisième étant l'états-unien, lui-même creuset d'un mélange franco-britannique.

> L'originalité du meuble néoclassique québécois réside dans cet art sans prétention qui consiste à marier élégamment trois sources distinctes, témoignant sans ambiguïté de la situation d'un peuple déjà installé au carrefour de trois cultures sur lesquelles se fondent tradition et innovation.

On commence à rembourrer les sièges, à utiliser des essences exotiques comme l'acajou, le palissandre, de couleurs foncées, que l'on vernit. Sheraton, un autre des grands ébénistes anglais à se complaire dans l'utilisation de tous les bois que l'Empire met à sa disposition, insiste sur le

Chaise en pin de modèle courant, dit de l'île d'Orléans. Meuble d'esprit Louis XIII dont le piètement et l'entretoise sont tournés, montage à tenons et mortaise. (Musée de la civilisation, 246, B72.)

Chaise berceuse, dite aussi « berçante », de type Windsor (XIXe siècle). Le siège et les accoudoirs sont recourbés en volutes et le piètement est tourné. (Musée de la civilisation, 34. 3.)

décor et ne craint pas les incrustations. Les formes Sheraton rappellent par certains côtés celles du Directoire français.

C'est pendant le long règne de la reine Victoria que se répandent au Québec les divers styles appelés victoriens. Comme en architecture, l'influence s'en fait sentir pendant toute la deuxième moitié du XIXe siècle et longtemps après la mort de la reine Victoria (1901). Le meuble victorien est cossu, confortable ; il semble parfaitement adapté à la riche bourgeoisie d'affaires, à l'élite politique de l'époque. Splendide, fastueux, il déroute parfois, tant le créateur fait preuve d'éclectisme : c'est la période des « néostyles » (rococo, Henri II, élisabéthain, Renaissance) interprétés en de multiples variantes. Ce style confédératif (1840-1890), selon M. Lessard, permet à l'imagination des meubliers québécois de puiser dans l'universel que représente alors politiquement l'Empire britannique. Le style victorien doit sa diffusion dans les classes sociales moins favorisées à l'industrialisation du meuble qui s'est répandue alors dans les centres urbains. Des ateliers répètent souvent le même modèle et font de la publicité dans les journaux pour vendre des ensembles (dits alors *sets*) de chambre à coucher ou de salles à manger. Il y a cependant des meubliers encore amoureux de la pièce unique qui conservent la tradition artisanale, comme Honoré Roy, dit Belleau. L'industrie du meuble est devenue une activité commerciale lucrative que les grands magasins sauront exploiter au maximum. Ce sont les machines qui tournent, creusent, sculptent. Toutes les formes, toutes les folies sont permises. Le rembourrage et le capitonnage ajoutent du confort et peut-être un peu de lourdeur à ce qui est déjà très orné. Enfin, comme la population québécoise francophone augmente à grande vitesse, les fabriques de meubles organisent des intérieurs assez stéréotypés comme les maisons qui les abritent et qui s'alignent le long des rues sans fin des grandes villes. La mécanisation a du bon, car elle diminue les coûts de production et permet donc un plus grand confort à prix égal. Des techniques simplifient aussi la vie. On ajoute des roulettes sous les pieds de certains meubles ; la colle permet toutes les audaces de placage et d'assemblage. Cependant, le désir de « faire plus » surcharge parfois l'ornementation, et le grand défaut du victorien tardif est souvent le manque de simplicité et d'équilibre, encore que d'audacieux dessinateurs aient justement trouvé parfois dans le délire de leur imagination ce je ne sais quoi qui fait l'objet d'art. Francis P. Gauvin a sculpté, jusqu'à sa mort en 1934, des guirlandes de roses sur des pièces de mobilier qui ne manquent ni d'allure ni d'originalité[5]. Le XXe siècle, sous le signe de la machine industrielle et du commercce de masse, simplifie les lignes du meuble moderne, diversifie les modèles dans le contexte de concurrence. L'Exposition des arts décoratifs et industriels modernes a lieu à Paris en 1925. L'ébéniste Jean-Marie Gauvreau, grand admirateur de l'Art déco, y fait un stage et fonde en 1934 l'École du meuble à Montréal, qui s'avérera un foyer d'avant-garde dans plusieurs disciplines artistiques.

Les techniques amérindiennes. Dans le brassage de ces cultures qui donna tant d'heureux résultats, on ne peut négliger l'apport des Amérindiens qui ont appris aux Canadiens à faire des fonds de siège en babiche[6], comme ils faisaient les raquettes pour marcher sur la neige. Ils connaissaient aussi le moment exact où il faut ramasser sur les battures le foin de mer dont les Canadiens surent pailler des chaises. Une autre technique très utilisée par les Amérindiens pour faire des paniers était le tressage de longues lanières d'orme ou de frêne. On trouve au Québec quantité de sièges dont le fond fut ainsi fabriqué. En séchant, l'ensemble devient d'une solidité exceptionnelle.

Chaise rustique « à la capucine », assemblage des barreaux à tourillon, siège en babiche (bois divers, fin XVIIIe siècle). (Archives nationales du Québec à Québec. Inventaire des œuvres d'art, E6, S8.)

Originalité du meuble québécois

Aucun de ces apports ne peut être jugé négligeable, et toutes ces influences, souvent fondues dans un ensemble, font du mobilier québécois un exemple caractérisé de métissage des cultures. L'équilibre entre l'homme et la nature s'est maintenu dans la volonté constante d'utiliser au mieux le bois qui couvrait la terre à exploiter. Le souci du travail bien fait a incliné les artisans à fabriquer des meubles de qualité : après deux siècles d'usage, une table ne « bouge » toujours pas ; après avoir séjourné 30 ans dans une grange humide, une armoire a juste besoin d'un bon nettoyage et, dans certains cas seulement, d'un décapage intelligent des multiples couches de peinture, dans le respect des teintes d'origine.

Si le meublier québécois avait le souci de l'esthétique — esthétique qui fut rarement une pure et simple imitation —, l'artisan gardait le souci de l'usage, c'est pourquoi le meuble québécois ancien est parvenu jusqu'à nous en abondance et est encore maintenant si agréable à regarder et à utiliser. Les proportions justes des fauteuils à la capucine, l'équilibre parfait des chaises de l'île d'Orléans, l'imagination des décors de dossiers de berçantes sont autant de traits qui en disent long sur le plaisir que ces artisans trouvaient à travailler le bois. Les habitants ont su adapter les techniques du pays à leurs habitudes : un siège en babiche fraîche par-dessus des traverses montées à tourillon, après séchage, durera plusieurs générations. Le goût de la finition leur fait fabriquer d'épaisses corniches qui consolident d'un même mouvement une armoire ou un bahut. D'autres particularités peuvent être notées : la moulure qui encadre toute la façade d'un buffet ou d'une armoire, le mélange de styles, le décor d'une naïveté charmante et d'une rare originalité.

Il y a plus de meubles rustiques que de pièces raffinées : jusqu'à la deuxième moitié du XIXe siècle, il y a peu de fauteuils rembourrés et les sièges, qu'ils soient avec ou sans accoudoirs, restent pour tous des chaises. Très peu de marqueterie, de préférence des bois massifs ; très peu de bois rares et précieux ou importés avant la vogue du mobilier anglais qui, avant l'industrialisation, demeure réservé à une élite. Mais rusticité ne signifie pas lourdeur ; bien au contraire, le charme du mobilier québécois réside aussi dans cet équilibre heureux entre des lignes, des formes et des couleurs qui sont à la fois harmonieuses et fonctionnelles.

Cette tradition qui, à de rares exceptions, avait disparu avec les artisans sous la poussée des fabriques à la fin du siècle dernier, a repris corps, tout particulièrement

Récamier Volute, de l'entreprise montréalaise Design Emphasis.

dans les Bois-Francs, région réputée pour la qualité de ses bois. Le pin jaune s'est raréfié ; mais il reste des feuillus. Quelques meubliers avaient su, en leur temps, conserver le goût de la création à partir de ce matériau fascinant à qui l'on prête des lettres de noblesse. Vers 1850, Georges Bigaouette, F.-X. Drolet, François et Pierre Drouin, T. M. Poulin, Adolphe Bélanger, les Falardeau, etc., font partie d'une longue lignée de menuisiers et d'ébénistes québécois dont certains sont aussi sculpteurs, comme Jean-Baptiste Côté ou les Vallière. Plus récemment, Pierre Roy et d'autres envoient des œuvres dans des expositions internationales en Europe et en reçoivent une notoriété qui dépasse les frontières du Québec. Dans les années 1980, l'entreprise de Roger Rougier (Montréal) participait à l'Exposition de Milan, la plus grande exposition mondiale de *design*. Elle exportait alors 80 % de sa production de meubles haut de gamme. En 1995, Serge Racine, président de Shermag, affirme que la qualité irréprochable de ses produits est responsable de la bonne santé de son entreprise. L'industrie du meuble emploie plus de 30 000 personnes en 2006. Elle se place au 5e rang de l'emploi manufacturier au Québec, et exporte, dans l'ordre, en Chine, aux États-Unis et… en Italie (Atelier LC2, G. Romano, etc.).

L'École du meuble fut jusqu'en 1958 une véritable pépinière d'artistes en tous genres (l'école devint alors l'Institut des arts appliqués du Québec). Henri Beaulac y a enseigné de 1942 à 1946, puis a connu des heures de gloire comme créateur de mobilier dans les années 1950 et 1960, moments de grande créativité au Québec. Parmi les enseignants figurèrent plusieurs grands noms de la peinture québécoise, tels Paul-Émile Borduas et Jean Paul Lemieux, ce qui donne une idée de la formation de qualité qu'on y recevait. Il n'est dès lors pas surprenant de constater que les spécialistes du meuble en pin, après avoir arpenté l'Autriche, la Scandinavie et l'Écosse, s'accordent à reconnaître la qualité et l'originalité du mobilier québécois, tout particulièrement la production des XVIIIe et XIXe siècles canadiens.

Pourtant, peu conscient de cette valeur artistique avant 1960, le Québec a malheureusement, et longtemps, laissé partir ses meubles et ses objets anciens aux États-Unis, pour le plus grand bonheur des antiquaires. Il faudra attendre le livre de Jean Palardy, *Les Meubles anciens du Canada français* (publié après des années de recherches passionnées en compagnie de Marius Barbeau), pour attirer l'attention de tous sur cet aspect négligé du patrimoine québécois. Heureusement le Musée du Québec, dirigé par des conservateurs avisés, avait su s'approprier de belles pièces qui appartiennent maintenant à la collectivité.

Une jeune génération de *designers*, Nathalie Morin, Serge Tardif et Francis Perreault en tête, fabrique et diffuse des objets (du tire-bouchon au luminaire, du porte-DC au meuble d'appoint) pratiques et beaux, souvent astucieusement imaginés à partir de matériaux recyclés ; des talents évidents qui exposent leur bonheur de créer à New York et jusqu'en Italie (Pascale Girardin). Le Québec actuel est très actif en cette discipline moderne ; plusieurs sociétés montréalaises ont créé des sièges contemporains résolument nouveaux Le design fait au Québec, dont le logo est une raquette à neige stylisée, allie utilité et beauté formelle, technique et imagination, provocation et sens des responsabilités (notamment solidité).

Une sculpture, une peinture sont à regarder ; un meuble est, en outre, un objet à utiliser ; il participe à la vie de tous les jours et s'adresse à tous les ordres de sensation : l'odeur d'une bibliothèque, le toucher quotidien du vieux taquet d'un placard, le crissement attendu de l'armoire où l'arrivant accroche son manteau sont autant de signes de cette intimité qui lie le meuble à son utilisateur. Objet usuel, certes, mais pas seulement utilitaire, le meuble porte avec élégance les marques d'un usage qui l'embellit avec le temps — belle leçon pour l'être humain qui a peur de vieillir !

Notes

1. Au Québec, de 1850 à 1880, le nombre de fabricants de meubles passe de 321 à 1 359 (J. Porter).
2. Voir le chapitre concernant la sculpture.
3. Dans l'usage québécois, contrairement à l'usage du français standard, « garde-robe » est logiquement au masculin comme la plupart des autres noms composés avec ce mot (garde-boue, garde-fou, garde-meuble). « Garde-robe » a gardé ici son sens premier de lieu, un grand placard, voire une petite pièce, où l'on garde les vêtements.
4. Le quêteux (de « quêteur ») est un personnage sans domicile fixe, qui va de village en village, de maison en maison quémander sa nourriture en échange de menus services et de nouvelles qu'il apporte d'ailleurs.
5. Le baldaquin de l'église Saint-Jean-Baptiste à Québec lui avait demandé un an de travail.
6. Babiche : matériau fait de longues lanières de peau que l'on peut entrelacer.

Bibliographie

LAFRAMBOISE, Yves, *Intérieurs québécois. Ambiances et décors de nos belles maisons,* Montréal, Éd. de l'Homme, 2003, 300 p.

LESPÉRANCE, Marie-Claire, *Le Dictionnaire du mobilier,* Montréal, Logiques, 1996, 316 p.

LESSARD, Michel, *Au carrefour de trois cultures. Meubles anciens du Québec. Quatre siècles de création,* Montréal, Éditions de l'Homme, 1999, 543 p.

LESSARD, Michel et Huguette Marquis, *Encyclopédie des antiquités du Québec. Trois siècles de production artisanale,* Montréal, Éditions de l'Homme, 1971, 526 p.

OLIVER, Lucile, *Mobilier québécois,* Montréal/Paris, LRP/Ch. Massin, 1979, 79 p. (Dans *Art et Décoration,* n° 206, Paris, 1978, Lucile Oliver résume son livre dans un article illustré.)

PALARDY, Jean, *Les Meubles anciens du Canada français,* Paris, Arts et Métiers graphiques, 1963. (Réédité en livre de poche à Montréal, Pierre Tisseyre, 1992, 411 p. [CLF, 1971].)

PORTER, John Robert (dir.), *Les Meubliers Pierre Drouin et Honoré Roy et l'industrie du meuble à Québec à l'époque victorienne,* Québec, CELAT-U. Laval, 1989, 197 p.

Audiovisuel

Films

Crac, Frédéric Back, Radio-Canada, couleur, 1981, 16 min (gagnant d'un Oscar du film d'animation).

Le Discours de l'Armoire, Bernard Gosselin, ONF et Radio-Canada, série « La belle ouvrage », 1978, 56 min.

Le Meuble fait Québec, André Ricard, Radio-Canada, couleur, série « Du simple au multiple », 1973, 26 min.

Le Mobilier, Fernand Dansereau, Radio-Canada, couleur, série « Un pays, une forêt, une manière », 1977, 28 min.

Vieux métiers, jeunes gens, Guy Glower, ONF, noir et blanc, l'École du meuble, 1947, 22 min.

Les Meubles anciens du Québec, Jacques Faure, ORTQ, couleur, vidéo 3/4, 1973, 55 min.

Diapositives

Civilisation et vie quotidienne en Nouvelle-France (1 000 diapositives, commentaires et bibliographie), Robert Lahaise, Montréal, Guérin éditeur, 1973.

Série « Ethnologie québécoise », Musée du Québec. 16 jeux de 10 diapositives + notes, portant chacun sur un type de meuble (photos Luc Chartier).

Le Mobilier de mariage au Québec (30 diapositives + notes), Paul-Louis Martin, ONF, 1974.

11

Les arts visuels : peinture, photographie

Page précédente : *Autoportrait dans un paysage* de Théophile Hamel (détail). Il s'agit du premier portrait fait au Canada devant un paysage, vers 1840. (Musée de la civilisation, dépôt du Séminaire de Québec, 1991. 104. Photo : Pierre Soulard.)

Les arts visuels, autrefois assez compartimentés, connaissent une interaction de plus en plus forte : peintres, photographes et sculpteurs font des installations pour un cadre précis, parfois éphémère. Les artistes passent allègrement d'une discipline à l'autre. Les discothèques ont déjà fait appel aux talents du peintre Mousseau, le théâtre à ceux du peintre Alfred Pellan et du sculpteur Michel Goulet. Les deux dimensions du tableau traditionnel flirtent avec la troisième et expérimentent, comme les sculptures, 36 sortes de matériaux. Dans ces secteurs, la créativité québécoise est dense et déborde d'imagination : pour avoir une vue d'ensemble, il ne serait pas inutile de se reporter au chapitre qui traite plus spécifiquement de la sculpture, puisque nous avons opté pour les habituelles classifications, rapprochant les installations plutôt de la sculpture puisque ces disciplines ont un rapport plus entier, plus immédiat avec l'espace.

Comme la sculpture ou l'orfèvrerie, la peinture est un luxe pour les colons français. Avec les autres arts d'ornementation, elle dépend de l'existence d'une classe sociale aisée qui peut se permettre cette dépense. Cette classe sociale mettra deux générations après la Conquête à se reconstituer. Aussi comprendra-t-on que ce soit surtout après 1830 que l'on assiste au développement de cet art raffiné. Il faudra attendre plus d'un siècle encore pour que la société québécoise dans son ensemble s'intéresse à la peinture et la considère comme un de ses meilleurs moyens d'expression culturelle sur les plans national et international.

La peinture traditionnelle

En des temps où l'appareil photographique n'existait pas, le dessin était le seul moyen de rendre compte exactement de la réalité. « Une image vaut mille mots. » Champlain use d'encre pour fixer le contour d'une côte, dessiner une carte, rappeler le souvenir d'une arrivée en des lieux étranges, représenter la flore, la faune et les mœurs bizarres des habitants du Nouveau Monde. L'exotisme est à la mode en France ; on publie des « voyages » illustrés de gravures, comme celui de Gabriel Sagard, *Le Grand Voyage au pays des Hurons.*

Les peintres venus de France

Les publications sur les voyages avaient sans doute le but plus ou moins avoué d'intéresser le public à la colonie naissante,

La France apportant la foi aux Hurons de Nouvelle-France, tableau anonyme pouvant être attribué au frère Luc, XVIIe siècle. (Archives nationales du Québec à Québec. OFQ, E6, S7, P382-64 ek.)

où l'on avait besoin d'investissements et d'énergies civiles et religieuses. Dès 1670, Mgr de Laval insistait pour former des hommes de métier et des artistes. Louis XIV avait pris en mains, par l'intermédiaire de Colbert, les destinées de la Nouvelle-France à laquelle il voulait donner un nouvel essor. Aussi la venue à Québec d'un peintre professionnel comme le frère Luc est-elle significative : il y séjourne près de deux ans, sans doute pour aider à la décoration des églises dont la plupart disparaîtront dans des incendies. On sait que l'Église a, de tout temps, prôné la valeur didactique de l'image. Si la représentation des scènes de la Bible ou de l'Évangile a toujours fait partie de l'art sacré, combien plus en sera-t-il en un pays où l'image peut servir à la communication et où l'art du peintre remplace les enseignements théologiques d'une façon concrète et esthétique. La sublime beauté des madones du Beato Angelico, le rayonnement d'un visage envahi par la grâce, pense-t-on, inciteront les fidèles à ressembler à ces modèles idylliques.

Il existe chez les ursulines de Québec un tableau intitulé *La France apportant la foi aux Hurons de Nouvelle-France.* Attribué au frère Luc, il témoigne de la modestie des artistes au service de l'Église. Souvent anonymes, leurs œuvres sont destinées à être vues pour leurs qualités plastiques et didactiques : dans ce cas-ci, le message est clair ; la France, personnage féminin couronné portant un manteau fleurdelisé, débarque d'un bateau sur le Saint-Laurent et présente à un Amérindien agenouillé, qu'elle a recouvert du vêtement de la civilisation, un tableau où Dieu le père, le Fils et le Saint-Esprit, à la verticale, évoquent les mêmes personnages que l'on voit trôner au ciel mais cette fois-ci côte à côte. Cette œuvre allégorique bien composée montre à quel point l'art sacré avait une fonction utilitaire à la fin du XVIIe siècle.

Les tableaux qui nous restent du siècle suivant ont souvent une portée didactique

Ex-voto de Dorval, anonyme, vers 1738, copie d'une œuvre faussement attribuée à Paul Beaucourt. (Archives des Saints-Pères rédemptoristes.)

ou une fonction méditative. Parmi les scènes religieuses, plusieurs tableaux représentent l'ange gardien. Une place importante est aussi accordée aux personnalités de l'époque. L'abbé Hugues Pommier peint la mère Catherine de Saint-Augustin ; le frère Luc laisse de beaux portraits de Mgr de Laval et de l'intendant Jean Talon. La valeur éducative se double alors d'une valeur documentaire.

La peinture votive

La peinture votive représente les pièces les plus authentiques de l'art canadien. Pris en un péril grave, le colon n'a plus qu'à faire un vœu : « Bonne Sainte Vierge, si vous me sauvez du naufrage, je vous serai éternellement reconnaissant. » Il lui offrira souvent un tableau, parfois une somme d'argent, plus rarement il lui bâtira une chapelle. Les ex-voto les plus modestes sont des tableaux d'une naïveté charmante. Ils expriment en quatre coups de pinceau, parfois malhabiles, parfois plus raffinés, le drame dont s'est sorti celui qui offre le tableau en témoignage de gratitude. À cet égard, le plus simple pourrait être l'*Ex-voto de Dorval*: le malheureux bûcheron, coincé sous l'arbre qu'il abattait, était assuré d'une mort certaine dans ce désert glacé si la bonne sainte Anne, tout en haut à gauche du tableau, n'indiquait à son chien le village qu'elle lui montre du doigt pour qu'il aille quérir du secours. On trouve aussi des tableaux plus « léchés », comme l'*Ex-voto de Mme Riverin et de ses enfants* attribué à Michel Dessailliant. Toutes ces œuvres expriment d'un même cœur l'impuissance de l'être humain devant les éléments déchaînés — tel l'*Ex-voto des trois naufragés de Lévis* — et, du même coup, cette totale confiance en la toute-puissance de Dieu. Les quelques exemplaires qui nous sont parvenus, toujours intensément chargés d'émotion, sont autant de témoignages de la foi simple et vraie des Canadiens.

La peinture religieuse

Au XVIIIe siècle, la tradition de la peinture religieuse continue dans l'anonymat des peintres populaires comme dans la précision des modèles en très grande majorité religieux. Les traits des supérieures d'ordres féminins sont fixés parfois de façon posthume : était-il interdit à ces saintes femmes de perdre leur temps à poser de leur vivant ? Les portraits faits par Pierre Le Ber (1669-1707) ou Jean Guyon (1659-1687) sont en général austères. Michel Dessailliant, au début du siècle, savait donner à ses scènes religieuses le mouvement qui fait défaut dans les portraits.

Le Régime anglais

La peinture sacrée garde ses adeptes, puisque les églises qui se construisent sont les clients les plus sûrs, mais la peinture profane commence timidement à se développer ; peintres et expositions suivront les parlementaires dans les différentes capitales du Canada-Uni. Les portraitistes se tournent du côté de la clientèle bour-

L'Église de la basse-ville et la place du marché à Québec, aquarelle de James Patterson Cockburn, vers 1830. (Musée de la civilisation, dépôt du Séminaire de Québec, 1993. 233.)

geoise, et, parmi les influences de l'étranger, la tradition anglaise de l'amour de la nature dessille les yeux des peintres et délie les bourses des acheteurs qui prennent goût au paysage.

Le portrait

Parmi les portraitistes d'après la Conquête, François Beaucourt (1740-1794) ramène de ses voyages en Europe des idées nouvelles. François Baillairgé (1759-1830), lui aussi, étudie en France avant de revenir installer à Québec un atelier polyvalent où il pratique aussi l'architecture et la sculpture. À Montréal, c'est Louis Dulongpré (1759-1843) qui est le portraitiste le plus connu de l'élite de la métropole. On estime qu'il a peint plus de 3 000 œuvres. À peu près au même moment que ce Français, venu à Montréal par les États-Unis, un Autrichien, William Berczy (1744-1813), s'établit aussi à Montréal et concourt, par le métier qu'il démontre, à inspirer à l'élite du Québec le goût du portrait, qu'un Jean Baptiste Roy-Audy (mort en 1845) pratiquera avec une gaucherie sympathique.

Le paysage

Lorsque les armées britanniques s'emparent de Québec, estafettes et messagers transportent d'un officier à l'autre quantité de croquis, de dessins, d'aquarelles, indiquant précisément les mouvements de l'ennemi dans une topographie inhabituelle et tourmentée. Ces officiers avaient suivi des cours de dessin au moment de leur formation militaire, comme c'était l'habitude. D'autres Britanniques, spécialisés en topographie et rattachés à l'administration anglaise, font preuve de jolis talents de dessinateurs qui se laissent glisser doucement vers la poésie. James Pattison Cockburn, officier venu à Québec en 1830, est une des figures de l'époque à qui l'on doit de nombreuses vues de la capitale. Le grand paysagiste n'a cessé d'être estimé dans le milieu et ses aquarelles continuent à être diffusées en reproduction. Les gouverneurs (Dalhousie, Gosford) s'entourent d'artistes. Circulent aussi un nombre élevé de gravures importées dont beaucoup sont inspirées par la généreuse nature canadienne. William Bartlett donne au paysage québécois ses lettres de noblesse par les illustrations d'un album intitulé *Canadian Scenery* en 1842. La tradition britannique du dessin se poursuit. Vers 1834, Robert Todd, à Québec, et Martin Somerville, à Montréal, exécutent des paysages spécifiquement québécois avec une grande finesse et vulgarisent les techniques de la gravure. C'est aussi la période où la représentation du mouvement de l'eau fascine les peintres européens, comme Ducros ; on retrouvera une inspiration semblable chez les peintres de l'époque au Canada. Ce regard de l'extérieur sur un pays magnifique pique la curiosité d'artistes nés sur place. Ingénieur et arpenteur, Joseph Bouchette (1774-1841) exécute de minutieuses aquarelles faites sur le motif qui permettent aux graveurs une très fidèle reproduction.

À Montréal comme à Québec, un petit groupe de collectionneurs commence à s'intéresser à la peinture européenne. En 1817, on met en vente la collection Desjardins, une série de 180 toiles, récupérées de la tourmente révolutionnaire, expédiées de Paris et acquises surtout par des paroisses. Cet ensemble consolide le goût de la peinture religieuse : nombre de peintres feront des copies d'originaux (Murillo, Champaigne ou Le Brun) pour les centaines d'églises qui jalonnent les limites toujours repoussées de la zone habitée par les Canadiens.

Joseph Légaré (1795-1855) commence par restaurer les tableaux de la collection Desjardins, puis se met à peindre lui-même. Ses portraits, réalistes, restent empreints d'une grande sensibilité. Quant à ses scènes historiques, elles dénotent l'influence du romantisme. Il a un goût marqué pour le désastre d'actualité[1] (les incendies, les épidémies) ou historique (*Massacre de Hurons*), qu'il peint dans de très grands tableaux sombres évoquant la force de la nature (inondations, incendies, glissements de terrain) en face de la faiblesse de l'homme (personnages minuscules). Attiré par l'apocalyptique, le macabre, la mort, il crée un effet émotif intense auquel le spectateur ne peut échapper. Les paysages grandioses qu'il découvre et fait découvrir à ses compatriotes, comme sa propension à traiter d'un événement sur le vif, en font un peintre engagé dans son temps.

Autour de 1850

Les portraitistes

L'élite anglaise aimait se faire portraiturer ; l'élite canadienne lui emboîte le pas et permet à de nombreux artistes de pratiquer leur métier en faisant autre chose que de l'art sacré dont il est toujours un grand besoin. Le marché de l'art se diversifie peu à peu ; les conditions sociales et économiques favorisent l'essor du portrait ressemblant dont la bourgeoisie canadienne fait grand cas. Joseph Légaré, autodidacte, avait prouvé son ouverture d'esprit. Dans son atelier-galerie se trouvait déjà l'ébauche d'un musée. On ne s'étonnera donc pas que ce soit chez lui qu'Antoine Plamondon (1804-1895) commence à peindre avant de partir se perfectionner à Paris chez les romantiques Géricault et Delacroix. Plamondon, de retour à Québec, devient un portraitiste prospère et forme à son tour Théophile Hamel (1817-1870) : fidèle à une tradition maintenant établie, celui-ci part pour l'Europe et en revient avec une main agile et sûre qui lui gagne une nombreuse clientèle. Ses portraits d'enfants (ses quatre nièces ou *Mme Cyrice Tétu et son fils Amable*) sont pleins de charme et la sûreté d'exécution de ses œuvres en font un chaînon important de cette suite d'artistes. On trouve chez Plamondon et Hamel des similarités avec le style de David et d'Ingres : primauté de la forme statique méticuleusement modelée et du dessin précis des contours sur le mouvement et la couleur, précision de la ligne dans une surface lisse. On note en outre chez Hamel l'influence d'une tradition anglaise (Gainsborough) dans le portrait en plein air.

De l'atelier de T. Hamel sortent son neveu, Eugène Hamel (mort en 1932), et Napoléon Bourassa (1827-1916). Ce dernier épouse la fille de Louis-Joseph Papineau. Dessinateur avisé, il était aussi peintre d'église quand il n'était pas sculpteur, architecte ou homme de lettres. Sa dernière œuvre, immense composition restée inachevée, *L'Apothéose de Christophe Colomb*, élève le découvreur de l'Amérique au rang des « immortels » qui ont incarné les diverses expressions du génie humain. Zacharie Vincent (1812-1896), chef des Hurons de L'Ancienne-Lorette, s'adonne lui aussi à la peinture : on a de lui des autoportraits à divers moments de sa vie — le peintre lui-même n'est-il pas son modèle le plus patient ?

Les artistes de l'étranger

Pendant que la bourgeoisie canadienne se faisait portraiturer par les artistes à la mode, la peinture d'église, qui avait intéressé Légaré et Plamondon, enthousiasmait moins les peintres qui les suivirent. Or, 1840 marque le début de la période où les besoins étaient grands en ornementation d'églises ; la tradition de sculpture sur bois donnait déjà du travail à des centaines d'ornemanistes, mais il fallait aussi des peintres. Arrivèrent alors des étrangers des États-Unis tout proches, d'Italie, où la tradition de la peinture sacrée n'est pas un vain mot, et même d'Allemagne. Ces nouveaux arrivants apportèrent de nouvelles techniques, de nouveaux procédés, et stimulèrent les peintres canadiens d'origine. François-Édouard Meloche, peintre d'une quarantaine d'églises vers 1890, sera influencé par les nazaréens allemands.

Cornelius Krieghoff (1815-1872). D'origine néerlandaise, le jeune peintre s'installe à Montréal par amour. Après des débuts difficiles, Krieghoff va fixer dans ses scènes de genre, dont la qualité primordiale semble le pittoresque, des paysages typiquement québécois, d'hiver, de tempêtes de neige, ou des scènes automnales animées par des personnages populaires (habitants dans leur masure, Indiens en raquettes, etc.). Le peintre donne dans le folklore avec habileté et parfois humour ; ses tableaux de dimensions réduites — ce qui en fait un bon argument de vente — satisfont la curiosité, somme toute ethnographique, des Anglais et des États-Uniens pour le Québec. Son origine flamande l'a rendu sensible à la vie rustique : il considère l'homme dans son milieu, partenaire d'une nature qui ne vise pas à l'engloutir comme elle semblait le faire chez bon nombre de romantiques. Réaliste, il détaille les formes, use de couleurs vives et contrastées, suggère le mouvement par la posture des personnages et crée ainsi un effet de réel qui lui attire une clientèle nombreuse ; d'autant plus nombreuse qu'il se met à vendre aussi des lithographies faites à partir de ses tableaux ; il va même jusqu'à colorier des photographies de ces derniers.

L'influence de Krieghoff sera importante sur toute une tradition de dessins à sujet populaire que la reproduction (gravures, illustrations de journaux) diffusera en quantité. S'il a agacé certains Québécois, c'est sans doute qu'il semblait réduire le Québec à un terroir où de joyeux lurons peuvent oublier leur misère (*La Ferme*, 1856) dans des ribotes exagérément gaies chez l'aubergiste Jolifou (*Merrymaking*, 1860).

De la Confédération à la Première Guerre mondiale

L'avènement de la photographie enlève soudain leur gagne-pain aux portraitistes : plusieurs se recyclent dans le montage et la retouche de clichés. La fin du XIXe siècle consacre aussi l'habitude pour les jeunes artistes d'aller chercher, en France[2] surtout, un complément de formation. Ils sont nombreux à fréquenter les académies de Paris (Julian, par exemple) d'où ils reviennent pétris de « bonnes » techniques mais sans grande originalité. Ces « forts en thème », si l'on peut dire, manquent d'imagination ou de personnalité ; Ludger Larose, parmi d'autres, illustre cette tendance. Antoine Falardeau, lui, fera une carrière de copiste réputé à Florence.

Horatio Walker, « seigneur de Sainte-Pétronille » (1858-1938), est ontarien de naissance ; formé en Europe, amoureux des paysages bucoliques de l'île d'Orléans, il s'y installe et, par prédilection, peint de nombreuses scènes de paysannerie québécoise où l'harmonie et la paix[3] semblent régner entre la nature, les hommes et les animaux. La nostalgie qui se dégage de ces toiles plaisait beaucoup à ses admirateurs new-yorkais qui n'hésitaient pas à les payer au prix fort sans se demander si leur originalité ne devait pas beaucoup à l'École de Barbizon (à Millet, par exemple).

Cornelius Krieghoff, *Le Transport de la glace*, huile sur carton, entre 1847 et 1850. (Musée du Québec, G59 605 P.)

Les peintres de la fierté nationale

Krieghoff avait lancé la mode de la pittoresque peinture du terroir. Henri Julien (1852-1908), pour sa part, a toujours fréquenté assidûment le monde de l'édition. Cette connaissance viscérale des encres et des papiers et un coup de crayon rapide l'amènent à devenir caricaturiste au *Montreal Star*. Ce qui ne l'empêche pas d'éprouver une grande tendresse pour ce peuple qui est le sien : dans ses scènes rustiques d'anciens Canadiens, ses multiples croquis et tableaux, il exprime, de l'intérieur, des qualités de société que jusqu'alors nul peintre n'avait su voir avec autant d'authenticité. Plus tard, Edmond-Joseph Massicotte (1875-1929), dans des dessins moins vifs, continuera cette tradition nationaliste et quasi journalistique que journaux et magazines diffuseront dans les foyers.

La fin du XIXe siècle est marquée par une quantité de constructions publiques d'importance, hôtels de ville, gares, palais de justice, etc. Or, l'histoire, depuis François-Xavier Garneau jusqu'à Benjamin Sulte en passant par les poètes et littérateurs de l'École littéraire et patriotique de Québec, donnait aux Canadiens français des racines dont ils pouvaient s'enorgueillir face aux Canadiens anglais. Pour orner le palais du Parlement, on fait donc appel à Charles Huot (1855-1930) qui illustre par de très grandes toiles historiques le Salon bleu (salle des débats de l'Assemblée nationale) et le Salon rouge (salle de l'ancien Conseil législatif). La peinture d'histoire, illustrée par *Le Débat des langues à la Chambre d'assemblée du Bas-Canada en 1792*, était alors une autre façon de s'approprier un patrimoine national.

Les héritiers de l'impressionnisme

L'impressionnisme se situe idéologiquement dans la dernière phase de la Renaissance en peinture, dans la mesure où il vise la représentation du monde visible. Malgré cette apparente continuité avec la peinture qui l'avait précédé, l'impressionnisme était en rupture avec celle-ci et comportait plusieurs innovations techniques qui contribueront à l'évolution de la peinture au XXe siècle. Cela explique la très grande méfiance que les académies entretiennent à l'égard des peintres qui décomposent la lumière dans ses éléments spectraux, utilisent des couleurs pures juxtaposées sans mélange en minuscules touches sur le tableau, abandonnant le contour précis, le structuré, le clair-obscur et le modelé au profit d'un effet global, « l'atmosphère » qu'ils transposent dans leurs tableaux. Ils préfèrent la peinture de chevalet, qui permet la plus exacte reproduction de la lumière, à la peinture d'atelier, qui reste l'exercice préféré de l'enseignement officiel.

Il était naturel que ce mouvement ait ses répercussions sur la peinture québécoise du début du XXe siècle. Henri Beau passe des grandes toiles historiques ou religieuses à des scènes d'intérieur et à des paysages de style impressionniste. William Brymner, professeur à Montréal de 1886 à 1921, Maurice Cullen (1866-1934) et James Wilson Morrice (1865-1924) sont tous les trois ouverts à cette évolution non conformiste de la peinture. Cullen renouvelle, tels les impressionnistes, le paysage québécois avec des « nocturnes » et des scènes de neige audacieuses pour le milieu artistique de l'époque. Il y est encouragé par les visites régulières de Morrice qui a choisi de vivre à Paris. Ce dernier peint indifféremment *Venise*, *Le Maroc* ou *La Citadelle de Québec*, dont la neige semble se réchauffer sous un soleil méditerranéen. À l'affût de tout ce qui se fait à Paris, il pratique le tachisme à la manière d'un Vuillard et manifeste parfois des tendances cloisonnistes comme Gauguin, mais reste très personnel dans sa vision du monde. Paris avait d'ailleurs su reconnaître avant le Québec l'originalité de ses œuvres.

Vers une peinture québécoise

Marc-Aurèle de Foy Suzor-Coté (1869-1937) présente, à certains égards, des points communs avec Maurice Cullen, sans pour autant renier la tradition de terroir mise à la mode par Krieghoff. En fait, Suzor-Coté a touché à tous les genres : dans ses premières œuvres, il évoque la même paysannerie qui fit le bonheur d'un Millet et la fortune des marchands de vaisselle bon marché, reproduisant à n'en plus finir son *Angelus* ou ses *Glaneuses* au fond d'un plat. Plus tard, conquis par le charme des impressionnistes, il brosse des paysages québécois avant le Groupe des Sept ; il réussit à donner chaleur et couleur à la neige fondante des fins d'hiver (*Dégel d'avril*, 1920). Intimiste à sa manière, il dessine avec finesse de vieux paysans québécois chaussés de « bottes sauvages » ou de « pichous » en peau de caribou. La sûreté de sa main se retrouve dans les quelques bronzes qu'il fit à la fin de sa carrière de peintre.

Après l'obligatoire pèlerinage aux sources parisiennes, Clarence Gagnon (1880-1942), montréalais d'origine, se prend d'amitié pour la côte de Charlevoix qu'il mettra à la mode. Les artistes-peintres seront nombreux à y venir en estivants sur les caps dominant Baie-Saint-Paul ou sur les rives escarpées de la rivière du Gouffre dans l'arrière-pays. Gagnon peint de beaux paysages d'automne aux couleurs vives, des paysages d'hiver où les silhouettes de maisons québécoises semblent danser sur fond de fleuve enneigé. Moderne par certains côtés, en particulier par l'heureuse synthèse qu'il fait des mouvements parisiens, il ne saura cependant pas prévoir les grands bouleversements des années 1940 : « Pellan est perdu, il fait de l'art moderne ! » s'écrie-t-il en 1930. Comme il était plutôt conservateur — et professeur —, sa mort en 1942 libérera les esprits frondeurs.

Ozias Leduc (1864-1955). Différent de tous les peintres de son époque, mais bien à sa place dans la lignée des peintres québécois, le maître de Correlieu, propriété rustique sur le mont Saint-Hilaire, près de Montréal, ne s'intéresse pas vraiment aux courants de renouveau de la peinture française. Très engagé dans son métier de peintre décorateur d'églises, il ne répugne pas à laisser aller ses brosses et pinceaux devant la beauté d'un verger de pommiers, la simplicité d'une corbeille d'oignons sur un coin de table, la concentration d'un visage occupé à lire ou à jouer de l'harmonica. On retrouve dans ses scènes domestiques le calme intimiste des natures mortes de Chardin et, dans ses œuvres d'art sacré, un contenu mystique, une approche presque cloisonniste, une prédominance du plan pictural sur l'espace pictural qui pourrait évoquer les nabis, si Leduc n'était pas considéré comme un peintre exceptionnellement indépendant et infiniment plus serein[4] que ne l'autorise en général la vie d'artiste.

À part Ozias Leduc, tous les peintres québécois de cette époque sont tributaires de l'enseignement reçu au Canada ou en France[5]. Comme ils voyagent de plus en plus entre Montréal, Québec et Paris, ils ne peuvent être insensibles aux mouvements qui bousculent allègrement, en France surtout, des siècles de certitudes. Les artistes regimbent devant l'esprit d'imitation qui imprègne au Québec la littérature comme la peinture. Ils sentent qu'il leur faut secouer leurs habitudes pour en arriver à une véritable innovation, seule méthode pour créer de façon autonome. Les tensions augmentent entre les anciens et les modernes ; la Seconde Guerre mondiale servira de détonateur à l'explosion d'une nouvelle peinture québécoise.

La peinture moderne et contemporaine

Le Groupe des Sept. Un anglophone, montréalais d'origine, A. Y. Jackson (né en 1882), agacé par la soumission académique du milieu artistique de la métropole canadienne, décide de s'installer à Toronto où naît bientôt le goût d'une peinture nationale, canadienne et non plus d'importation. La force et la somptuosité de la palette de Tom Thomson (mort en 1917) oriente le groupe vers une peinture vigoureuse et colorée. Le Groupe des Sept (A. Y. Jackson, J. E. H. MacDonald, A. Lismer, L. Harris, F. Carmichael, F. Johnston et F. H. Varley) est également influencé par l'évolution de l'art moderne en Europe : il emprunte aux fauves l'intensité de la couleur, à Pont-Aven la forme simplifiée, aux nabis la ligne décorative. Il conserve la perspective traditionnelle, mais accompagnée d'une mise en valeur du plan pictural comme élément positif dans la perception du tableau. Trois membres du groupe séjournent régulièrement au Québec. A. Lismer devient professeur à Montréal. Leur prédilection pour un paysage « sauvage », leur détermination à former le goût du public en lui offrant un contour formel plus rigoureux, des couleurs franches et contrastées, vont faire réfléchir les peintres québécois.

Les écoles des Beaux-Arts. Montréal devient une ville d'importance. Son développement démographique et économique accentue les différences qui existent déjà entre la vieille capitale et la jeune métropole. Aussi, lorsque se prend la décision de fonder des écoles d'art, en fonde-t-on une à Québec et une à Montréal. La rivalité qui existe toujours entre les deux villes stimule en fait les professeurs et les élèves de ces deux institutions.

Les regroupements montréalais. Montréal est une ville qui « bouge ». Sur la côte du Beaver Hall se côtoient des ateliers de peintres qui entretiennent des liens d'amitié et de confiance, voient la dignité des silhouettes massives des sites industriels et devinent la note de poésie dans la fumée couleur de suie d'un minéralier. Des anglophones, dont un certain nombre de femmes, s'activent dans le Groupe du Beaver Hall; Clarence Gagnon lui-même semble y avoir joué un rôle. Toujours à Montréal, un autre groupe de peintres, moins « intellectuels », reste dans la tradition rustique du paysage québécois : les Peintres de la montée Saint-Michel, autour de 1920, sont des citadins qui chantent dans leurs toiles la beauté d'un domaine campagnard en pleine ville.

Un peu plus tard (1938), John Lyman regroupe autour de lui les Peintres de l'Est (Goodridge Roberts, Jori Smith, Philip Surrey qui excelle dans des peintures de scènes urbaines nocturnes), avant de devenir le fondateur et l'animateur de la Société d'art contemporain (SAC) en 1939. S'ajoutent alors aux Peintres de l'Est Paul-Émile Borduas, Louise Gadbois, Stanley Cosgrove, parmi les plus connus. La SAC est le premier groupe organisé avec une charte et des élections. C'est aussi le premier groupe qui accueille en même temps des peintres connus et de tout jeunes artistes. Une Montréalaise, Marian Dale Scott, mène une longue et fructueuse carrière de pionnière de l'art moderne.

Marc-Aurèle Fortin, *L'Orme à Pont-Viau,* huile sur toile, avant 1930. (Musée du Québec, A37 20P.)

Les rôles d'animateur, de critique d'art et d'éducateur ont été remplis avec brio par des anglophones : Lyman (1886-1967) et Fritz Brandtner se font tous deux les défenseurs de l'art contemporain et les promoteurs d'une ouverture d'esprit dont on n'avait pas encore l'habitude dans le milieu artistique francophone. Brandtner (1896-1969) est résolument de son temps et la variété surprenante de ses toiles très « modernes » en fait un praticien de première grandeur qui voulait partager avec le public le plaisir de l'œuvre d'art. Lyman et Brandtner sont directement influencés par les mouvements modernes européens, Lyman par les fauves et Matisse, Brandtner par les cubistes et les surréalistes.

Marc-Aurèle Fortin (1888-1970). C'est un solitaire, un être libre d'influence qui innove constamment. « J'ai voulu créer une école du paysage canadienne complètement détachée de l'école européenne », dit-il en 1969. Il mourra, âgé, dans un dénuement extrême, que la cécité devait encore aggraver. Amoureux de la nature mais très personnel dans sa vision, il peint des arbres somptueux ou hallucinants, colore les caps du Saguenay avec intensité, simplifie les motifs, supprime les détails, élimine la perspective des collines colorées des Appalaches et accentue l'importance accordée au plan pictural. C'est le premier des grands peintres modernes du Québec, et le fait qu'il ait peint sans relâche le paysage québécois, en utilisant des techniques différentes de celles utilisées jusque-là, par exemple en brossant des couleurs claires sur un fond préalablement passé au noir ou au bleu foncé, en fait en outre un de ses meilleurs paysagistes.

De l'Europe à l'Amérique. La guerre déchire l'Europe, la France est occupée, l'entrée en scène des États-Unis et du Japon mondialisent le conflit. En fait, les deux guerres mondiales consécutives ont de grandes conséquences sur l'art occidental en ce qu'elles déplacent les centres artistiques. Jusqu'en 1914, Paris est la capitale occidentale de l'art. Entre les deux guerres, le mouvement dada, à partir de Genève, New York[6], puis Berlin et Zurich, remet en question la suprématie culturelle de la capitale française qui, pourtant, produit le surréalisme qui provoque une profonde révolution culturelle. La Seconde Guerre mondiale déplace définitivement vers l'Amérique du Nord la capitale artistique de l'Occident. New York affirmera un leadership qu'on ne lui enlèvera plus et Montréal accueillera alors toutes sortes d'énergies nouvelles. Paris est affamé : les restrictions et la peur s'installent dans les villes. Artistes et hommes de lettres québécois qui vivaient dans la capitale française n'ont d'autre choix que de revenir au pays (certains d'entre eux après avoir été incarcérés en France). Alfred Pellan, pour sa part, arrive au Québec en 1940 après 14 ans de séjour à Paris. Les Québécois ne sont pas seuls à s'éloigner d'une France exsangue : Fernand Léger est à New York et vient à Montréal fustiger l'inertie du milieu politique et artistique. Avant lui, un dominicain français, le père Alain-Marie Couturier, a permis une première mise au point et organisé une Exposition des « indépendants » à Montréal et à Québec en 1941. François Hertel, jésuite, défend l'esthétique surréaliste et publie en 1942 son *Plaidoyer en faveur de l'art abstrait.*

Les années 1940 et 1950

Pellan et Prisme d'yeux. Après un long séjour à Paris, coupé d'un essai malheureux de retour à Montréal, Alfred Pellan (1906-1988) expose au Québec et se voit offrir un poste de professeur (1943) à l'École des Beaux-Arts de Montréal dont il affronte le très « académiste » directeur. Bon communicateur, il reçoit peintres et étudiants dans son atelier ; il les initie au surréalisme[7] dont il avait suivi la naissance et l'évolution à Paris. Après l'Exposition des indépendants de 1941, une quinzaine de peintres se regroupent autour de Pellan dans une nouvelle exposition et produisent en même temps (1948) un manifeste, *Prisme d'yeux* :

> Prisme d'yeux s'ouvre à toute peinture d'inspiration et d'expression traditionnelles. Nous pensons à la peinture qui n'obéit qu'à ses plus profonds besoins spirituels dans le respect des aptitudes matérielles de la plastique picturale.

En fait ce groupe n'a ni chef de file, ni credo, ni d'autres préjugés que la qualité

Alfred Pellan, *Citrons ultra-violets,* huile sur toile, 1947. (Musée du Québec, A68 255P. Photo : Patrick Altman.) © Sucession Alfred Pellan / SODRAC (Montréal) 2001.

de « l'expérience picturale de chacun ». C'est un « mouvement de mouvements divers, diversifiés par la vie même » qui permet à plusieurs artistes de talent, comme Jacques de Tonnancour, Albert Dumouchel, Léon Bellefleur, Louis Archambault et Goodridge Roberts, de poursuivre chacun de leur côté une carrière prometteuse.

Comme eux tous, Pellan est individualiste : il essaie toutes sortes de supports pour sa peinture, touche à la décoration de théâtre jusqu'aux costumes et maquillages, peint des murs de maison, orne des constructions publiques de murales, de vitraux, fait des cartons de tapisserie et relance la haute lisse au Québec. Dans ses tableaux hautement colorés et finement décorés de motifs, c'est le surréalisme qui lui dicte l'agencement étrange de formes représentatives. Fantaisie, humour, mystère font naître sur ses toiles un monde intérieur, onirique, qui n'est pas sans parenté avec un monde extérieur plus familier (*Jardins*). Formes et couleurs sont agencées dans la bonne humeur, semble-t-il, et chacune de ses toiles est une fête pour l'œil, même le moins averti. Pellan sait aussi être drôle sans lourdeur ni vulgarité (*Adam et Ève et les diables*). Les cinéastes Gladu et Pilon voient en lui « le premier artiste nord-américain à avoir réussi la synthèse de l'art populaire et de l'art savant ». Sous ses doigts naît tout un bestiaire de cailloux colorés dont on retrouve les formes dans mainte toile.

Borduas et les automatistes. Auprès d'Ozias Leduc, Paul-Émile Borduas (1905-1960) commence son apprentissage de peintre. Avec le maître, il décore des églises et apprend un métier qu'il va améliorer à Paris vers 1930. Sa participation active au sein de la Société d'art contemporain l'amène à s'impliquer dans les divers événements qui ponctuent l'avènement d'un art moderne au Québec. En 1942, une exposition de ses gouaches révèle ses dispositions pour l'abstraction ; c'est dans cette voie qu'il s'engagera définitivement. Professeur lui aussi, mais à l'École du meuble, il aime à se sentir entouré d'un groupe de jeunes peintres iconoclastes, qui le suivent dans la non-figuration. Avec les automatistes, il prône une peinture libérée du contrôle de la raison et du poids de la tradition, comme la veulent les surréalistes, et donne libre cours à l'aspect automatique de la création, comme le font en même temps les tenants de l'expressionnisme abstrait (qu'on appellera l'*Action Painting* à New York). Devant l'insatisfaction profonde de l'être conscient, il faut développer son accès à l'inconscient ; c'est pourquoi il faut accorder la primauté au geste spontané, s'exprimer comme un enfant dans son dessin, refuser les contraintes de tout ordre et n'accorder de place qu'au dynamisme de l'impulsion créatrice, qu'à la fantaisie de l'imagination intuitive. L'œuvre en vient à signifier un épisode du drame de la vie émotive de l'artiste (cet épisode étant l'acte même de la création) plutôt que d'être un objet à perfectionner. L'enthousiasme de Borduas, la passion de ses élèves et amis permettent coup sur coup plusieurs expositions (1946, 1947).

Après l'euphorie économique qui, à la fin de la Seconde Guerre mondiale, a transformé Montréal, Duplessis arrive au pouvoir et préfère s'occuper de valeurs sûres comme l'agriculture plutôt que de la culture tout court. Alors qu'il collectionne les Krieghoff, il se méfie des artistes contemporains, trop avant-gardistes à son goût et décidément en dehors de l'idéologie qui domine le Québec. Cette sourde opposition pousse Borduas à rédiger un manifeste flamboyant et contestataire dont le titre seul est déjà assez suggestif : *Refus global*. Les 16 signataires — dont la moitié sont des femmes, ce qui est stupéfiant à l'époque — ne comptent pas que des peintres, mais un photographe (Maurice Perron), des poètes, des dramaturges, des artistes de la scène : Jean-Paul Mousseau, les Riopelle, les Gauvreau, Marcelle Ferron, Fernand Leduc, Françoise Sullivan, les sœurs Renaud, Bruno Cormier, etc.

Refus global

Rejetons de modestes familles canadiennes-françaises, ouvrières ou petites bourgeoises, de l'arrivée au pays à nos jours restées françaises et catholiques par résistance au vainqueur, par attachement arbitraire au passé, par plaisir et orgueil sentimental et autres nécessités.

Colonie précipitée dès 1760 dans les murs lisses de la peur, refuge habituel des vaincus ; là, une première fois abandonnée. L'élite reprend la mer ou se vend au plus fort. Elle ne manquera plus de le faire chaque fois qu'une occasion sera belle.

Un petit peuple serré de près aux soutanes restées les seules dépositaires de la foi, du savoir, de la vérité et de la richesse nationale. Tenu à l'écart de l'évolution universelle de la pensée pleine de risques et de dangers. [...]

Petit peuple issu d'une colonie janséniste, isolé, vaincu, sans défense. [...]

Petit peuple qui malgré tout se multiplie dans la générosité de la chair sinon dans celle de l'esprit, au nord de l'immense Amérique au corps sémillant de la jeunesse au cœur d'or, mais à la morale simiesque, envoûtée par le prestige annihilant du souvenir des chefs-d'œuvre d'Europe, dédaigneuse des authentiques créations de ses classes opprimées.

Notre destin sembla durement fixé. [...]

Au diable le goupillon et la tuque ! Mille fois ils extorquèrent ce qu'ils donnèrent jadis.

Par delà le christianisme nous touchons la brûlante fraternité humaine dont il est devenu la porte fermée.

Le règne de la peur multiforme est terminé. [...]

Du règne de la peur soustrayante nous passons à celui de l'angoisse. [...]

Un nouvel espoir collectif naîtra. [...]

D'ici là notre devoir est simple.

Rompre définitivement avec toutes les habitudes de la société, se désolidariser de son esprit utilitaire. Refus d'être sciemment au-dessous de nos possibilités psychiques. Refus de fermer les yeux sur les vices, les duperies perpétrées sous le couvert du savoir, du service rendu, de la reconnaissance due. Refus d'un cantonnement dans la seule bourgade plastique, place fortifiée mais trop facile d'évitement. Refus de se taire — faites de nous ce qu'il vous plaira mais vous devez nous entendre — refus de la gloire, des honneurs (le premier consenti) : stigmates de la nuisance, de l'inconscience, de la servilité. Refus de la servir, être utilisable pour de telles fins. Refus de toute INTENTION, arme néfaste de la RAISON. À bas toutes deux, au second rang !

> Place à la magie ! Place aux mystères objectifs !
> Place à l'amour !
> Place aux nécessités !
> Au refus global nous opposons la responsabilité entière !
>
> PAUL-ÉMILE BORDUAS, août 1948.

Le ton est passionné, violent, pamphlétaire. L'anticléricalisme foncier paraît intolérable aux autorités ainsi contestées. Borduas perd son poste de professeur. Sans doute trop autoritaire et — dit-on — misogyne, il ne sait pas garder, après la publication de *Refus global*, la belle cohésion qui avait présidé à sa parution. Pour comble de malheur, la Société d'art contemporain ne résiste pas à de graves tensions internes et se dissout en 1948. Borduas quitte Montréal et s'exile à New York d'où il gagnera Paris. Il mourra dans l'amertume d'un exil intérieur douloureux, mais peintre avant tout, comme il le dit à Jean Éthier-Blais :

> Au fond, l'élément du monde qui me demeure le plus permanent, le seul peut-être, c'est la peinture, la peinture physique, la matière, la pâte. C'est là mon sol natal, c'est ma terre. Sans elle, je suis déraciné. Avec elle, — que je sois à Paris ou ailleurs, peu importe — je suis chez moi.

Dans ses œuvres de la période automatiste, la spontanéité du mouvement et les couleurs multiples expriment assez bien la richesse du personnage qui livre impulsivement ses états d'âme (*Sous le vent de l'île*). Ses dernières toiles, en revanche, sont des compositions où dominent les noirs et les blancs, parfois éclairées ici ou là au revers d'une trace de couteau d'un reflet de couleur vive ; plus austères, d'une esthétique que rendent très mal les reproductions, ses dernières œuvres seraient-elles le reflet d'une angoisse dont l'auteur ne s'était jamais départi. Un an avant sa mort, Borduas écrivait ces quelques mots révélateurs d'une personnalité riche et complexe, tournée vers la connaissance de l'univers :

> Je me suis reconnu de mon village d'abord, de ma province ensuite, Canadien français après, plus Canadien que Français à mon premier voyage en Europe, Canadien (tout court, profondément semblable à mes compatriotes) à New York, Nord-Américain depuis peu. De là, j'espère « posséder » la terre entière.
>
> Lettre à Claude Gauvreau, 19 janvier 1959.

Le 50e anniversaire de *Refus global* a été l'occasion d'expositions multiples, de conférences, de tout un appareil critique divers qui a permis aux Québécois de juger avec un peu de recul à quel point les années 1940 sont à l'origine de la peinture québécoise moderne et ne se résument pas à la bombe que fut *Refus global*.

La peinture non figurative. En 10 ans, le Québec a rapatrié une élite, est passé de l'enfance de l'art à l'âge adulte en traversant les tourbillons d'une adolescence collective tumultueuse. Il a gagné une réputation internationale enviable dans le domaine de la peinture, et, sur le plan local, s'est donné les moyens de faire vivre toute une pléiade de peintres de formations et d'horizons divers. Qu'il y ait eu des

Paul-Émile Borduas, *Fruits mécaniques,* huile sur toile, 1947. (Musée du Québec, A64 49P. Photo : Patrick Altman.)

tensions entre Pellan et Borduas était inévitable dans le milieu culturel alors très restreint de Montréal : sans doute était-ce souhaitable. Il n'y a pas d'art vivant sans émulation ni confrontation.

Les automatistes s'orientent carrément vers l'abstraction. De nombreuses manifestations jalonnent la décennie cinquante, avec quelques prises de position marquées qui iront jusqu'à la formation d'un autre groupe de peintres axés sur la représentation géométrique.

Jean-Paul Riopelle (né en 1923) a surtout vécu en France depuis *Refus global*. Il a conservé au sein de l'École de Paris une fougue et une personnalité qui lui ont donné une audience internationale. Avec énergie et curiosité, il se lance dans de grandes toiles très rythmées, mais ne dédaigne pas l'aquarelle et touche à la sculpture à l'occasion. Sa production est abondante et, par fidélité au pays où il revenait peindre régulièrement, il a donné au Musée du Québec toute une collection de ses œuvres que les Français ont eu peine à voir quitter l'Hexagone. On y trouve aussi *Hommage à Rosa Luxemburg*, référence narrative de 30 tableaux en un triptyque de plus de 40 m de long. Des estampes ont aussi contribué à une renommée méritée. Ses œuvres ne semblent pas, même après des années, se départir d'une sorte d'intensité joyeuse, quel que soit le choix du médium utilisé. Son bestiaire est un hommage aux grandes oies blanches qui font halte sur son île du Saint-Laurent comme aux hiboux aux yeux fous de ses lithographies et de ses petits bronzes.

Marcelle Ferron était, après Borduas, la plus fervente automatiste ; elle l'est encore. Toujours fascinée par les contrastes des couleurs, elle dessine d'une spatule énergique des toiles qui ne laissent pas indifférent ; elle a mis également ses talents de coloriste dans le vitrail (maisons particulières, métro de Montréal). Jean-Paul Mousseau (1927-1990) aussi se laissait entraîner dans des orgies contrôlées de couleurs vibrantes. Il a quitté le tableau pour des murales de céramique et de curieux « totems » en fibre de verre lumineuse. Il a fait le décor de discothèques où jeux de lumières et mannequins montrent l'attirance qu'il a pour l'art cinétique. Marcel Barbeau glisse peu à peu vers un géométrisme inspiré du « Hard Edge » américain, qui affirme, plus que toute autre forme d'art, le statut autonome et non référentiel du tableau. Les surfaces pigmentées sont cernées de bords très nets, très précis. De ce mouvement à l'art optique (« Op Art »), il n'y a qu'un pas qu'on franchira avec facilité. Pierre Gauvreau écrit et consacre ses énergies à l'expression audiovisuelle.

Comme Riopelle, Fernand Leduc fuit le Québec de la « grande noirceur », va chercher à Paris la bouffée d'air frais dont il a besoin. Très personnel, il brûlera le surréalisme et même l'automatisme autrefois adorés et se tournera vers une recherche toute formelle, très plastique, très réfléchie, qui invite à la contemplation. Il a aimé trouver le rythme d'un tableau par des recherches chromatiques précises : l'aboutissement de ce « voyage au cœur de la lumière[8] » sera la série des *Microchromies*.

L'abstraction lyrique tentera encore des dizaines d'artistes : Ulysse Comtois, Rita Letendre, qui sera plus tard tentée par le géométrisme, et Marcelle (Marcella) Mal-

Marcelle Ferron, *Sans titre,* acrylique sur papier, 1989. (Photo : FTL.)

tais, qui reviendra plus tard à la figuration des débuts de sa carrière, Jacques Hurtubise et Réal Arsenault, Jean Mc Ewen, le frère Jérôme et Edmund Alleyn.

Des plasticiens aux formalistes. L'exigence de Leduc à l'égard de la qualité plastique de ses tableaux le rapproche d'un groupe qui voit le jour en 1955 : les plasticiens. Dans le mouvement de repli qui suit *Refus global,* deux tendances non figuratives viennent à s'opposer. D'une part, les inconditionnels de l'acte inconscient, du gestuel spontané, du délire onirique un peu démonstratif, d'autre part, ceux qui veulent réfléchir sur la forme et qui insistent sur la qualité intrinsèquement plastique du tableau[9]. Comme les parnassiens après les romantiques, les plasticiens rejettent le romantisme de l'expressionnisme abstrait et de l'automatisme et insistent sur la recherche rigoureuse de l'équilibre formel du tableau en soi. La forme est le résultat d'un travail sur le plan pictural : tout doit en venir et y revenir. C'est une peinture abstraite, résolument bidimensionnelle qui demande des connaissances précises concernant la chimie des couleurs, une autre forme du vieux combat que l'homme mène avec la matière. En un sens, les plasticiens vont plus loin encore que les automatistes puisque ces derniers exprimaient comme les romantiques des pulsions profondes qui déterminaient la forme du tableau.

Les plasticiens, les formalistes, ne travaillent que sur la forme, les lignes, les couleurs, les structures, les rythmes et les relations internes de tensions et d'équilibre en préservant l'intuition ; la beauté est le contenu non référentiel de l'œuvre. Ils peignent avec du ruban à maroufler, jouent sur les vibrations engendrées par le voisinage des couleurs et renoncent « à toute attitude romantique ».

Les plasticiens écrivent à leur tour un manifeste. Jauran, qui est aussi critique d'art, rédige les idées du groupe (à partir de cette période, il deviendra courant de

Fernand Toupin, *Aire avec blanc différentiel,* huile sur masonite, 1956. (Musée des Beaux-Arts du Canada, 16615.)

voir les artistes expliquer leur travail). Les autres signataires du manifeste sont Jean-Paul Jérôme, Louis Belzile et Fernand Toupin. Il est intéressant de voir combien cette recherche plastique, formelle, rigoureuse, tente de jeunes artistes. Bien après le mouvement de 1955, le géométrisme continue à avoir des adeptes dont les plus producteurs s'appellent Guido Molinari, Denis Juneau, Claude Tousignant, Jean Goguen, Yves Gaucher. Des automatistes tels Fernand Leduc et Marcel Barbeau sont attirés par la discipline qu'exige ce type de peinture abstraite qui « organise le tableau à partir de la dynamique de la couleur pure » (Guido Molinari). Dans les années 1960 et 1970, il y a à Montréal un véritable engouement pour ce type d'abstraction (Guy Montpetit, Louis Jaque), plus tard il y aura Michel Lagacé, Louis Comtois, Élise Dumais. On en comprend mieux la séduction quand on écoute un de ces artistes parler de lumière et de couleur :

> La lumière décomposée crée la couleur et la couleur elle-même est génératrice de lumière. Pour moi, la couleur n'est pas un complément de la forme, mais une réalité et je la traite comme telle. La couleur a sa signification propre, son expression. Elle est har-

monieuse tout autant que la musique. C'est elle aussi qui crée l'espace dans un tableau. Dès que l'on applique une couleur à côté d'une autre, une dimension nouvelle apparaît. Certaines couleurs sont au premier plan, d'autres s'en éloignent.

OMER PARENT, 1976.

Ce goût de la recherche force les artistes, non seulement les plasticiens, à se renouveler, ne serait-ce que pour ne pas tomber dans une monotonie répétitive. Est-ce dans le vieux presbytère bourguignon qu'il habite la plupart du temps, près d'Avallon, que Pierre Lafleur a mis au point ses *Réflexions*, auxquelles une combinaison de miroirs ajoute perspective et profondeur ? Réal Arsenault, quant à lui, obtient des effets de couleur surprenants dans ses *Aluchromies*, sur fond d'aluminium, matériau abondamment fabriqué au Québec.

Du groupe qui entourait Pellan, Goodridge Roberts reste le plus figuratif : ses paysages, ses natures mortes respirent un calme qu'on trouve moins chez les autres peintres de cette période ; Jacques de Tonnancour hésite entre des paysages à la Roberts et de grandes murales géométriques pour l'Université de Montréal. Léon Bellefleur opte pour l'exigence formelle de l'art abstrait que vient renforcer un long séjour en France où il fréquente les surréalistes : longtemps près d'enfants à qui il enseigne, il en garde la fascination pour les couleurs en mouvement.

Albert Dumouchel, avec Pellan, aura la carrière la plus prestigieuse. Professeur lui aussi pour gagner sa vie, il joue un rôle de tout premier plan dans la renaissance de la gravure au Québec. Sa verve truculente, son humour ramènent ce coloriste à une figuration qu'il n'avait jamais vraiment négligée. Chacun dans son genre suit son inspiration dans le respect de ce que font les autres et dans le respect du support que le tableau exige. Les automatistes, tous pris par la spontanéité de la démarche, négligent parfois l'aspect « métier » du peintre. Autour de Pellan, on a appris à préparer la toile, à utiliser le matériau pictural dans les meilleures conditions : une œuvre d'art est aussi faite pour durer.

La peinture figurative

La grande vogue de l'art abstrait après la Seconde Guerre mondiale ne doit pas faire oublier qu'un très grand nombre de peintres sont souvent solitaires, ne font ni manifestes ni revendications et peuvent paraître plus discrets ; ils ont leur importance dans le marché de l'art : le grand public en général se moque de ce que ressent l'artiste comme du degré de difficulté qu'exige telle ou telle recherche chromatique ; ce que veulent les acheteurs, c'est un tableau qui leur plaise, qui leur rappelle quelque coin du pays, qui leur parle d'eux-mêmes. C'est pourquoi il y aura toujours une place de choix pour les peintres figuratifs, même pour les « peintureux[10] de cabanes à sucre », comme disait une artiste d'un de ses collègues qui, à son avis, vendait trop facilement une production médiocre à des touristes américains, rue du Trésor à Québec.

Les peintres. Il n'y a pas en fait une figuration, mais des peintres figuratifs, indépendants, différents les uns des autres. Jean Paul Lemieux (1904-1990) traitait avec humour et finesse de sujets sérieux comme la guerre (*Lazare,* 1941). Il abandonnera bientôt des toiles qui fourmillent de personnages et font un clin d'œil aux spectateurs pour présenter des tableaux où les personnages, parfois juste esquissés, se détachent sur une grande surface glacée ; certaines œuvres semblent inspirées de l'art abstrait : *Le Train de midi, Ville enneigée.* Nul ne sait mieux que lui donner une idée de l'espace et du poids qu'il impose aux Québécois. Il sait aussi évoquer l'histoire, pas nécessairement celle qui va de Champlain à René Lévesque, mais celle de chacun, de la naissance à la mort, en des scènes d'une intensité dramatique rare (*Amélie et le temps,* 1965). Ses portraits sont chargés d'émotion et de tendresse, même les plus officiels (*Élisabeth II,* peint pour le départ d'un gouverneur général). Il sait que la solitude se lit en chacun de nous et ne facilite pas la communication. Il y a une manière Lemieux, fascinante et troublante à la fois, que les Européens et les Russes ont pu apprécier par une grande rétrospective de ses œuvres.

Bien différente est la courte carrière de Jean Dallaire (1916-1965). Dans la lignée surréaliste, il nous entraîne au gré d'une folle imagination par des images étonnamment suggestives qui ne peuvent laisser indifférent. Coloriste dans l'âme, il se lie avec le Français Jean Lurçat et passe les dernières années de sa vie en Provence. Albert Dumouchel lui a emprunté quelques-unes de ses joyeuses couleurs qu'il mêle avec passablement d'humour. Graveur comme lui et de surcroît poète, Roland Giguère s'inscrit à la suite du même surréalisme. Kittie Bruneau a une tendance particulière à privilégier la forme circulaire : « le cercle, c'est la forme première dont partent toutes les autres, même la droite ».

La plus grande partie des peintres vivent à Montréal, comme Stanley Cosgrove ; d'autres ont choisi de quitter Montréal pour la Toscane, comme Jeanne Rhéaume, ou pour la France, comme Fernand Leduc ou Marcel Baril, mais alors, comme eux, ils reviennent au Québec pour vérifier que leurs racines sont encore profondément québécoises. On peut à bon droit parler de l'École de Montréal comme on parle de l'École de Paris ou de l'École de New York. La vie artistique trépidante et cosmopolite y a fait éclore des quantités de galeries pour les goûts de tout un éventail de collectionneurs. Le mouvement a suivi avec un peu de retard à Québec[11], dont certains préfèrent la silhouette de ses murs en coupe-feu : Antoine Dumas, dont on copie souvent le style (sens de l'anecdote, structure de la composition, jeu de la lumière sur les couleurs), célèbre la vieille capitale avec vénération, avec un regard qui va de la féroce exactitude à la pure tendresse. Dans la métropole, Betty Goodwin utilise du papier vélin comme support et de la peinture à l'huile en bâton ; elle superpose ses laizes de papier et fait ainsi jouer les transparences obtenues avec les huiles (*Nageurs,* 1980).

Les paysages. Ils ont séduit des peintres comme Henri Masson ou René Richard (mort en 1982), fascinés par la brusquerie des caps de Charlevoix et la multiple variété de la forêt canadienne. Léo Ayotte, Al-

Jean Paul Lemieux, *Ville enneigée,* huile sur toile, 1963. (Musée du Québec, A63 85P. Photo : Patrick Altman.)

bert Rousseau, Madeleine Laliberté, René Gagnon, Francesco Iacurto se dévouent, qui au Saguenay, qui à Charlevoix ou dans l'Outaouais, à explorer les mille possibilités qu'une lumière presque violente donne à une topographie qu'un climat non moins vif transforme d'une saison à l'autre. Attirés par ces possibilités, des artistes de l'extérieur viennent résider au Québec : Chaki, venu d'Israël, Paul Soulikias, de Grèce, et Littorio del Signore, d'Italie, évoquent les mêmes sujets que les Québécois : paysages d'automne somptueusement colorés, paysages d'hiver qui forcent les individus à la solitude ou les invitent à se regrouper dans des loisirs pour dompter la soi-disant mauvaise saison. On sent l'origine chinoise de Ming Ma dans l'harmonie d'aquarelles très finement colorées. Adrien Hébert est attiré par les silos du port de Montréal, d'autres par les lueurs des lampadaires le long des autoroutes ou la fuite des voies ferrées qui transpercent les villes.

Les portraits et les scènes. Louise Gadbois (1896-1985) était, avec John Lyman, un des membres fondateurs de la Société d'art contemporain. Femme d'abord et artiste accomplie, elle a mené, loin du tumulte des années 1940, une longue et sage carrière de portraitiste qui traduit le caractère du modèle plutôt que d'en calquer la ressemblance. Pour Louise Carrier, tôt disparue, « la vie d'un visage était plus émouvante que les événements de la vie ». Secrète, chaleureuse, elle savait insuffler à ses portraits l'intensité de la vie intérieure qui l'habitait. Plus près de nous, Louise Scott, dans des huiles et pastels, évoque les miniatures médiévales.

Parmi tous ceux que la figure humaine a maintenus dans la tradition figurative, on peut choisir des exemples très différents : Claude LeSauteur campe ses personnages dans une nature aussi robuste qu'eux, alors que les silhouettes dans les camaïeux de rose et de bleu d'Antoine Prévost effleurent de longs paysages. Du Japon, Miyuki Tanobé a rapporté le nihonga, une technique (pigments en poudre mélangés directement à de la colle) qui donne vie à des scènes de village ou à des rues pétillantes de santé. À côté de ces artistes qui jouissent d'une grande notoriété, qui illustrent des livres et qui exposent dans des galeries de renom (comme Antoine Prévost), il existe une pléiade d'autodidactes : la région de Charlevoix a abrité les sœurs Bouchard, les sœurs Bolduc et Alfred Deschênes ; Marie Gélinas, d'une famille de 16 enfants de Nicolet, s'est mise à la peinture à 74 ans ; à Chicoutimi, on peut visiter la maison d'Arthur Villeneuve, « peintre barbier », comme il laissait sa femme le définir. Le charme, la naïveté, la drôlerie, l'astuce font des tableaux de ces peintres du terroir des pièces de collection savoureuses. L'art naïf a donné à Geneviève Jost une grande notoriété.

L'espace pictural hors cadre

À partir des années 1970, les arts s'intègrent les uns aux autres, les frontières disparaissent entre peinture et sculpture, entre tapisserie et architecture, entre peinture et théâtre, entre peinture et environnement. Jean-Marc Desgent, poète, et Luc Béland, peintre, exposent des diptyques, toiles et textes non signés ; les sept vers du texte n'expliquent pas le tableau qui, pourtant, ne peut exister sans le discours auquel il est lié.

La danseuse Françoise Sullivan s'adonne à la sculpture (acier peint ou mobiles de plexiglas), puis se consacre à la peinture. Lucienne Cornet, dans la série des *Loups*, laisse l'ombre du carnivore investir une partie du tableau ; dans une autre série, elle a construit soigneusement avec des branches et des liens quelque chose qui pourrait être un piège. Les visiteurs du Centre des congrès de Québec retrouvent ses loups, de bronze cette fois et grandeur nature, en train de sauter le mur. Paul Béliveau fait parfois référence dans ses tableaux à une œuvre connue dont il reprend le thème en tout ou en partie comme on userait d'une citation dans un texte ; ailleurs il présente des « boîtes » dont la lecture se fait des panneaux extérieurs vers le triptyque intérieur où le bois, la pierre et des objets divers créent des *Jardins* intérieurs dans un coffret marouflé de toile. Alain Laframboise également met la peinture en boîte et travaille à partir de « citations » d'œuvres que l'historien de l'art connaît bien et qui constituent son matériau privilégié.

Denis Juneau fait participer le spectateur en proposant des séries de planches colorées que le « voyeur » doit manipuler pour créer un ordre d'où jaillira une esthétique sans cesse renouvelée (*Les Spectroramès*). Serge Lemoyne (1941-1998) voulait briser l'isolement des artistes du

Antoine Prévost, *Les Saints-Pères,* aquarelle, 1978. (Archives de l'Université Laval. Photo : Michel Bourassa.)

Québec; aussi invente-t-il des « événements-spectacles liés à la peinture » ; il démystifie l'objet d'art, utilise de la corde et du tapis ficelé, peint sa maison de couleurs violentes qui dégoulinent le long des poteaux de soutien de la galerie, au grand dam de ses voisins conformistes. Artiste de l'*underground,* iconoclaste, il opte pour un hyperréalisme très « Pop-Art » postmoderne.

La peinture peut aussi être un art fugace. William (Bill) Vazan peint une longue spirale blanche sur la pelouse des plaines d'Abraham — où s'est joué le sort de la Nouvelle-France un certain jour de septembre 1759. Il travaille avec une équipe du 1er au 4 septembre 1979. Il fallait être un oiseau ou un pilote d'hélicoptère pour voir *Pression présence*; les pluies de l'automne en ont rapidement lavé les dernières traces que seule conserve la photographie. Les peintres sortent du cadre étroit de l'espace pictural, déjà tridimensionné par l'usage de pâte épaisse ou d'outils comme la truelle, appliquent brosses et pinceaux sur toutes sortes de surfaces

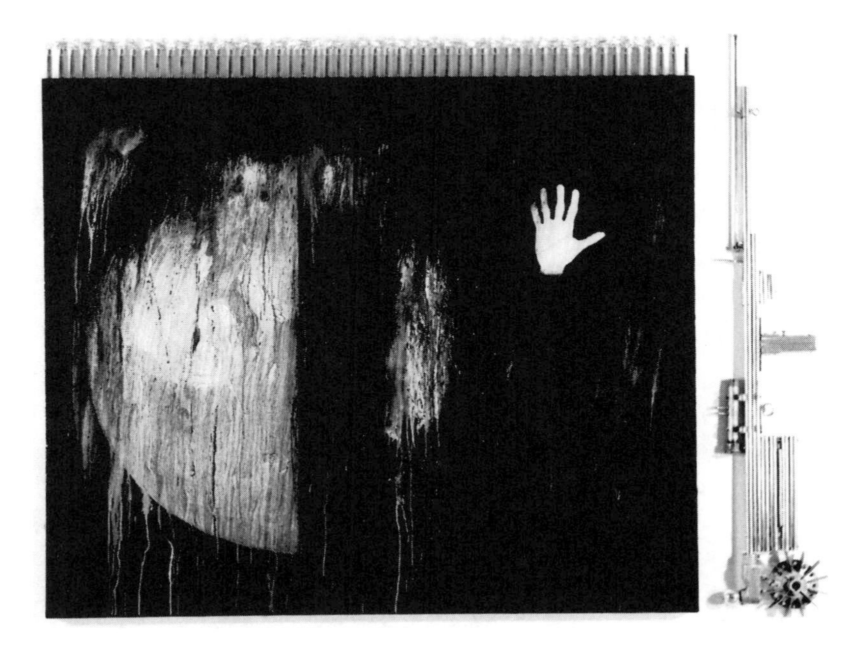

Jean-Pierre Gilbert, *Arme à ventiler les rêves,* huile sur toile et métal, 1989.

(sable, collages) et d'objets : le bestiaire en cailloux de Pellan, la maison de Lemoyne, au grand dam de ses voisins d'Acton Vale ; Raymond Gervais utilise des objets usuels, de la musique et de la lumière pour communiquer avec le visiteur. L'installation, dont il est question dans le chapitre suivant, devient un mode d'expression usuel qui tente un jour ou l'autre les communicateurs que sont les artistes en arts visuels.

Par la quantité, par la diversité des peintres dont il est esquissé quelques traits, on voit bien que la jeune peinture au Québec est pleine d'imagination et d'énergie (cf. les chevaux d'Anne Marrec). La tradition, avec ses timidités, a été longue à sortir des limbes de l'imitation. Avec le XXe siècle, les personnalités se sont affirmées, ont pris des responsabilités collectives et assument des risques personnels. En même temps qu'ils découvraient les grands mouvements, qui ont renouvelé la vision occidentale de l'art dans le centre artistique qu'était Paris, les artistes se sont sentis enracinés dans le Québec et ont saisi l'urgence de le faire participer à un vaste mouvement occidental de réorientation des valeurs traditionnelles. En s'ouvrant sur le monde, notamment sur New York, creuset d'idées et d'expériences, l'École de Montréal s'est fait un nom international dont les Québécois peuvent être fiers. Le gouvernement l'a bien compris qui met à la disposition des artistes pour six mois des studios qu'il a acquis, dans la métropole états-unienne comme dans la capitale française.

La soudaine multiplication des groupes, des artistes, des façons de faire rend malaisée la tâche consistant à dégager les lignes de force de ce jaillissement pictural. C'est pourquoi il ne s'agit ici que de poser quelques jalons pour aiguiser l'appétit de connaissance. De nombreux musées font preuve d'une rare perfection dans la pratique de l'accrochage et l'art de la présentation. Le foisonnement de ces dernières décennies s'est traduit par l'essor et la modernisation des grands musées urbains que sont, dans la métropole, le Musée des beaux-arts et le Musée d'art contemporain. Dans la capitale, le Musée national des Beaux-Arts du Québec, avec des expositions (le Louvre, Rodin) dont la parfaite mise en valeur a subjugué même les prêteurs, prouve que la culture n'est plus l'apanage de l'élite. Quant aux galeries, elles se sont multipliées jusque dans les centres commerciaux des grandes villes. Des événements — *Le Symposium de la nouvelle peinture au Canada* à Baie-Saint-Paul (tenu pour la 17e fois en 1999) —, des expositions — *De fougue et de passion* en 1998, *Les Temps chauds,* 10 ans plus tôt — permettent à la relève d'investir le Musée d'art contemporain de Montréal entre deux rétrospectives des « gros canons », que le marché de l'art a déjà statufiés. La sensibilité individuelle se fait jour, neuve, aiguë, inquiète d'un avenir incertain et dont la seule certitude est le besoin fondamental de dire avec des lignes, des formes et des couleurs que, par exemple, le déchaînement d'une tempête hivernale n'a de juste revers que la somptuosité de la lumière d'un soir de septembre dans les Laurentides.

La photographie

Dès le milieu du XIXe siècle, le Québec s'ouvre à la photographie, cette nouvelle technologie qui fixe une image précise sur un support : William Notman ouvre un studio en 1858 dans la capitale. Le rapport irréfutable au réel forcera d'ailleurs les peintres à un regard neuf. À Montréal, on met au point un nouveau ferrotype, qui s'exportera dans le monde entier. Les Livernois, de père en fils, tiennent boutique dans le Vieux-Québec et voient défiler dans leur atelier des gens de toutes les classes sociales. Des amateurs viennent en outre à Québec, la gravure ayant popularisé le paysage singulier, pour fixer sur pellicule ces côtes qui grimpent à pic entre la basse et la haute-ville, la silhouette caractéristique du Château Frontenac, avec le recul que permet la majesté du fleuve.

On doit à Maurice Perron d'avoir fixé sur pellicule les temps forts de l'automatisme. La technique se raffinant, Eugen Kedl, Mia et Klaus, Michel Boulianne deviennent les nouveaux paysagistes du Québec ; en même temps, Charles Gagnon force son objectif à distancer l'artiste du quotidien Gabor Szilasi, en apprivoise constamment le réel. Des galeries se spécialisent qui révèlent l'intimisme de Raymonde April. Le Musée d'art contemporain consacre une exposition à Geneviève Cadieux. Jocelyne Alloucherie, par les contrastes entre l'ombre et la lumière, se rapproche de l'abstraction. La sculpture et l'installation (Nathalie Caron suture de mille petites pointes de minuscules images qui trouent un panorama autrement quelconque) font une large place à des photos que l'on peut maintenant manipuler à l'ordinateur. Une recherche patiente a mené Louise Poissant (Montréal) et Marie-Andrée Cossette (Québec) à maîtriser l'holographie qui « permet de visualiser l'invisible » : pionnière de la photographie en trois dimensions, Marie-Andrée Cossette expose en 1998 au Massachusetts Institute of Technology avec les meilleurs holographes du monde. La précision de son rayon laser sculpte des scènes oniriques dans ses hologrammes (*Seigneur des anneaux*) qui autrefois se bornaient à donner l'illusion parfaite de l'objet, tasse ou nid d'oiseaux. Philippe Boissonnet invite les spectateurs à interagir par leur déplacement avec trois hologrammes qui échappent à leur regard au moment où ils croient en saisir la lumière (*In-Between,* 1997). Le monde multidisciplinaire du spectacle se sert déjà de ces techniques optiques qui seront bientôt monnaie courante.

Les Québécois ont deviné l'importance nouvelle des arts dans l'évolution d'une société, sur tous les plans[12]. En gagnant si vite son autonomie, la peinture a été le déclencheur d'une prise de conscience collective qui a amené le Québec à se poser des questions d'ordre culturel, donc fondamentales.

Notes

1. Géricault peint *Le Radeau de la méduse* en 1819 et Delacroix *Les Massacres de Scio* en 1824.
2. Les communications avec la France sont facilitées par les nouvelles habitudes de voyage, avec l'ère des paquebots. On voyage aussi, par voie ferrée, à l'intérieur du Canada.
3. Cela explique le succès de ce peintre au Québec puisqu'il semble en union d'esprit avec l'idéologie dominante du moment.
4. Homme de terrain, homme de service, Ozias Leduc ne refusait jamais de « peinturer » un écriteau pour un voisin qui voulait vendre son cheval.
5. Étant donné la succession rapide des mouvements qui font, en quelques décennies, évoluer la peinture à pas de géant, on aura avantage à consulter une histoire de la peinture française de cette époque, qui continue jusqu'en 1940 à attirer systématiquement tous les artistes peintres du Québec.
6. Marcel Duchamp y est déjà, qui compte parmi les innovateurs les plus importants de l'art moderne. L'exposition *Armory Show* date de 1913.
7. André Breton lui-même vient en Amérique du Nord (1941-1942) et y publie *Situation du surréalisme entre les deux guerres.*
8. La lumière, « conséquence ultime de l'abstrait, pulsation du tableau », s'impose à lui comme le sujet essentiel à conserver (1988).
9. Un chien dont on aurait trempé les quatre pattes dans quatre pots de peinture de couleurs différentes pourrait faire quelque chose d'intéressant sur un drap étendu à terre, mais les chances sont très minces d'avoir une œuvre d'art.
10. Noter l'usage québécois, où « peinturer » ne se rapporte pas qu'au métier exercé par le peintre en bâtiment.
11. La capitale s'enorgueillit toutefois, depuis 1995, du complexe Méduse, regroupement unique en Amérique du Nord de studios et galeries, d'ateliers, de bureaux et de salles où se croisent, dans une réelle synergie, des artistes de toutes disciplines.
12. Gaz Métropolitain demandait à Riopelle et à

Jour de marché, place Jacques-Cartier, à Montréal, 1890. (Musée McCord d'histoire canadiennne. Photo : William Notman et fils.)

quatre autres peintres d'illustrer le slogan de sa campagne publicitaire de 1988 : « La force de l'énergie ».

Bibliographie

*Elle est très abondante ; outre les périodiques et les ouvrages portant sur l'art en général et qui sont répertoriés dans la Bibliographie générale, il y a les catalogues des musées et des galeries du Québec et du Canada (*Henri Beau *par Pierre L'Allier,* Joseph Légaré *par John R. Porter, par exemple). De plus, il existe une quantité de monographies et de belles éditions d'art sur beaucoup de peintres québécois. Nous ne citons ici qu'un choix très restreint de documents d'ordre général ou qui traitent d'un ensemble, d'un mouvement ou d'une école. Pour la photographie, il existe un grand nombre de catalogues et d'articles de périodiques spécialisés.*

BÉLAND, Mario (dir.), *La Peinture au Québec, 1820-1850, nouveaux regards, nouvelles perspectives*, Québec, Musée du Québec, 1991, 605 p.

BERNIER, Robert, *Un siècle de peinture au Québec — Nature et paysage*, Montréal, Éditions de l'Homme, 1999, 352 p.

BORDUAS, Paul-Émile, *Refus global — Projections libérantes*, Montréal, Parti pris, 1977 [1974], 153 p. [1re éd. : 1948 en 400 exemplaires].

BOULIANNE, [Michel], *Lumières d'un pays* (Photographie), Québec, Anne Sigier, 1997, 117 p.

BOURASSA, André-G., *Surréalisme et littérature québécoise,* Montréal, Les Herbes rouges, coll. « Typo », 1986, 613 p. [l'Étincelle, 1977].

COUTURE, Francine (dir.), *Les Arts visuels au Québec dans les années 1960,* t. I : *La Reconnaissance de la modernité,* 1993, 342 p. ; t. II : *L'Éclatement du modernisme,* 1997, 424 p., Montréal, VLB.

ÉTHIER-BLAIS, Jean, *Les Pays étrangers* (roman), Montréal, Leméac, 1982, 467 p.

GAGNON, François-Marc, *Chronique du mouvement automatiste québécois, 1941-1954,* Outremont, Lanctôt, 1998, 1 023 p.

GAGNON, François-Marc et Nicole Cloutier, *Premiers peintres de la Nouvelle-France,* Québec, ministère des Affaires culturelles, 1976, 2 vol.

HARPER, J. Russell, *La Peinture au Canada des origines à nos jours,* Québec, PUL, 1966, 442 p.

KEDL, Eugen, *Québec et ses merveilles,* Québec, Anne Sigier, 2008, 105 p. (14e livre de photos depuis 1984).

MORISSET, Gérard, *La Peinture traditionnelle au Canada français,* Montréal, Cercle du livre de France, 1960, 216 p.

OSTIGUY, Jean-René, *Un siècle de peinture canadienne, 1870-1970,* Québec, PUL, 1971, 206 p.

RIOPELLE, Yseult (recherche et dir.), *Jean-Paul Riopelle. Catalogue raisonné,* t. I : *1939-1953,* avec trois études, Montréal, Hibou, 1999, 466 p. (premier tome des neuf prévus).

ROBERT, Guy, *École de Montréal, situation et tendances,* Montréal, Centre de psychologie et de pédagogie, 1964, 150 p.

ROBERT, Guy, *La Peinture au Québec depuis ses origines,* Sainte-Adèle, Iconia, 1978, 221 p.

ROBERT, Guy, *Art actuel au Québec depuis 1970,* Montréal, Iconia, 1983, 255 p.

TRÉPANIER, Esther, *Peinture et modernité au Québec, 1919-1939,* Montréal, Nota Bene, 1998, 395 p.

Périodiques

Ciel variable (photo), < 87, 3/an.

ETC (art actuel), < 87, 4/an.

Inter (art actuel), 3/an.

Parachute (de 1975 à 2007).

Le Sabord (1983-1993) puis *Art, Le Sabord* (1994-2004).

Ovo photo (1971-1977) puis *Le Magazine Ovo* (1978-1987).

Audiovisuel

Diapositives

Yvan Boulerice a produit et distribué des séries de diapositives sur un grand nombre de peintres :

- en monographies (*F. Leduc, A. Villeneuve,* etc.) dans la série « Quarante artistes de la société des artistes professionnels du Québec » ;
- en ensembles diapos sur quatre écrans, avec bande sonore : *En partant de Borduas, En partant de Pellan.*

Le Musée du Québec offre diapositives (à la pièce et en ensembles) et reproductions (en plusieurs formats).

L'Aluchromie, Québec, Éditeur officiel du Québec, 1974.

Paul-Émile Borduas et Alfred Pellan (10 diapos), ONF, 1965.

Passage de la figuration à la non-figuration dans l'art québécois (80 diapos), Yvan Boulerice, 1976, sur la peinture des années 1950 et 1960.

Peinture québécoise contemporaine (200 diapos), Yvan Boulerice, 1971, sur cinq peintres québécois.

Peintures du Musée du Québec (115 diapos), Yvan Boulerice, 1976, sur la peinture des XIXe et XXe siècles.

Peintures figuratives traditionnelles et contemporaines du Canada-français (50 diapos), Yvan Boulerice, 1975.

Vidéos

En assez grand nombre : conférences, tables rondes, entrevues avec un artiste ou ses commentaires faits par le Vidéographe, la Galerie nationale (Ottawa), le Musée d'art contemporain (Montréal), la Direction générale des moyens d'enseignement (Québec), etc.

Fresque (sur la peinture), Alain Corneau, Synercom téléproductions et INRS-Culture et Société, coll. « La culture dans tous ses états », 1998, 60 min.

L'Objectif subjectif (sur la photographie), Jean Beaudry, Synercom téléproductions et INRS-Culture et Société, coll. « La culture dans tous ses états », 1998, 60 min.

Trois techniques d'enregistrement et de reproduction, Coscient, couleur, 1989, 27 min (holographie).

Films

Borduas et les automatistes, Musée d'art contemporain, couleur, 1972, 7 min.

Paul-Émile Borduas, Jacques Godbout, ONF, couleur, 1963, 22 min.

Ce monde éphémère, Miyuki Tanobé, Rankui, Steinhouse, Voizard, ONF, couleur, 1979, 27 min.

Dimension lumineuse, Michel Régnier, Musée d'art contemporain, 1962, 18 min ; sur Jean-Paul Mousseau et sa murale à Hydro-Québec.

Les Enfants du Refus global, Manon Barbeau, ONF, couleur, 1998, 75 min.

Instants privilégiés : Marcel Barbeau et Vincent Dionne, Paul Vézina, OFQ, 1976, 5 min. Marcel Barbeau crée un tableau sur les percussions de Vincent Dionne.

Marc-Aurèle Fortin, André Gladu, Radio-Canada, couleur, 1982, 54 min.

Marcelle Ferron, Monique Crouillère, couleur, 1989, 51 min.

La Peinture votive, Brault-Lessard, couleur, ONF, 1982, 30 min.

Pellan, André Gladu et France Pilon, couleur, 1986, 73 min.

Riopelle, Pierre Letarte et Marianne Feaver, couleur, ONF, 1982, 54 min.

Rita Letendre, Joyce Teff, Coopérative des cinéastes indépendants, couleur, 1966, 12 min.

Québec en silence, Gilles Gascon, ONF, couleur, 1969, 10 min (sur Jean Paul Lemieux).

Tel qu'en Lemieux, Guy Robert, OFQ, 1973, 26 min.

Un Québécois retrouvé, Raymond Brousseau, ONF, couleur, 1980, 58 min (sur Joseph Légaré).

Villeneuve, peintre barbier, Marcel Carrière, ONF, couleur, 1964, 17 min.

Voir Pellan, Louis Portugais, ONF, couleur, 1968, 19 min ; version abrégée : *Alfred Pellan, peintre,* 1974, 6 min.

12
Les arts visuels : sculpture, installation

Page précédente : Alfred Laliberté, *Le Diable aux forges du Saint-Maurice, le dimanche matin*, bronze patiné, entre 1928-1932. (Musée du Québec, 34. 441 5. Photo : Patrick Altman.)

Dans un pays couvert de forêts où le bois est le matériau de base qui sert à l'habitation, au chauffage, à la construction navale comme à la défense, il est naturel que l'on se sente attiré vers la sculpture dès qu'il s'agit d'ornementation. Le sculpteur utilise les outils de l'artisan : d'ailleurs, tout habitant aime à « gosser du bois » pour tromper l'inaction forcée des longues soirées hivernales, ce qui lui dicte la fabrication d'instruments simples et précis : un morceau de métal, ou même un clou fiché dans une pièce de bois qu'un système ingénieux fait coulisser, permet de couper, de tailler, de creuser, de raboter, d'aplanir, de tracer des lignes ou de faire des moulures. La sculpture apparaît alors dans le prolongement de la vraie vie, comparativement à la peinture qui demeure un art très distancé du réel quotidien du colon et qui requiert des outils plus raffinés, des matériaux plus délicats. C'est sans doute la raison pour laquelle cet art a connu dès les débuts de la colonisation française une certaine popularité et pourquoi il s'est développé rapidement après la Conquête, avant de décliner dans la deuxième moitié du XIXe siècle puis de reprendre sa vigueur, plus tard, sous la poussée de nouvelles formes d'expression. À part quelques exemples, d'ailleurs marquants, de sculpteurs qui utilisent le bronze au tournant du XXe siècle, il faut attendre au-delà des années 1940 pour retrouver au Québec l'engouement des débuts à l'égard de cet art, quels que soient alors les matériaux utilisés. On pourra parler d'enthousiasme à partir de 1960.

La sculpture traditionnelle

Art de décoration, art « superflu » comme la peinture, la sculpture sert d'abord à orner églises et chapelles. Ces lieux, pour être dignes de la grandeur et de la munificence de Dieu, doivent être différents des lieux communs fréquentés par les fidèles. À l'extrême simplicité des maisons s'opposent la richesse et le raffinement des lieux de culte dont le but est précisément d'élever l'âme au-dessus des contraintes matérielles pour ouvrir la conscience à une autre dimension. D'après l'historien Jean Soucy, la sculpture ancienne « témoigne de cet intense sentiment religieux qui a profondément marqué le peuple canadien-français durant une longue période de son histoire ».

Les églises présentaient en général un extérieur austère : simples constructions de bois comme les maisons, puis de pierre des champs comme le deviennent aussi les habitations, ce n'est qu'au cours du XVIIIe et du XIXe siècle que des motifs architecturaux, tours, frontons, formes des fenêtres, vont peu à peu magnifier des constructions auxquelles la pierre grise donne une dignité un peu distante, même si la forme en croix des églises à transept et le transfert du clocher de la croisée des transepts à la façade sont déjà de notables améliorations du début du XVIIIe siècle. Par le contraste entre la sobriété de la construction et le faste de l'intérieur, on veut créer une tension, un émerveillement qui dispose l'être à sortir de son ordinaire pour avoir accès à ce qui reste de l'ordre du mystère. L'église constitue alors le seul lieu où le colon, puis l'habitant voient des œuvres d'art.

En devenant plus à l'aise, l'habitant pourra à son tour commander au menuisier des meubles plus recherchés, assurant d'une certaine façon le passage du sacré au profane et faisant alors globalement « œuvre de civilisation ». En Nouvelle-France, plus qu'ailleurs, étant donné que la population est restreinte, ce sont en effet les mêmes artistes, les mêmes artisans qui travaillent le bois ; il n'y a alors guère de différences entre ces divers corps d'arts et métiers : le même homme peut être tour à tour menuisier, sculpteur ou architecte. Peut-être est-ce la raison pour laquelle le décor de l'autel reprend quantité de motifs architecturaux de l'extérieur même du bâtiment.

Le matériau

Parmi les essences de qualité qui abondent en Nouvelle-France, le chêne tente les premiers sculpteurs, sans doute à cause de sa noblesse ; son grain serré le rend difficile à travailler mais quasi indestructible. On lui préférera toutefois des bois plus tendres, parce qu'ils sont plus souples à travailler, moins coûteux, et que la commune habitude de les recouvrir d'un pigment ou de dorure ne justifiait pas aux yeux du curé ou du conseil de fabrique le recours à un onéreux mais invisible matériau de base, en général d'ailleurs réservé au domaine royal.

Le noyer tendre et le pin étaient faciles à trouver, à sculpter, à recouvrir : ce dernier devient donc, à l'église aussi, le matériau usuel en dépit de ses inconvénients : dehors, sensible aux intempéries, le pin se délite, pourrit et perd peu à peu toute résistance. À la fin du XIXe siècle, la technologie s'en mêlant, on applique des peintures quasi imperméables qui, empêchant le bois de respirer et de sécher, accentuent le processus de pourriture interne. Et pourtant à ce moment-là, les statues ont gagné droit de cité hors des bâtiments. On imagine de les recouvrir en partie de feuilles de plomb ou de zinc, métaux[1] mous qu'il est relativement facile de mouler sur la tête, les épaules et les pieds des saints qui ornent les églises.

On utilisait en général une seule pièce de bois. C'était assez naturel pour les statuettes du tabernacle ou du retable, mais cela posait un certain nombre d'exigences lorsqu'il s'agissait de sculptures grandeur nature, et plus encore si elles étaient colossales. On commandait parfois de très grands objets : la taille en imposait aux fidèles et flattait leur goût pour les histoires de géant ou de bottes de sept lieues. Si l'endroit à orner

Le Père éternel, anonyme, bois polychrome, doré et argenté, entre 1700 et 1800. (Musée du Québec, A55 193P. Photo : Patrick Altman.)

commandait une importante vue, c'était une véritable obligation que de faire grand. On s'arrangeait alors, dans le choix de l'arbre en question, pour se servir de ses formes naturelles. On ne faisait pas beaucoup d'assemblages, sources de fragilité, à peine un coude, un bras tendu ; on préférait une forme ramassée, les bras souvent près du corps et le socle pris dans la même pièce de bois ajoutaient à la solidité de l'œuvre. Ainsi la forme brute était-elle à la source même de l'allégorie qu'elle représentait.

Le matériau n'était presque jamais présenté à nu. On le finissait en général à la dorure, plus rarement à l'argenture ; la dorure est une opération lente et compliquée qui exige doigté et finesse : aussi devint-elle la spécialité des communautés religieuses féminines comme les ursulines de Québec. La dernière des 17 étapes consiste en l'application d'une feuille d'or mince et souple, cueillie au pinceau, qui épouse parfaitement le poli du bois et lui donne un reflet chaud et lumineux mettant en valeur les détails du modelé mieux que ne le ferait la plus moelleuse des cires. Son seul inconvénient en est le prix : il en coûtait plus cher de dorer une statue que de la sculpter. La polychromie, ou application de plusieurs couleurs, était une méthode plus simple, beaucoup moins coûteuse, très réaliste et qui donnait de charmants résultats. La carnation du visage et des mains exigeait toutefois une grande maîtrise des pigments.

Un autre handicap de ces méthodes de finition, or ou polychromie, était leur relatif manque de résistance. Chapelles de couvents et églises ont toujours été l'objet des soins énergiques de religieuses ou de ménagères : traquant la poussière dans les moindres recoins, elles secouaient au grand vent des chiffons d'où s'envolaient des paillettes d'or. Aussi recolorait-on, redorait-on sans relâche. Quand l'industrie des peintures, pigments et vernis fit de grands progrès, on délaissa les anciennes méthodes coûteuses au profit de produits prémélangés, quand on ne choisit pas carrément les peintures en aérosol avec des résultats parfois catastrophiques.

L'autre danger qui guettait ces ensembles était la destruction par le feu, les bombardements, la négligence ou le désir de changement, bien qu'en revanche cela procurât du travail à d'autres ornemanistes et pût être l'occasion de nouveaux chefs-d'œuvre. À cet égard, les gravures de Richard Short, dessinateur anglais de la Conquête, sont éloquentes et permettent d'imaginer les intérieurs de la chapelle des récollets ou de celle des jésuites. Les Français de passage avaient décrit dans l'enthousiasme la beauté de tels lieux, Lahontan[2] d'abord puis le père Charlevoix[3] en 1744. Aussi ne s'étonnera-t-on pas d'entendre Lord Dufferin[4] s'extasier à son heure, devant l'harmonie de l'église de Trois-Rivières que Benjamin Sulte lui faisait visiter : « Je ne croyais pas rencontrer un pareil bijou en Amérique. »

D'autres matériaux pouvaient à l'occasion compléter une sculpture : des angelots ont été habillés de tissu raide et épais ; sur d'autres statues la toile a été dorée ou peinte. Comme ailleurs, on trouve aussi des statuettes de cire, surtout des Jésus nouveau-nés. Les sœurs grises, au XIXe siècle, ont diffusé une nouvelle technique, apprise des oblats, arrivés au pays en 1841 : le papier-pâte qui exige une grande habileté mais traduit gracieusement la finesse des détails des vêtements.

Ornemanistes et sculpteurs

Jusque vers 1850, les œuvres sont en général anonymes : le statut un peu particulier de ces artistes-ouvriers ne leur aurait pas permis d'avoir la prétention de signer leurs œuvres. Par recoupement, grâce aux patientes recherches dans les archives des fabriques, on finit par connaître avec certitude la paternité d'un bon nombre d'œuvres. Par les comptes des couvents, on apprend que l'on doit la chapelle des ursulines à Noël Levasseur « dont le fils servait régulièrement la messe au couvent »... Le travail des spécialistes en histoire de l'art a permis ainsi de sortir de l'anonymat des œuvres que le public admire, telles quelles, dans leur vigoureuse beauté.

À l'école de Saint-Joachim, un certain Jacques LeBlond, dit Latour, enseigne son métier vers 1690. La minuscule colonie, si elle ne trouve pas sur place les personnes-ressources nécessaires, continue à faire appel à la métropole : Gilles Bolvin, des Flandres françaises, se marie pour la première fois en 1732 et travaille à l'église de Trois-Rivières. Vers 1755, Philippe Liébert commence une longue carrière à Montréal.

En fait, les écoles d'arts et métiers de Saint-Joachim et de Montréal ne sont pas promises à un long avenir : le métier s'apprend surtout en atelier et les meilleurs apprentis, du moins ceux à qui le maître voulait passer son savoir, étaient ses fils ou ses neveux. Ainsi Noël Levasseur forme-t-il ses fils — François-Noël et Jean-Baptiste Antoine — qui travaillent en même temps qu'un certain Pierre-Noël Levasseur. Cette dynastie a presque duré tout le XVIIIe siècle à Québec, alors qu'à Montréal et dans la région on reconnaissait le talent des Labrosse (le plus renommé fut Paul Jourdain, dit Labrosse, également facteur d'orgues). On connaît aussi vers 1760 les frères Hardy.

Après la Conquête, il fallut reconstruire : ce fut le début de l'âge d'or de ces architectes ornemanistes. Juste avant la guerre de Sept Ans, Philippe Liébert (mort en 1804) quitte les environs de Fontainebleau pour s'installer à Montréal. Il est en pleine possession de ses moyens lorsqu'il faut rebâtir. De France, il est venu avec le goût du baroque qui apparaît dans le traitement des draperies, la position des bras, la ligne générale du corps. Le baroque reste cependant modéré en terre laurentienne, tempéré sans doute par la simplicité et la vigueur du tempérament canadien qui préfère la robustesse et la solidité à la complication du décor.

Mgr de Pontbriand recrute en 1741 un jeune homme qui deviendra le père d'une longue lignée de sculpteurs-architectes à Québec et dans les environs, les Baillairgé. Jean Baillairgé travaille avec son fils François à l'Hôtel-Dieu de la capitale, puis l'envoie se former à Paris, en sculpture et en architecture. Le fils de François, Thomas, continue l'œuvre de son père dans le respect de lignes plus droites, de colonnes cannelées : c'est qu'à Québec aussi on réagit parfois en classiques devant les exagérations du « rococo ». Une sobre élégance caractérise les églises dont François et Tho-

Louis Jobin, *Monument à saint Georges,* bois recouvert de cuivre, 1912. (Musée du Québec. Collection Fabrique Saint-Georges de Beauce. Photo : Patrick Altman.)

mas sont responsables. À Montréal, Louis Quévillon profite de l'essor incomparable de la cité au XIXe siècle et fonde l'Atelier des Écores, avec des associés, Joseph Pépin (1770-1842) et René Saint-James, dit Beauvais (1785-1837). Cet atelier emploie plusieurs dizaines de personnes ; il rayonne tout autour de la métropole et le long du Richelieu où pousse une nouvelle génération d'églises. Quévillon affectionnait courbes, volutes, rinceaux, rocaille, le style baroque en général dont il exagère parfois les décorations. La main-d'œuvre était abondante, les décors fouillés traduiront cette abondance par des motifs de fruits, de fleurs, par une recherche poussée des plans de retables.

Après 1850

D'après l'anthropologue Marius Barbeau, que cite Gérard Lavallée, l'abbé Jérôme Demers (1774-1833) aurait permis à un artisan italien de coller des moulages de plâtre à la voûte de la basilique de Québec pendant que Thomas Baillairgé chevillait ses sculptures sur les murs ; est-ce le début de la fin pour les sculpteurs sur bois ? Les plâtres moulés et peints ne coûtent presque rien. La peinture, que le plâtre absorbe littéralement, a des coloris presque inaltérables : le style « Saint-Sulpice » de ces objets industrialisés favorise les attitudes extatiques, l'air éthéré, les yeux au ciel, les joues trop roses et les longues draperies bleu marial : la sainteté semble ainsi s'éloigner du réel. Quant aux motifs des décors, ils ne sont que monotone répétition. Des exceptions à cette uniformisation viennent d'Italiens bien intégrés au milieu québécois et qui, outre le plâtre, utilisent d'autres matériaux. En 1858, Thomas Carli, né en Italie, vient s'installer à Montréal, y fonde un atelier qui compte jusqu'à 60 employés. Son affaire devient une entreprise de famille. Plus tard, en 1923, s'y associe la famille Petrucci. L'atelier fermera ses portes en 1972.

Victimes de cette industrie très florissante, les imagiers du bois voient leurs commandes diminuer. Une tradition aussi forte qui avait imposé un style et des manières de travailler ne peut cependant pas disparaître, comme gommée par un goût incertain qui se généralise. Après la mort d'André Paquet (1860), Jean-Baptiste Côté (1832-1907) continue à travailler le bois. On connaît de lui plusieurs bas-reliefs et un ensemble de caricatures impertinentes qui dénotent une imagination, un sens de l'observation et de l'humour pleins de charme. C'est plutôt dans la région de Québec que se maintiennent des ateliers. De chez François-Xavier Berlinguet sort Louis Jobin (1844-1928). Statuaire exceptionnel, il produit des milliers de statues que l'on vient chercher de toute l'Amérique du Nord. C'est à Saint-Henri de Lévis qu'on trouve encore la plus grande quantité d'œuvres de Jobin (46). On en trouve également à Rivière-du-Loup. Amoureux de son art, Jobin mourut à 84 ans, toujours aussi pauvre car il lui répugnait de faire payer ses immenses statues de bois plus cher qu'un plâtre de série. Il put former un apprenti, Henri Angers (1870-1933), qui réalisait en 1909 les quatre sculptures de la façade de Saint-Ambroise de Loretteville. C'est aussi l'époque où Lauréat Vallière et son fils Robert sont les sculpteurs de l'église Saint-

Vierge à l'enfant, anonyme, relief sur fond peint, bois doré et polychrome, fin XVIIe ou début XVIIIe siècle. (Église de Sainte-Marie de Beauce.)

Dominique à Québec. Le fils raconte que, poussé par l'un de ses clients, Lauréat remet à ce dernier au jour convenu l'œuvre commandée, mais lui en apporte une autre 10 jours plus tard : « Voilà la sculpture que je vous aurais faite si vous ne m'aviez pas poussé dans le dos. »

La sculpture d'ornementation des églises

L'ornementation des églises était le gros marché des artistes. L'accroissement de la population, l'agrandissement, la rénovation ou la construction des églises leur assuraient un travail de longue haleine. Mais il n'était pas toujours facile de faire approuver un plan proposé à une fabrique, à un supérieur de couvent, voire d'obtenir le paiement d'une œuvre finie. Gilles Bolvin (1711-1766) se fait vertement rabrouer par un sulpicien de L'Assomption. Le peintre A. Y. Jackson, rendant visite à Louis Jobin deux ans avant sa mort, avait remarqué une statue d'ange jouant de la lyre, accrochée à l'extérieur de son atelier : « Regardez le bois, dit Jobin, il est déjà vermoulu. Les insectes le vrillent ; ils s'en nourrissent. Ils l'aiment mieux que le curé pour qui je l'ai fait et qui n'en a pas voulu. » Pour ceux qui payaient, l'esthétique semblait n'avoir qu'une importance relative alors qu'il existait des critères à ne pas négliger : ces œuvres devaient avant tout être des modèles proposés à la piété des fidèles, d'où leur contenu didactique. Les évangélistes étaient présentés avec un livre ouvert et l'animal qui les identifie, l'aigle pour saint Jean, le lion pour saint Marc. Saint Roch montre la plaie de sa jambe, toujours accompagné d'un chien portant un pain dans la gueule, et saint Pierre ne sort jamais sans les clés du paradis.

En plus des statues en ronde-bosse, les bas-reliefs présentent peu de saillie sur un fond plat. Le haut-relief est plus en saillie : il en existe un à Sainte-Marie de Beauce présentant une Vierge à l'enfant très curieuse : sur les genoux de sa mère, l'enfant semble pagayer devant un paysage qui évoque celui de Québec.

Le grand œuvre des ornemanistes demeure le retable qui entoure l'autel ainsi que le tabernacle : colonnes, dôme, frises, statuettes nombreuses, chapiteaux, guirlandes, niches, vases, torches, cartouches permettent tous les styles, qu'ils mêlent souvent avec bonheur. Certaines audaces surprennent. Il y a d'habitude un tableau au fond du retable sur lequel se détache la monstrance, tout au sommet du maître-autel.

La forme des autels ressemble volontiers à celle du tombeau qui adopte les côtés galbés du style Louis XV. Le tabernacle du maître-autel est en général un édicule avec des caractéristiques de type plutôt architectural : porte, toit en dôme, colonnettes, grilles, niches. La porte même du tabernacle est toujours ornée d'un motif, épi de blé et grappe de raisins ou Bon Pasteur et sa brebis. Dès qu'on a aménagé une surface plane, on la garnit d'un motif : scène religieuse, fleur, fruit, étoile. On retrouve ces motifs sur les murs, sur les boiseries des stalles du chœur, sur les bancs — dont le « banc de fabrique » où prennent place les marguilliers —, sur le trône curial, sur les confessionnaux. Souvent une corniche fait tout le tour de l'église, soulignée par des denticules, et semble supporter la voûte en anse de panier dont certaines sont constellées de motifs sculptés (Saint-Jean-Port-Joli). La chaire, d'où vient la parole de Dieu, est fixée à gauche en hauteur et adopte une forme arrondie ou à pans coupés : elle est souvent surmontée d'un abat-voix, au-dessus duquel un ange à la trompette invite les paroissiens à être attentifs. Ce sont aussi des anges et angelots que l'on trouve sur des corbillards ou des stèles de cimetière.

Thématique de l'iconographie

Les thèmes sont liés à des dévotions particulières au territoire québécois. En tout premier lieu, c'est la sainte Famille qui retient l'attention ; saint Joseph, à la fois père de famille et artisan, la Sainte Vierge et son enfant, parfois de proportions étonnantes (un très grand « petit Jésus » domine presque une jolie jeune femme plus timide qu'étonnée devant la taille de l'enfant), sainte Anne, patronne des marins bretons, tient une grande place dans la dévotion populaire, attestée par le pèlerinage de Sainte-Anne-de-Beaupré et les ex-voto si nombreux qui lui sont dédiés (elle fait aussi partie de la sainte Famille, puisqu'elle est la mère de Marie). On voit aussi Jésus enfant mais déjà habité par la sagesse divine. Le thème du Bon Pasteur « parle » aux tièdes et aux négligents : il est toujours représenté avec, sur les épaules, la brebis qui s'était éloignée du troupeau. Sainte Ursule et saint Augustin, pour leur part, avaient la faveur des couvents de femmes qui vénéraient leurs saints patrons. Quant à saint François Xavier et à saint Ignace de Loyola, ils font partie de la Congrégation de Jésus. D'autres saints auront la faveur de l'Église tout simplement parce qu'ils sont en position de force : l'archange saint Michel, saint Georges terrassant le dragon sont des représentations populaires de la victoire sur le mal. On trouve aussi beaucoup d'évangélistes qui forment un ensemble où les animaux ont aussi leur place : voilà qui devait intéresser les artistes et leur permettre le peu de liberté dont ils jouissaient.

Originalité de la sculpture québécoise

On demandait souvent aux sculpteurs de copier soit une œuvre, importée ou non, soit une gravure, soit une image. Ils exécutaient alors les commandes dans un esprit de soumission qui ferait sourire les artistes d'aujourd'hui. À part quelques pièces empreintes d'une grande originalité, l'ensemble de la sculpture québécoise suit les canons de l'iconographie de l'époque. Ce qui fait son originalité, c'est l'interprétation des modèles souvent imposés.

De formation populaire, les sculpteurs exprimaient avec une foi évidente l'admiration que les modèles de sainteté leur suggéraient. Cette admiration se traduit par des traits émouvants ; en ce qui concerne l'ensemble attribué à Pierre Émond (1738-1808), le saint Joseph et la Sainte Vierge qu'abrite la chapelle de

Char allégorique sculpté par Louis Jobin pour la fête de la Saint-Jean-Baptiste de 1880, à Québec. (Musée de la civilisation. Source : L'Ancienne-Lorette, 75-949.)

Mgr Briand au Séminaire de Québec émeuvent par la belle naïveté de leur facture : bras loin du corps dans une attitude paisible d'accueil, figure massive, cou robuste, mains de la Vierge d'une taille très au-dessus de la moyenne ; la statique un peu raide de saint Joseph contraste avec l'attitude plus en mouvement de la Vierge qui écrase le serpent.

Gérard Lavallée parle d'un « art viril, sans concession » : il se dégage des calvaires de Louis Jobin, comme des évangélistes sculptés d'Henri Angers ou des Baillairgé, cette même tranquille assurance qui a fait la force du peuple québécois. Que les proportions ne soient pas toujours respectées n'enlève rien à la valeur des œuvres, au contraire. Louis Jobin enlevait ses chaussures pour tailler les pieds du christ en croix et se désolait dans sa vieillesse que les siens eussent trop enflé pour continuer à servir de modèles. La polychromie, faite avec tendresse, accentuait encore la bonté, l'accessibilité des modèles proposés au peuple chrétien. Ces personnages étaient créés à l'image et à la ressemblance de ce que leur créateur avait sous les yeux : des habitants et des mères de famille robustes.

Que dire des ensembles qui parent encore d'innombrables églises, dont aucun n'est semblable à celui de la paroisse voisine ? La finesse des feuilles d'acanthe ou des grappes de raisins rivalise avec l'originalité et la quantité incroyable de motifs qui ornent frises et corniches, murs et plafonds. Les David en ont façonné des centaines dont la variété étonne (Sault-au-Récollet, vers 1820). La qualité et la variété des œuvres, raffinement et recherche d'une part, franchise et simplicité non exempte de maladresse d'autre part, sont les témoins évidents de la place et de l'ardeur de la vie religieuse au Québec pendant plus de trois siècles.

La sculpture profane

Les œuvres qui témoignent de la sculpture profane sont en très petit nombre, comparativement aux milliers de pièces d'ordre sacré mieux protégées. Les premières enseignes urbaines ont été détruites par les aléas du temps et du climat. Celles qui nous restent sont plus récentes, comme ces beaux exemples de « Sauvages » qu'on plaçait en effigie à la porte des tabagies pour rendre hommage aux premiers utilisateurs du tabac. Louis Jobin, qui s'était d'abord installé à Montréal, en a fait un bon nombre. Il y eut aussi une longue tradition de figures de proue pour orner les bateaux qui sortaient des chantiers maritimes : on en a retrouvé des projets dans les cartons à dessin des Baillairgé et l'on sait que la construction navale de voiliers était lucrative jusqu'au milieu du XIXe siècle.

La fête nationale des Canadiens français, la Saint-Jean-Baptiste, qui correspond au solstice d'été, est marquée par un grand défilé. Il reste encore des chars allégoriques immenses de Jobin, très explicites sur les valeurs traditionnelles. Médard Bourgault, né en 1897 à Saint-Jean-Port-Joli, avait commencé par fabriquer des figures sacrées. Il s'oriente ensuite vers la figurine de petite taille représentant les mille et une situations de la vie rurale. Étant donné le succès de ses œuvres auprès des touristes, son frère et ses fils ont continué sur sa lancée et ont créé dans cette petite ville de la Rive-Sud un véritable centre culturel voué à la sculpture sur bois. S'y sont tenues plusieurs réunions internationales de sculpture.

Sculpture et urbanisme. Les villes prennent de l'ampleur à la fin du XIXe siècle, et l'urbanisme fait pousser de grands édifices publics au milieu d'espaces délimités à cette fin. Ces espaces sont habités par des groupes de personnages en bronze érigés à la gloire des héros ou des premiers habitants du continent : Louis Hébert, Marie Rollet, Guillaume Couillard, etc. Louis-Philippe Hébert avait ainsi réalisé et exposé en France (1889) son *Pêcheur à la nigogue*, guettant toujours devant l'Assemblée nationale un poisson virtuel. Son fils Henri (1884-1950) saura passer de modèles traditionnels à un style Art déco, ce qui en fait une des figures de la modernité québécoise.

Les petits bronzes d'Alfred Laliberté. Suzor-Coté avait tâté de la sculpture : on lui doit une cinquantaine de petits bronzes, hauts de 40 cm environ : son groupe d'*Iroquoises* est saisissant de vérité et de mouvement, mais son œuvre reste très modeste en comparaison de celle d'Alfred Laliberté (1878-1953). Professeur pour vivre comme tant d'autres, Laliberté

Sculpture sur neige, Carnaval de Québec, 1994. (Photo : Gervais Lapointe.)

partage son temps entre des commandes officielles (statues et monuments, telle la façade du palais du Parlement à Québec) et une quantité de statuettes d'une trentaine de centimètres de haut, étonnantes de vie et d'imagination. Cette œuvre considérable a pour thèmes les coutumes et les métiers de la vie d'autrefois. Laliberté n'avait qu'à se souvenir de son enfance dans les Bois-Francs pour camper une femme d'habitant en train de baratter la crème ou le forgeron du village en pleine action. La proportion et l'équilibre des pièces, la vigueur du modelé, la qualité du ciselé, la beauté de la patine en font le plus grand artiste de cette période. Dans ses 925 sculptures, grâce aux statuettes sur les traditions populaires, le Québécois d'aujourd'hui retrouve avec émotion tout un pan de la mémoire collective. Grand conteur, Alfred Laliberté s'est souvenu de la place qu'occupait la tradition orale dans les veillées d'autrefois. Il a tenu à traduire dans le bronze les innombrables légendes qui enchantaient les anciens : ainsi l'histoire de *Grenache*[5]. Les bonnes actions sont récompensées : *La Mesure de blé.* Le diable est également très présent dans son œuvre : *Le Jeu de cartes du Diable, Le Diable aux forges du Saint-Maurice le dimanche matin* et bien sûr *La Chasse-Galerie*[6]. Ses sculptures sont expressives, pleines de vie, dramatiques dans certains cas (*Le Vaurien repentant, La Corriveau, La Tête à Pierre*) ; son œuvre, d'un intérêt socioculturel et documentaire évident, se double d'une qualité artistique indéniable. Il fut l'un des premiers à utiliser le bronze ;

il a de plus su le rendre vivant. Peintre également, le jeune homme, qui ne savait ni lire ni écrire à 18 ans à son arrivée à Montréal, laisse en outre à sa mort des *Souvenirs* qui ont été publiés.

Une dernière activité digne de mention : vers 1880, on a commencé à sculpter un matériau abondant et gratuit mais éphémère, la glace ou la neige. Jobin exécute en 1894 des œuvres à mains nues dont il ne reste que de mauvaises photos, puis invente des outils ; la tradition se perpétue et, tous les ans, on organise des concours de sculpture sur glace ou en neige, dont une manifestation internationale, pendant le Carnaval de Québec[7].

La sculpture moderne et contemporaine

Après avoir occupé les espaces urbains et les façaces des édifices publics, le bronze avait gagné d'autres secteurs et trouvé de nouvelles utilisations. Les matériaux se diversifiant, les techniques s'améliorant avec le siècle permettent toutes les improvisations formelles. L'église Saint-Zéphirin de La Tuque a trois doubles portes monumentales[8] en cuivre repoussé sur les deux faces. La sculpture montréalaise est moins connue que la peinture, tout simplement parce que les artistes sont moins nombreux à se colleter avec les matériaux, parce que la taille de certaines œuvres les rend impossibles à transporter ou à exposer et parce qu'une pièce sculptée est souvent plus onéreuse qu'une œuvre peinte. L'École de Montréal, en sculpture, a profité du mouvement de libération lancé par *Refus global*, mais c'est surtout après 1960 qu'elle prend son essor avec une vigueur et dans une variété étonnantes. L'École de Montréal n'impose ni règles ni théorie, mais constitue un lieu où s'échangent les idées, où se raffinent les expériences et qui attire les étrangers par sa seule puissance de rayonnement. Une fonderie d'art s'est installée en 1988 dans la région de L'Amiante : en quelques mois, elle n'arrivait plus à répondre à la demande.

Variété des matériaux

Le bois garde ses adeptes, même si l'on change de techniques ; on utilise des arbres sur pied ; on en brûle des parties avant de finir au ciseau ou à la gouge ; on peut aussi choisir du bois ouvré, déjà en madriers ou en planches dont on fait des assemblages. Le bronze a, sur le bois, l'avantage de durer : ses adeptes sont de plus en plus nombreux tant il est vrai qu'un artiste, en général, aime à voir ses œuvres le prolonger longtemps après sa mort.

D'autres matériaux s'ajoutent à ces deux classiques de la discipline : la fonte, le fer et l'aluminium dont le Québec est riche. La pierre reprend ses droits : on l'utilise telle quelle, sous forme de roches (Vaillancourt, Vazan) ou de cailloux (Pellan, Lacroix) ; on la travaille au ciseau et au maillet. Le carton, les objets recyclés (le collectif BGL), le ciment semblent à première vue moins nobles que les précédents ; ils ouvrent cependant de toutes nouvelles voies à la création. Les plastiques

Jean-Pierre Morin, *Feuille-Flamme,* 1990. (Division des Archives de l'Université Laval, 4540,91-877. Photo : Renée Méthot.)

sont voués aux gémonies par les amoureux de l'environnement, mais ces sous-produits du pétrole, non biodégradables, honnis des amateurs d'antiquités, trouvent grâce devant le public de la nouvelle sculpture. On découvre à la mousse de polystyrène expansé[9], au plexiglas et à la fibre de verre (comme au Symposium international de sculpture environnementale à Chicoutimi) des vertus qu'on ne soupçonnait pas il y a moins d'une génération.

Variété des techniques

L'industrialisation a des quantités d'avantages qui compensent largement ses inconvénients. À son actif, des technologies qu'un sculpteur peut appliquer à la matière et qui lui ouvrent une gamme très étendue de possibilités concernant les matériaux traditionnels ou modernes. Au ciseau et au maillet s'ajoutent les soudures, le brûlage, le laminage, les compressions, etc. Maurice Lemieux, en chauffant à un peu plus de 500 °C une mousse d'aluminium (matériau nouveau qui pèse le tiers de ce métal), obtient une malléabilité qui lui permet de sculpter le métal même sans passer par la pénible opération du moulage et de la fonte.

On n'hésite pas à mélanger les matériaux : bois et fer, plastique, verre et métaux. On assemble comme autrefois, mais l'assemblage maintenant si varié fait souvent partie du visuel : on voit chevilles et

Germain Bergeron, *L'Homme de fer,* 1970, à Schefferville. (Photo : Mark Skarzynski.)

boulons. Michel Goulet aime à transformer l'objet usuel, cadre de lit, table ou chaise, dont il propose une nouvelle lecture qui démonte une vision simplette du monde. À l'immobilité succède le mobile ; l'art cinétique devient courant si l'on peut dire ! Le son, la lumière, la photographie ont aussi de nouveaux rôles à jouer.

Intégration aux autres arts

L'intégration aux autres arts n'est pas un phénomène nouveau en soi, la sculpture religieuse nous avait habitués à la présence d'un tableau au milieu d'un retable ; le cadre même d'une œuvre peinte n'affirme-t-il pas la longue habitude de cette intégration ? Ce qui se passe après 1960 dépasse de beaucoup les vieilles habitudes : l'architecture demande à la sculpture la mise en valeur de ses formes monumentales par une présence à moindre échelle qui équilibre intérieurement ou extérieurement le tout. Dans le monde entier, on assiste à une certaine renaissance de l'intégration des formes d'expression plastiques dans la vie urbaine : les personnages descendent des socles qui les éloignaient des yeux et se rapprochent des mouvements de la foule. L'eau redevient un matériau au même titre que la pierre ou le métal (Daudelin). Aline Martineau fait danser des poupées de papier sur les murs. La science[10] se sert du laser qui, à son tour, peut servir à la sculpture, comme la lumière. Le néon, le son électrique, tout est utilisable, tout devient possible. Une fois sur son socle, un collier devient une sculpture-bijou, un objet d'art différent de ce qu'il est au cou de sa propriétaire. Assez fréquemment, un peintre se laisse tenter par la sculpture, et vice-versa.

Expression de nouvelles valeurs

Comme pour la peinture, les changements s'opèrent à partir de 1940. Plus sensibles que le groupe social dont ils font partie, les artistes ressentent l'urgence de la mutation avec plus d'acuité et devancent le mouvement dans leurs œuvres. Les sculpteurs, aux prises avec la matière en trois dimensions, sont obligés de faire face à des problèmes de volume, de masse, à des questions d'ordre formel essentielles : le respect du volume fait que le cubisme et le surréalisme auront des répercussions sur cette discipline artistique. Un élément, peu utilisé jusque-là, prend soudain sa place : la couleur, qui permet d'ajouter un accent ou une autre dimension à une œuvre. L'humour investit peu à peu toutes les formes d'expression culturelle, au Québec plus qu'ailleurs, où le rire — pour salutaire qu'il soit — permet d'encaisser désillusions et coups durs individuels ou collectifs. L'érotisme, devenu littéraire dans les années 1960, passe dans le champ des arts visuels au même moment et suscite parfois des réactions étrangement destructrices. Tout, finalement, en matière de sculpture, comme en architecture, contribue à apprivoiser l'espace, à l'habiller et à l'habiter ; non plus, cette fois, pour vaincre une nature hostile, mais afin de permettre, dans l'environnement physique et social, une intégration de l'homme et de sa culture.

Pionniers et regroupements

À Saint-Jean-Port-Joli, les Bourgault ont fait école ; leur village, à l'ombre d'une ancienne église particulièrement harmo-

Éclatement II, fontaine de Charles Daudelin (1998), à la place de la Gare, à Québec. (Commission de la capitale nationale du Québec. Photo : Marc-André Grenier.)

nieuse, est devenu un lieu de rassemblement pour ceux qui s'intéressent au travail sur bois. Certains retrouvent le plaisir de fabriquer des jouets, d'autres se spécialisent dans les animaux ou les statues de plus grande taille.

Les sculpteurs se sont regroupés en association. Après la disparition de la Société d'art contemporain en 1948, les groupes constitués autour de théories éphémères étaient composés surtout, sinon exclusivement, de peintres. L'Association des sculpteurs du Québec (ASQ) fut créée pour répondre au besoin de ces artistes de sortir de leur isolement. Elle organise des expositions et fait connaître les Québécois à leurs compatriotes, rayonnant aussi en dehors des frontières. Dès 1973, elle comptait 60 membres actifs : son dynamisme n'est pas étranger au remarquable essor de la sculpture québécoise à la fin des années 1960. Une autre formule de regroupement fut importante à cette période, le symposium, qui permet à plusieurs sculpteurs de travailler en même temps, en un même lieu (généralement à l'extérieur), parfois avec un matériau imposé, bois, pierre ou métal. L'organisation d'un symposium n'est pas une mince affaire, du point de vue financier comme du point de vue psychologique, car il s'agit de concilier les exigences des créateurs et les réactions du public. Ces réunions, régionales ou internationales, ont eu le mérite d'ouvrir le Québec à l'art qui se pratique à l'extérieur et en contrepartie de mieux le faire connaître. Le brassage des idées favorise le dialogue culturel et la fraternité des arts. De 1964 à 1970, on tint en terre laurentienne trois symposiums internationaux et quatre régionaux. Le coût élevé de l'événement restreint toutefois sa fréquence. Saint-Jean-Port-Joli en a accueilli plusieurs. Les symposiums n'ont pas été étrangers à la décision de plusieurs artistes étrangers (le Mexicain Domingo Cisneros) de s'installer à Montréal, comme l'avait fait l'Espagnol Jordi Bonet.

Les professeurs à l'École des Beaux-Arts de Montréal ne pouvaient ignorer ce qui se passait dans le milieu artistique du Montréal des années 1940 : les madones de Sylvia Daoust, par exemple, renouvellent les thèmes religieux avec bonheur et apportent certaines simplifications de lignes qui conviennent très bien aux nombreuses églises modernes qu'on construit autour de 1960. Parmi les pionniers, Armand Filion travaille le bois et le marbre : son enseignement permet aux étudiants un choix éclairé du matériau.

Des signataires de *Refus global,* Jean-Paul Mousseau, magicien de la lumière, s'était tourné, lui, vers le totem lumineux, la murale en fibre de verre et résine ou la décoration de discothèques ; Françoise Sullivan fait évoluer autour d'un axe des cercles de métal coloré ou présente d'intéressants mobiles en plexiglas ; son œuvre joue évidemment sur le mouvement dont la danse lui avait révélé la séduction. Le peintre Jean-Paul Riopelle aussi s'essaie alors aux trois dimensions.

Le plus discret des pionniers est aussi professeur. Entré dans le royaume de la sculpture par la modeste porte de la céramique, Louis Archambault utilise un vocabulaire d'élégance et de fantaisie (*Les Dames-Lunes,* 1955). Il signe le manifeste *Prisme d'yeux* en 1948 et évolue vers un géométrisme rigoureux et de plus en plus monumental. Il est un de ceux qui ouvrent à la sculpture le champ immense de l'intégration à l'environnement.

Les meneurs

Robert Roussil, en 1949, fait scandale dans une exposition à Montréal. Une de ses œuvres, *La Famille,* représentant un couple, est accusée d'indécence ; deux ans plus tard, un vandale détruit une autre de ses œuvres devant une galerie montréalaise. Trouvant le milieu québécois un peu trop rétrograde, il va s'installer dans le midi de la France. Dans son œuvre, des bois, dont des assemblages monumentaux, des métaux soudés ou fondus, des murales, des céramiques, des gouaches, des gravures, des cartons de tapisserie, de l'édition poétique. Artiste dynamique, complet, complexe, il surprendra toujours le Québec où il revient souvent.

Armand Vaillancourt, vers le milieu des années 1950, sculpte un arbre qu'on allait abattre rue Durocher. C'est le signe de son désir de marquer l'environnement, d'inscrire son travail dans l'espace, au sens large du terme. Sa prédilection, c'est le gigantesque, le monumental. Il travaille souvent en équipe, conduit un tracteur, bouscule des (petites) montagnes, construit des fonderies sur les lieux de travail et laisse ses assistants dégager la fonte de la gangue de sable qui l'entoure. À Toronto, en 1967, il laisse inachevée, en pleine ville, une œuvre de 200 tonnes intitulée *Je me sou-*

Fontaine-promenade de l'*embarcadero* à San Francisco, d'Armand Vaillancourt, sur laquelle l'artiste avait installé un écriteau : « Québec libre » (1971). (Photo : FTL.)

viens, « encombrante et inachevée comme le Québec », comme le précise le critique Guy Robert. Non figuratif, il se défend contre la mauvaise volonté d'un public qui peut se montrer borné, mais il se bat toujours en gardant le respect de l'autre même s'il est provocant de nature. Ses fontaines (à l'*embarcadero* de San Francisco, celle du nouveau palais de justice de Québec) paraissent plus géométriques que ses bronzes. Comme Daudelin et d'autres, il utilise la mousse de polystyrène expansé pour monter son modèle, puis le sculpte à grands coups de torche avant de le fignoler. Il enferme ensuite le tout dans une gangue de sable ; la fonte en fusion prend la place du plastique comme elle l'aurait fait pour la cire dans la technique à cire perdue. Force de la nature, Vaillancourt a tout du meneur : une opiniâtreté, un sens du spectacle et un désir de communication qui lui font toucher à tous les matériaux, bois, fonte, béton, pierre, tôle, avec une égale ardeur. Sa belle folie, à l'opposé de la discrétion d'un Archambault et du calme d'un Daudelin, a défoncé plusieurs portes et enfoncé plusieurs préjugés.

André Fournelle partage avec Vaillancourt le goût du travail en équipe et avec Roussil celui de la provocation. En 1968, il participe à l'opération Déclic qui voulait conscientiser le public montréalais à toutes sortes d'expressions artistiques. Il fait des expériences à partir du laser ou du son électroacoustique. Aucune de ses expositions ne ressemble à la précédente. Se renouvelant constamment, il est sans doute le plus aventureux des sculpteurs : la plastique de ses *Néons* est particulièrement attirante.

La tendance figurative

Comme en peinture, la figuration a ses défenseurs et ses détracteurs. Elle reste cependant très forte par sa puissance d'évocation et, apparemment, par sa plus grande et immédiate accessibilité. La tendance figurative permet les allusions érotiques de Germain Bergeron (*Macromagnon*, 1968 ; *L'Homme de fer*, 1970), celles de Pier Bourgault (*Libido*, 1970) ou de Claire Hogenkamp. Elle rend le spectateur complice des glissements de sens que le sculpteur laisse aller en chemin du titre à l'œuvre ou vice-versa (les œuvres d'Ar-

Lewis Pagé, *Regards*, granit, 1987. (Photo : FTL.)

chambault; ou *Hot-dog autoportrait* de Fournelle).

Germain Bergeron recycle inlassablement de vieilles ferrailles avec une imagination malicieuse. Cisneros crée un bestiaire laurentien d'os, de plumes et de bois. Le collectif BGL (Jasmin Bilodeau, Sébastien Giguère et Nicolas Laverdière) récupère n'importe quoi, bois, plastique, carcasses d'autos. Maurice Bergeron, quant à lui, invente des *Charnières-portes.* Jean-Claude Lajeunie, aussi, transforme de réels rebuts en objets minutieusement fabriqués et non moins bien titrés.

Suzanne Guité, gaspésienne de naissance et de cœur, ne s'est pas lassée de créer dans la pierre des figures dont on dirait qu'elle n'a pas voulu les arracher au granit. Comme si l'artiste avait eu peur d'insuffler la vie à ces créatures prisonnières d'un réel trop pesant. Ses têtes gardent une forme plus ou moins définie, yeux fermés, bouches scellées dans l'obsession d'un effort surhumain. On lui doit aussi de belles « maternités ». Elle avait fondé à Percé un centre d'art dont elle fut l'inlassable animatrice. Elle aimait l'Amérique latine, ses monuments, les figures de l'île de Pâques. Elle est morte en 1981 au Mexique dont elle était allée revoir les temples et sculptures de pierre.

La tendance non figurative

« L'art, c'est comme la mini-jupe, il faut s'y habituer » (Jean-Paul Mousseau). Les automatistes, comme Marcel Barbeau, peintre et sculpteur, plaidaient pour l'abstraction : la sculpture aura ses adeptes de la forme non référentielle. Yves Trudeau a été à l'école d'Henry Moore : il touche au fer, au bronze, à l'aluminium, au plexiglas. Dans la série des *Murs ouverts et fermés* (1970), il est tenté par la géométrie nette des volumes et des surfaces ; plus tard, *Parvis et portraits* sont mobiles. Jacques Huet, Roland Dinel, Jacques Chapdelaine ont choisi le bois avant d'essayer d'autres matériaux (fonte d'aluminium ou pierre). Le bois continue à fasciner les Québécois : on doit le traiter avec infiniment plus de tendresse et de précaution que la pierre qui résiste farouchement au sculpteur. Ivanhoé Fortier, Joan Esar, Hans Schleeh sont stimulés par cette inertie dont il faut réveiller les formes avec parfois la détermination du désespoir.

Ulysse Comtois a essayé le fer soudé, à l'instar de plusieurs de ses collègues ; il a articulé l'aluminium et influencé toute une génération de ses élèves en particulier par le caractère ludique de sa production. Peter Gnass s'est orienté avec bonheur vers le plexiglass dont l'intérêt réside dans les rapports avec la lumière (*Topolog,* 1970). La sculpture moderne ne dédaigne pas les assemblages d'un même matériau ou de matériaux divers. Cela donne des œuvres surréalistes pleines à la fois d'équilibre et de poésie. Gilles Mihalcean conjugue la sémiotique des composantes avec son imaginaire ; ses évocations restent magiques ; le « regardeur » est responsable du sens qu'il donne à l'œuvre ; nous sommes bien dans la lignée du surréalisme et de l'automatisme québécois.

On ne peut parler de non-figuration sans parler de Charles Daudelin, peut-être le plus connu avec Armand Vaillancourt, bien que d'un tempérament opposé. Né en 1920, Daudelin travaille avec Paul-Émile Borduas puis avec Fernand Léger à New York. Professeur, il expérimente l'aluminium coulé en murale, se sert d'acier, de béton, mais son matériau de prédilection semble le bronze dont il fabrique aussi bien les objets du culte de l'église Saint-Jean que le retable de 20 tonnes de la chapelle du Sacré-Cœur de l'église Notre-Dame de Montréal (1982) ou l'œuvre monumentale pour le Centre national des arts d'Ottawa. Comme Vaillancourt, il a fait plusieurs fontaines en dehors du Québec ; son *Embâcle,* place du Québec à Paris, mêlant astucieusement la pierre et le bronze, est bien à son image : discrète sous le pied du passant, elle évoque la profondeur d'un être réfléchi. Monumentale, la fontaine de la gare intermodale de Québec, *Éclatement II* (1998), exprime la force de l'eau.

L'intégration à l'architecture

Là où les figurines des *Migrations* de René Derouin n'ont que quelques centimètres de haut, certains ouvrages de sculpture peuvent atteindre des dimensions monumentales[11]. Ces œuvres, réalisées en équipe, exigent, outre un travail de maquette précis, une transposition à l'échelle qui demande technique et adaptation. Le gouvernement du Québec, ayant institué en 1973 une loi exigeant que 1 % du budget de la construction publique soit consacré aux beaux-arts, créa ainsi un débouché pour les artistes : peintres[12], sculpteurs et lissiers pouvaient alors présenter des soumissions pour l'embellissement des bâtiments, ce qui explique l'engouement pour les œuvres d'art intégrées à l'architecture. Nombre d'édifices s'entourent d'œuvres sculptées ou s'ornent de murales (Mario Merola, Denis Juneau, Claude Théberge, Vaillancourt). Des intégrations aux bâtiments se font plus précises encore : Jean-Noël Poliquin fait de beaux murs de soutènement à l'Université de Montréal ; Ivanhoé Fortier construit à Vaudreuil une maison de la culture exceptionnellement belle.

Parmi tous les sculpteurs de murales, un personnage a joué un rôle patient, divers et difficile : Jordi Bonet, espagnol d'origine, né en 1932, est mort en 1978 avant d'avoir pu donner la pleine mesure de son art. Il en est venu à transformer la matière par le matériau le plus simple, l'argile. Il fit d'abord plusieurs murales de céramique, dont une banque à Chicago. Il a aussi sculpté en fonte d'aluminium entre autres matériaux, mais sa réalisation la plus extraordinaire est l'immense murale intérieure du Grand Théâtre de Québec (1969-1970) ; sur trois des quatre murs intérieurs de béton de cet édifice et sur toute sa hauteur, pour une surface totale de 12 000 pieds carrés (1 100 m^2), Bonet a fait une œuvre à mi-chemin entre la figuration et la non-figuration, mais dont le message universel est très clair ; son appel à la liberté utilise des formes référentielles, un poème au verbe exaspéré, des phrases à lire à l'envers. Cette murale exige une participation du spectateur qui, se promenant à tous les étages, peut chaque fois avoir un autre point de vue sur celui que l'artiste lui propose. À partir du matériau le plus usuel en construction, apparemment le moins

Jordi Bonet, murale (détail), ciment, 1969. (Grand Théâtre de Québec. Photo : Krieber.)

noble, Jordi Bonet a su inscrire le sens de notre destin collectif[13].

> Trop souvent nous œuvrons dans la solitude, loin des champs d'action où notre destinée pourrait s'épanouir : des villes se bâtissent autour de nous mais nous n'y sommes pas. L'art est pourtant aussi à l'aise dans les rues et places publiques que dans les salles d'un musée ; il est la richesse collective de tous les hommes : chacun a droit de le retrouver dans la maison qu'il habite, dans l'objet qu'il utilise, partout dans le pays où il vit.
>
> Si là nous devons témoigner de la civilisation inquiétante qui est la nôtre, exprimer l'angoisse, nos œuvres doivent surtout dire l'espérance, ce que nous avons à devenir.
> Fermer nos yeux, ouvrir notre tête, voir : l'art est l'écriture de visions à dire.
>
> JORDI BONET.

Les artistes ne dédaignent pas l'échange avec le public. Roussil, P. Bourgault, D. Juneau font des sculptures habitables ; Edmund Alleyn, avec son *Introscaphe 1* (1971), invite le spectateur à entrer à l'in-

Installation de Marcel Gagnon, à Sainte-Flavie. Les statues de ciment s'enfoncent dans la mer et en émergent au gré des marées. (Photo : FTL.)

térieur d'une forme ovoïde pour faciliter la communication avec lui-même. C'est l'art au service de la connaissance de soi, où le visiteur-participant vit pendant quatre minutes et demie une polysensibilisation par le biais d'une combinaison de facteurs stimulants : cinéma, son, lumière, changement de température, mobilité du fauteuil, etc. L'œuvre d'art est ainsi sentie du dehors et du dedans. Les jeunes artistes (Manon Bertrand, Hugues Dugas et Jean-Pierre Gauthier) établissent un rapport ludique avec le visiteur qui entre *Dans le vif de l'objet* (1997).

Avec des pionniers tels que Daudelin et Archambault, Vaillancourt et Roussil, la sculpture s'est engagée pendant les années 1940 dans la voie de la modernité. La céramique (Lorraine Basque et ses interprétations miniatures de tableaux célèbres en 1984), le bois sont des matériaux qui maintiennent des liens serrés avec l'artisanat. Alors que, pendant les années 1950, la sculpture restait tributaire de l'évolution picturale, s'inspirant du surréalisme ou s'épurant dans l'esprit du formalisme, dans la décennie suivante, le dynamisme de cet art atteint son apogée : il bénéficie de matériaux nouveaux, comme le plastique gonflable, pour se réaliser dans des formats plus importants et créer de nouveaux modes de diffusion. Jean-Marie Delavalle passe d'un art minimaliste (*Rails*) à la photo et retourne ainsi aux deux dimensions du panneau. William Vazan a recours à la photo pour fixer sur pellicule des œuvres éphémères, comme ce *Paysage transformé par 5 000 pas dans la neige pendant l'éclipse du soleil du 7 mars 1970.* À chaque marée descendante, Marcel Gagnon fait émerger sur la berge de Sainte-Flavie 80 personnages de ciment grandeur nature.

L'installation

Les critiques d'art s'entendent sur le fait qu'il est pratiquement impossible de définir cette forme d'art autrement que comme une pratique hybride qui se rattache à d'autres formes (vidéo, sculpture, peinture, etc.) en empruntant des trajectoires multiples. Patrice Loubier parle de la

« généricité » de l'installation, par rapport à la « spécificité » de formes d'art traditionnelles, comme l'estampe ou l'orfèvrerie. Il insiste sur le « caractère insaisissable [du] mot qui désigne des œuvres trop différentes, trop étrangères les unes aux autres ».

À la base de ce qui est devenu un nouvel art visuel se trouve ce besoin pour l'être humain, pour l'artiste, de se mesurer avec l'espace. Pendant le Printemps du Québec à Paris en 1999, Pierre Thibault avait investi une partie du jardin des Tuileries avec une installation intitulée *De l'igloo au gratte-ciel*.

Les frontières entre les diverses disciplines sont tombées et les artistes ont gagné une nouvelle liberté. On assiste à de véritables explosions d'imaginaires que la mondialisation se charge de diversifier. Tout est prétexte à création; Michel Goulet joue avec des objets familiers, des meubles qu'il arrache au quotidien; Robert Therrien offre une vision cauchemardesque du dortoir dont les lits soudés ensemble sont arrondis en une spirale infernale. Un lieu exigu lance un défi à une centaine de créateurs : *L'Orangeraie* présente des œuvres murales miniatures exposées dans une petite salle de la galerie québécoise L'Œil de poisson. Des chambres d'hôtel éparses dans la ville de Québec sont habitées pendant un mois par des artistes qui invitent le visiteur à de drôles de voyages dans l'imaginaire. Betty Goodwin illumine de couleurs douces le gris sale du béton d'une usine abandonnée. En 1995, Pierre Granche vrille un immense pas de vis en acier galvanisé autour de la colonne porteuse de la Galerie Christiane Chassay : sur cette route à flanc de colonne, grimpent de minuscules figurines en laiton, toutes plus rigolotes les unes que les autres. Guy Blackburn hérisse un mur de montures de lunettes et lui donne le titre subversif de *Cécité*. Les technologies modernes permettent l'interaction du public grâce à des écrans tactiles, des détecteurs de présence et autres gadgets multimédias (Luc Courchesne, *Paysage n° 1*, 1997). Des milliers de cravates (article très connoté et de moins en moins utilisé) travestissent une salle dont les murs et les fenêtres sont occultés tandis que les pieds de biche dorés géométrisent un plancher rouge (*La Toison dorée d'Euclide*, collectif Inter/Le Lieu, 1997).

Plusieurs femmes se sont distinguées dans ce genre : Irène Whittome est passée par le dessin et la peinture avant d'en venir à l'assemblage d'objets à qui le voisinage donne un tout autre sens. Dominique Blain est à l'aise dans toutes les dimensions : un rouge à lèvres, un cigare et une balle exploitent leurs formes parallèles dans un petit cadre, tandis que la centaine de paires de bottes usagées qui marchent au pas (le soulier droit suspendu plus haut que le gauche) évoquent puissamment les fantômes qui les ont habitées un jour; *Missa* frappe le visiteur et le confronte à ses propres idées. Marielle Pelletier récupère des livres qu'on allait mettre au pilon et fabrique de délicieuses installations qui puisent dans l'écrit une partie de leur sens, revu et corrigé par l'artiste comme il se doit. Jocelyne Alloucherie marie des photos immensément agrandies avec le minéral. Martha Fleming et Lyne Lapointe, comme Monic et Yvon Cozic, persistent

Marielle Pelletier, *Sans titres,* moulages de plâtre et volumes d'encyclopédie à recycler, 1999. (Photo : Renée Méthot.)

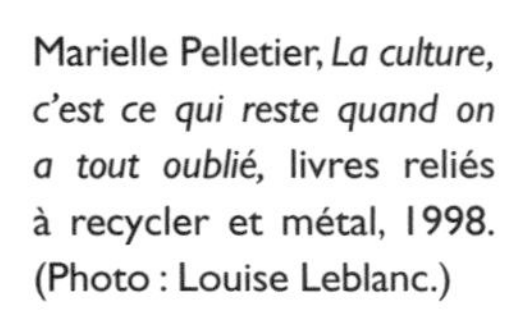

Marielle Pelletier, *La culture, c'est ce qui reste quand on a tout oublié,* livres reliés à recycler et métal, 1998. (Photo : Louise Leblanc.)

dans la présentation d'œuvres à deux ; les derniers en exploitant toutes sortes de matériaux non traditionnels (en habillant d'écharpes de gaze et de plumes un sous-bois), les premières en travestissant un terminus de traversier à Manhattan, en sauvant une caserne de pompiers ou le vieux Théâtre Corona[14] de Montréal du pic de démolisseurs après y avoir attiré plus de 5 000 visiteurs qui n'auraient sans cela jamais mis les pieds dans le moindre musée.

En 1999, Pierre Fournier présente une série de casques, qu'il intitule *Dispositifs*, en opposant la froideur statique de photographies au mouvement des automates qui animent de bizarres couvre-chefs de l'autre côté de la salle.

Une installation ne prend tout son sens que dans la présence du visiteur, interpellé de façon plus active que par un objet simple, tableau ou sculpture. Gilbert Boyer grave des mots sur des plaques de marbre disséminées dans un parc, ou les inscrit sur les anneaux de métal qui cerclent les poteaux de signalisation ; il « parle » ainsi aux promeneurs, aux honnêtes citoyens attendant l'autobus. Au Musée d'art contemporain de Montréal, le cinéaste François Girard (*Trente-deux films brefs sur Glen Gould, Le Violon rouge*) avait installé derrière un cadre un comédien pratiquement immobile, qui « écoutait pousser ses cheveux » (*La Paresse,* 1999). La Société des arts technologiques (Monique Savoie et Luc Courchesne) a proposé une « installation de téléprésence » : à Montréal et à Québec, deux bancs publics se faisaient face, par caméra et micro interposés, 24 heures sur 24, donnant lieu à des *Rendez-vous... sur les bancs publics* organisés comme des *happenings* au gré de l'imaginaire des passants.

Rober Racine[15] part du mot dans sa plus simple expression. Artiste multidisciplinaire, fasciné au départ par la musique et la langue, par le dictionnaire en particulier, qu'il découpe patiemment en *Pages-miroirs* et dont il découvre et joue les *Phrases harmoniques,* il fait plusieurs installations, tel ce *Parc de la langue française.*

L'art des Amérindiens et des Inuits[16]

Les Premières Nations du pays avaient su tailler de belles images de bois divers. Ce sont soit de petites sculptures représentant surtout des oiseaux, soit d'immenses totems où sont superposées des formes animales stylisées et vivement colorées que les Amérindiens sédentarisés ont gardé l'habitude de dresser dans leurs villages. La tradition de bois sculpté se manifestait aussi sur les porte-bébés que l'on ornait très richement de motifs floraux. En fait, les Amérindiens, non sédentaires, ne s'encombraient pas d'objets lourds ; leur art s'est surtout épanoui dans les pièces d'habillement : cuirs, fourrures et tissus décorés de perles. Les traditions se sont maintenues jusqu'à nos jours et les artistes fabriquent encore de délicieuses boîtes en écorce de bouleau décorées de piquants de porc-épic, teints de couleurs vives et disposés géométriquement.

Les Inuits, comme les Blancs l'ont récemment découvert, étaient un peuple de

Bestiaire inuit. (Photo : Michel Bourassa.)

sculpteurs exceptionnels, mais leur production s'inscrit dans une approche très différente de celle de la statuaire occidentale. Leur sculpture était autrefois minuscule, tel l'homme si petit dans la toundra infinie. À partir de 1948, leur contact avec la culture des Blancs leur a permis d'entrer sur le marché de l'art avec des objets de plus en plus importants en taille comme en nombre. Ils ont appris à diversifier leur talent de sculpteurs dont certaines communautés ont su faire un agent de développement économique et culturel, puisque les gens du Sud (de Montréal ou de Québec, bientôt d'ailleurs au monde) étaient fascinés par un ours qui danse, ou une femme que le rêve transforme en animal fantasmagorique. Les animaux sont omniprésents dans leurs œuvres, mais leur bestiaire sculpté est bien différent de celui que nous ont légué l'Orient et la Grèce, puis Rome et le Moyen Âge. Ici, point de lionceaux, de béliers, de pattes cornues ou griffues, de licornes ou d'hippocampes, mais plutôt le contour souple, insaisissable et lisse de la loutre, de l'ours blanc et du bœuf musqué ou le profil stylisé de grands oiseaux (huard, marmette, etc.).

Les Inuits figurent parmi les plus grands sculpteurs animaliers du monde et témoignent d'une communication constante avec la vie animale (le chasseur s'excuse auprès du phoque de devoir le tuer pour ne pas mourir lui-même et le remercie de lui devoir sa survie), avec ses mythes, son âme et sa cosmogonie. Le sculpteur inuit traditionnel travaille la stéatite, ou « pierre à savon », matériau tendre et propice au modelage des surfaces qui existe en plusieurs couleurs, du gris bleuté au noir en passant par le vert ; le polissage lui donne un fini « huileux » caractérisque. Il emploie aussi le bois de caribou, l'os de baleine dont la texture sèche et alvéolée de couleur claire fournit des effets graphiques et plastiques bien différents des marbrures lisses et foncées de la stéatite. Les Inuits sont également de remarquables graveurs qui savent transposer — en surfaces à plat et en contrastes de valeurs — l'esprit de la matière qu'anime le monde extérieur, les gestes, les visages, les corps et leurs parements. Le Musée canadien des civilisations à Hull et le Musée d'art inuit à Québec témoignent de la qualité des pièces et de l'imaginaire des artistes.

Les collectionneurs avisés ont, aux quatre coins du monde, emporté les témoignages authentiques d'une culture qui se commercialise beaucoup aujourd'hui. Les boutiques pour touristes donnent à voir et à acheter de nombreuses copies ou variations sur le même thème ; mais ce n'est qu'un pâle reflet de l'apport original des Inuits à l'art et à la civilisation — à moins que ce ne soit, ironiquement, leur plus manifeste contribution. En inuktitut, en effet, le verbe « avoir » n'existe pas (au sens où nous l'entendons) et le radical « inu » désigne indifféremment l'homme, le peuple, la nation ou le genre humain. C'est assez dire que, pour eux, nés d'une longue migration, les aléas de l'histoire événementielle ne changeront rien, symboliquement, à la rapidité de l'ours blanc ou à l'ingéniosité du castor[17].

Notes

1. Louis Jobin, l'un des derniers grands statuaires, mort en 1928, tenta même, pour protéger son travail, de recouvrir entièrement de feuilles de métal une statue équestre de saint Georges : cette magnifique œuvre de grande taille a été sauvée de justesse. Jobin se définissait avec modestie comme un ouvrier : comme ses devanciers, il allait en forêt quérir le bois nécessaire à son ouvrage et le dégrossissait à la hache (Jean-Paul Desbiens, le frère Untel, s'enorgueillit d'affirmer, commentant sa propre façon : « j'écris à la hache »), comme devaient travailler les imagiers du Moyen Âge.

2. Il vécut en Nouvelle-France de 1683 à 1693 et publia en 1703 les *Nouveaux voyages de M^r le baron de Lahontan dans l'Amérique septentrionale*.

3. Jésuite, il séjourna en Nouvelle-France et publia en 1744 une *Histoire et description de la Nouvelle-France*.

4. Lord Dufferin, gouverneur général de 1872 à 1878, aimait le Québec qu'il parcourait volontiers et en appréciait particulièrement les vieux quartiers qui lui rappelaient l'Europe médiévale, disait-il. Chose curieuse, ce fut lui, le conquérant, qui s'opposa aux visées de l'élite canadienne locale — par trop admirative du baron Haussmann qui avait, à grands coups d'avenues, remodelé Paris — et tint à conserver les vieilles rues agréablement incommodes du Vieux-Québec. C'est donc à un Anglais que la cité de Champlain doit d'avoir conservé son quartier dans l'enceinte fortifiée des débuts. Québec figure depuis 1987 sur la liste du patrimoine mondial de l'Unesco. Le charme de Québec, l'intérêt de Montréal viennent en partie de ce double apport si perceptible dans l'urbanisme. Détail non moins étrange : lorsque le premier ministre de France, Jacques Chirac, vint en visite officielle au

Québec, il félicita le maire de Montréal pour l'ampleur de ses travaux dans la métropole qu'il compara, cette fois, à ceux du baron Haussmann... Le Québec a, décidément, un grand et double héritage !

5. Un étranger lui demande : « Où reste Grenache ? Je veux lui montrer de quel bois je me chauffe. » Pour toute réponse, le laboureur lève sa charrue à bout de bras et pointe sa maison juste au bout du champ. L'étranger court encore.

6. « Au temps des fêtes, les bûcherons dans les chantiers ne pouvaient pas toujours se rendre dans leurs familles. Un jour de l'An, des gars de Lavaltrie qui bûchaient dans la Gatineau décidèrent d'aller célébrer la nouvelle année avec leurs amis. Ils montèrent dans leur canot d'écorce et, "Acabris ! Acabras ! Acabram ! Fais-nous voyager par-dessus les montagnes !", l'embarcation s'envola. Pendant le voyage, il leur suffisait de ne pas prononcer le nom de Dieu et d'éviter les clochers d'églises au passage pour ne pas que le diable s'empare de leurs âmes » (cité par le Musée du Québec). Voir également le chapitre « De l'oral à l'écrit ».

7. En même temps, dans la basse-ville, la rue Sainte-Thérèse est alors le lieu d'une expression locale populaire dont la drôlerie et l'invention laissent pantois les sculpteurs professionnels qui travaillent en haute-ville. De simples citoyens transforment les tas de neige non ramassés au coin des rues : ainsi une « coccinelle » — la petite Volkswagen d'autrefois — faite de neige bien tassée, toute redressée sur ses roues arrière, a embrassé avec effusion un vrai poteau pendant 15 jours.

8. Sculptées par Albert Gilles et installées en 1958 ; chacune de ces portes mesure 8 pieds de large sur 13 pieds de haut, pèse une demi-tonne et est montée sur roulement à bille ; heureusement !

9. Matériau souvent appelé le *styrofoam*.

10. Autrefois, les sculpteurs sortaient des écoles des arts et métiers, on se demande maintenant s'ils n'ont pas suivi les cours spécialisés des facultés des arts et des sciences.

11. *Paraíso — La dualité du baroque*, bas-relief peint à l'acrylique et céramique du même René Derouin, de 2,5 m de haut sur 30,5 m de large, constitue une véritable synthèse de sa démarche en art visuel, marquée par l'osmose entre les cultures québécoise et mexicaine (1998).

12. On couvre parfois les murs aveugles de Montréal, jusque-là tristes à pleurer en bordure de terrains vagues transformés en aires de stationnement, de peintures intelligentes et humoristiques. Au carré Saint-Louis, un Institut d'hôtellerie en trompe-l'œil sur le mur d'à côté grillait dans une cuisinière, faisant un plat au four particulièrement croustillant pour les habitués du petit parc qui n'appréciaient pas ce nouvel édifice moderne et sombre ; un nouveau bâtiment masque maintenant l'à-propos du trompe-l'œil.

13. Mais il le fait dans la douleur, apostrophant les spectateurs-promeneurs qui déambulent. L'œuvre est éclaboussée par la phrase du poète Péloquin : « Vous êtes pas écœurés de mourir, bande de caves ? C'est assez ! », qui fit scandale à l'époque.

14. En automne 1998, le Théâtre Corona a rouvert ses portes au grand public du spectacle, sauvé une deuxième fois par la détermination d'un amoureux du patrimoine.

15. Voir aussi les chapitres « Langue » et « De l'oral à l'écrit ». Rober Racine explique ses travaux sur *Le Petit Robert 1* (il parle du « terrain du dictionnaire » [1980-1981]) et, à partir du même livre, il réalise plusieurs installations du *Parc de la langue française* (depuis 1983), les 2 130 *Pages-miroirs*, les 4 260 *Phrases harmoniques* (1980-1994) qui deviennent *La Musique des mots. Le*

Dictionnaire — Récits suivi de *La Musique des mots* (disque et partitions), Montréal, L'Hexagone, 1998, 211 p.

16. On préconisait dans un passé récent l'orthographe suivante : un Inuk, des Inuit (les Innus, eux, sont des autochtones de l'Est). L'Office de la langue française recommande d'appliquer les principes linguistiques habituels en matière de langue : on parle donc maintenant d'un Inuit et des Inuits, de la langue inuite. Ce radical se retrouve dans le nom de la langue (l'inuktitut) et dans les noms de lieux, comme Inukjuak. Ivujivik (200 habitants) est la localité la plus septentrionale du Québec, distante à vol d'oiseau de 1 942 km de Montréal.

17. Le castor tient une place certaine dans la mythologie, en particulier chez ceux qui habitent ce territoire, Amérindiens, Inuits, Canadiens, Québécois ; alors que Sartre appelait ainsi affectueusement Simone de Beauvoir, André Breton, le « pape du surréalisme », nommait gentiment le peintre Riopelle « le castor supérieur ».

Bibliographie

On se référera à la bibliographie du chapitre précédent et du chapitre suivant pour quelques titres concernant les arts visuels ou les arts en général.

BÉLAND, Mario, *Louis Jobin, maître-sculpteur,* Québec, Musée du Québec/Fides, 1986, 199 p.

BÉRUBÉ, Anne et Sylvie Cotton (dir.), *L'Installation : pistes et territoires. L'installation au Québec 1975-1995, vingt ans de pratique et de discours,* Montréal, Centre des arts visuels Skol, 1997, 255 p.

GAUTHIER, Raymonde, *Les Tabernacles anciens du Québec des XVIIe, XVIIIe et XIXe siècles,* Québec, ministère des Affaires culturelles, 1974, 112 p.

LAMARCHE, Lise, *Textes furtifs — Autour de la sculpture,* Montréal, Centre de diffusion 3D, coll. « Lieudit », 1999, 320 p.

LAVALLÉE, Gérard, *Anciens ornemanistes et imagiers du Canada français,* Québec, ministère des Affaires culturelles, 1968, 98 p.

MARTIN, Michel et Gaston Saint-Pierre, *La Sculpture au Québec, 1946-1961 : naissance et persistance,* Québec, Musée du Québec, 1992, 134 p.

MORISSET, Jean-Paul, *Sculpture ancienne du Québec,* Ottawa, GNC, 1959, 13 p.

NOËL, Michel et Jean Chaumedy, *Arts traditionnels des Amérindiens,* Montréal, Hurbubise HMH, 2004, 191 p.

NOËL, Michel et Jean Chaumedy, *Histoire de l'art des Inuits du Québec,* Montréal, Hurbubise-HMH, 1998, 115 p.

PORTER, John, *L'Art de la dorure au Québec, du XVIIe siècle à nos jours, Québec,* Garneau, 1975, 211 p.

PORTER, John R. et Jean Bélisle, *La Sculpture ancienne au Québec,* Montréal, Éditions de l'Homme, 1986, 503 p.

SAUCIER, Céline et Eugen Kedl, *Image inuit du Nouveau-Québec,* Montréal/Québec, Fides/Musée de la civilisation, 1988, 252 p.

TRUDEL, Jean, *Un chef-d'œuvre de l'art ancien du Québec : la chapelle des ursulines,* Québec, PUL, 1972, 115 p.

Profil de la sculpture québécoise XVIIe-XIXe siècle, Québec, ministère des Affaires culturelles, 1969, 140 p.

Périodiques

Espace (publié de 1982 à 1985 par le Conseil de

sculpture du Québec), Montréal, Centre de diffusion 3D, trimestriel depuis 1988.

SARRAZIN, Jean, « Sculptures et gravures chez les Esquimaux aujourd'hui », dans *Forces*, nos 41-42, Montréal, 1977-1978.

Audiovisuel

Diapositives

Sculpture traditionnelle du Québec, 40 diapos + 1 catalogue ; Musée du Québec.

Aux Éditions Yvan Boulerice (1974), des séries de 20 diapos avec notes (*André Fournelle, Jordi Bonet, William Vazan*).

Sculpture québécoise contemporaine, 120 diapos, 75 artistes, Yvan Boulerice, 1971.

La Sculpture québécoise des années 1960, diaporama, 11 min, 80 diapos, Yvan Boulerice.

Initiation aux métiers d'art du Québec. L'Éditeur officiel du Québec a publié des séries de diapos sur les techniques de sculpture (fait vers 1974).

Vidéos

Le Vidéographe a produit plusieurs vidéos dont : *André Fournelle* (15 min, 1974), *Ivanhoé Fortier* (30 min, 1972), *Jordi Bonet, muraliste* (30 min, 1972), *Mario Merola, muraliste* (15 min, 1974) et *Peter Gnass* (30 min, 1972).

Films

Alfred Laliberté, sculpteur, 1878-1953, Jean Pierre Lefèbvre, François Brault, Les films François Brault et les Productions Dix-Huit, couleur, 1987, 80 min.

Bronze, Moretti. P., ONF, couleur, 1969, 14 min, sur Charles Daudelin.

Et Titonton et Titontaine, Richard Lavoie, couleur, 1977, 4 min, sur la sculpture sur glace.

Faire hurler les murs, Jean Saulnier, OFQ, couleur, 1972, 22 min, sur Jordi Bonet et la murale du Grand Théâtre de Québec.

La Forme des choses, J. Giraldeau, ONF, couleur, 1965, 10 min, symposium de sculpture à Montréal à l'été 1964.

L'Introscaphe, Charles Chaboud, Office de la radio-télévision française, couleur, 1970, 11 min.

La Sculpture I, D. Bertolino, couleur, 1973, 25 min, sur la sculpture actuelle.

La Sculpture II, R. Morellec, couleur, 1973, 25 min, sur la sculpture actuelle.

Les Statues de monsieur Basile, Diane Létourneau, ONF et Radio-Canada, couleur, 1979, 29 min.

Tamusie et Marcosie, Daniel Bertolino, Radio-Canada, couleur, 1976, 18 min, sur la sculpture des Inuits.

Topolog, Jacques Dupont, Direction générale du cinéma et de l'audiovisuel, couleur, 1971, 13 min, sur Peter Gnass.

Vaillancourt, sculpteur, D. Millar, ONF, noir et blanc, 1964, 17 min.

13
Métiers d'art et art populaire

Page précédente : Jean Vallières, verre opalin blanc, couverture bleu acier, grillage d'acier, feuilles d'argent, vers 1987.

Art et artisanat sont des concepts flous dont il n'est pas facile de définir les limites; à telle enseigne qu'on parlera « d'artisanat d'art » pour le démarquer de la production dite artisanale, ou des « métiers d'art » pour signifier la conjonction de la création et du patrimoine, dont on trouve la production dans les multiples salons des métiers d'art dont le Québec a été particulièrement friand au cours des deux dernières décennies. La peinture et la sculpture sont des arts plastiques, des arts visuels, des arts de décoration; mais les peintres et les sculpteurs ne sont pas qu'artistes, ce sont aussi des gens de métier et de technique, comme les artisans. Des amateurs, de modestes paysans peuvent également réussir des œuvres d'art: on parlera alors d'art populaire. Les critères d'utilité et de beauté ne suffisent pas à établir la différence. Une soupière en étain, voire en argent, n'est-elle pas aussi utile qu'un récipient de bois? Et une petite vache sculptée dans un morceau d'érable piqué, peinte par un inconnu, peut être beaucoup plus belle qu'une « peinture format divan » vendue dans une boutique « d'art et d'encadrement ».

On trouvera donc sous le présent intitulé quelques-uns des métiers d'art les plus répandus au Québec, certains prestigieux, comme l'orfèvrerie et la gravure, d'autres plus populaires, comme les arts du feu et du textile, et on verra enfin comment certains Québécois, industrieux par nécessité, peuvent en même temps avoir l'âme d'un poète et la main d'un artiste.

L'orfèvrerie

Les besoins en orfèvrerie de la toute jeune colonie n'étaient pas très grands: administrateurs, bienfaitrices et religieux apportèrent avec eux quelques objets de métal précieux, utiles et monnayables, ou

Boîte aux saintes huiles, en argent, de Paul Lambert, dit Saint-Paul, vers 1740. (Photo: Michel Bourassa.)

Calice en argent et en or, de François Ranvoyzé, 1773. (Musée du Québec, 69 85 01. Photo : Jean-Guy Kerouac.)

quelques vases sacrés pour pouvoir dire la messe. Au XVIIIe siècle, l'orfèvrerie s'implante en Nouvelle-France et crée une tradition qui se transmettra avec bonheur jusque vers la fin du XIXe siècle.

Les matériaux

L'orfèvre utilise de préférence des matériaux nobles, l'or et l'argent, et l'étain, plus usuel. Tous ces métaux sont d'autant plus mous qu'ils sont plus purs et il faut souvent les allier à un autre métal dur pour assurer la solidité d'une pièce ; la concentration en métal précieux suit des règles rigoureuses. Ainsi l'or est tout à fait pur mais se déforme facilement à 24 carats, il devient mieux façonnable et plus solide à 18 carats et au-dessous. Aucun type de contrôle pour ce qui est du degré de pureté des métaux précieux n'existait en Nouvelle-France et les pièces d'orfèvrerie seront longtemps fabriquées à partir d'alliages de teneurs diverses.

Avant que l'on découvre les ressources minières du Canada et du Québec à la fin du XIXe siècle, la matière première venait en grande partie des monnaies qui circulaient dans le pays. On récupérait ainsi le « vieil argent » de monnaies étrangères qui n'avaient pas cours au Canada, ce qui explique aussi les différences de qualité des matériaux utilisés.

Un orfèvre pouvait être appelé à recouvrir d'or une pièce d'argent : l'intérieur de la coupe d'un calice devait être doré. L'étain, très malléable, fond à température relativement basse ; il était plutôt utilisé pour les objets usuels, cuillers, écuelles, pour lesquels on avait des moules et qui étaient moins souvent décorés par la suite. Il était d'ailleurs commun de faire fondre des objets domestiques pour fabriquer des balles en temps de guerre, d'où leur rareté actuelle. Le cuivre aussi est utilisé, mais pas couramment ; il le sera plus dans les temps modernes.

Les techniques

Le métal fondu, on le moule ou on l'emboutit sur une petite enclume, la bigorne, puis on polit l'objet qui peut rester tel quel ou être décoré : on peut le graver, le ciseler (dessiner des filets), le repousser de dessous ou de l'intérieur, formant à l'extérieur des perles, des godrons[1]. On peut même trouer le métal par des ajours qui en allègent le poids, permettent une aération et décorent tout en même temps. On peut aussi ajouter quelques motifs par soudure. Le procédé est long; il demande de la patience et une main très sûre : à tout moment un geste trop vif peut transformer une pièce presque finie en métal à recycler. Plus récemment le martelage est devenu à la mode; il permet un travail différent de ce qu'on obtient en polissant simplement le métal.

La clientèle

C'était surtout l'Église qui commandait des pièces d'orfèvrerie : les vases sacrés, calice, ciboire, ostensoir, patène, porte-Dieu. Au fur et à mesure que les paroisses s'agrandissaient et s'enrichissaient, il était de bon ton de faire faire de nouvelles pièces qui servaient, comme les peintures et les sculptures, à montrer que rien n'était trop beau pour la gloire de Dieu. Au Québec, le « trésor » de certaines églises rurales est fastueux. On y trouve, en plus des vases sacrés, la lampe du sanctuaire dont la lueur indique la présence d'hosties consacrées dans le tabernacle, les chandeliers, l'encensoir avec sa navette, qui sert aux grandes cérémonies, les burettes pour l'eau et le vin, des boîtes pour les saintes huiles, le bénitier, etc. Ces objets du culte sont en général en argent, lequel est parfois doré à l'intérieur.

Les orfèvres comptaient aussi une clientèle bourgeoise qui avait besoin de plats et de couverts (elle deviendra plus importante vers le milieu du XIXe siècle). Les cuillers étaient plus courantes que les fourchettes, qui paraissaient d'un luxe encore supérieur. Lorsque l'on partait en voyage, il était d'usage d'emporter son gobelet et son couteau, mais ce dernier était plus proche de l'outil de chasse que de l'actuel couteau de table.

Un autre groupe social donnait du travail aux orfèvres : les Amérindiens aimaient les bijoux, couronnes, brassards, colliers, couettes qu'ils portaient ou cousaient sur leurs habits d'apparat. Dans toute l'Amérique du Nord, les trappeurs se servaient d'orfèvrerie de traite comme monnaie d'échange pour les fourrures. Ce

Couette en argent (orfèvrerie de traite), martelée, ciselée et ajourée, de Pierre Huguet, dit Latour, vers 1800. (Musée du Québec, 60 355. Photo : Jean-Guy Kerouac.)

genre de bijoux était assez souvent grossier et vite fait; on devine ainsi parfois à l'envers d'un ornement les traces de la piécette d'argent à partir de laquelle il a été travaillé.

Les orfèvres

Traditionnellement, l'orfèvre reconnu signe ses œuvres d'un poinçon bien à lui. Comme il n'y a pas de contrôle officiel de la teneur en métal précieux en Nouvelle-France, c'est la seule marque qui authentifie les objets ouvrés ici. En général, il s'agit des initiales de l'artiste, agrémentées d'un motif; celui de Paul Lambert, dit Saint-Paul (mort en 1749), s'ornait d'une fleur de lys.

Au XVIIIe siècle, les premiers orfèvres arrivent de France et apprennent le métier à de jeunes apprentis du pays. Certains serruriers s'improvisent parfois orfèvres, bien que les techniques et les matériaux soient différents. On sait que Paul Lambert, Jean-François Landron (mort en 1759) et Roland Paradis (mort en 1754) travaillent à Québec vers 1735. Le décor de « feuilles d'eau » revient fréquemment à cette époque sur les pieds de calices ou de ciboires de forme simple et d'allure robuste. Puis Ignace-François Delezenne (ou Delzenne) arrive au Québec et travaille aussi surtout dans la région de la capitale vers 1750. La Conquête allait forcer l'école locale d'orfèvrerie à se surpasser. Les besoins en objets du culte deviennent en effet pressants.

François Ranvoyzé (1739-1819), le premier grand orfèvre du XVIIIe siècle, passe toute sa vie à Québec. Il commence sa carrière juste après la Conquête, en pleine période d'incertitude pour l'Église catholique : celle-ci perd certains de ses droits, s'alarme de l'obligation du serment du Test[2] et de la baisse du nombre des prêtres alors que celui des fidèles augmente. Avec l'Acte de Québec (1774), l'Église recouvre certaines libertés et un peu de son ancienne aisance qui lui permet de commander des travaux à Ranvoyzé[3]. On lui doit une quantité de pièces simplement ornées d'une ligne de perles ou de godrons. Ses calices sont plus ouvragés, comme c'est l'usage; il utilise abondamment un décor de feuilles et de fleurs bien caractéristique de sa main. En avançant en âge, il devient de plus en plus habile mais préfère les compositions simples et classiques.

Un de ses apprentis, Laurent Amiot (1764-1839), prend la relève dans la région de Québec, à son retour de France. On parle alors de rivalité entre les deux hommes, ce qui est probable, mais en même temps la santé économique du Bas-Canada était redevenue bonne et il y avait certainement du travail pour deux dans la région de la capitale. Amiot rapporte de France un goût pour les surfaces simplement polies et ornées de moulures : l'élégance de ses pièces est évidente.

À Montréal, Pierre Huguet, dit Latour (1749-1817), jouissait du même type de réputation que Ranvoyzé à Québec. Il était aussi connu pour son orfèvrerie de traite. Salomon Marion (1782-1830) dans la métropole, puis Paul Morand (1784-1854), François Sasseville (1797-1864) et Pierre Lespérance (1819-1882) dans la capitale, profitèrent de la conjoncture politico-culturelle : vases sacrés et objets religieux

Encensoir en argent de Laurent Amiot, vers 1820. (Musée du Québec, 54 263. Photo : Jean-Guy Kerouac.)

Porte-bouquet de mariée en argent, ciselé, ajouré, repoussé et orné de perles, anonyme, XIXe siècle. (Photo : Michel Bourassa.)

garnissent les armoires de nombreuses sacristies. Il n'est pas interdit non plus de penser que la nouvelle bourgeoisie canadienne n'hésitait pas à commander pour elle-même de belles pièces d'orfèvrerie. La très grande mobilité de ces pièces, leur relative fragilité qui obligeait souvent à des réparations majeures, voire à une refonte totale du métal, ont fait disparaître une quantité de pièces originelles. En dépit de ces pertes, la quantité et la variété de l'orfèvrerie traditionnelle était telle qu'elle a attiré au XXe siècle l'attention de nombreux amateurs, dont Henry Birks[4] qui en a fait une collection remarquable.

Orfèvrerie et joaillerie modernes et contemporaines

À la fin du XIXe siècle, l'orfèvrerie québécoise tombe en léthargie. Les importations de France, d'Angleterre ou des États-Unis reprennent, au détriment d'un art local. L'industrialisation, qui, par galvanoplastie, permet de plaquer un métal sur un autre, touche aussi l'orfèvrerie : les moules se perfectionnent et permettent un décor qui devient répétitif. C'est seulement après 1940 que l'on assiste à la renaissance d'une orfèvrerie québécoise qui, vers 1960, va se réorienter en fonction des nouvelles valeurs de la société.

Gilles Beaugrand abandonne la ferronnerie d'art pour se consacrer à l'orfèvrerie religieuse qu'il renouvelle. Il avait rencontré à Paris le père Couturier, très influent dans le domaine de l'art sacré. Mais la société change : le Concile de Vatican II simplifie les cérémonies religieuses. Les « conseils de fabrique[5] » se débarrassent d'une grande partie de leur « trésor » ; on préfère se rapprocher du peuple et utiliser des objets moins luxueux pour célébrer la messe.

La classe moyenne augmente rapidement et favorise l'éclosion d'ateliers d'art profane ; la joaillerie québécoise prend la relève et connaît un essor remarquable. Madeleine Dansereau explore toutes sortes de techniques dont celle, japonaise, du *mokumegane*, tricote de souples colliers en fil métallique et triomphe dans des parures de papier. Gérard Tremblay, dès 1952, propose des compositions nouvelles où les agates de la Gaspésie sont mises en valeur par des formes d'ébène ou d'ivoire serties d'argent. Georges Delrue, juste avant 1960, n'avait pas moins de six artisans avec lui ; il se consacre alors aux bijoux somptueux qui marient toutes sortes de matériaux et de pierres précieuses, où l'on devine par moments l'influence des styles Art nouveau et Art déco. Ses élèves, Armand Brochard et Hans Gehrig, deviennent des maîtres-joailliers de grande classe. Guy Vidal, pour sa part, redonne une nouvelle noblesse à l'étain. Il façonne et reproduit dans son atelier, à une centaine d'exemplaires, des bijoux d'un prix abordable. Inventif, Vidal prolonge la vie des bracelets-mobiles, des pendentifs-sculptures en les montant sur socle quand ils ne sont pas portés. La toute jeune Luci Veilleux sculpte minutieusement des bracelets ; ceux de la collection *L'Équilibre dans le déséquilibre et l'ordre dans le désordre* méritent d'être regardés sur une table plutôt que d'être aperçus au gré d'un geste désinvolte.

On doit de nombreux pendentifs à Louis Perrier. Bernard Chaudron s'est lancé dans le bronze, Édouard Basilières-Portenier fait des mariages audacieux de formes géométriques, de perles et de pierres. Le petit format a également tenté sculpteurs et peintres. Tous, tel Michel-Alain Forgues, rêvent de ne réaliser que des pièces uniques mais beaucoup, comme Philippe Planas, ont la sagesse de se mettre à la petite série qui permet une plus grande diffusion et touche une clientèle plus large.

Avec l'Église, les formes étaient restées très traditionnelles du XVIIe au XXe siècle. En changeant de clientèle, les orfèvres se spécialisent maintenant dans une joaillerie originale, de plus en plus audacieuse; l'art de la médaille connaît également un renouveau notable en même temps que se multiplient les remises de prix et distinctions. Chantal Gilbert renouvelle la coutellerie d'art avec une sensibilité et un raffinement qui lui font écouler toute sa production en Europe.

L'estampe

Le 16 octobre 1848, un journal de Montréal, le *Morning Courier*, publiait une annonce offrant une « Série de dessins sur pierre, par Borum, lithographe du roi de Bavière, d'après des tableaux de C. Krieghoff, de Montréal, illustrant la vie au Bas-Canada ».

L'artiste, d'origine hollandaise, à la mode non seulement au Canada, mais à New York et à Londres, s'était rendu compte de l'intérêt que pouvait représenter la reproduction de certains de ses tableaux. En fait, lui-même ne semble pas y avoir travaillé personnellement, mais il autorisait des lithographes européens à réaliser des estampes à partir de ses tableaux. Ces estampes étaient tirées en noir et blanc et en couleurs, pour un prix modique (la série en couleurs, pour un souscripteur, lui revenait à deux livres sterling). Artiste avisé, Krieghoff était conscient de l'avantage à être ainsi connu d'un plus grand public. À cette époque, la gravure tenait un peu le rôle de la photographie aujourd'hui: on reproduisait un dessin à un nombre élevé d'exemplaires pour illustrer des livres, des périodiques, des journaux.

Au Québec, l'œuvre la plus considérable est celle d'Edmond-Joseph Massicotte qui fut un documentaliste et un ethnographe remarquable. Un millier de dessins reflètent fidèlement la culture traditionnelle des Québécois (*Histoire illustrée de notre race, Nos Canadiens d'autrefois*). Il produisit, de 1892 à 1929, avec un goût prononcé pour le terroir, des estampes respectueuses des valeurs du temps, inspirées par un très vif sentiment religieux, patriotique et même didactique. Parmi la vingtaine d'artistes qui s'adonnent à la gravure dans la première moitié du siècle, Rodolphe Duguay travaille sur le bois: sa gravure est anecdotique (*Le Brassin de savon*), mais plus austère que l'œuvre de Massicotte, qui savait flatter de nombreux lecteurs de revues en évoquant l'activité paysanne (*L'Épluchette de blé d'Inde*).

Les techniques

L'art, très exigeant, de l'estampe s'exprime par des techniques différentes et demande une grande précision. L'artiste fait la matrice ou les écrans de soie, puis il suit normalement toutes les étapes de production. Le support habituel de l'impression d'une gravure est un papier de qualité, ce qui en limite la taille, en comparaison de certaines œuvres peintes. La gravure exige des connaissances précises dans le domaine de la chimie puisque l'on joue sur l'adhérence des encres et des couleurs. En revanche, avec la même image originale, la gravure peut produire jusqu'à 300 épreuves, contrairement à la peinture qui est unique, par essence. Aussi la gravure est-elle un art très différent qui conçoit l'image en fonction du procédé de reproduction choisi.

La gravure en relief, ou taille d'épargne. L'artiste fait apparaître en relief les parties qui seront reproduites après encrage. Toute surface dure peut être utilisée : bois, linoléum, plastique, pierre ; on applique de l'encre ou de la couleur sur le relief avant de mettre sous presse.

La gravure en creux, ou taille douce. C'est un procédé ancien, comme le précédent. L'artiste creuse une surface dure (plaque de métal, de cuivre, de zinc, de verre) pour que les creux retiennent l'encre. On applique l'encre, on essuie ce qui n'est pas dans les creux et on presse le papier. La technique la plus courante est l'eau-forte : on vernit une plaque de cuivre, on dessine par-dessus avec une pointe sèche qui enlève le vernis, on « brûle » la plaque à l'acide nitrique qui attaque le métal aux endroits découverts. On nettoie la plaque, on encre, on essuie l'excédent. On peut alors imprimer.

La lithographie. Sur la surface d'une pierre calcaire (mais aussi sur zinc ou aluminium), l'artiste dessine avec un crayon gras, puis fixe son dessin avec une solution chimique. L'encre sera retenue là où l'on a dessiné et fixé à l'acide. Le dessin obtenu par ces trois premières techniques est inversé, contrairement à celui que donne la technique suivante.

La sérigraphie. L'artiste dessine sur un écran de soie et masque le reste du tissu avec un corps gras ou autrement. L'encre va se déposer sur le papier placé sous la trame de soie où l'on passe une raclette. On utilise plusieurs écrans de soie suivant les étapes du travail. Ce procédé permet des surimpressions de couleurs superbes. Aujourd'hui, le sérigraphe prend le relais de l'artiste en transposant sur papier l'œuvre originale, en séparant puis en reconstituant les couleurs en de nombreuses passes superposées.

Les graveurs d'aujourd'hui

À partir de 1942, Albert Dumouchel (1916-1971) enseigne pendant une vingtaine d'années à l'Institut des arts graphiques de Montréal avant d'aller à l'École des Beaux-Arts. Il a sympathisé avec Pellan et a été charmé par les possibilités innombrables du surréalisme. Il a publié pendant quatre ans des cahiers intitulés *Ateliers d'art graphique* et va perfectionner ses techniques à Paris. À son retour, il communique son savoir étendu à tout un groupe, dont Richard Lacroix, et prend en mains l'enseignement de la gravure à l'École des Beaux-Arts en 1960. Dumouchel est le moins directif des professeurs; cela explique comment il peut être à l'origine de toute la gravure moderne au Québec. Il se disait autodidacte[6] et respectait à son tour la liberté de ses élèves. Amoureux de la couleur[7], il sait rester malicieux, que ce soit dans l'observation de la nature ou dans celle de l'être humain; l'érotisme très net de nombre de ses toiles et gravures a contribué à décaper le vieux fond de préjugés qui perdurait encore au début des années 1960. Son amour du métier le pousse à expérimenter toutes les techniques; sa philosophie sereine et sa joie de vivre marqueront toute une génération de jeunes.

Presque au moment où Dumouchel entre aux Beaux-Arts, naît à Povungnituk, en 1961, le premier atelier de gravure du Nouveau-Québec qui atteint vite une renommée mondiale. Les artistes inuits ont gardé intactes la fraîcheur et la spontanéité qui font le charme de leur pierre gravée représentant leurs légendes, leur bestiaire étonnant et les scènes de leur vie journalière.

Après 1960, les arts graphiques prennent une place considérable dans le milieu artistique montréalais. Les ateliers se multiplient : l'Atelier libre de recherches graphiques, GRAFF (Pierre Ayot), Graphia, Arachel, l'Atelier de réalisations graphiques à Québec en 1972, l'Atelier de l'île à Val-David en 1975 et, depuis, malgré les exigences de technologies toujours plus précises, les ateliers n'ont pas cessé d'éclore et de grandir un peu partout au Québec.

Louis-Pierre Bougie, *Sans-titre,* estampe n° 23, 1992.

En 1966, la Guilde graphique devient un lieu de diffusion; « la gravure maintient l'idée de rareté de l'œuvre d'art bien qu'elle soit un multiple » : un tirage moyen est de 100 exemplaires; beaucoup tirent à moins, Danielle April parfois à un seul; on est alors aux antipodes de la reproduction mécanique à tirage illimité. Dans un numéro spécial de *Vie des arts,* Yves Robillard répertorie en 1978, « dans la région montréalaise, au moins 75 artistes, graveurs de quelque renom [et estime] à 3 000 images différentes le nombre de gravures que ces 75 artistes ont mis sur le marché en 10 ans ».

Richard Lacroix (la série *Floris*), Serge Tousignant, Robert Savoie et Tobie Steinhouse font de l'eau-forte ; Roussil, René Derouin (*Nouveau Québec*) et Janine Leroux-Guillaume des bois gravés, Gilbert Marion de la linogravure. Gilles Boisvert, Lauréat Marois sont tentés par les infinies possibilités chromatiques de la sérigraphie, comme Antoine Dumas à Québec. Yves Gaucher (1934-2000) a poursuivi une carrière originale que l'audace a tenue en marge des courants avec des impressions en relief ou en creux, sur du papier laminé, d'une pureté géométrique très grande (la série *En hommage à Webern*). On parle à son sujet de « pure rythmique visuelle ».

Les peintres aiment ce médium qui leur ouvre un autre public ; Pellan, Toupin, Molinari, Letendre, Claude Tousignant, L. Jacque, Hurtubise ont tâté de la sérigraphie, Betty Goodwin des eaux-fortes et Riopelle a aussi consacré une partie de son œuvre à l'estampe. Toutes les tendances esthétiques modernes sont représentées dans la gravure québécoise, de la figuration, en passant par le surréalisme et le « Pop Art », au lyrisme de l'expressionnisme abstrait et à l'extrême dépouillement des lignes et des couleurs. C'est un milieu prolifique et ouvert : un bon nombre d'artistes étrangers sont venus se joindre aux Québécois, ajoutant encore à la riche variété des images gravées ici.

Roland Giguère avait fondé les Éditions Erta en 1949 ; s'y rencontrent des poètes (Gilles Hénault, Claude Gauvreau, Alain Horic, Claude Haeffely) et des artistes visuels (Dumouchel en tête, L. Bellefleur, J.-P. Mousseau et M. Ferron). Roland Giguère en est l'infatigable animateur pendant 40 ans avec Gérard Tremblay ; ils s'expriment par le verbe et l'image avec l'acuité la plus précise. Françoise Bujold touche aussi aux deux disciplines. L'édition d'art témoigne de l'étroite relation entre le livre et l'estampe. Les livres d'artiste (*Le Cirque* met à contribution Riopelle et Gilles Vigneault en 1996), réservés à de rares esthètes, font appel aux relieurs qui peaufinent aussi les livres de chevet dont on ne peut se passer. Ghislaine Bureau, Louise Genest savent combien un plaisant toucher augmente le plaisir du texte.

Les arts du feu

La ferronnerie

La ferronnerie est une technique à la limite entre le métier d'art et l'art populaire. Suivant le goût du client et ses possibilités, le forgeron choisit de faire pratique et bon marché ou original et plein d'invention, beau et sans doute plus cher.

Les forgerons étaient présents dès le tout début de la colonisation ; les bâtisseurs de maisons et les menuisiers ne pouvaient s'en passer. On installe donc dans chaque village, jusqu'à la fin du XIXe, une forge qui était aussi un lieu de rencontre. Cela donnait une importance sociale incontestée au maître des lieux, homme d'expérience, plus ou moins complice du feu avec son outillage spécialisé, soufflet, enclumes, outils : un mythe populaire veut que le coq de clocher, une fois sorti des mains du forgeron, pouvait voler de ses propres ailes jusqu'à la place qui lui avait été assignée. Pentures, crochets, systèmes de fermeture étaient souvent de véritables œuvres d'art. Les réussites les plus émouvantes sont les croix de cimetière, qui témoignent aussi de l'importance du culte des morts.

Le ferblantier découpait pour sa part des feuilles de fer pour fabriquer toutes sortes d'objets domestiques. Au Québec, il fabriquait aussi des coqs de clocher ou des croix de chemin. Il en reste d'amusants spécimens.

Dans cette même ligne, l'ornementation des poêles produits par les Forges du Saint-Maurice à partir de 1737, et par d'autres fonderies, a de belles qualités, mais il s'agit alors d'objets moulés et produits en série. De nos jours, les quincailleries ont pris le relais des ferblantiers et des forgerons pour les objets d'utilisation courante. Il existe toutefois au Québec quelques artistes qui travaillent encore le fer et le cuivre ; leur métier s'est anobli : on les classe souvent parmi les sculpteurs.

L'émail est une discipline artistique relativement récente au Québec. La technique en est simple et, avec l'accroissement des loisirs, on assiste à un engouement populaire pour ce type d'artisanat. Des quantités d'amateurs fabriquent pendentifs, bracelets et cendriers de toutes tailles. Quelques artistes, comme Thérèse Brassard (*Fête maya,* 1956), font des pièces uniques majestueuses. On ne saurait oublier le couple formé par Micheline de Passillé et Yves Sylvestre, qui pratique l'émaillerie sur cuivre dans toutes ses possibilités avec une gamme étendue de produits finis, de la murale aux bijoux ; *Perspective* (1960) superpose deux motifs décoratifs, l'un figuratif, l'autre, totalement abstrait, dans la transparence de son émail.

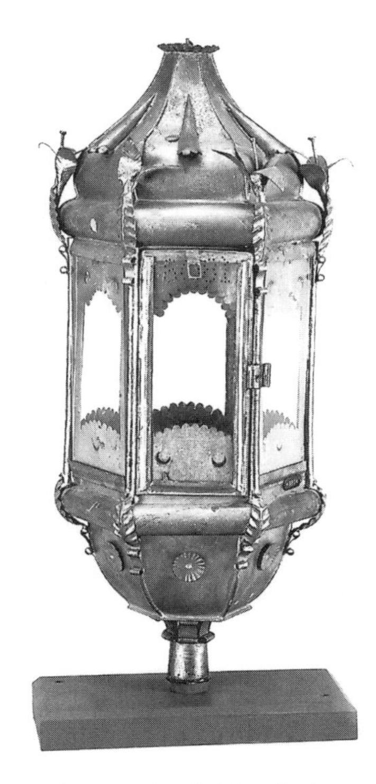

Lanterne de procession, fer-blanc doré et verre, 1808. (Musée de la civilisation, 53-2. Photo : Samuel Breitman.)

La céramique

La Nouvelle-France ne semble pas avoir produit beaucoup de poteries, entre autres raisons parce que la métropole préférait en exporter, mais aussi parce qu'on apprit à se servir de l'écorce de bouleau comme les Amérindiens et que l'on utilisait des contenants de bois. Le premier atelier de poterie, fondé par Landron et Larchevêque, remonte à 1686. La poterie se

Pot à eau en céramique blanche. (Photo : FTL.)

développe de 1700 jusqu'en 1850 : l'introduction des techniques industrielles fait alors disparaître l'objet unique au profit de la pièce moulée. Le long du Richelieu, à cause de l'abondance des dépôts d'argile grise, s'installent de grosses manufactures le plus souvent anglophones. Les Dion, à L'Ancienne-Lorette, semblent résister à l'envahissement des influences britanniques et américaines et travaillent une argile locale d'un rouge brun foncé qu'ils recouvrent d'une glaçure au plomb, rendue originale par l'adjonction d'un peu de cuivre. La porcelaine arrive d'Angleterre au XIXe siècle et introduit dans la bourgeoisie les habitudes de la bonne société britannique. Les normes d'hygiène transforment encore les habitudes au début du XXe siècle et, cette fois-ci, c'est la technologie américaine, plus avancée, qui finit par imposer ses céramiques industrielles.

Vers 1930, un nouvel intérêt pour l'art de la céramique renaît timidement. Les Normandeau, formés en France, commencent à enseigner aux Beaux-Arts de Montréal, puis à l'École du meuble. Un de leurs élèves, Louis Archambault, prend la relève et se lance dans la céramique avant de réussir une belle carrière de sculpteur[8]. À Rimouski, puis dans les Cantons-de-l'Est, Gaétan Beaudin forme aussi des élèves auxquels il inculque le raffinement du tournage et des glaçures, Louise Doucet-Saïto va se perfectionner au Japon ; Pierre Legault invente un tour qui porte son nom et qu'il fabrique dans une petite usine ; Marc Dumas se spécialise dans le grès.

Des céramistes et des potiers d'origine étrangère s'installent au Québec, tentés par une qualité de vie exceptionnelle. Jordi Bonet est probablement celui à qui la céramique québécoise doit la plus grande ouverture d'esprit. Jean Cartier, Robert Champagne, Jean-Paul Mousseau font de vastes murales, ainsi que Claude Vermette qui combine sur de grandes surfaces des briques à face plate ou arrondie. À partir de 1960, Jacques Garnier dirige l'Atelier de l'Argile vivante, mais ses pièces ont été ensuite fabriquées en série par une petite industrie beauceronne. Maurice Savoie fait soit de grandes céramiques destinées à une clientèle aisée, soit des prototypes reproduits en série par coulage, et vendus à des prix plus abordables. Alain et Michel

Tremblay conçoivent le métier de potier comme un art de créer des formes nouvelles aux glaçures originales pour des fonctions bien définies. C'est à une véritable renaissance d'un métier d'art un peu négligé depuis plus d'un siècle que l'on assiste aujourd'hui, comme en témoignent les ateliers qui se sont installés un peu partout sur le territoire québécois.

Le verre et le vitrail

Les églises rurales de tradition canadienne n'ont en général pas de vitraux colorés (mais l'église Saint-Mathieu, non loin de Montréal, en abrite un ensemble spectaculaire). Il en va autrement des grandes églises des cités qui ont fait exécuter leurs vitraux en Europe avant que le premier verrier montréalais, John Spence, n'ouvre son atelier vers 1850 (on lui doit la grande verrière de Notre-Dame de Montréal). Entre 1915 et 1973, Guido Nincheri, d'origine vénitienne, réalise plus de 3 000 vitraux dont ceux de Saint-Léon de Westmount et le bel ensemble de 125 verrières de la cathédrale de Trois-Rivières. La tradition se continue lors de la construction des nombreuses églises modernes un peu partout au Québec. À Bagotville, à Jonquière, à la cathédrale de Nicolet, d'immenses verrières réchauffent avec bonheur les briques ou le béton de la structure (Claude Bettinger finit celles de la nouvelle cathédrale de Mont-Laurier, en 1998, peu avant son décès prématuré). Les particuliers, quant à eux, personnalisent l'entrée de leur résidence dès la fin du XIXe siècle par une imposte ou un puits de lumière qu'illumine l'éclat un peu brusque du soleil hivernal.

Marius Plamondon lançait en 1951 un cours de vitrail à Québec; Olivier Ferland ouvrait un atelier dans la même ville. On s'est intéressé à cette lumineuse transparence colorée au moment où architectes et peintres ont vu de nouvelles utilisations du vitrail pour réveiller les matériaux de l'architecture moderne. Marcelle Ferron a su illuminer le béton gris des stations de métro ou raviver le bois clair d'une porte d'entrée. Alfred Pellan, coloriste dans l'âme, s'est aussi laissé tenter par cette discipline (la Place-des-Arts à Montréal).

Les Bettinger, Théo Lubbers, Solange Léveillée sont des maîtres verriers de qualité, comme Gilles Desaulniers à Trois-Rivières, Klain Toan à Montréal ou Alfie dans les Laurentides. Jean Vallières, à Québec, excelle dans l'art de créer à partir du verre soufflé des formes dans lesquelles la couleur joue de somptueuses harmonies, à moins que le verrier n'ait préféré mêler le verre à d'autres matériaux ou encore le graver.

Les arts du textile

Au début de la colonie, les arts du textile constituaient une économie de survivance : Jean Talon fait cultiver le lin et le chanvre pour subvenir aux besoins de la Nouvelle-France. Plus tard, les moulins à blé doublent leur mécanique d'une machine à carder la laine et d'une autre à fouler (pour feutrer la laine) qui augmentent leur clientèle. La décision que prirent les Patriotes, dans les années 1830, de se vêtir

La Sainte-Trinité, parement d'autel brodé au fil de soie d'or et d'argent par les ursulines de Québec, vers 1700. (Collection des ursulines de Québec.)

uniquement d'étoffe du pays plutôt que d'importations anglaises stimulera aussi l'économie. La tradition de la couverture piquée était alors répandue dans l'est de l'Amérique du Nord ; cette récupération de chutes de tissus permet à des femmes pleines d'imagination de créer de jolies pièces. Le ministère de l'Agriculture, qui, au début du XXe siècle, assumait dans ses responsabilités la formation et le perfectionnement des fermières dans le domaine de l'artisanat de soutien, avait publié nombre de petites brochures expliquant les diverses techniques du textile pour les femmes en milieu rural[9].

La broderie

Il était de tradition européenne que les ornements d'église fussent à la hauteur des magnifiques cérémonies religieuses. L'art de la broderie transposé en territoire laurentien reprit une vigueur qui s'estompait dans les vieux pays. Les ordres féminins se chargèrent principalement de ce savoir : il n'est pas impossible qu'ayant observé l'habileté des mains indiennes lorsqu'elles décoraient des vêtements, les religieuses, comme mère Marie Le Maire des Anges (vers 1670), se soient senties incitées à cultiver et à transmettre cet art en Nouvelle-France, d'autant plus qu'il leur apportait d'importantes sources de revenus.

Ursulines et augustines étaient des brodeuses réputées ; on a parlé à leur sujet de « peinture à l'aiguille ». Elles savaient en effet manier l'aiguille avec finesse et agencer les couleurs avec brio, dorant ou argentant la broderie à la feuille, ou utilisant des fils d'or et d'argent[10]. Elles ont conservé, à Québec, notamment dans leurs musées, un bon nombre de parements d'autel et d'ornements sacerdotaux.

Les plus beaux datent du Régime français, pendant lequel cet art atteignit son âge d'or.

La simplification des cérémonies catholiques, après le Concile de Vatican II, eut comme corollaire l'abandon des cérémonies où le clergé officiait vêtu de fastueux ornements sur lesquels des mains habiles avaient passé de très longues heures. La mode est maintenant à la stylisation des symboles et à l'usage de gros fils de laine ou de coton plutôt que de soie.

La tapisserie

Si le XXe siècle voit se raréfier et se transformer l'art de la broderie, la tapisserie, en revanche, reprend des droits qu'elle n'avait pas encore revendiqués en terre québécoise. Alfred Pellan, de retour d'Europe, donne des cartons de tapisserie à des lissières qui apprennent à traduire les couleurs vives du peintre dans le moelleux de la laine. Leduc, Molinari, Belzile, Dallaire préparent à leur tour des cartons parce que leur peinture trouve ainsi une nouvelle forme d'expression. Peu à peu, on redécouvre combien il est avantageux de réchauffer la froide apparence du béton d'une tapisserie épaisse et colorée. Aubusson, la Mecque de la tapisserie en France, a réalisé des cartons de Pellan, mais aussi de Marc-Aurèle Fortin et de Claude Le Sauteur. Comme on construit énormément après les années 1960, le métier de tapissier renaît alors que la tapisserie devient le lieu d'exploitation d'un nouveau langage artistique. Gaby Pinsonneault, Mariette Rousseau-Vermette, Jeanne-d'Arc Corriveau font partie d'une première génération de lissières. Nicole Gagné, Michelle Bernatchez, et surtout Marcel Marois (épisodes narratifs traités dans des tons de gris très plasticiens) se différencient encore par rapport au travail de leurs aînés.

À Grondines, Micheline Beauchemin avait installé son atelier-école. Pour elle, la tapisserie s'exprime de façons très diverses que l'on peut renouveler sans cesse avec un peu d'imagination et d'ouverture d'esprit; la forme peut en être hélicoïdale, le matériau celui d'un mince ruban de plastique. Micheline Beauchemin est allée partout où l'on tisse, partout où l'on fait de la tapisserie dans le monde et en a rapporté des fibres nouvelles, des techniques originales. La tapisserie, qui a souvent eu tendance à s'en tenir aux deux dimensions de l'espace pictural, s'aventure avec elle dans les trois dimensions de l'espace sculptural ou architectural. Sa renommée internationale a fait savoir au monde que tout était encore possible dans le domaine de la tapisserie quand on a le dynamisme d'une lissière québécoise. Elle est décédée en 2009.

Le tissage et la haute couture

Dans les débuts de la colonie, la fabrication du textile était de première nécessité. Au XIXe siècle, chaque maison, du moins en milieu rural, avait encore son rouet et chaque famille, son métier à tisser. La production domestique favorisait le lin, dont la culture et la transformation vont disparaître entre les deux guerres mondiales. Maintenant que les tissus et vêtements, manufacturés souvent à l'extérieur

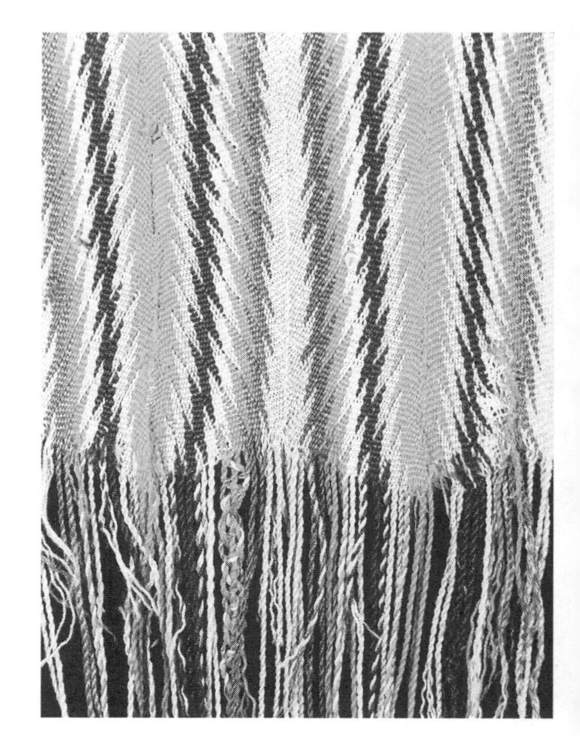

Ceinture fléchée de l'île aux Coudres, laine, 22,5 cm sur 254 cm. (Musée de la civilisation.)

Verticalité, tapisserie au point des Gobelins, réalisée par Édith Larouche, en 1998, sur un carton de Jean-François Favre.

du pays, ont remplacé le linge fabriqué sur place, le tissage revendique ses titres de noblesse. Édith Martin, à Trois-Pistoles, passe des heures à teindre amoureusement ses laines ou d'autres fibres avec de vieilles recettes ; elle en marie textures et couleurs dans des tissus ou dans des vêtements inédits.

La haute couture est de tradition récente au Québec mais solidement établie. Des créateurs, de plus en plus nombreux (Marie Saint-Pierre, Jean-Claude Poitras, Christian Chenail, Shan, la chapellière Mireille Racine) sont la preuve que le Québec se veut aussi, de cette façon, une société distincte de celle que globalisent les multinationales du vêtement fait dans des pays où la main-d'œuvre ne coûte rien. Le nom de Michel Robichaud est connu en Amérique du Nord comme en Europe, et son parfum, *Brunante*, est une réussite du genre. Ce grand couturier a déjà utilisé avec fierté les tissus d'Édith Martin pour des créations doublement originales.

Le fléché

Dans les gravures et tableaux anciens, habitants, voyageurs et Indiens portent souvent une ceinture fléchée enroulée autour des reins. L'usage de fils de laine fins et multicolores faisait de ce vêtement un objet recherché pour le confort et l'apparence. Les Amérindiens, un peu partout en Amérique, étaient friands de ces pièces de couleurs vives : au fort Albany à Moose River, en 1833, selon Horace T. Martin, on échangeait deux ceintures contre une peau de castor.

On se perd en conjectures sur l'origine de ce tissage dont on ne retrouve pas trace en France, mais en Norvège. Il est improbable que les Amérindiens l'aient pratiqué. Toujours est-il que cet art est devenu spécifiquement québécois, contrairement aux courtepointes et tapis tressés que l'on trouve ailleurs dans le Nord-Est du continent.

Ce sont surtout les femmes de L'Assomption, localité à l'est de Montréal, qui avaient conservé la tradition du « tissage aux doigts », sans métier. Leurs productions étaient récupérées vers 1880 par les commerçants anglais pour une somme dérisoire, ce qui décida le curé Viger à convaincre ses ouailles d'en cesser la production ; la technique faillit donc se perdre à tout jamais et a été sauvée *in extremis* grâce aux interventions de collectionneurs comme Marius Barbeau et Françoise Gaudet-Smet. Des femmes surtout, Germaine Galarneau, Cécile Barot, Monique Leblanc, Lucienne Desmarais et Véronique Hamelin[11], se remirent à l'ouvrage. Des brins de laine fins et multicolores sont attachés au plafond et l'artisane n'a plus qu'à faire preuve d'imagination pour faire danser les fils qui servent alternativement de chaîne et de trame. La trame est toujours en diagonale et les motifs, toujours en forme de flèches (têtes de flèche, éclairs, chevrons). Les laines étaient très fines, très vivement colorées et cirées pour les rendre imperméables ; une ceinture traditionnelle, comme on peut en voir dans les tableaux de Krieghoff, peut mesurer de 9 à 12 pieds de long sans compter les franges.

Artistes de l'ordinaire ou art populaire

> L'artisanat apparaît comme le résultat des menues recettes quotidiennes qui permettent à l'homme de maîtriser les matériaux les plus ordinaires de son environnement en les intégrant aussi bien sur le plan de l'utile que sur celui de l'art.
>
> JOCELYNE ÉTIENNE-NUGUE, 1995.

Par rapport à l'expression artistique des gens de métier, l'art populaire apparaît comme l'expression artistique spontanée d'une personne sans apprentissage qui, avec des moyens très limités, crée un objet, utile ou non, possédant des qualités esthétiques — au moins dans l'esprit de son créateur. Le sens pratique et l'habileté des Québécois, une longue tradition de décoration, un climat qui autorise de longs loisirs en hiver ont créé ainsi un penchant pour l'art populaire de tous genres.

Les matériaux

Les matériaux se caractérisent par leur coût minime, à cause de leur abondance (fer-blanc, tôle), ou par leur coût nul (bois, argile, piquants de porc-épic). Le recyclage permet une réutilisation sans fin de matériaux modestes et communs : coquillages, paille, cheveux, feuilles de maïs, nid d'abeilles, contenants de plastique. L'art d'utiliser les restes, précieux dans les économies primaires, a longtemps imposé de nécessaires exigences. C'est ainsi que les fermières québécoises étaient passées maîtres dans la manière de faire des tapis tressés, des tapis à langue ou à roulettes[12], des catalognes où le fil de trame est fait de lanières de vieux tissus récupérés, des couvertures piquées ou courtepointes, dont on peut faire des chefs-d'œuvre en y mettant quelques doses de bon goût pour beaucoup d'autres de patience.

Les motifs d'ornementation

On retrouve les mêmes motifs dans le monde entier. Le soleil, la lune et les étoiles avec leur symbolique populaire. S'y ajoute une flore abondante où la fleur de lis, emblème royal français, tient la première place. Le trèfle est également fréquent, sans doute à cause de sa forme trilobée, mais surtout en raison de sa symbolique pour les Irlandais, nombreux à partir de 1840. Du côté des quadrupèdes, le castor est ici le roi des animaux ; c'est une bête presque mythique dont la fourrure précieuse cache une nature travailleuse ; il vit en famille, construit de véritables appartements en abattant des arbres entiers pour édifier des barrages d'une efficacité parfaite. Le coq a aussi la faveur populaire : la forme en est attrayante, il est synonyme de puissance (il réveille le soleil !) et de richesse ; il est aussi l'animal qui évoque la Gaule d'autrefois, d'où est sortie la France[13]. Le cœur est également un motif fréquent dans tout art populaire ; comme le soleil, il évoque la vie. Il est aussi le siège des sentiments, dont l'amour n'est pas le moindre, comme le serinent chansons et poèmes, dictons et proverbes.

Les motifs religieux, on s'en doute, ont été extrêmement courants au Québec. Même les motifs populaires se doublaient d'un symbole religieux. Le coq que l'on trouve sur une foule de croix de chemin rappelle, bien sûr, celui qui a souligné la triple trahison de l'apôtre Pierre. Le trèfle, qui termine beaucoup de branches de croix, évoque la Sainte-Trinité : un seul Dieu en trois personnes ; les rayons du soleil radié sont une gloire[14] qui exprime la force, le rayonnement et la toute-puissance de Dieu. La lune, symbole féminin par excellence, et les étoiles sont les attributs de la Vierge Marie, « Maris Stella[15] ».

On note à satiété des multitudes de symboles religieux tout à fait explicites : des croix, un ostensoir ou un ciboire. Orner un lit d'enfant d'un calice assure peut-être son occupant d'une vocation religieuse qui sera l'honneur de la famille ? Quant au cœur, dont il est fait si grand usage, on en a modifié l'apparence en donnant au motif populaire une symbolique particulière. Le XIXe siècle est la période où a été diffusée dans l'iconographie catholique la dévotion au Sacré-Cœur de Jésus. Aussi trouve-t-on au Québec le cœur saignant (« voici ce cœur qui a tant souffert » et qui se tord de douleur), le cœur sanglant (percé par la lance sur la croix), le cœur ardent (qui brûle d'amour, c'est l'attribut de sainte Ursule), le cœur radié qui évoque la gloire de la résurrection.

Les objets

On peut produire des objets utiles qui soient en même temps beaux et personnalisés. Ainsi, pour identifier un ustensile courant, il n'est pas rare d'y ajouter une décoration ; mettre une fleur au fond d'un moule à beurre enjolive et signe la motte qui sera vendue au marché. Au Québec, les moules à sucre d'érable sont l'occasion d'une créativité exceptionnelle ; le temps des sucres arrive à la fin de l'hiver, occasionnant de belles réjouissances : c'est la toute première récolte de l'année en une saison encore morte pour les habitants qui ont donc du temps à consacrer à cette activité. Il était courant qu'un jeune homme déclare sa flamme à sa future femme en lui présentant la preuve de son habileté à travailler le bois. On trouve donc des moules à sucre de formes surprenantes : le pieux fera un missel, l'amoureux un cœur, le pratique bâtira un moule démontable (pour le démoulage) en forme de maison québécoise.

Objets usuels

Avec les moules à sucre sont plus particulièrement spécifiques au Québec les contenants en écorce de bouleau décorés,

Contenant en écorce de bouleau typique du groupe algonquin amik-ininis. (Photo : Michel Bourassa.)

de très grands plats en bois dur, généralement en érable, dont on façonne aussi des pelles pour usages divers (à sucre, à déneiger les toits, « des mains à patates » pratiques pour les manipuler dans le caveau, etc.).

On trouve le long du Saint-Laurent de grosses pinces à glace qui servaient, en février, au découpage de la glace dans le fleuve pour la conservation des aliments dans le caveau à légumes pendant l'été. Pour la chasse, on sculptait des appelants, souvent peints par la suite, pour tromper les oiseaux migrateurs, grandes oies blanches, bernaches, outardes, malards et autres palmipèdes.

Au chapitre du luminaire, outre les bougeoirs classiques, on note des becs de corbeau en fer forgé et toute une panoplie de falots, fanaux[16] et lanternes sourdes en fer-blanc que dentellent les perforations. Toute une série d'accessoires, simples et beaux, faisaient également partie du commun : boîtes à « ustensiles », boîtes à sel, moules à chandelles, hachoirs à tabac, etc.

Jouets

Les miniatures sont légion, des animaux, des poupées avec leur mobilier et leur « berlot » (traîneau hippomobile) pour se promener sur la neige (comme celui sur lequel un père avait peint le capitonnage en trompe-l'œil), des chevaux dont certains à bascule et avec de vrais crins sur la tête et sur la queue. La poupée gigueuse à chevilles et genoux articulés danse la gigue sur le genou de celui qui la manipule en cadence. Elle n'est pas si facile à réaliser, aussi la trouve-t-on parfois sans bras, toute l'ardeur du sculpteur néophyte ayant été déployée pour les articulations des jambes.

La décoration

À l'intérieur, on décore avec des peintures naïves et des objets sculptés. À l'extérieur, l'espace est là qui invite les imaginations à se surpasser : y placer un objet n'est-il pas aussi une façon d'investir et de baliser l'espace ? Avec le déplacement des familles qu'exigeait l'accroissement de la population, les habitants eurent le désir d'indiquer leur appartenance[17] en peignant certains motifs, typiques de leur région d'origine, sur les portes des divers bâtiments de ferme. Le Québécois aime à personnaliser sa maison. Certains se fabriquent une boîte aux lettres qui est une miniature de leur propre maison, d'autres disséminent sur leur terrain des cabanes d'oiseaux amusantes. On plante des girouettes au faîte du toit ou, dans la pelouse, des figurines articulées que le vent anime. On va même jusqu'à entourer son terrain de longues chaînes aux maillons faits de milliers de capsules de bouteilles de bière enfilées sur un fil de fer.

Les « patenteux[18] » du Québec sont décidément dotés d'une imagination sans bornes. Une gouttière aboutira à un petit canal sur lequel flotteront des appelants en réduction et qu'enjambera un coquet petit pont comme ceux des compagnies de chemin de fer. À Saint-Romuald, Adrien Guay a fait grimper sur la falaise un village miniature entier. À Saint-Séverin, en Beauce, Roméo Vachon a construit dans sa prairie un immense cheval, à l'instar des ennemis de Troie, dans lequel on peut grimper et s'installer pour fumer une pipe.

L'ingéniosité et l'humour sont des qualités de première nécessité : avec des matériaux qui ne coûtent rien, comme ces contenants en plastique, en général affreux, dont sont remplis les supermarchés d'une Amérique du Nord « propre, propre, propre », on peut fabriquer des mobiles qui égayent les journées tristes de leurs couleurs en mouvement ; et, le long du Saint-Laurent, le vent non plus ne coûte rien.

La dévotion populaire

Tout un patrimoine a été légué par les anciens. Le premier objet pendu au mur est le crucifix (on le voit encore, même dans le Québec citadin déchristianisé d'aujourd'hui, sur le mur de certains magasins et lieux publics), parfois intensément évocateur de la souffrance du crucifié. On dirait que les gaucheries de l'anatomie rendent plus cruel le supplice de la crucifixion.

L'alcoolisme a toujours été battu en brèche par les curés, qui organisaient des croisades de tempérance pendant lesquelles des groupes de garçons, « les Lacordaire », et des groupes de filles, « les Jeanne-d'Arc », devaient s'engager à ne jamais boire une goutte d'alcool. Quand un habitué du « fort » ou du « p'tit whisky blanc » distillé en cachette dans la grange s'amendait, il se fabriquait une croix de tempérance, peinte en noir, pour se rappeler la promesse de ne plus boire. Ceux qui aimaient réellement à se créer des défis construisaient dans une bouteille une petite croix avec les instruments de la passion ou même un calvaire tout entier.

Croix de la passion montée dans un authentique dix-onces de gin. (Photo : Michel Bourassa.)

Si, à l'intérieur d'une maison, on se soucie de sauver son âme, on plantera à l'extérieur, pour s'attirer les bénédictions du ciel, ou simplement par pure piété, une croix de chemin. Il y en a encore un très grand nombre dans tout le Québec et même dans les banlieues des grandes villes, régions rurales voilà 50 ans.

Ces croix de chemin sont en général de grande taille, en bois, souvent peintes en noir et ornées de divers objets qui rappellent la mort du Christ : sur le sommet se dresse le coq de saint Pierre ; on y trouve aussi l'échelle, la lance et l'éponge (trempée dans le vinaigre), le marteau, les clous et même une paire de tenailles. Au centre, un cercle lancéolé représente la couronne d'épines mais symbolise aussi la gloire de la résurrection. Dans la plupart des cas, ces croix de chemin ont été fabriquées par de braves gens qui n'avaient pas toujours l'habileté nécessaire à une telle besogne ; bien entretenues, elles sont le témoignage émouvant et durable de la piété des Québécois.

Pour une occasion vraiment spéciale, une communauté paroissiale commandait à un sculpteur un calvaire dont on abritait sous un toit les personnages en croix, debout ou à genoux. Louis Jobin en fit un très grand nombre. L'ensemble, abrité grossièrement, est plus ou moins à l'abri des intempéries, ce qui nécessite un entretien régulier dont en général on ne se plaint pas, car les calvaires sont un élément de fierté pour les paroissiens.

Sur la côte de Beaupré, ou sur l'île d'Orléans, on passe parfois devant une minuscule chapelle : le bâtiment en pierre des champs du XVIIIe ou XIXe siècle abrite un autel et souvent n'a guère qu'une porte comme ouverture. Ayant généralement une abside arrondie, un toit à base incurvée et un clocheton, la chapelle-souvenir indique aux passants l'emplacement d'un drame qu'on a voulu transformer en lieu de prière ou, au contraire, la chapelle a été érigée en signe de « remerciement pour grâces obtenues ». Les ex-voto[19] sont parfois plus explicites, mais bien souvent on ne sait pas qui a construit ou a fait construire ce petit édifice ; il témoigne d'une ferveur révolue.

Dans les cimetières s'élèvent encore d'émouvantes stèles de bois, de pierre ou de ciment représentant un ange, qui voisinent avec de modestes croix de tôle ou de fer. Ce sont des lieux où se révèle tout un pan de l'histoire d'un village : la lourde mortalité infantile ; la mortalité, plus catastrophique encore, de femmes en couches ; les ravages d'une épidémie et la survivance, plus de 30 ans après l'abolition du régime seigneurial (1854), d'une forme d'allégeance qui se continue par-delà la mort du « seigneur de cette paroisse ».

Au Québec, la quantité d'objets d'art populaire révèle une population qui a des valeurs précises : le sens du travail manuel, le goût de la décoration et un profond sentiment religieux. On peut même, à partir de ce que les anciens ont laissé, tirer quelques conclusions sur la façon dont l'Église « enseignait » la religion. Il semble bien que l'accent était mis sur la souffrance ; la passion du Christ, conséquence de la méchanceté humaine, ne pouvait être rachetée que par l'offrande des petites et grandes misères individuelles. Dans l'art populaire, il y a très peu d'évocations de la naissance, de la vie publique du Christ, des miracles ou de la résurrection, ce qui n'est pas le cas de l'art qui était commandé et payé.

L'art populaire est bien un art de l'ordinaire (témoins, ces girouettes fabriquées à partir de bidons d'eau de Javel) en ce sens qu'il tend à combler chez tout individu le besoin de création, de transformation de l'univers, d'amélioration du milieu de vie, de communication avec autrui. Dans ce domaine, tout individu peut « s'adonner à une activité par laquelle il se sent valorisé parce qu'il la contrôle totalement et qu'elle ne met aucun frein à sa liberté d'invention » (L. de Grosbois).

L'art populaire constitue une expression culturelle très forte qui se situe finalement dans la même ligne que l'expression artistique des créateurs de métier. Les critères d'esthétique, de qualité, de commercialisation ne peuvent évidemment suffire à établir une distinction, qui apparaît d'ailleurs inutile, entre deux formes d'expression individuelle d'une culture collective. L'originalité, la fantaisie, la naïveté sont dans les deux cas d'autant plus précieuses que le créateur agit sans prétention artistique, mais poussé par le désir, ou la nécessité, de réaliser un objet ou de créer un environnement. En ce sens, les maladresses de certaines sculptures anciennes, la naïveté de certains tableaux et, de nos jours, de certains objets offerts dans les marchés aux puces sont d'une même veine où l'utilitaire et le gratuit se côtoient avec le même bonheur. Dans le passé, les Cercles des fermières, à l'échelon local, étaient l'occasion de rencontres et d'échanges fructueux; maintenant, le marché aux puces, qui connaît un regain de popularité, est devenu à son tour une activité sociale, ferment de la convivialité ainsi que d'une certaine émulation. Plus près de nous, en marge du Salon des métiers d'art de Montréal (officiel depuis 50 ans) se multiplient les rencontres de créateurs et d'artistes : la Société des arts technologiques (le Souk @ Sat), les bazars de Noël et Puces pop, etc. Des institutions exploitent les richesses artistiques de la culture populaire : le Musée de la civilisation à Québec, le Musée des civilisations à Hull, le Musée des arts et traditions populaires de Trois-Rivières, qui abrite depuis 1996 les collections de l'ethnologue Robert-Lionel Séguin, et nombre d'écomusées d'histoire et d'interprétation, étroitement liés à un environnement (Val-Jalbert), à une spécialité (le moulin seigneurial de Saint-Roch-des-Aulnaies). Le Musée McCord à Montréal, plus ancien que les précédents, consacrait une exposition, en 1998, à l'art populaire du Québec, à côté des trouvailles du « recycleur inventif » Florent Veilleux, artiste iconoclaste un rien anarchiste (*L'Usine à traitement de vent usé*).

Les expositions, les salons des métiers d'art et les marchés aux puces permettent de constater que l'imagination et l'ingéniosité sont encore des denrées courantes en pays québécois. Elles ont d'ailleurs mené certains à des inventions d'application internationale : Donimat Jalbert, né avec le siècle à Saint-Michel-des-Saints, avait « le génie du vent ». N'ayant qu'une modeste sixième année, il a inventé le paraplane, qui sert à prendre des photos aériennes et est l'ancêtre du parachute ascensionnel, toujours utilisé par les météorologues.

Notes

1. Godron (de godet) : ornement en creux ou en saillie de forme ovoïde asymétrique.
2. Voir le chapitre « Le Québec dans le temps », note 8.

3. Comme certaines des pièces de Ranvoyzé semblent frustes et parfois maladroites, on en déduit qu'il aurait eu une formation de serrurier. Cependant Delezenne était témoin à son mariage ; peut-être Ranvoyzé avait-il été son apprenti ? On considérait qu'il fallait huit ans, au XVIIIe siècle, pour former un orfèvre.

4. Henry Birks est le fondateur de l'une des plus importantes entreprises contemporaines d'orfèvrerie et de bijouterie au Canada.

5. La gestion matérielle des affaires paroissiales est confiée à un groupe de laïcs qui forment le conseil de fabrique ; les fabriciens bénéficient d'un banc spécial à l'église.

6. Dumouchel avait tout juste terminé son cours primaire. Il figure cependant comme l'un des grands du milieu culturel du Québec.

7. Voir le chapitre concernant la peinture.

8. Voir le chapitre concernant la sculpture.

9. Parallèlement, dans les villes, on monta de nombreuses petites industries de transformation, utilisant une main-d'œuvre féminine habile, soumise et souvent récemment urbanisée. La Dominion Corset du boulevard Charest, à Québec, a employé jusqu'à 1 000 personnes et avait étendu ses marchés en Amérique du Nord bien sûr, mais aussi en Europe et jusqu'en Australie.

10. Parlant d'elles et des femmes qu'elles ont formées — tant à cet art qu'à celui de nombreuses disciplines domestiques —, l'anthropologue et folkloriste Marius Barbeau choisit le titre évocateur de « Saintes artisanes ».

11. Madame Phidias Robert vint s'installer dans un grand magasin de Montréal en 1967 pour « partager ce beau bagage de connaissances ».

12. Il s'agit ici des formes découpées dans des tissus de couleurs différentes qui sont cousues côte à côte sur un fond plus solide.

13. Symbole de la francité, le coq est aussi l'emblème national des Wallons. On comprend qu'il ait une place privilégiée au Québec.

14. Voir le chapitre concernant la sculpture.

15. Étoile de la mer, que l'on retrouve sur le drapeau acadien, bleu, blanc, rouge comme le drapeau français.

16. L'expression populaire « attendre quelqu'un avec une brique et un fanal » confirme l'importance de cet objet dans la vie quotidienne, comme sa portée symbolique et affective.

17. Le terme « appartenance » a, dans l'usage québécois, une extension de sens particulière. Il désigne aussi bien les régions ou collectivités d'origine, que le sentiment d'adhésion à des valeurs que celles-ci incarnent et maintiennent dans le temps, comme l'exprime Claude Gauthier dans sa chanson *Le Plus Beau Voyage* : « J'ai revu mes appartenances/[...] Je suis de lacs et de rivières/[...] Je suis d'Amérique et de France/ [...] Je suis Québec mort ou vivant. »

18. Le mot « patente » utilisé familièrement signifie : affaire, chose, machin ; le patenteux est celui qui fait un de ces machins-trucs ; c'est aussi un bon bricoleur, une personne débrouillarde qui fait ou répare quelque chose avec presque rien.

19. Voir le chapitre concernant la peinture.

Bibliographie

Outre les ouvrages de référence cités en bibliographie générale, existent de nombreux ouvrages sur chaque métier, presque sur chaque technique, et des monographies sur certains artistes.

GRANDBOIS, Michèle, *L'Art québécois de l'estampe 1945-1990*, Québec, Musée du Québec, 1996, 401 p.

BARBEAU, Marius, *Maîtres-artisans de chez nous*, Montréal, Zodiaque, 1942, 220 p.

BARBEAU, Marius, *Saintes artisanes,* Montréal, Fides, vol. I, *Broderie,* 1942 ; vol. II, *Mille petites adresses,* 1943.

BETTINGER, Claude, *Le Vitrail,* Montréal, Éditions de l'Homme, 1979, 190 p.

DAIGNEAULT, Gilles et Ginette Deslauriers, *La Gravure au Québec (1940-1980),* Saint-Lambert, Éd. Héritage, 1981, 268 p.

DÉSY, Léopold et John Porter, *Calvaires et croix de chemin du Québec,* Montréal, Hurtubise-HMH, 1973, 256 p.

FISETTE, Serge et Robert Barzel, *Potiers québécois,* Montréal, Leméac, 1974, 126 p.

GENET, Nicole *et al., Les Objets familiers de nos ancêtres,* Montréal, Éditions de l'Homme, 1974, 303 p.

GROSBOIS, Louise de *et al., Les « Patenteux » du Québec,* Montréal, Parti pris, 1978, 272 p.

HAMELIN, Véronique, *Le Fléché authentique du Québec,* Montréal, Leméac, 1983, 256 p.

LAMY, Vincent et Suzanne Lamy, *La Renaissance des métiers d'art au Canada français,* Québec, ministère des Affaires culturelles, 1967, 84 p.

LESSARD, Michel, *Objets anciens du Québec,* Montréal, Éditions de l'Homme, 1994, 2 vol., t. I : *La Vie domestique* ; t. II : *Antiquités du Québec — Vie sociale et culturelle.*

MARTIN, Denis, *L'Estampe au Québec 1900-1950,* Québec, Musée du Québec, 1988, 146 p.

NOËL, Michel, *Splendeurs amérindiennes,* Henri Rivard Éd., 2004, 200 p. (Bel exemple d'édition d'art. Rivard en publie 2 par an.)

SÉGUIN, Robert-Lionel, *Les Jouets anciens du Québec,* Montréal, Leméac, 1976 [1969], 123 p., et d'autres sur les moules, les ustensiles, etc.

SIMARD, Cyril et Michel Noël, *Artisanat québécois,* Montréal, Éditions de l'Homme, 1975 à 1985. 4 t., t. I : *Bois et textiles* ; t. II : *Poterie et céramique, émaillerie, ferronnerie, verrerie, étain, orfèvrerie et joaillerie, bougies, poupées, cuirs, papier fait à la main, gravure, reliure* ; t. III : *Indiens et Esquimaux* ; t. IV : *La Dentelle, le feutre, les pipes, la lutherie, la broderie, la vannerie.*

TRUDEL, Jean, *L'Orfèvrerie en Nouvelle-France,* Ottawa, GNC, 1974, 239 p.

Vie des arts, un numéro sur « La gravure au Québec », n° 90, printemps 1978.

Audiovisuel

Diapositives

Collection « Initiation aux métiers d'art », édition Formart, réalisée vers 1973, sur 30 techniques ou métiers d'art différents.

Série *Ethnologie québécoise,* réalisée par le Musée du Québec (ministère des Affaires culturelles).

L'Art populaire du Canada français (250 diapos), Jean-Claude Dupont, Québec, Université Laval.

Civilisation et vie quotidienne en Nouvelle-France (1 000 diapos), Robert Lahaise, Montréal, Guérin, 1973.

Diaporamas

La Courtepointe (75 diapos + bande sonore), ministère des Affaires culturelles, 1976, 15 min.

Les Patenteux du Québec (80 diapos + bande sonore), Louise de Grosbois *et al.,* OFQ, 1974, 13 min.

Un patrimoine en déroute : les croix de chemin du Québec, Jean Simard, CELAT et Service audiovisuel de l'Université Laval, 1978, 15 min.

Vidéos

Flécher de toutes laines, Vidéographe, couleur, 1976, 20 min.

Série « Les Aventures de la ligne », 12 x 80 diapos, OFQ/Musée d'art contemporain, 15 min environ.

Films

La documentation est très abondante et correspond au moment (vers 1975) où le Québec s'est préoccupé de son patrimoine culturel. La liste suivante est très sélective.

L'Art populaire, Radio-Canada, couleur, 1977, 28 min.

La Courtepointe, couleur, 1977, 25 min.

La Grande Chanson, Adrien Peuvion, noir et blanc, 1961, 26 min (sur l'Atelier L'Argile vivante).

L'Inutile et l'agréable, André Ricard, Cenatos, couleur, 1974, 25 min.

Séries

Les Arts sacrés au Québec, François Brault, ONF, couleur, vers 1982, 28 min (peinture votive, broderie, orfèvrerie, cimetières, etc.).

La Belle Ouvrage, Léo Plamondon et Bernard Gosselin, ONF, couleur, vers 1978, 28 min (22 films).

14
La chanson

Page précédente : Félix Leclerc. (Archives nationales du Québec à Québec, E10, D74-453, P12A. Photo : François Lessard.)

> Les chansons populaires, ce sont les archives du peuple, le trésor de sa science, de sa religion, de sa théogonie, de sa cosmogonie, de la vie de ses pères, des fastes de son histoire. C'est l'expression de son cœur, l'image de son intérieur dans la joie et les larmes…
>
> JOHANN GOTFRIED HERDER,
> *Chansons de tous les peuples.*

C'est après la Conquête, surtout au XIXe siècle, que les traditions se sont créées, à cause de l'accroissement rapide d'une population isolée sur les plans linguistique et culturel. La tradition orale, qui s'appuie sur la langue, facteur principal d'identité culturelle, est toujours abondante et de qualité dans les sociétés où l'écrit fait défaut. Le goût du Québécois d'aujourd'hui pour la parole sous toutes ses formes s'est alors forgé : discours et « parlements[1] », veillées en famille ou entre voisins où alternaient contes, légendes et chansons.

Au Québec, le conteur qui savait tenir son auditoire en haleine avec des histoires dont le fond était connu de tous comme la chanteuse capable d'entraîner une trentaine de personnes dans une chanson à répondre resteront des personnes-ressources précieuses jusqu'à l'arrivée de la radio et surtout de la télévision. On dit que le climat sec et froid renforce les cordes vocales (on a observé le même phénomène en Russie) ; en outre, le chant grégorien a longtemps éduqué le souffle de nombreux chantres d'église. On sait la place que tient la musique dans l'expression culturelle des peuples. N'est-il pas naturel que la chanson, qui allie paroles et musique et qui peut se pratiquer sans instrument, soit l'expression première d'une société qui grandit ? Par la chanson, le Québec se démarque rapidement de la France et acquiert une autonomie basée sur la simplicité et l'authenticité.

Miraculeusement conservée jusqu'au milieu du XXe siècle, la chanson folklorique passera le relais aux chansonniers[2] qui, eux, se serviront des moyens modernes (radio, télévision, disques, cassettes, vidéoclips) pour faire connaître leurs œuvres. Au XXe siècle, la chanson québécoise s'enracine en sol américain, d'où son adéquation à un certain type de musique anglo-saxonne fort prisé des jeunes ; tout en voulant rester de langue française, elle ne désire pas basculer du côté de la chanson à message, trop intellectuelle.

> Le Québec, c'est un confluent. Là viennent se mêler les vieux airs, les vieilles coutumes, amenés dans leurs bagages par les émigrants d'autrefois, et les sons neufs, les rythmiques

futuristes, inventés par les personnages les plus fous de la délirante Amérique. Au Québec, on est à la fois européen et américain, traditionnel et ultramoderne, cohérent et contradictoire, heureux et déchiré à cause des deux civilisations auxquelles on se raccroche.

LUC RENARD, *Le Matin,* 5 juin 1975.

Cet équilibre heureux sous-tend l'évolution récente de la chanson au Québec. Il lui a permis de faire connaître ce pays aux francophones, plus particulièrement aux Européens.

La chanson folklorique

Dans les bagages des premiers colons, les chansons avaient l'avantage de n'être ni lourdes ni encombrantes et voyageaient à l'aise dans la mémoire des individus. Comme ces derniers venaient de provinces diverses, le répertoire transporté en terre québécoise était vaste et riche. Saintongeais ou Normands ne chantaient pas les mêmes couplets, pas plus qu'ils ne parlaient tout à fait la même langue. On estime à 50 000 le nombre de chansons ainsi venues de France. Le français s'impose comme langue de communication en Nouvelle-France et les chansons s'adaptent à ce nouveau pays.

Le mariage anglais

Mon père il veut me marier
À un jeune Anglais, il m'a donnée
J'aimerais mieux soldat français
Avec rien
Que d'épouser le roi anglais
Et tous ses biens.

Mais quand ça vint pour embarquer
A voulu les yeux lui bander.
« Bande les tiens, laisse les miens,
Maudit Anglais,
Si j'ai la mer à traverser
Je la voirai...

Quand ils furent rendus à Québec
Du canon ils ont entendu tirer
« Pourquoi faut-il nous saluer,
Maudit Anglais?
C'sont les canons du roi français
Qu'on attendait. »

[...] Mais quand ça vint pour le coucher,
Il a voulu la déchausser.
« Déchausse-toé et couche-toé,
Maudit Anglais,
J'aurai des filles de mon pays
Pour me servir. »

Mais quand ça vint sur la minuit,
L'Anglais soupire dans son lit.
« Dévire-toé, embrasse-moé,
Joli Anglais,
Puisque nos pères nous ont mariés,
Il faut s'aimer. »

Les paroles font allusion à des réalités québécoises : « Sur la route de Louviers » devient « Sur la route de Berthier ». Le rythme change aussi, en fonction des travaux que la chanson accompagne. Les voyageurs ont besoin de chants pour marquer la cadence des pagaies et conjuguer leurs efforts (« Envoyons d'l'avant, nos gens »). Plus tard, certains métiers du bois imposeront d'autres rythmes et d'autres paroles (« Les raftsmen »). Dans les groupes isolés s'ajoutent des versions différentes ; on dénombre 500 versions d'« À la claire fontaine », dont quelques mesures sifflotées au nez et à la barbe des autres suffisaient aux Patriotes pour se reconnaître.

Les instruments de musique sont choses fragiles et supportent mal les changements brusques de température : aussi s'accompagnera-t-on de bombarde, de « musique à bouche[3] » ou d'objets frustes comme les cuillers tenues dos à dos entre les doigts d'une main et qui s'entrechoquent en cadence entre la cuisse du musicien et son autre main. On fabrique aussi des petits violons dont on tire d'allègres mesures d'une musique essentiellement rythmique. La célébrité de certains des violoneux a d'ailleurs dépassé le cercle étroit du village, et même du Québec dans le cas de Jean Carignan ou de Monsieur Pointu[4]. Le plus souvent, le chanteur s'accompagnera lui-même de turlute (« tire/lire et tra/la/la »), histoire de retrouver souffle et mémoire.

En 1865, Ernest Gagnon, tout juste âgé de 30 ans, publie le texte et la musique de *100 chansons populaires du Canada*, volume réédité régulièrement jusqu'en 1955. *Le Journal de l'instruction publique* en 1867, *Le Courrier du Canada* en 1880 lui consacrent un article louangeur. Thomas Chapais va, en 1916, jusqu'à parler de « monument national ». Dans ses « remarques générales » à la fin de l'ouvrage, Ernest Gagnon montre que cette musique est née des chants d'église du Moyen Âge et que les mélodies populaires empruntent au mode grégorien bon nombre de leurs propriétés. L'esprit de Dieu n'est jamais loin de l'habitant :

> Dans nos chants populaires, le caractère personnel, le moi humain trouve son expression dans le rythme mesuré. Mais, même lorsqu'il ne chante que ses joies, ses peines, ou des sujets d'amour, d'aventures, de combats, etc., le paysan, le colon ou le voyageur canadien entend toujours la grande voix de Dieu dans les champs qu'il cultive, dans la solitude des bois, sur le fleuve géant ou sur les lacs immenses. [...] De là, dans ses chansons, l'infini, le permanent, à côté du fini, du passager ; de là le rythme majestueux, insaisissable du plain-chant à côté du rythme tangible, mesuré de la musique moderne.
>
> ERNEST GAGNON, 1865.

Il est étonnant de voir à quel point le type de mélodie de la chanson folklorique va influencer la chanson contemporaine. Gilles Vigneault est sans doute celui qui a à son acquis le plus de mélodies qui rappellent le XVIIIe siècle. Beaucoup de chanteurs, ou de groupes, se sont par ailleurs dévoués au chant folklorique : Jacques Labrecque, Alan Mill, Raoul Roy, Ovila Légaré, Jean-Paul Filion, les Cailloux, Breton-Cyr, le Rêve du Diable, la Bottine souriante qui a séduit les Britanniques en 1999. Dans toute l'Amérique francaise, nombreux sont ceux qui ont commencé une carrière d'interprète ou de compositeur en sacrifiant sur l'autel du folklore : Édith Butler, d'Acadie, Zacharie Richard, de Louisiane, Louise Forestier et combien d'autres.

Fonctions et types

La chanson populaire a comme première fonction le *divertissement* au sens large du terme : la berceuse réconforte ; la chanson, en général, aide à lutter contre la solitude et le découragement, elle accompagne l'être humain dans son travail ou dans son exil, comme « Un Canadien errant » d'Antoine Gérin-Lajoie.

Un Canadien errant,
Banni de ses foyers
Parcourait en pleurant
Des pays étrangers

Un jour triste et pensif,
Assis au bord des flots
Au courant fugitif
Il adressa ces mots :

Si tu vois mon pays,
Mon pays malheureux
Va dire à mes amis
Que je me souviens d'eux.

Ô jours si pleins d'appas
Vous êtes disparus
Et ma patrie, hélas !
Je ne la verrai plus.

Non, mais en expirant,
Ô mon cher Canada !
Mon regard languissant
Vers toi se portera.

La chanson populaire a évidemment une fonction *mnémonique* : elle permet d'actualiser la mémoire par le son et assure la pérennité de figures ou d'événements passés par leur re-création dans la mélodie ou le récit. C'est le cas du « Canadien errant » qui rappelait l'exil auquel avaient été condamnés une centaine de Patriotes[5].

La chanson a aussi un rôle *informatif* : elle accompagne les rites de passage de l'enfance à l'âge adulte, prépare au mariage, fait fi de certains tabous. Elle ménage une large place au rêve (« Si l'amour prenait racine/J'en planterais dans mon jardin ») mais n'oublie pas la réalité ; elle exprime la joie de vivre, pratique la dérision avec humour et va jusqu'à contester le pouvoir ou le système social en cours. Il existe toute une tradition de chansons politiques dont celle sur laquelle Jacques Viger, maire de Montréal et cousin de Papineau, a ironiquement brodé toute une série de couplets :

Tous les maux nous sont venus
De tous ces gueux revêtus
Qui s'emparent des affaires
Intérieures, étrangères.
Si tout s'en va-t-à l'eau
C'est la faute à Papineau
C'est la faute, faute, faute,
C'est la faute à Papineau.

C'est à certaines fonctions que sont rattachées les chansons folkloriques : la chanson de table ou la chanson à boire, la chanson d'amour ou de mariage, la chanson de voyageur ou de soldat viennent toutes plus ou moins du même fonds ancien. Au Québec, la chanson à répondre est fréquemment utilisée à cause précisément du côté convivial des veillées où il est bon de faire participer tout le monde : l'auditoire reprend tout ou partie du couplet après le meneur. Très en faveur aussi, la chanson casse-cou permet à la fois la participation du public et la virtuosité du chanteur qui, s'il se trompe, s'attire les rires de l'assistance.

Alouette, gentille alouette
Alouette, je t'y plumerai
Alouette, gentille alouette,
Alouette, je t'y plumerai.
Je t'y plumerai la tête,
Je t'y plumerai la tête
Et la tête, et la tête,
Alouette, alouette, Ah !
Je t'y plumerai les yeux.../Je t'y plumerai
[le bec.../Je t'y plumerai le cou.../
Je t'y plumerai les ailes.../Je t'y plumerai
[les pattes.../Je t'y plumerai le dos.../
Je t'y plumerai la queue..., etc.
Dernier refrain[6]
Et la queue, et la queue
Et le dos, et le dos
Et les pattes, et les pattes
Et les ailes, et les ailes
Et le cou, et le cou
Et le bec, et le bec
Et les yeux, et les yeux
Et la tête et la tête
Alouette, Alouette, Ah !

Ces deux derniers types de chanson favorisent le jeu interactif entre meneur de jeu et groupe. La chanson signée est tout à fait personnelle dans ses paroles et souvent dans sa musique : en 1962, Arthur Lamothe, dans son documentaire *Les Bûcherons de la Manouane,* filmait une veillée au chantier ; une des chansons se terminait ainsi : « La chanson que j'viens de vous

Édith Butler. (Archives nationales du Québec à Québec, M.C.Q., E10, D72-299, P36.)

chanter/C'est moi-même qui l'a [*sic*] composée/Mon nom c'est Dominique. »

Chose curieuse, la chanson folklorique a survécu à la période d'industrialisation et d'urbanisation du début du XXe siècle. Le déclin marqué des années 1940, au fur et à mesure que la communication de masse gagnait en technologie, a cependant été compensé par un regain d'énergie au début des années 1960 quand le besoin de retour aux sources, le désir de connaître et d'assurer ses racines ont fait renaître l'intérêt pour la tradition. Chercheurs et musicologues se sont employés à sauvegarder scientifiquement cet héritage culturel[7].

La chanson contemporaine

Les précurseurs

La Bolduc. Au moment de la crise de 1929-1930, une solide femme du peuple se mit à parcourir le Québec avec un répertoire de chansons originales. Mary Travers, devenue Mme Bolduc, chantait des variantes de vieilles chansons françaises : « Chez ma tante Gervais » est une succession de coq-à-l'âne suggérés par des associations d'idées où la cocasserie le dispute au désordre. C'est en fait une lointaine version des « Menteries », vieille chanson qui apparaît dans le *Formulaire fort récréatif* « fait par Bredin le Cocu, notaire rural » en 1554. En même temps, la Bolduc est très sensible aux dures réalités du temps. Riche de ce bagage, accueillie dans les sous-sols d'église, accompagnée sur un méchant piano par son mari, elle livre les messages qu'elle sent devoir lancer à ses compatriotes.

> C'est aux braves habitants
> Que je m'adresse maintenant :
> Quittez jamais vos campagnes
> Pour venir rester à Montréal.
> Dans des grandes villes comme ça
> De la misère il y en a
> Et surtout cet hiver
> Il y en a qui mangent du pain noir[8].

À sa mort en 1941, son répertoire étendu était diffusé en disques 78 tours. La première chanteuse professionnelle utilise des rythmes de gigue, de « reel » ; elle invente un turlutage très personnel. Le pianiste André Gagnon lui dédiera une pièce qu'il intitule : « Les turluteries ». Charles Trenet lui rendra hommage dans l'une de ses compositions. Avec son gros bon sens et son courage, la Bolduc représente une charnière entre le passé et le présent, même si, avec le recul, ses chansons nous paraissent tout à fait dans la ligne de l'idéologie traditionnelle. À sa suite, les chanteurs populaires, Oscar Thiffault (« Le rapide blanc ») et le soldat Lebrun connaissent aussi un grand succès.

Félix Leclerc. Poète, romancier et chansonnier (1914-1988), ses chansons dérangent la bonne société. Surréalistes, volontiers contestataires, elles sont boudées par la génération de la fin des années 1940. Paradoxalement, alors que la France ne connaît presque rien du Québec, elle découvre le talent de celui qui n'a pas peur de chanter d'une puissante voix de basse ce que pensent certains sans oser le dire. Et il le dit dans son propre code linguistique, moins typé cependant que celui de la Bolduc et d'Oscar Thiffault. Il s'accompagne à la guitare et assène à son auditoire des petits tableaux de genre (« Attends-moi ti-gars », « L'héritage », « Les rogations ») qui sont loin d'être rassurants pour la société québécoise. Esprit frondeur, par devoir et par solidarité avec son peuple, qui chante une joie de vivre dangereusement inconsciente, il évoluera de la chanson poétique traditionnelle, à base de nature, d'amour et d'humour, à la chanson de plus en plus engagée après octobre 1970. L'album caractéristique de cette évolution s'intitule *L'Alouette en colère.*

> J'ai un fils dépouillé
> Comme le fut son père

Porteur d'eau, scieur de bois,
locataire et chômeur
Dans son propre pays.
Il ne lui reste plus
Qu'la belle vue sur le fleuve
Et sa langue maternelle
Qu'on ne reconnaît pas.

La bonne conscience du Québec est ébranlée par tant de simple sincérité, tant de force de conviction. Au moment où les chansons de la France et des États-Unis pénètrent les foyers laurentiens par le biais de la radio et des disques, on hésite encore à prendre la parole pour s'opposer aux autorités. La poésie du père de la chanson québécoise opère une cure miraculeuse sur la génération qui le suit et qui reconnaît qu'il faut suivre la voie (la voix?) du grand Félix pour qui même « les crapauds chantent la liberté ».

Les Bozos — qui se sont appelés ainsi à cause de la chanson[9] de Félix Leclerc —, Jean-Pierre Ferland, Claude Léveillée, Hervé Brousseau, Clémence DesRochers, entre autres, souvent accompagnés par André Gagnon au piano, forment un groupe qui fait les beaux soirs des cabarets de Montréal au moment où le Québec passe du duplessisme à la Révolution tranquille. De ce collectif, Jacques Blanchet, si souvent interprété par Lucille Dumont, est peut-être le premier des chansonniers à réussir ici et ailleurs : il était connu jusqu'en Russie. Du même groupe, Raymond Lévesque a traversé la deuxième moitié du siècle avec la force tranquille d'un patriarche sûr de ses options sociopolitiques : « Si les hommes vivaient d'amour/il n'y aurait plus de misère… »

Mary Travers, dite la Bolduc. (Archives nationales du Québec à Québec, N1274-45.)

La génération de 1960

Gilles Vigneault. Autour de 1955, les poètes avaient déjà commencé à nommer le pays ; quelques années plus tard, les chansonniers emboîtent le pas. Si les premiers ne sont guère connus du grand public, il n'en est pas de même des « faiseurs de chansons » que la radio et le disque soutiennent dans leur effort de diffusion. Un grand nombre de chansonniers de la Révolution tranquille s'ajoute au groupe des Bozos ; parmi eux, Gilles Vigneault, d'abord et surtout ; puis Georges Dor, Claude Gauthier, Monique Miville-Deschênes, Pierre Létourneau, Pierre Calvé et tant d'autres qui auront dans l'ensemble une belle carrière. Le public se reconnaît dans leurs chansons et leur sait gré de si bien lui renvoyer son reflet. Les années 1960 voient un engouement sans précédent pour les boîtes à chansons où les habitués entraînent bientôt les autres. Conscients qu'il ne faut pas chanter pour ne rien dire, les chansonniers soignent leurs textes, qui expriment le malaise profond d'une société qui se sent tout à coup devenir québécoise. Vigneault chante :

> Parlant de mon pays
> je vous entends parler
> et j'en ai danse aux pieds
> et musique aux oreilles
> et du loin au plus loin
> de ce neigeux désert
> où vous vous entêtez
> à jeter des villages
> je vous répéterai
> vos parlers et vos dires
> vos propos et parlures
> jusqu'à perdre mon nom
> Ô voix tant écoutées
> pour qu'il ne reste plus
> de moi-même qu'un peu
> de votre écho sonore

Aborder la grave question de l'identité ne les empêche pas d'être poètes, de séduire les foules en dehors du Québec et de gagner, tous les ans ou presque, de grands prix en Europe. Le public francophone, et même français, est comme envoûté par cette harmonie entre texte et musique, par l'aisance et le métier de ces Québécois pour qui la ville va devenir source d'inspiration.

De ce groupe de chanteurs doués se détache la silhouette au nez busqué, au regard attentif de Gilles Vigneault. Originaire de Natashquan, petit village de la Côte-Nord, il devient professeur de mathématiques et de littérature, puis rapidement se consacre à la chanson sans négliger cependant la création littéraire (contes, poèmes). Petit homme mince à la voix déroutante, un peu cassée, il possède une énergie redoutable et une présence, sur scène et dans la vie, étonnante. Après avoir fait les beaux jours des boîtes à chansons qui se créaient au Québec au début des années 1960, il fit une tournée de pionnier hors du Québec. Vers 1964-1965, il s'en alla avec deux musiciens dans le Nord franco-ontarien qui s'éveillait à son tour. On passait le chapeau à la fin de spectacles qui émerveillaient des centaines de jeunes de Sturgeon Falls, de Sudbury ou de Kapuskasing ; en naquirent sept boîtes à chansons.

Très engagé dans la lutte pour l'indépendance au référendum de 1980, il restera éloigné de la scène québécoise pendant trois ans plutôt que de montrer au public combien l'avait meurtri la réponse négative du Québec. Sa voix aux inflexions bouleversantes s'est approfondie avec l'âge. Devenu célèbre dans toute l'Europe, où il se produit régulièrement en plus de l'Amérique, il est resté fidèle à cette vocation sans compromission de chantre d'un pays encore en devenir : « Mon pays, ce n'est pas un pays, c'est l'envers/D'un pays qui n'était ni pays, ni patrie... »

La deuxième génération

À la fin des années 1960, le Québec avait l'habitude de se reconnaître à travers

Gilles Vigneault. (Archives nationales du Québec à Québec, E10, D76-549, P25. Photo : Bernard Vallée.)

ses chansonniers : ceux-ci ont parfois pris des positions très tranchées comme pendant la crise d'Octobre. Qu'on se souvienne seulement des *Poèmes et chants de la résistance* qui mirent en commun dans des spectacles et des albums des énergies jusque-là plutôt individuelles. Le goût du spectacle aidant, nombreux sont les chanteurs qui veulent monter sur les planches. Cette génération se caractérise par une plus grande et plus active participation des femmes et en même temps par le décloisonnement des métiers de la chanson. Les interprètes deviennent créateurs, les paroliers ou les musiciens (Serge Fiori) vont au micro, les chansonniers échangent leurs chansons, tous ont du métier et cette qualité professionnelle assure à la chanson québécoise une diffusion internationale : les studios d'enregistrement de Montréal et des environs sont irréprochables sur le plan technique ; les plus sophistiqués de la francophonie, dit-on. À Québec, en août 1974, la Superfrancofête réunit une foule de 125 000 personnes sur les plaines d'Abraham, bientôt électrisées par le trio Leclerc, Vigneault, Charlebois interprétant ensemble quelques-uns de leurs classiques.

En même temps que les chansonniers qui continuent à privilégier la chanson à texte, surgissent de solides interprètes aux très bonnes voix (Ginette Ravel, Ginette Reno, Monique Leyrac et l'exceptionnelle Renée Claude) et des chanteurs populaires, Michel Louvain, Pierre Lalonde; certains chantent des chansons plus accessibles, nettement commerciales, comme Alys Robi dans les années 1940. La chanson québécoise devient un phénomène de masse que vont étudier sociologues et littéraires.

Robert Charlebois. C'est alors que le rôle joué par Robert Charlebois prend toute sa signification. Se disant « un gars ben ordinaire » mais très québécois, il est sensible au rythme de la chanson anglo-saxonne et plus particulièrement états-unienne. Il sait susciter autour d'une personnalité attachante des paroliers originaux (Mouffe, Claude Péloquin, Pierre Bourgault et même Gilles Vigneault). Il se moque de l'hiver et, comme les Québécois qui filent en Floride dès qu'ils peuvent faire coïncider huit jours de congé avec un voyage organisé, il profère : « Je m'en vais dans le Sud, au soleil.[...]/Je vous laisse "mon pays, ce n'est pas un pays, c'est l'hiver". [ ]/Je vous laisse ma pelle. Je vous donne ma pelle. »

Charlebois, plein d'énergie, révolutionne le monde de la chanson. Des paroles en français, drôles et intelligentes, s'accrochent sur une musique anglo-saxonne rythmée et populaire. Il utilise naturellement le français québécois, parfois très oralisé, et entraîne l'adhésion des jeunes. Aux boîtes à chansons ont succédé les discothèques : le spectacle est descendu dans la salle; on se saoule de musiques tonitruantes dans une orgie de projecteurs aux couleurs changeantes. On se défoule en dansant en solitaire, absorbé que l'on est par ce son et lumière qui laisse peu de place au vague à l'âme.

L'astuce de Charlebois, c'est d'avoir su équilibrer les forces d'un orchestre rock avec la présence d'un texte bien tourné. Le personnage s'est révélé au moment de *L'Osstidcho*[10] (1968), et « Lindberg » marque le début d'une chanson rythmée à l'américaine mais dont le contenu fait appel malicieusement à la quotidienneté québécoise.

> J'ai été [...]
> Au soleil bleu blanc rouge
> Les palmiers et les cocotiers glacés
> Dans les pôles aux esquimaux bronzés
> Qui tricotent des ceintures fléchées farcies
> [...]
> Alors chu r'parti sur Québec Air,
> Transworld, Northern, Eastern, Western
> Pi Pan American !
> Mais, ché pu...
> Où chu rendu.

Cette orientation américaine, au sens continental du terme, de la chanson perdure chez plusieurs : Laurence Jalbert ou Daniel Bélanger pour les rythmes, Luc de Larochelière, Daniel Lavoie et Richard Séguin pour les textes.

Les groupes. Le chanteur ne se hasarde plus guère seul sur scène en grattant sa

Jean-Pierre Ferland. (Archives nationales du Québec à Québec, E10, D76-685, P10. Photo : Daniel Lessard.)

Claude Léveillée. (Archives nationales du Québec à Québec, E10, D76-253, P29. Photo : Bernard Vallée.)

Renée Claude. (Archives nationales du Québec à Québec, E10, D69-187, P23. Photo : Jules Rochon.)

Robert Charlebois. (Archives nationales du Québec à Québec, E10, D76-486, P19. Photo : Bernard Vallée.)

guitare, le spectacle prend de l'ampleur et s'appuie sur un groupe de musiciens très structuré. Les années 1970 verront naître de nombreux groupes. La mode est à la création collective. Harmonium, Beau Dommage, Maneige, Sloche, Morse Code, Octobre, Offenbach, Ville Émard Blues Band auront, pour certains, de longues heures de gloire et, lorsque l'imaginaire collectif se sera épuisé, de ces groupes sortiront à leur tour des chanteurs qui entreprendront en solitaires une nouvelle carrière : de Beau Dommage émergeront Marie-Michèle Desrosiers, Pierre Bertrand et Michel Rivard (*Maudit bonheur*), de Corbeau sortira Marjo ; Octobre enfantera Pierre Flynn ; Offenbach, Pierre Harel et Gerry Boulet (« Toujours vivant »). La séparation des Séguin révèlera les personnalités attachantes de Marie-Claire et de son frère Richard.

Cette nouvelle génération grouille de talents les plus divers. Des paroliers (Luc Plamondon), des musiciens (dont François Cousineau, Germain Gauthier) de premier ordre écrivent des chansons pour des interprètes aux voix superbes (Diane Dufresne, Louise Forestier, Fabienne Thibeault, Luce Dufault, Isabelle Boulay, parmi d'autres) dont la personnalité impose le respect. Diane Dufresne réussit des performances quasi mythiques : remplir le Forum de Montréal (environ 20 000 places) deux soirs de suite pour y donner deux spectacles entièrement différents : *Halloween/Hollywood* et en donner un troisième au stade olympique (55 000 places). Stephen Faulkner, Gildor Roy, Bourbon Gauthier et Patrick Normand, les groupes WD-40 et les Ours « revampent » la chanson western que Willy Lamothe, les Martel, père et fille, n'ont jamais cessé de mettre en voix. La chanson anglophone a aussi ses poètes, Leonard Cohen, les sœurs Kate et Anna McGarrigle ; d'autres anglophones d'origine se feront emporter par la vague de la chanson en français : Nanette Workman, Jim Corcoran (*Zola à vélo*), Judy Richards, Kevin Parent et Karen Young.

Poètes et écrivains trouvent dans la chanson un complément d'autres formes d'expression. Suzanne Jacob fait une œuvre littéraire importante d'essayiste, de scénariste et de romancière parallèlement à une carrière de chanteuse puis de parolière. Raoul Duguay met sa voix de ténor au service de son Abitibi d'origine. Son « Voyage » est un chef-d'œuvre qui a le défaut de durer plus de neuf minutes, ce qui rend la chanson quasiment impossible à passer sur les ondes de radios populaires à l'heure où le *zapping* devient un mode de vie.

> Vouloir savoir être au pouvoir de soi
> est l'ultime avoir, le Voyage
> il n'y a de repos
> que pour celui qui cherche
> il n'y a de repos
> que pour celui qui trouve
> tout est toujours à recommencer
> mais dites-moi encore
> où trouver le chemin
> que je ne cherche plus

Plume Latraverse occupe le côté joual de la scène. Diane Juster est plus romantique, comme plus tard Roch Voisine ou Bruno Pelletier. Jean Lapointe, ancien

Les Batinses. (Photo : Louise Leblanc.)

Diane Dufresne. (Archives nationales du Québec à Québec, E10, D77-271, P7. Photo : Bernard Vallée.)

duettiste des Jérolas, sait passer du rire à la tendresse : homme de spectacle confirmé, il sait en outre prouver sa virtuosité dans sa « Sonate à la lune », sans se départir d'une agréable simplicité. Et tout cela n'est que la pointe d'un iceberg aux multiples reflets.

Le courant des créations collectives — c'est aussi le temps où le grand Cirque ordinaire brasse les cœurs avec *T'es pas tannée, Jeanne d'Arc* — lance aussi le monde de la chanson dans la comédie musicale : si le succès de *Pied-de-poule* ne dépasse pas le Québec, en revanche *Starmania* (Luc Plamondon et Michel Berger, 3 millions de spectateurs en 20 ans) connaîtra une version haïtienne en 2008. En 2009, l'opéra-rock passe à l'opéra classique avec la crème des chanteurs lyriques (Marie-Josée Lord, Lyne Fortin, Marc Hervieux, etc.). Luc Plamondon a aussi écrit les livrets de la *Légende de Jimmy* et de *Sand et les romantiques*. Sa dernière œuvre, *Notre-Dame de Paris*, créée à Paris en 1998, sur une musique de Richard Cocciante, remporte un succès sans précédent et prend d'assaut le public anglophone de Las Vegas et de Londres.

La relève

Tous les ans depuis 1969, à Granby dans les Cantons-de-l'Est, a lieu le Festival de la chanson. C'est là que se sont révélées des voix peu ordinaires comme celles de

Plume Latraverse. (Archives nationales du Québec à Québec, E10, D75-477, P4. Photo : René Baillargeon.)

Fabienne Thibeault ou de Jean Leloup (1983) ou des talents prometteurs comme Sylvie Bernard et Luc de Larochelière en 1986, Lynda Lemay en 1989 et Isabelle Boulay en 1991. De nouvelles futures vedettes voient le jour chaque année (Daniel Bélanger, Kevin Parent, France D'Amour, Daniel Boucher, Marc Déry, Urbain Desbois, Mara Tremblay) qui sont la relève de l'avenir. La voix de Claire Pelletier sert des textes soignés (de Marc Chabot, entre autres paroliers), celle de Charlotte Avril suscite instantanément l'émotion. Les timbres étranges de Terez Montcalm ou du même Jean Leloup accrochent et retiennent l'attention. Richard Desjardins constitue un cas particulier : il a su revenir au seul instrument (guitare ou piano) pour accompagner des textes intelligents, d'une poésie rare et d'une grande variété, écrits par un être doué d'un sens de l'observation perspicace doublé d'un humour fin. Les chansons « Nataq » et « J'ai couché dans mon char » démontrent une sensibilité et un sens de l'image exceptionnels et une inspiration très différente l'une de l'autre. Ses albums personnels *Tu m'aimes-tu?* et *Boum, boum* méritent largement l'engouement qu'ils ont sucité. La personnalité attachante du « bon gars » de l'Abitibi ne recule pas devant les prises de position marquées : en 1999, il mettait ses talents de cinéaste à dénoncer l'attitude mercantile des sociétés forestières et la désinvolture du gouvernement dans l'exploitation de la forêt boréale. *L'Erreur boréale* a fait l'effet d'une bombe que son réalisateur promenait dans les médias avec la sérénité de celui qui croit de son devoir de dire la vérité.

Du côté des interprètes, Céline Dion est un phénomène en soi : décidée à 12 ans à devenir une vedette internationale, remarquablement dirigée par le gérant qui deviendra son mari, elle a fracassé les records de ventes de disques en français et en anglais dans les années 1990, a séduit les Anglo-Saxons, le monde entier et s'est installée au sommet des palmarès où elle entend garder son statut le plus longtemps possible. Elle a chanté Plamondon comme beaucoup d'autres, a déjà enregistré deux albums avec le Français Jean-Jacques Goldman et a fait chavirer les foules avec la chanson-thème de *Titanic.* De jeunes battantes, Isabelle Boulay, Lynda Lemay, émouvante avec *Du coq à l'âme,* trouvent au Québec le tremplin qui les propulsera sur d'autres scènes mondiales, telle Lara Fabian.

Portés vers le rock (Dan Bigras, Nanette Workman) ou vers la chanson à texte (Paul Piché, Sylvain Lelièvre), refusant d'être étiquetés (Marie Philippe), d'autres continuent une carrière de ce côté-ci (*Les Choses inutiles,* 11e album de Lelièvre sorti en 1999) et parfois de l'autre de l'Atlantique.

Les nouveaux groupes ont nom Vilain pingouin, Les Colocs, Noir Silence, Malajube, Les Frères à ch'val, Lili Fatale et Les Cowboys fringants ou Les Batinses et Interférences Sardines. La Bande Magnétik ne s'autorise que la musique des cordes vocales de ses membres. Le rap a ses défenseurs avec le très multiethnique Dubmatique. Loco Locass fait fleurir la « rapoésie » d'une langue résolument française. *Manifestif,* le premier album-livre de ce groupe engagé (« Langage-toi », « Ma-

Céline Dion. (Les Productions Feeling inc.)

Jean Leloup. (Photo : Christophe Chat-Vert.)

Pauline Julien. (Archives nationales du Québec à Québec, E10, D72-204, P25. Photo : Jules Rochon.)

lama-langue ») est la preuve que le rap est bel et bien un art de la parole, « une prose qui ose et qui désankylose ». Le hip-hop brille avec La Constellation. Bori, le groupe au chanteur masqué, encadre des textes soignés par des spectacles en multimédia. En 10 ans, le gala annuel de l'ADISQ a consacré les vedettes d'une industrie culturelle dont le très large spectre représente les diverses orientations de la chanson française en territoire laurentien (Lilison di Canara, Jean-François Fortier, etc.). Nicola Ciccone tient l'affiche à Paris avant même la sortie d'un premier disque.

Thématique

Expression culturelle spécifiquement québécoise, la chanson offre une thématique assez semblable à celle que l'on trouve en poésie — et c'est bien naturel — mais aussi en littérature ou en peinture. C'est d'abord le pays que l'on nomme (« J'ai un pays à te dire »), dont on décrit le cadre grandiose, l'espace et la toponymie caractéristique :

> Saint-Octave-de-l'Avenir
> Saint-Joachim-de-Tourelle
> Saint-Denis-de-la-Bouteillerie
> Saint-Louis-du-Ha-Ha
> Sainte-Rose-du-Dégelis
> Sainte-Émilie-de-l'Énergie
>
> MONIQUE MIVILLE-DESCHÊNES.

Le fleuve (Pierre Calvé) est omniprésent, avec le vent (Georges Dor) et cet hiver (« Attendre à l'année longue qu'arrive enfin l'été ») dont on finit par souhaiter « la blanche cérémonie/où la neige au vent se marie ». Les citadins d'aujourd'hui évoquent fièrement leurs racines et un passé qui leur échappe, l'un à « Saint-Germain », l'autre à « Sainte-Adèle P. Q. », un autre à « Saint-Dilon ». Mais ils disent aussi les villes dont le dynamisme symbolise celui de la Révolution tranquille (« La Manic », « La rue Sanguinet », « Je reviendrai à Montréal » ou le troisième album de Nelson Minville, *Centre-ville*).

Ce sont aussi « Les gens du pays » qui animent ces grands espaces de personnages plus vivants que nature, du « Grand six pieds » de Claude Gauthier au « Businessman » interprété par Claude Dubois en passant par « Caillou-la-Pierre » de Gilles Vigneault et « La serveuse automate » de Luc Plamondon.

Dans cette société dont le féminisme a ébranlé les anciennes certitudes, la femme, d'abord l'objet de l'attention des auteurs-compositeurs-interprètes masculins, Félix Leclerc, Sylvain Lelièvre, etc., a décidé de monter sur les planches et de s'approcher du micro. Plutôt interprètes au début — Monique Leyrac et Pauline Julien seront les grandes voix des années 1960, Renée Claude et Diane Dufresne, celles des années 1970 —, elles vont exiger des textes de qualité, les susciter, les chanter et les créer à leur tour (le groupe Justine; Laurence Jalbert et Marjo, déterminées et énergiques). Les femmes ont pris la place qui leur revient, plus rapidement et avec plus d'énergie dans ce domaine de l'expression culturelle que dans d'autres.

La flamboyante Pauline Julien, que l'on a surnommée à juste titre la *passionaria* de la chanson québécoise, a constamment pris fait et cause pour un Québec libre et fier de l'être et pour les droits des femmes. Elle enregistre coup sur coup *Femmes de parole* et *Une sorcière comme les autres.* Diane Dufresne, déconcertante par son ambivalence si féminine, dédie un disque à sa mère, au milieu d'une longue carrière féconde. Chantal Beaupré déploie beaucoup d'énergie dans son spectacle *Mères et filles* présenté aux Foufounes électriques en 1983, Judi Richards a élevé toute une famille et soutenu la carrière de son mari Yvon Deschamps avant de voler de ses propres ailes. Par leur exigence et leur énergie, par une présence, pour certaines incontournable, les femmes ont marqué l'évolution et favorisé la diversité de la chanson québécoise.

Les chansonniers se font contestataires dès la fin des années 1960 et abordent la question de la langue : « Cajuns de l'an 2000 » (Steve Faulkner), « C'est de valeur qu'on se comprenne guère » (Vigneault) :

> Quand un pays se dépayse
> c'est comme lorsqu'un homme
> [se déshumanise
> quand on l'apprend c'est déjà fait
> et alors on est tous rendus en Louisiane

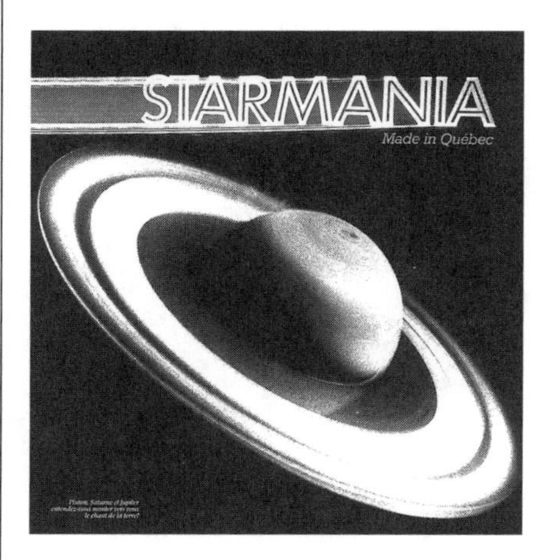

Pochette du disque. Le tout premier spectacle de *Starmania* ayant été monté en France, il importait de préciser avec humour où était enregistré le disque (*Made in Québec*).

Quand nous partirons pour la Louisiane
Anne ma sœur Anne
Quand nous partirons
Nous saurons par cœur toutes
[nos chansons

Les problèmes d'une population minoritaire trouvent leur écho dans les chansons de valeurs sûres comme Félix Leclerc (« L'alouette en colère »), Raymond Lévesque (« Bozo les culottes ») ou Jacques Michel, moins connu internationalement, qu'interprète avec une passion farouche Pauline Julien, qui avait osé lancer un « Vive le Québec libre ! » dans une réunion internationale en Afrique ; cette artiste est si connue de la francophonie qu'on retrouve des chansons interprétées par elle sur un disque intitulé *La Liberté en marche, Bruxelles-Wallonie,* disque qui présente des extraits de discours de Lucien Outers, une des figures de proue du Front démocratique des francophones/Rassemblement wallon.

Viens, un nouveau jour va se lever
Et son soleil
Brillera pour la majorité
Qui s'éveille. [...]
Le temps des révérences,
Le temps du long silence,
Le temps de se taire est passé :
C'est assez !

JACQUES MICHEL.

Paroliers et auteurs de la fin du siècle privilégient la vie urbaine (Sophie Anctil enregistre certaines de ses chansons sur un toit pour mieux intégrer ses textes à la ville qui les a fait naître) ; le continent américain et la société d'aujourd'hui sont sources d'inspiration pour Fred Fortin, Nicola Ciccone, Éric Lapointe ou Dumas (un an de studio pour *Traces*). Le texte se fait plus dur, à l'image du système qu'il dénonce, à grands renforts de rythmes plutôt modernes, souvent envoûtants, parfois déconcertants pour la vieille garde. Ce qui n'empêche nullement l'expression des sentiments de l'être universel, la solitude et ses remèdes qui ont nom tendresse, amour et amitié : l'étonnant Pierre Lapointe *Dans la forêt des mal-aimés,* Ariane Moffatt. Loin d'être monolithique, le rock avait déjà révélé la confluence des styles, en commençant par des éléments de musique populaire (Arcade Fire, anglophone, est archi-connu). À la fin du siècle, le caractère multiethnique de Montréal métisse la musique : le groupe Raoul donne dans les rythmes klezmer, Djilem préfère les tziganes, Danièle Martineau et Rockabayou les importent de Louisiane. À l'image de la musique, la thématique actuelle est très éclatée. Le rap (Okoumé, Muzion, Dubmatique) donne un nouvel essor aux paroles qui se réactualisent.

C'est ainsi que parle un peuple qui ne s'étonne plus d'avoir une identité culturelle bien à lui. En 1969, Jean-Guy Gaulin pouvait déjà affirmer ce que les décennies suivantes sont venues confirmer :

> La chanson est jaillie du sol québécois avec la rapidité d'un champignon et la ténacité d'un conifère de la savane... Elle a plus fait pour nous faire connaître à l'étranger que nos écrivains, nos peintres, nos soldats et surtout nos diplomates et ambassadeurs politiques.

La chanson est la première forme sous laquelle les peuples qui naissent unissent musique et poésie. Contrairement à la poésie écrite, qui reste une affaire d'élite, la chanson est un art populaire ; cela tient à ce que la musique touche l'être humain plus directement et opère près de son inconscient : musique et rythme précèdent le verbe dont ils sauront soutenir l'équilibre : Jorane et son violoncelle. Conscients de cette réalité, les orchestres symphoniques organisent de grands concerts avec des auteurs-compositeurs ou des interprètes populaires. La chanson, expression d'une culture populaire, permet à la collectivité d'exprimer librement et de mille manières l'âme d'un peuple d'autant mieux que le peuple la comprend et y trouve ses forces vives ; elle permet à cette même collectivité de s'affirmer, de se détendre, voire de rouspéter. Elle permet aussi à l'individu de s'identifier, de ne pas se sentir seul.

De Francofolies en Coup de cœur francophone, la chanson née au Québec a su faire connaître le pays « à la face du monde ». Charlebois, Vigneault, « font » l'Olympia ou Bobino à Paris ; Céline Dion passe plus de temps dans son avion privé que dans sa famille. *Starmania* fait encore courir les foules 20 ans après sa première et *Notre-Dame de Paris* est en train de conquérir le monde. La Communauté française de Belgique adule les chanteurs québécois ; une grande amitié lie Julos Beaucarne avec le Québec des poètes et des auteurs-compositeurs-interprètes. C'est que la chanson exprime bien le lyrisme joyeux du peuple québécois en même temps que son goût viscéral de parler pour le plaisir de jouer avec les mots.

La preuve évidente de la vitalité de la chanson québécoise est dans son influence sur la chanson francophone d'Amérique[11]. De l'Acadie, toute proche, Édith Butler et Les Maudits Maquereaux apportent rythmes enlevants et bonne humeur. Du Sud nous arrive l'écho de cette Louisiane dont l'exemple ne devrait jamais quitter l'esprit d'un Québécois ; Zachary Richard pour l'album *Cap enragé* (1996), Barry Jean Ancelet pour le livre sur les *Musiciens cadiens et créoles* (1984) sont les témoins de cette renaissance d'une communauté culturelle que la pression états-unienne avait presque gommée de la carte de la Francophonie.

De son Manitoba natal, après avoir conquis le Québec, Daniel Lavoie (« Jours de plaine ») a fondé à Montréal une maison d'édition qui a servi de rampe de lancement à plusieurs de ses pairs. Le nord de l'Ontario, lui aussi francophone, a vécu son mouvement de libération à peu près en même temps que le Québec vivait sa Révolution tranquille ; il compte aussi ses chantres : Robert Paquette, Breen Lebœuf, pour parler de ceux que les Québécois connaissent le mieux. De plus loin venus, Corneille du Rwanda, Gregory Charles des Antilles anglaises, Bïa du Brésil sont des vedettes ici.

Après le jaillissement des années 1960-1970, la chanson a subi fatalement une période de ralentissement, dans les années 1980. Elle n'a pas, heureusement, été écrasée par la langue et les rythmes états-uniens, afro-cubains et autres. Au début du siècle, elle connaît un nouveau sursaut de vigueur, grâce à l'intégration intelligente et innovatrice de ce qui pouvait

Zachary Richard. (Photo : Kent Hutslar.)

Daniel Lavoie. (Archives nationales du Québec à Québec, E10, D84-506, P[B3]. Photo : Bernard Vallée.)

paraître marginal jusque-là : la chanson-thème d'un film, la musique d'accompagnement pour une langue inventée (le Cirque du Soleil, *Allegria*), la comédie musicale qui a lancé plus d'un artiste, comme Garou, le rap sur des rythmes africains et latino-américains… dans un foisonnement de spectacles tous azimuts. En 2000, Las Vegas accueille en même temps le magicien Alain Choquette, deux spectacles du Cirque du Soleil à guichets fermés dans deux salles différentes, l'imitateur André-Philippe Gagnon et *Notre-Dame de Paris* en version anglaise.

C'est à Félix Leclerc, que l'on qualifie encore de père de la chanson québécoise, que l'on doit ces mots : « Le Québec est un pays divisé, sauf quand il chante. […] Chante, et le Québec ne mourra jamais. »

Notes

1. On retrouve ici le sens étymologique du terme dans ces assemblées de village ou de collège où chacun était invité à s'exprimer selon ses opinions politiques.

2. Prendre ici le mot dans son sens premier, celui de « faiseur de chansons » (Bélisle). À partir des années 1980, on lui préférera « auteur-compositeur-interprète ».

3. La bombarde, ou guimbarde, est un tout petit instrument rudimentaire en fer recourbé dont on fait vibrer un élément en le tenant entre les dents. « Musique à bouche » est un autre nom pour l'harmonica.

4. Voir le chapitre « La musique » pour Jean Carignan. M. Pointu a été l'accompagnateur de Gilbert Bécaud.

5. Voir ce qui concerne les Patriotes dans les chapitres « Le Québec dans le temps » et « Le mouvement des idées ».

6. Le plus casse-cou : tous les éléments doivent être cités à l'envers et dans l'ordre inventé par le chanteur.

7. Marius Barbeau, Luc Lacourcière, les Archives de folklore puis le CELAT (Centre d'études sur la langue, les arts et les traditions populaires des francophones d'Amérique du Nord) de l'Université Laval.

8. « Noir », prononcé « nouère », rime bien avec « hiver ».

9. « Bozo » date de 1946 : « Y'avait Bozo/Le fils du matelot/Maître céans/De ce palais branlant. »

10. Jean François Doré qualifie ce spectacle ainsi 20 ans plus tard : « provocant, révolutionnaire, révoltant, neuf, courageux, créateur, déchiré, déchirant, inconscient, osé […] » (*Le Devoir*, septembre 1988).

11. Et pas seulement la chanson francophone : au Québec, la chanson jouit d'une si belle santé qu'elle a même conquis l'espace américain au sens le plus large avec des formations comme The Box ou Men without Hats ; ce dernier groupe de Montréalais astucieux a « fait un tabac » aux États-Unis en chantant en anglais, sans parler du phénomène « Celiiiine Dionne ».

Bibliographie

Le nombre d'ouvrages concernant la chanson québécoise est impressionnant. Outre les monographies sur certains chansonniers (Ferland, Vigneault, Leclerc, Charlebois, Desjardins, etc.), il existe quantité de livres de paroles de chansons dont on trouvera facilement les références. Pour la période 1955-1992, la meilleure source de renseignements en tout genre (biographiques, bibliographiques, discographiques) est l'ouvrage de Therrien et D'Amours (voir ci-dessous).

AUBÉ, Jacques, *Chanson et politique au Québec, 1960-1980,* Montréal, Triptyque, 1990, 135 p.

BAILLARGEON, Richard et Christian Côté, *Destination Ragou : une histoire de la musique populaire au Québec,* Montréal, Triptyque, 1991, 179 p.

BÉGIN, Denis, Richard Perreault et André Gaulin, *Comprendre la chanson québécoise. Tour d'horizon. Analyse de 27 chansons célèbres,* Rimouski, GREME, 1993, 440 p.

BÉLAND, Madeleine, *Chansons de voyageurs, coureurs de bois et forestiers,* Québec, PUL, 1982, 432 p.

CHAMBERLAND, Roger et André Gaulin, *La Chanson québécoise de la Bolduc à aujourd'hui. Anthologie,* Québec, Nuit blanche, 1994, 593 p.

CÔTÉ, Gérald, *Les 101 blues du Québec,* Montréal, Triptyque, 1992, 247 p.

GIROUX, Robert, Constance Harvard et Rock Lapalme, *Le Guide de la chanson québécoise,* Montréal/Paris, Triptyque/Syros Alternatives, 1998 [1991], 225 p.

MILLIÈRE, Guy, *Québec, chant des possibles,* Paris, Albin Michel, 1978, 190 p.

NORMAND, Pascal, *La Chanson québécoise, miroir d'un peuple,* Montréal, France-Amérique, 1981, 281 p.

PAYANT, Robert, *Les Chanteux : la chanson en mémoire, anthologie de 50 chansons traditionnelles,* Montréal, Triptyque, 1998, 228 p.

ROY, Bruno, *Et cette Amérique chante en québécois,* Montréal, Leméac, 1978, 295 p.

ROY, Bruno, *Pouvoir chanter,* Montréal, VLB, 1991, 452 p.

THÉRIEN, Robert et Isabelle D'Amours, *Dictionnaire de la musique populaire au Québec, 1955-1992,* Québec, IQRC, 1992, 580 p.

Plusieurs ouvrages collectifs (sous la dir. de Robert Giroux) ou individuels, preuve que la recherche s'organise autour du phénomène qu'est la chanson québécoise, sont édités à Montréal par Triptyque à partir des années 1980 (érotisme, parodie, sociologie, etc.).

Dans la série des « Bibliographies québécoises », le n° 3 est consacré à *La Chanson au Québec, 1965-1975,* Montréal, ministère des Affaires culturelles du Québec, 1975.

Chansons d'aujourd'hui, seule revue québécoise consacrée à la chanson, bimestrielle depuis 1984.

Chorus, Les Cahiers de la chanson, 28270 Brézolles (France), Les Éditions du Verbe, trimestriel depuis 1992, publie des dossiers (sous-titrés « Mémoire » ou « Panthéon » : n° 4 sur Leclerc (été 1993), n° 16 sur Vigneault (été 96), n° 21 sur Charlebois (automne 1997).

Présence francophone, Sherbrooke, n° 48, 1996, numéro spécial : « La chanson ».

Québec-francais a publié plusieurs numéros spéciaux sur la chanson avec des discographies (mars 1978, mars 1979, mars 1980, mai 1982, etc.).

• Les multiples publications, recueils, albums, feuilles séparées, cassettes édités par *La Bonne Chanson,* de l'abbé Charles-Émile Gadbois(1906-1981), inlassable propagateur des chansons traditionnelles à la morale irréprochable (500 chansons en 10 recueils).

• Les partitions (musique en feuilles) et publications (paroles et musique) des Éditions Chant de mon pays, Mont-Saint-Hilaire.

Filmographie

Dédé à travers les brumes, Jean-Philippe Duval, 2009, 160 min, avec Sébastien Ricard de Loco

Locass dans le rôle du chanteur multiinstrumentiste André Fortin, fondateur des Colocs, qui s'est suicidé en 2000.

La Drave, Raymond Garceau, ONF, noir et blanc, 1957, 21 min, sur une chanson de Félix Leclerc.

Félix Leclerc, troubadour, Claude Jutra, ONF, noir et blanc, 1958, 28 min.

Je chante pour..., John Howe, ONF, couleur, 1972, 56 min (sur Gilles Vigneault).

La Guerre oubliée, Richard Boutet, Canada, 1987. Joe Bocan interprète une quinzaine de chansons presque toutes anonymes écrites à l'occasion du refus de la conscription de la Première Guerre mondiale.

Le Merle, Norman McLaren, ONF, couleur, 1958, 4 min.

Swing la baquaise, Jean-Pierre Masse, ONF, 1968 (sur la Bolduc).

La série des « Chansons contemporaines » dont : *Fleur de Macadam* de Ferland ; *Taxi* de Léveillée ; *Tout écartillé* de Charlebois.

Canal D a organisé des séries de spectacles au Spectrum, reprises à la télévision : *La Mémoire des boîtes à chansons* (1996) et *100 chansons qui ont allumé le Québec* (1998).

Discographie

Étant donné la quantité d'auteurs-compositeurs-interprètes et la quantité de disques et d'albums édités, il est impensable d'indiquer ne serait-ce qu'un seul disque par personne. Il a existé une collection « Pleins feux sur... », et une autre intitulée : « Les grands succès de... », qui ont repris les chansons les plus connues de Leclerc, Charlebois, Vigneault, Julien, Ferland, etc.

Depuis que le disque compact jouit d'une grande diffusion, de très nombreux réenregistrements et anthologies ont permis de réactualiser ou de faire découvrir avec une qualité musicale sans faille d'innombrables créateurs (ex. : Jacques Michel a réédité en 1998 les 3 DC de son anthologie).

Il existe un répertoire en quatre pages dans *Découvrir le Québec, un guide culturel* (Québec français, 1987) et quelques anthologies (voir plus haut) et une discographie pour chaque artiste dans le *Dictionnaire de la musique populaire au Québec* de Thérien et D'Amours.

Disques collectifs

Des chansons qui nous ressemblent : 24 chansons du répertoire québécois. J'ai vu le loup, le renard, le lion (Charlebois, Leclerc, Vigneault), productions du 13 août, VLC-13.

Je me souviens. Coffret commémoratif de la chanson québécoise (compilation de 50 chansons en 3 DC avec un livret de 55 p. pour souligner le cinquantenaire du drapeau québécois), GSIMusique/SODEC/MUSICOR, 1998.

La Mémoire des boîtes à chansons, album souvenir (2 DC) d'une série de cinq spectacles au Spectrum en mai 1996, DisQuébec/Canal D (Musicor).

Le Québec en fête (deux disques, une dizaine de chansonniers et trois groupes), CBS.FFC2. 80039.

Internet

Banque de données sur la chanson avec numérisation de 78 tours : www.biblinat.gouv.qc.ca

Maison de la chanson : www.microtec.net/theacham

15
La musique

Page précédente : Photo tirée du film *Jean Carignan, violoneux* (1975), de Bernard Gosselin (ONF.)

Il sera ici essentiellement question de musique savante et moins de musique populaire, celle-ci étant traitée en partie dans le chapitre consacré à la chanson folklorique et contemporaine. Rappelons seulement que la musique populaire a connu un essor remarquable en terre canadienne et rayonne outre-frontières. La musique savante semble avoir mis plus de temps que les autres arts à acquérir ses lettres de noblesse. Si elle est de qualité de nos jours, ce n'est qu'au XXe siècle que s'est créé au Québec le besoin de se doter d'établissements d'enseignement et d'organismes de diffusion de la musique. Contrairement aux domaines des arts visuels, on ne paraît pas avoir demandé, sous le Régime français, à des professionnels de traverser l'océan pour communiquer leur savoir.

Sous le Régime français

Il est peu fait mention d'événements musicaux dans la jeune colonie. Willy Amtmann, un des premiers historiographes de la musique au Québec, s'étonne que la Nouvelle-France ait fait preuve d'un manque d'intérêt qu'il compare — faits à l'appui — à la situation générale en Amérique du Nord. Évoquant le Québec à ce chapitre, Amtmann parle d'« isolement culturel » de la colonie, de « distance spirituelle qui la séparait de la mère patrie », et de « négligence teintée de mépris de la mère patrie alliée à l'indifférence et à l'inertie de la société elle-même ». Cette idée est sans doute fondée, s'expliquant par les difficultés d'installation et la lenteur du développement de la colonie française. Si l'on se souvient du petit nombre de colons établis le long du Saint-Laurent au moment de la Conquête, comparativement aux établissements de Nouvelle-Angleterre et du Mexique[1], on ne peut pas s'étonner de rencontrer peu de musiciens en Nouvelle-France.

Les Amérindiens

L'originalité et l'étrangeté de la musique amérindienne avaient frappé les Français à leur arrivée, qu'ils soient explorateurs et curieux de nature, tel Marc Lescarbot (il note la transcription, musique et sons, d'un chant indigène) ou missionnaires, tels le récollet Gabriel Sagard et le jésuite Paul Lejeune (celui-ci fait chanter « le *Pater Noster* en Sauvage » à de jeunes Indiens). Pour les Amérindiens, le chant, intimement lié à la danse, avait presque toujours une dimension sacrée. Art vocal orienté vers l'efficacité, il s'insérait dans des rituels précis, avant le combat — ce qui avait en outre le don d'effarer l'ennemi —, en cas de victoire ou pour d'autres manifestations de leur vie quotidienne : rapports avec la nature, communications d'ordre religieux, rites de passage, cérémonies de guérison. Ce type d'expression vocale était tout à fait différent de ce à quoi les oreilles européennes étaient habituées ; rythmes irréguliers, contours mélodiques inusités, instruments à percussion, tambours, flûtes, carapaces de tortues pleines de cailloux. Cette disparité culturelle entre la musique européenne et l'art vocal des Amérindiens — peut-être associée aux mauvais souvenirs qu'avaient laissés certaines cérémonies guerrières aux chroniqueurs — explique l'attitude négative des Européens face à « ce vacarme » et à « ces hurlements ».

En fait, l'omniprésence du chant et de l'incantation dans la culture amérindienne facilita l'apprentissage de la musique religieuse européenne par les autochtones chrétiens. Les *Relations* des jésuites et autres chroniques du même genre ne tarissent pas d'éloges sur la qualité des voix indiennes quand elles chantent des cantiques dans leurs langues :

> La beauté de leur voix est rare par excellence, particulièrement des filles. On leur a composé des Cantiques Hurons sur l'air des Hymnes de l'Église, elles les chantent à ravir. C'est une Sainte consolation, qui n'a rien de barbare, que d'entendre les champs et les bois résonner si mélodieusement des louanges de Dieu, au milieu d'un pays, qu'il n'y a pas longtemps on appelait barbare.
>
> PÈRE F. LE MERCIER, 1653.

Avant de transmettre la doctrine de l'Église, les religieux devaient apprendre des langues complexes, aussi, selon l'historien Paul-André Dubois, « le recours aux prières chantées et aux cantiques spirituels en langues amérindiennes trouve-t-il toute sa pertinence pour les deux parties. Moyen mnémotechnique de premier ordre, qui transmet de manière attrayante les points fondamentaux de la foi catholique, le cantique sert à la fois le missionnaire et le catéchumène ». À la fin du XVIIe siècle, les Abénaquis de la mission de Saint-François-de-Sales chantaient la messe à quatre voix.

La musique d'église

Plusieurs religieux avaient reçu une formation musicale assez solide. On les choisissait d'ailleurs en conséquence, sans doute après avoir constaté l'effet salutaire — le mot est approprié — de la musique sacrée sur les autochtones. L'arrivée des jésuites allait donner une première impulsion à l'enseignement du chant : le père Jean de Quen (mort en 1659) fut l'un d'entre eux. Le père Ménard a peut-être même composé. Du côté des prêtres séculiers, l'abbé Jean Le Sueur, curé de Québec, avait une bonne connaissance de la musique. Chez les ursulines, mère Marie de Saint-Joseph avait apporté une viole dont elle se servait pour son enseignement. La musique sacrée était celle que l'on jouait et chantait en France : missels et antiphonaires avaient été apportés de France ; les pièces liturgiques manuscrites sont des copies de messes ou de motets connus, sauf peut-être *La Prose Sacræ Familiæ*, une œuvre de plain-chant d'Amador Martin, né dans la colonie, qui aurait composé cette première œuvre canadienne vers 1650. Parmi les 120 chants sacrés retrouvés chez les ursulines de Québec, quelques-uns gardent le mystère quant à leur création. À Montréal, le sulpicien François Vachon de Belmont jouait de l'orgue, du clavecin et accompagnait au luth les cantiques chantés par les chrétiens de sa mission. On a découvert récemment un manuscrit de 540 pages de pièces d'orgue, désormais connu sous le nom de *Livre d'orgue de Montréal.* C'est le plus volumineux manuscrit d'orgue de l'époque de Louis XIV à avoir survécu. La majorité des morceaux de musique sont anonymes.

Martin Boutet fut le premier professeur laïque de musique sacrée vers le milieu du XVIIe siècle. Il enseignait aussi l'arpentage et le pilotage. Un de ses élèves, Louis Jolliet, devint un assez bon organiste. Il y avait deux orgues en Nouvelle-France en 1661.

La musique de divertissement

Les religieux jugeaient sévèrement la musique profane parce qu'elle s'accompagnait de danses et que ces divertissements étaient réprouvés par une morale très stricte. On n'encourageait que la musique sacrée, et encore fallait-il qu'elle fût conforme à l'idée que s'en faisaient les autorités cléricales. Cette attitude envers un art très développé, voire primordial dans de nombreuses civilisations, étonne, surtout quand on sait combien Mgr de Laval tenait à développer ici les arts plastiques et les métiers. Vers la fin du Régime français, il existait pourtant en Nouvelle-France une vie sociale tournée vers d'autres divertissements. Jacques Raudot, intendant de 1705 à 1711, donnait des soirées musicales courues ; un de ses successeurs, Claude-Thomas Dupuy, possédait des instruments et plusieurs livres de musique profane. Plus tard, l'intendant Bigot organisait des bals[2] dont témoignent les lettres de Mme Bégon. Il y avait donc des musiciens pour jouer ces menuets, mais on ne sait rien de ces personnes qui étaient à l'époque plus ou moins considérées comme des domestiques.

Il semble bien qu'on ait interprété des œuvres françaises choisies ; on accordait d'ailleurs moins d'importance à la composition qu'à l'interprétation. Cela explique pourquoi l'esthétique musicale française marquera longtemps la musique québécoise.

Après la Conquête et jusqu'en 1920

La musique citadine

Après une vingtaine d'années d'indécision sur leur comportement mutuel, vainqueurs et vaincus s'adaptent à une nouvelle vie sociale. La musique instrumentale des fanfares militaires participe à des assemblées, des cérémonies et des concerts publics. Friedrich Glackemeyer, arrivé au Québec avec un régiment de mercenaires allemands, s'y établit après avoir quitté l'armée et fut le premier commerçant à offrir de la musique en feuilles et divers instruments dont il s'offrait à enseigner la technique. Il apportait avec lui une tradition musicale différente de celle des Anglais. Ce brassage d'idées ne put que favoriser l'essor de la vie musicale à Québec, qui eut l'honneur de faire entendre quelques pages du *Messie* de Haendel, probablement à Noël 1793.

Les débuts du Régime anglais voient donc augmenter l'intérêt pour la musique profane qui, sous le Régime français, se limitait à la musique de danse. À Montréal, Louis Dulongpré, connu également comme portraitiste, ouvre en 1791 une « Académie pour les Jeunes Demoiselles » où musique et danse avaient autant de place que le français et l'anglais. Il est aussi l'instigateur du Théâtre de Société qui, en 1790, présente la première « comédie avec musique » écrite et composée au Québec : *Colas et Colinette ou le Bailli Dupé*. Le Français Joseph Quesnel (1749-1809) avait été prisonnier des Anglais puis avait décidé de s'installer à Boucherville. Bien qu'il fût un poète et un musicien cultivé, sa musique religieuse n'eut pas l'heur de plaire autant que sa musique de théâtre :

> Me voilà composant un morceau
> [de musique,
> Que l'on exécuta dans un jour solennel :
> C'était, s'il m'en souvient, la fête de Noël.
> J'avais mêlé de tout dans ce morceau lyrique,
> Du vif, du lent, du gai, du doux,
> [du pathétique ;
> En bémol, en bécarre, en dièse, et cætera ;
> Jamais je ne brillai si fort que ce jour-là.
> Eh bien, qu'en advient-il ? On traite de folâtre
> Ma musique qu'on dit faite pour le théâtre.
> L'un se plaint qu'à l'office il a presque dansé,
> L'autre dit que l'auteur devrait être chassé ;
> Chacun sur moi se lance et me pousse
> [des bottes.
> Le sexe s'en mêla, mais surtout les dévotes ;
> Doux Jésus, disait l'une, avec tout ce fracas,
> Les saints en paradis ne résisteraient pas.
> Vrai dieu ! lorsque ces cris, disait une autre,
> [éclatent
> On dirait qu'au jubé tous les démons
> [se battent.
> Enfin cherchant à plaire en donnant
> [du nouveau,
> Je vis tout mon espoir s'en aller à vau-l'eau.
> Pour l'oreille, il est vrai, tant soit peu
> [délicate,
> Ma musique, entre-nous, était bien
> [un peu plate :
> Mais leur fallait-il donc des Haendels,
> [des Grétrys ?
> Ma foi ! qu'on aille à Londres ou qu'on aille
> [à Paris.
>
> JOSEPH QUESNEL.

Le XIXe siècle montre l'intérêt croissant de la population pour la musique : on accueille des étrangers virtuoses, chanteurs et instrumentistes, qui font connaître la grande musique européenne. Le premier corollaire est le regroupement des musiciens locaux dans la Société musicale de Québec en 1819 : ce fut le premier ensemble instrumental. La Montreal Singing Academy ouvre en 1837. On n'hésite pas alors à monter des opéras, à faire venir des artistes à grands frais (d'Autriche, de

France ou d'Italie). H. Kallmann note que la vie musicale était fertile en événements de toutes sortes : le Septuor Haydn (1871-1903) dirigé par Arthur Lavigne, à Québec, donne des centaines de concerts partout dans la province. La Société philarmonique de Montréal (1877-1899), sous la direction de Guillaume Couture, entretient le goût de la belle musique. La société éclectique de l'époque apprécie les opéras de Wagner autant que ceux de Mozart.

La musique religieuse

Après la Conquête, l'église orientée vers l'art vocal et l'orgue continue à être un lieu de rassemblement des forces musicales du pays. De bons organistes (J. C. Brauneis à Montréal, Théodore F. Molt à la cathédrale de Québec), également compositeurs, permettent à de solides chorales de donner à la musique vocale un élan décisif. L'abbé Joseph-Julien Perreault (1826-1866) compose des messes jouées d'abord à Notre-Dame de Montréal dont il était vicaire et maître de chapelle. L'orgue, instrument majeur de la musique religieuse, trône dans mainte église : celui du Saint-Nom-de-Jésus à Montréal est un des plus grands du monde. Joseph Casavant (1807-1874) fut le premier facteur d'orgues au Canada ; il apprit le métier à ses fils qu'il envoya en apprentissage à Versailles. En 1879, Samuel et Claver Casavant fondent à Saint-Hyacinthe l'entreprise qui va fabriquer pendant le siècle suivant 3 800 instruments installés sur les cinq continents (78 personnes en 1996).

Les compositeurs

Michel-Charles Sauvageau, né à Québec en 1809, est un musicien polyvalent : chef de la Musique canadienne (1836), il organise des concerts de musique vocale et instrumentale avec ses élèves, qui interprètent ses compositions. Antoine Dessane, Charles Sabatier, Paul Letondal viennent d'Europe s'installer au Québec et forment les artistes de la génération future, Calixa Lavallée, Henri Gagnon, Emma Albani. Célestin Lavigueur écrit des opérettes et de nombreux airs de chant ; Jean-Baptiste Labelle devient en 1863 le chef d'un nouvel orchestre, la Société philharmonique de Montréal ; il crée aussi des opérettes et des chansons. Il était fréquent de composer sur des poèmes : ainsi le célèbre « Drapeau de Carillon » d'Octave Crémazie fut mis en musique par Sabatier. Le même patriotisme inspire poètes et musiciens.

Calixa Lavallée (1842-1891), après des séjours aux États-Unis, part pour le Conservatoire de Paris où l'on joue l'une de ses symphonies : revenu à Montréal en 1875, il tente sans succès de convaincre les autorités de la nécessité de mieux organiser l'enseignement de la musique. Son nom reste attaché à l'hymne national canadien qui le rendit célèbre, mais pas plus riche pour autant, dans son propre pays : il dut s'exiler pour aller poursuivre sa carrière dans de meilleures conditions aux États-Unis. Le lieutenant-gouverneur Robitaille avait demandé au juge Routhier d'écrire un poème, puis à Calixa Lavallée d'en composer la musique. L'hymne national[3] canadien fut joué pour la première fois le 24 juin 1880, le jour de la Saint-Jean, au cours du banquet qui clôturait le grand congrès des Sociétés Saint-Jean-Baptiste du Canada et des États-Unis, à Québec.

Guillaume Couture (1851-1915) fut chef d'orchestre et critique musical à *La Minerve* alors que Romain-Octave Pelletier (1844-1928) exerçait une activité pédagogique non négligeable. Arthur et Ernest Lavigne tinrent un magasin de musique qui devint, à l'instar de la librairie d'Octave Crémazie pour les lettres, le rendez-vous des pionniers de la vie musicale de la capitale, tandis qu'Edmond Archambault installait à Montréal une maison maintenant centenaire et polyvalente.

Les interprètes

Emma Albani, née Lajeunesse (1847-1930), est la première artiste lyrique née au Canada à connaître une carrière internationale; obligée de s'exiler pour assurer sa formation, elle devint célèbre en Europe et en Amérique et épousa le directeur du Covent Garden de Londres dont elle était la vedette.

Les temps modernes

Avec l'avènement des moyens de diffusion modernes, disque, radio, télévision, la musique va pouvoir toucher toutes les couches de la société. Même les paroisses les plus éloignées des grands centres culturels auront accès à la production musicale et permettront l'éclosion de nouvelles vocations.

Les organismes

Le Club musical de Québec organise depuis 1891 une série de concerts d'abord donnés le matin, d'où le nom anglais du club à ses débuts (Quebec Ladies Morning Musical Club), puis le soir. Des clubs musicaux de dames existaient également à Montréal et à Ottawa depuis 1892 : d'abord mondains et sélects, installés successivement dans diverses salles de spectacle, ils élargissent le cercle de leurs habitués et deviennent le lieu de concerts de haut niveau.

Pour donner au public l'habitude et le plaisir de la musique, il faut des orchestres : l'Orchestre symphonique de Québec — qui deviendra un temps la Société symphonique de Québec[4] — fut fondé en 1903. L'Orchestre symphonique de Montréal, né en 1934, a beaucoup fait pour la reconnaissance des musiciens québécois, compositeurs et interprètes. Il a à son actif plusieurs tournées européennes et maints enregistrements de très grande tenue. L'arrivée à sa tête du Suisse Charles Dutoit, en 1978, lui permit de rivaliser avec les plus grands orchestres. Le jeune chef de l'Orchestre métropolitain, Yannick Nézet-Séguin, partage son temps entre Montréal, Londres, Rotterdam et le MET de New York.

Les Jeunesses musicales du Canada rayonnent dans le pays à partir de 1949 et ont installé un camp musical d'été au mont Orford, qui rassemble de nombreux jeunes artistes prometteurs. Le ministère des Affaires culturelles, fondé par Lesage en 1961, ne fut pas totalement étranger au remarquable essor de la musique. La prise en compte par l'État de responsabilités

Charles Dutoit dirige l'Orchestre symphonique de Montréal. (Société du Grand Théâtre de Québec.)

jusque-là laissées à la discrétion d'une élite, dans la musique comme dans les autres arts d'ailleurs, est à porter au crédit du Québec[5].

L'enseignement

La tradition de la musique sacrée s'était établie au Québec grâce à la présence presque systématique d'un chœur de chant dans chaque église. De très belles voix se sont ainsi révélées dont la rudesse du climat et la pratique du grégorien renforcèrent les qualités. Presque tous les musiciens ont été aussi professeurs de musique. Il manquait toutefois jusqu'au début du XXe siècle des établissements assurant une formation régulière, sanctionnée par un diplôme.

Il y eut d'abord des établissements privés : à Québec, Émile La Rochelle ouvre le premier studio d'enseignement de chant choral en 1924. Il y forme, notamment, Raoul Jobin et Léopold Simoneau ; dans la métropole, un Conservatoire national de musique (1905) puis l'École Vincent-d'Indy (1920) sont affiliés à l'Université de Montréal. L'Université McGill fonde sa faculté de musique en 1920 ; à Québec, l'Université Laval fonde la sienne en 1922. En 1942, le Québec ouvre un Conservatoire de musique et d'art dramatique, réseau de sept établissements d'État, constitué graduellement à partir de cette date.

Wilfrid Pelletier (1896-1982) fut le pre-

Wilfrid Pelletier. (Archives nationales du Québec à Québec, P519, S1, D3-2, P1.)

mier directeur de l'établissement de Montréal jusqu'en 1961. Son rôle d'initiateur et d'éveilleur de jeunes talents avait commencé par une carrière de pianiste et de chef d'orchestre au Metropolitan Opera de New York. Animateur des Matinées d'initiation (1936) puis des Festivals de Montréal, il sut mettre la musique à la portée du grand public. Il apporta son concours à l'Orchestre symphonique de Montréal et dirigea aussi l'Orchestre symphonique de Québec.

Les compositeurs

Longtemps assistant de Wilfrid Pelletier, Claude Champagne (1891-1965) est devenu un des géants de la musique québécoise : « une page d'histoire », dira la musicologue Louise Laplante. Né à Montréal en 1891, il se forme à l'écoute d'un grand-père violoneux et à la fréquentation du pianiste Alfred Laliberté qui tenait salon. À 30 ans, à Paris, il complète sa formation, à l'école de la musique française du début du siècle (Debussy, Fauré). À son retour, il se dévoue à la cause de l'enseignement à tous les niveaux, avec passion et efficacité.

Il lui reste peu de temps libre, aussi compose-t-il peu et plutôt pour orchestre. *La Symphonie gaspésienne* (1945) est un exemple de son amour pour les origines folkloriques et religieuses de la musique de son pays, qu'on avait déjà remarqué dans *Images du Canada français*. Romantique, il reste très simple cependant, subordonnant harmonie et rythme à la mélodie. Dans ses dernières œuvres, on note un certain esprit dodécaphonique (*Altitude*, 1959, est l'une des premières œuvres qui fait appel aux ondes Martenot). À sa mort en 1965, il avait déjà pu constater la portée de son enseignement chez ses élèves, auxquels il demandait chaque lundi ce qu'ils avaient composé la semaine précédente. Parmi eux, Roger Matton, François Morel, Clermont Pépin, Pierre Mercure ont gardé une vénération pour ce maître qui respectait chez ses élèves la différence et l'originalité.

Au début du XXe siècle, Charles Beaudoin, Achille Fortier, Alexis Contant, Georges-Émile Tanguay n'ont pas eu la chance de voir leur musique diffusée comme le sera celle de leurs successeurs, mais l'Ensemble Nouvelle-France s'attache à compléter une *Anthologie de la musique historique du Québec.* On la redécouvre de nos jours avec d'autant plus de bonheur que la musique contemporaine, par sa diversité, avait déshabitué le public de ces mélodies simples, composées sur des poèmes de Gonzalve Desaulniers ou d'Albert Lozeau, entre autres écrivains. Henri Gagnon (1887-1961), professeur et administrateur, eut une carrière de compositeur qu'il voulut discrète et élégante, à son image. Rodolphe Mathieu (1894-1962) est le premier boursier du Québec en composition : sa *Chevauchée* (pour piano, 1911), tout à fait moderne, fait de lui un précurseur. Dans les années 1940 se révélera un jeune prodige, André Mathieu, dont certains esprits avertis, sans doute un peu enthousiastes, n'ont pas craint de comparer la très courte carrière à celle de Mozart.

Maurice Blackburn a fait la musique d'une quantité de films de l'Office national du film et a ainsi acquis une renommée internationale due également à la qualité remarquable des films d'animation de l'organisme. Gabriel Charpentier, pour sa part, s'est orienté vers la musique de théâtre, qu'il envisage comme un « commentaire » et non pas comme « du remplissage ». Mélodiste, il avoue son penchant pour le grégorien où il a sans doute puisé le sens du rythme qui le caractérise. Jean Vallerand, violoniste de formation, mais aussi compositeur et critique, a produit une œuvre multiple et a touché aux diverses tendances de la musique contemporaine, du poème symphonique *Le Diable dans le beffroi,* à l'opéra *Le Magicien,* en passant par les partitions musicales des pièces de théâtre réalisées à Radio-Canada.

Jean Papineau-Couture, pédagogue depuis 1945 et animateur dévoué, a produit environ deux œuvres par an dont beaucoup sont écrites pour la musique de chambre. Roger Matton, venu à la musique par le piano, compose surtout pour un grand effectif instrumental. Ethnomusicologue, il a découvert la riche variété du folklore canadien-français qui lui a inspiré *L'Escaouette* et *L'Horoscope*; lyrique, il reste solidaire des structures traditionnelles.

Les interprètes

C'est par les interprètes que le Québec a atteint une renommée internationale. Bernard Labadie a fondé Les Violons du Roy en 1984 et l'ensemble choral La Chapelle de Québec. Vingt-cinq ans plus tard, l'exceptionnelle fusion de l'orchestre du chœur et des solistes est merveille aux oreilles.

L'art vocal

Emma Albani avait propulsé sur scène Eva Gauthier (1885-1958), qui fit scandale en incluant dans un récital quelques succès de George Gershwin en 1923 : son pianiste habituel ayant refusé de l'accompagner parce qu'il trouvait cette musique barbare, elle demanda à Gershwin lui-même de le faire !

Rodolphe Plamondon (1877-1940) était réputé pour le timbre très franc de sa voix de ténor mise au service de l'oratorio. Dans le même registre, Raoul Jobin (1906-1974) avait débuté à l'Opéra de Paris vers 1930. Il joua sur toutes les grandes scènes mondiales et son fils André semble avoir hérité des qualités de voix de son père. Le couple Léopold Simoneau et Pierrette Alarie, soprano, a mené de front, mais surtout à l'étranger, une belle carrière et une vie conjugale — au Québec, l'opéra ne suffit pas pour faire vivre les chanteurs. Aux ténors Richard Verreau, Léopold Simoneau et Giuseppe Venditelli s'ajoutent de nombreuses basses : Gaston Germain, Yoland Guérard (1923-1987), les Corbeil père et fils, Joseph Rouleau (qui a chanté 30 ans au Covent Garden), Jean-Pierre Hurteau (à l'Opéra de Paris), sans oublier les barytons Louis et Gino Quilico, Robert Savoie, Bernard Turgeon, Charles Prévost, Claude Létourneau et Jean-François Lapointe.

Chez les femmes, il faut noter, chez les sopranos, Colette Boky, Karina Gauvin, Lyne Fortin, Monique Pagé et le timbre pur de Pauline Vaillancourt (*Vêpres de la Vierge, Kopernicus*), Huguette Tourangeau, mezzo, et Marie-Nicole Lemieux, contralto.

L'art lyrique se porte bien au Québec. Si l'opéra a rarement été composé sur place autrefois (Ulric Voyer a composé *L'Intendant Bigot* en 1928), en revanche il est fréquemment interprété avec succès[6]. Les maisons d'opéra font salle comble et peuvent compter sur un bassin d'abonnés exceptionnel. L'Opéra de Québec, fondé en 1984 dans la capitale, insiste pour engager des artistes québécois. L'Opéra de Montréal assure, depuis plus de 20 ans, une trentaine de représentations par an. La compagnie n'a pas hésité à tenter de nouvelles productions comme *Nelligan,* opéra romantique d'André Gagnon sur un livret de Michel Tremblay (1990). La bouillante Pauline Vaillancourt a fondé Chants libres en 1990 précisément pour explorer d'autres façons de toucher le public : *Les Chants du Capricorne* est un opéra de chambre pour voix solo, sur un texte constitué de phonèmes. Entre Europe et Amérique, elle a conçu, mis en scène et interprété un électr'opéra, *L'Enfant des glaces,* et *L'Archange* (2005).

Les instrumentistes

Le piano a ses adeptes. Si Glackemeyer s'étonnait de ne trouver juste après la Conquête qu'un seul piano à Québec, les choses ont bien changé. Les duettistes Renée Morisset et Victor Bouchard, les pianistes Jeanne Landry, Guy Bourassa, Paul Loyonnet ont eu des heures de gloire bien méritées. John Newmark est considéré comme l'un des cinq plus grands accompagnateurs au monde dont la presse internationale loue « l'adaptation parfaite à l'artiste accompagné, la virtuosité et la sensibilité intense ». Parmi les actuels pianistes, mentionnons le virtuose André Laplante ; Marc-André Hamelin s'est établi aux États-Unis et a déjà joué au Carnegie Hall ; Louis Lortie est vanté pour « l'acuité de sa sensibilité, la finesse de son interprétation, l'attention qu'il porte à son jeu et à celui de l'orchestre » (d'après *The Times,* Londres).

Dans le domaine des claviers, Henri Gagnon occupa le poste d'organiste auxiliaire puis titulaire à la basilique de Québec pendant un demi-siècle, jusqu'à ce que Wilfrid Pelletier lui confie la direction du Conservatoire. Parmi ses élèves, Jean

Léopold Simoneau et Maria Callas, dans *La Traviata* de Verdi, à l'Opéra de Chicago. (Collection Léopold Simoneau.)

Colette Boky. (Archives nationales du Québec à Québec, E10, D86-387, P9. Photo : Bernard Vallée.)

André Laplante. (Columbia Artists Management.)

Beaudet, Marius Cayouette, Claude Lagacé. Une génération plus tard, Bernard Lagacé a entrepris l'intégrale des œuvres de Bach pour orgue.

Un instrument plus connu de tous dans sa version populaire, le violon, a attiré certains Québécois qui se sont taillé une place enviable, comme Annette Lasalle-Leduc, Chantal Masson-Bourque et la sémillante Angèle Dubeau qui a la chance de jouer sur un stradivarius fabriqué en 1733. Cette dernière fonde La Pietà, un ensemble à cordes de 12 musiciennes.

Dans la ligne des violoneux de village dont l'entrain et la virtuosité ont fait le bonheur des veillées d'autrefois, Jean Carignan mérite d'être salué. Le grand Yehudi Menuhin ne cachait pas son admiration pour ce musicien, mort en 1988 ; devenu sourd dans les dernières années de sa vie, Carignan se rappelait avec amertume les difficultés qu'il avait dû contourner toute sa vie pour atteindre une technique qualifiée de renversante. « Je suis sourd, disait-il, parce que j'habite au Québec et parce que j'ai été obligé de gagner ma vie, de travailler à la shop avec les machines et les marteaux pilons » (1978). Apprenti cordonnier, puis chauffeur de taxi pendant 20 ans, Jean Carignan était le maître de la gigue et du *reel* (*Le Rêve du Diable*) et avait contribué à mieux faire connaître aux Québécois leurs racines musicales irlandaises et écossaises. On doit à sa mémoire de le ranger parmi les grands musiciens du Québec.

Gabriel Labbé, harmoniciste et accordéoniste de Rimouski, a sauvé de l'oubli tout un pan de la musique traditionnelle populaire. Tous les ans se rencontrent à Montmagny les plus grands accordéons du monde.

La musique actuelle

« Ce monde qu'on entend, [...] je tiens à le capter, non pas en improvisation bâclée, mais à travers des choses rigoureuses et précises » (Serge Garant).

Le Québec des années 1950 s'ouvre à d'autres cultures. On voyage de plus en plus facilement, on entend les enregistrements diffusés par la radio et la télévision. Aussi les oreilles découvrent-elles de nouvelles musiques tant orientales (autres façons de jouer avec les sons) qu'occidentales (Messiaen, Boulez, Webern, Stockhausen). À la radio, dès les années 1950, Maryvonne Kendergi présente sans relâche des émissions où elle fait une large place à la musique contemporaine européenne. Plusieurs jeunes musiciens montréalais sont tentés par de nouvelles expériences : c'est le début de la musique électronique ou électroacoustique qui permet les « mixages » les plus subtils.

Les institutions

Dans les années 1960, le phénomène musical gagne des régions éloignées ; de nouvelles sections du Conservatoire s'ouvrent à Rimouski, Trois-Rivières, Chicoutimi, etc. Les orchestres symphoniques se multiplient. En 1956, on inaugure les concerts de *Musique de notre temps* à l'instigation de Serge Garant, entouré de Jeanne Landry, de François Morel, d'Otto Joachim. En 1961, Pierre Mercure organise la Semaine internationale de musique actuelle, pendant laquelle il offrira des pièces du répertoire de Stockhausen, de John Cage, d'Iannis Xenakis et de Serge Garant. En 1966, S. Garant, G. Tremblay, W. Pelletier, M. Kendergi, J. Papineau-Couture fondent la Société de musique contemporaine du Québec. Lorraine Vaillancourt dirige le Nouvel Ensemble moderne. Par ces initiatives, le Québec musical s'oriente délibérément vers l'avenir. D'ailleurs, à Montréal, chaque établissement d'enseignement supérieur dispose dès les années 1960 d'un maître en écriture nouvelle : l'Université de Montréal a eu Garant ; McGill, Bruce Mather et István Anhalt ; le Conservatoire, Gilles Tremblay et Clermont Pépin.

Les compositeurs

Ce mouvement vers une musique autre est l'œuvre d'artistes résolus à diffuser un nouveau langage musical. À l'instar des arts visuels, la musique n'a pas de frontière et ne connaît pas la barrière linguistique — celle qui, par exemple, rend impossible la diffusion de films non doublés ou de la littérature non traduite. Aussi le champ d'investigation reste-t-il entier pour ceux qui veulent explorer les infinies possibilités du domaine musical.

Serge Garant (1929-1986) a certainement mérité qu'on le reconnaisse comme un meneur, ne serait-ce que pour son rôle de professeur et de fondateur de la Société de musique contemporaine du Québec. En 1954, il avait organisé à Montréal un premier concert dont le modernisme surprit le milieu. Son activité de professeur, d'animateur et d'écrivain insuffle à la jeune génération le goût du défi. Il a composé sur un poème de Saint-Denys Garneau, « Cage d'oiseau », une œuvre qui alterne les monosyllabes d'une voix et les commentaires au piano. *Phrases I* (1967) est une composition mobile ; l'ordre d'exécution des séquences peut varier, ce qui demande un contrôle du matériau musical d'autant plus rigoureux qu'il faut prévoir toutes les possibilités. *Phrases II* se joue avec deux chefs d'orchestre. On ne s'étonnera pas d'entendre Garant parler de « disponibilité totale ». On l'a entendu dire qu'il admirait Cage ou Xenakis sans beaucoup aimer leur musique. Sa générosité, son ouverture d'esprit ont permis aux jeunes de s'exprimer, et ses élèves sont les premiers à regretter ce professeur qui affirmait qu'« en art on doit être des optimistes malgré tout ». C'est un des esprits qui ont changé la face culturelle du milieu québécois.

Comme ses prédécesseurs, comme ses collègues, Pierre Mercure (1927-1966), un autre pionnier, a travaillé à partir de textes québécois, tant il est vrai qu'au Québec on ne peut se passer de la voix, pour le plaisir et peut-être aussi pour dire son identité. Il a aussi tenté de faire une synthèse entre musique instrumentale et musique électroacoustique. Un autre aspect du musicien est son ouverture aux arts plastiques : il a fréquenté les automatistes (« il s'agit pour moi d'automatisme en musique ») et créé des *Structures métalliques I, II et III* pour les intégrer à des sculptures de Vaillancourt.

Gilles Tremblay attire l'attention de l'auditeur sur l'écoute du monde qui l'entoure :

> Pour le musicien, entendre, percevoir les relations musicales qui sont dans la vie, lever de soleil, événement politique, chant de la cigale, celui de la cloche, éruption volcanique, silence, constitue déjà un acte musical… Si l'œuvre aide l'auditeur à son tour à percevoir les musiques latentes qui nous entourent, alors le musicien sera comblé.

C'est avec cette disponibilité d'esprit qu'il présente la musique électroacoustique, qu'il sonorise le pavillon du Québec à l'Exposition universelle de 1967, qu'il écrit pour de petits ensembles ou pour orchestre ; il manifeste une prédilection pour les instruments à vent et les percussions ; la voix l'attire toujours. *Kekoba* (1965) était composée pour percussions, ondes Martenot et trois voix ; *Les Vêpres de la Vierge* (créée en France à l'abbaye de Sylvanès en 1986) est une œuvre remarquable de densité qui prouve que la musique sacrée peut encore inspirer de très belles compositions d'avant-garde en terre québécoise. *AVEC : wampum symphonique* a été créée pour les fêtes du 350ᵉ anniversaire de Montréal en 1992. Toujours actif à 77 ans, il présente en 2009 un opéra-féérie, sur un livret du poète Pierre Morency : *L'eau qui danse, la pomme qui chante et l'oiseau qui dit la vérité.*

François Morel a composé à partir d'une toile de Borduas un univers sonore qui évoque l'univers pictural du peintre. Il se définit comme un « artisan du son ». Micheline Coulombe Saint-Marcoux joue avec les textes qu'elle met en musique pour favoriser l'émergence d'une unité nouvelle : texte-musique. Clermont Pépin, engagé politiquement, dénonce la facilité de la « musique de train » ou de la « musak » qu'on entend dans les supermarchés, cette harmonisation sirupeuse d'une musique « dédouanée » et détaxée, qui a perdu toute authenticité et qu'on diffuse indistinctivement sur l'ensemble du continent. Des tendances actuelles, il a d'abord choisi le sérialisme avant de toucher à la musique électronique et électroacoustique. Claude Vivier, mort à 34 ans, exprimait dans ses œuvres l'extrême sensibilité qui l'habitait. Pour lui aussi, la voix est le médium qui lui permet une certaine complicité avec l'auditeur (*Lonely Child,* 1980). Luc Marcel opte pour la musique de ballet sur laquelle il fait souffler l'air vivifiant de *Wind* pour quatuor de saxophones (1997). Un peu en marge de ce courant avant-gardiste, parce qu'il préfère les formes classiques (symphonies, variations), Jacques Hétu reste le compositeur préféré d'une majorité d'interprètes québécois. Linda Bouchard fait carrière dans la composition pour des formations classiques et des ensembles spécialisés en musique contemporaine. À mentionner encore: John Rea, Yves Daoust...

Compositeur connu du grand public (films, publicité, musique environnementale, etc.), François Dompierre a déjà signé la musique de 50 films et a enregistré chez Deutsche-Grammophon; quant au pianiste André Gagnon, il sait toucher un vaste public, dont il garde les faveurs année après année, en mettant à sa portée tout un éventail de mélodies qu'il orchestre avec bonheur.

Les interprètes

Peu nombreux sont encore les interprètes qui se spécialisent en musique actuelle. L'audience est limitée; les professeurs récemment engagés n'ont pas eu le temps de former des élèves. On retiendra le nom d'un pianiste, Gilles Manny, d'une flûtiste, Lise Daoust, d'un tromboniste Alain Trudel. Le premier garde de profondes attaches avec les classiques, mais s'engage avec conviction dans l'interprétation d'œuvres contemporaines. Les interprètes de musique actuelle sont encore rares, sauf dans le domaine des voix, avec notamment Ginette Duplessis, Marie-Danielle Parent et, surtout, Pauline Vaillancourt (Chants libres) avec sa sœur Lorraine à la tête du Nouvel Ensemble moderne depuis 1990 (*Le Vampire et la Nymphomane,* musique de Serge Provost sur un texte de Claude Gauvreau). Ainsi, en l'absence d'instrumentistes et étant donné la difficulté de faire inscrire leurs œuvres les plus audacieuses dans les concerts traditionnels, les compositeurs doivent s'en remettre à eux-mêmes ou aux moyens de diffusion habituels (cassettes, disques). Il est dommage que ces œuvres ne bénéficient pas assez de l'état de grâce qui ne peut naître et se développer que dans une salle de concert.

Le jazz, le blues, le rock

Musique née aux États-Unis, « le jazz est une musique évolutive » (Michel Philippot, 1983) qui a traversé facilement la frontière comme le rock. Par son américanité, le Québec a intégré[7] naturellement cette dimension de la musique contemporaine beaucoup plus que par ses racines françaises. Vic Vogel affirme qu'il y a « plus de bons musiciens de blues au pouce carré [à Montréal] qu'à Toronto, New York ou Los Angeles ». (On compte 33 chœurs de *gospel* dans la seule métropole.) Lee Gagnon (saxophoniste né aux États-Unis) est connu à l'époque du Big Band vers 1965; John Warren, compositeur et saxophoniste lui aussi, se rend fréquemment en Europe avec son orchestre dans les années 1970.

Oscar Peterson. (Société des droits d'exécution du Canada et BMI.)

D'autre part, le jazz influence l'œuvre de compositeurs contemporains comme Michel et François Morel. La grande liberté d'improvisation que permet cette expression musicale trouve un écho particulier au Québec : Patrick Straram, vers 1958, pense que « le cri du Québec est analogue à celui de la négritude, d'où cette accointance avec le jazz ». On lui doit une quantité de chroniques sur ce type de musique. Le Bison ravi — son pseudonyme est l'anagramme de Boris Vian — était un contestataire.

Depuis les dernières décennies, Montréal profite des influences des multiples communautés d'origines diverses qui la composent. Michel Donato, le pianiste Oliver Jones, Oscar Peterson (né lui aussi à Saint-Henri), le Haïtien Eval Manigat, le Dixie Band « jazzent » sur des rythmes latino-antillais servis à la sauce montréalaise. Le Stephen Barry Blues Band (qui a célébré ses 20 ans d'existence en 1996) donne 60 concerts par an. La métropole québécoise a aussi son Festival international de jazz (classé en 1998 par les voyagistes états-uniens comme « l'événement touristique par excellence au Canada ») et sa compagnie d'enregistrement consacrée au jazz : Justin Time. Gilles Bernard (piano), Pierre Côté (contrebasse), Raynald Drouin (batterie), Alain Boies (saxo) résument dans l'album intitulé *Mot* (1998) 25 ans de complicité tour à tour extravertie ou introspective. Le bassiste Alain Caron utilise des basses à six cordes dont il surveille la fabrication chez le même luthier depuis 15 ans. Normand Guilbeault, contrebassiste, entraîne neuf autres musiciens dans un spectacle intitulé *Riel,* sorte de plaidoyer pour le révolutionnaire métis. Claude Lamothe met son « violoncelle qui joue du rock » au service du théâtre (*Les Âmes mortes* par Carbone 14) et du cinéma. Avec *Bleu silence,* la pianiste Lorraine Desmarais se fait sonorité limpide et toute douceur.

Le Quatuor de jazz du Québec s'organise à Montréal en 1963 et reste actif jusqu'en 1974. Il établit dans la métropole une tradition d'improvisation qui sera perpétuée par l'Atelier de musique expérimentale (1973-1975) et l'Ensemble de musique improvisée de Montréal. Jazz libre — comme on disait familièrement — travaille aussi avec des professionnels de la chanson (Charlebois, Louise Forestier et *L'Osstidcho*), avec une parolière (Mouffe) et même Yvon Deschamps. Les Jaguars (Jean Guy Cossette, dit Arthur) font rugir de plaisir leurs guitares dans le quatrième album de rock instrumental, *Appalaches.* La prestation des Projectionnistes de Claude Saint-Jean est un autre exemple de ce que peut être la musique actuelle, « un jazz avant-gardiste et pesant, urbain et drôle, surprenant, incisif, éclaté, réjouissant ».

En 1967, un saxophoniste-compositeur rencontre le poète Raoul Duguay ; de cette amitié naît l'Infonie ; aux musiciens du Jazz libre, dont Walter Boudreau, saxophoniste, au pupitre, s'adjoignent des écrivains, des dessinateurs. Ils sont bientôt 22 sur scène (en 1973 ils ne seront que 8 à donner un « spectacle total »). Raoul Duguay a écrit un manifeste qui se veut la « continuation du *Refus Global* de Borduas ». Avant de quitter l'Infonie, il dirige, en compagnie de quelques infoniaques, 33 jeunes secrétaires de l'École commerciale de l'Est dans un *Concerto pour trente-trois dactylos et autres instruments.* Walter Boudreau voulait « lutter contre la facilité, être le pont entre la musique formelle et la musique organique. Il y a un public pour la musique sérieuse. Il y en a un autre pour la musique "pop". L'infonie se veut un moyen terme ». Ce fut un moment intense de créativité collective dans l'improvisation individuelle et la recherche. Boudreau, toujours passionné de musique actuelle, dirige en 1985 l'Orchestre métropolitain qui interprète les jeunes compositeurs, y compris lui-même, Michel-Georges Brégent, Raynald Arsenault, John Rea, Isabelle Panneton, Serge Provost. Le nouvel esprit qui préside à la musique actuelle n'exclut ni la fantaisie ni l'humour : *La Remontée d'Adanac O* (Brégent), *Dans un champ, il y a des bibittes* (Boudreau).

Groupe rock instrumental et vocal, Harmonium (vers 1975) fait une musique de fusion d'éléments classiques, de rythme latino-américain, de rock et de jazz (avec Serge Fiori). Dans les années 1970, Maneige réussit une synthèse musicale très originale, plutôt savante et intellectuelle, du moins au début. D'autres groupes font preuve d'un bel esprit de continuité : Uzeb (jazz-fusion), Wondeur Brass[8] (ce drôle de nom convient parfaitement à ces sept musiciennes — des cuivres évidemment — pleines d'allant et d'humour), Offenbach, Corbeau, Ville Émard Blues Band, également, parmi d'autres. Un jeune pianiste compositeur comme Denis Hébert crée une musique où se tiennent en équilibre

Walter Boudreau, directeur artistique de la Société de musique contemporaine du Québec. (Société des droits d'exécution du Canada.)

construction et improvisation. Le groupe Voïvod, de Jonquière, donne dans « la musique *heavy metal*, le rock pur et dur, incendiaire et sulfureux ». Et la métropole peut organiser en 1988 un Festival international de rock francophone où un groupe montréalais, Vilain Pingouin, s'affiche comme les « héraults [héros] de la loi 101[9] ». Créé en 1995, Interférence Sardines risque l'aventure d'audacieux métissages dans la même pièce. Jean-François Laporte utilise un violoncelle, mais aussi des baudruches et des seaux d'eau dans *Dégonflements, pour dix joueurs de « ballounes »*. Il arrive à tirer de la poésie et de la musique de 50 lames de scie ronde suspendues à un cadre. Pour ce génial inventeur, tout est prétexte à créer l'émotion.

La musique se porte plutôt bien au Québec[10]. On crée encore des opéras, *Kopernikus* de Claude Vivier en 1980, *Menaud maître draveur* de Marc Gagné en 1988, *La Princesse blanche* sur la musique de Bruce Mather, plus récemment, bien que la production de ces œuvres implique d'énormes difficultés financières. Depuis 1983, un Festival international de musique actuelle draine dans la capitale des Bois-Francs, Victoriaville, plus de 100 artistes avant-gardistes… et 6 000 amateurs. En musique comme en arts visuels, on croit à l'intégration de divers genres. Denys Bouliane « écrit très sérieusement de la musique sans se prendre au sérieux pour autant et tient le pari presque intenable de vivre de la composition ». Ses œuvres aux titres énigmatiques (*Le Cactus rieur, Douze tiroirs de demi-vérités pour alléger votre descente*) sont reprises aux États-Unis et en Europe. Claude Léveillée, Michel Longtin et Nil Parent, autant de noms dont il faudra se souvenir. Le compositeur Michel Gonneville, dans le numéro de *Dérives* consacré à la musique contemporaine, a raison de s'étonner : « combien les langages sont multiples, combien les voies d'exploration sont personnalisées ! » ; ses *Régions éloignées* (1998) séduisent avant de faire chavirer d'émotion. D'un côté, l'Ensemble Nouvelle-France fait revivre la musique ancienne du Québec avec des instruments d'époque[11] ; à l'autre bout de la ligne, Marcelle Deschênes et Renée Bourassa produisent des spectacles multimédias (audiovisuel, musique électroacoustique, danse, diaporama, etc.) où l'intégration de divers moyens d'expression donne des résultats stupéfiants d'étrange beauté (*OPERAaaah, L'Écran humain, Lux* en 1986). On ne doit pas oublier que la tradition religieuse permet encore la naissance de pièces magnifiques (M. Gagné, J. Papineau-Couture, R. Matton) et même des messes entières (*La Messe sur le monde* de Clermont Pépin et *La Messe québécoise* de Pierick Houdy). Si les compositeurs de musique pour la scène (Denis Gougeon, Jean Derome) ou le cinéma (le film *IXE-13* de Jacques Godbout est une comédie musicale très réussie sur la musique de François Dompierre) restent souvent au second plan, les « sculptures sonores » de René Lussier (*Le Trésor de la langue*, 1989) et de Martin Tétreault (*Dur noyau dur*) projettent parfois leur auteur à l'avant-scène.

Quant à la production d'instruments, à côté des « faiseurs de violons » autodidactes Émilien Bruneau, Albert Deschênes à Montjoli — Léonard Otis, du Saguenay, travaille dans la journée pour l'Alcan et fabrique des violons le soir —, qu'on trouve encore dans les campagnes, il existe maintenant un atelier-école de lutherie, créé par Mario Lamarre.

Dans l'Estrie, on fabrique les fameuses guitares Norman et Guitabec, à Saint-Hyacinthe les orgues Casavant et Létourneau, à Sainte-Thérèse les pianos Lesage. On peut aussi se procurer des cuivres, des instruments anciens (flûtes, clavecins, archets) ouvrés à Montréal ou à Stoneham par Yvon Bisson. Nil Parent (électroacoustique) et technos avaient mis au point en 1987 un re-synthétiseur révolutionnaire : Acxel. Un projet d'Acxel II est en démarrage chez IDARCA. Marcel Riendeau a mis au point une table tournante (Oracle) qui ravit les inconditionnels du disque en vinyle.

Le groupe Tuyo (directeur, Carol Bergeron) invente ses instruments à partir de matériaux recyclés ; nommés côtes levées, baleine et beluga, préservaphone ou sgou glou, ils forcent les interprètes à une chorégraphie qui ajoute au charme un peu déroutant de la musique (*Rouge de Vinci*, 2000).

Tradition culturelle déjà ancienne au Québec, la musique a su se donner les moyens de réaliser quelques-unes de ses ambitions, par exemple en offrant deux mois de musique continue par été au Festival international de Lanaudière (Fernand Lindsay en a été l'infatigable animateur pendant 30 ans) et au Domaine Forget, dans les somptueux paysages de Charlevoix. Les maisons de disques enregistrent tous azimuts : Analekta produit plutôt du classique tandis qu'Ummus verse dans le contemporain (*Percumania*).

Notes

1. On fabriquait des orgues au Mexique dès 1527 et un premier livre de musique liturgique y était imprimé vers 1550.
2. Voir le chapitre sur la danse.
3. Ô Canada

Ô Canada ! Terre de nos aïeux,
Ton front est ceint de fleurons glorieux ;
Car ton bras sait porter l'épée,
Il sait porter la croix !
Ton histoire est une épopée
Des plus brillants exploits
Et ta valeur, de foi trempée
Protégera nos foyers et nos droits. (*bis*)

Sous l'œil de Dieu, près du fleuve géant,
Le Canadien grandit en espérant.
Il est né d'une race fière,
Béni fut son berceau ;
Le ciel a marqué sa carrière
Dans ce monde nouveau.
Toujours guidé par sa lumière,
Il gardera l'honneur de son drapeau. (*bis*)

De son patron, précurseur du vrai Dieu,
Il porte au front l'auréole de feu ;
Ennemi de la tyrannie,
Mais plein de loyauté,
Il veut garder dans l'harmonie
Sa fière liberté,
Et par l'effort de son génie,
Sur notre sol asseoir la vérité. (*bis*)

Amour sacré du trône et de l'autel,
Remplis nos cœurs de ton souffle immortel !
Parmi les races étrangères,

Notre guide est la loi ;
Sachons être un peuple de frères,
Sous le joug de la foi,
Et répétons comme nos pères le cri
[vainqueur :
« Pour le Christ et le Roi ! ». (*bis*)

4. Consacrée en 1907 comme le meilleur ensemble musical du Canada (trophée Lord Grey). Son premier chef, Joseph Vézina, le restera jusqu'à sa mort en 1924. De 1935 à 1942, la capitale se paiera le luxe de deux ensembles symphoniques, quelques musiciens de la Société symphonique ayant décidé de former le Cercle philharmonique sous la direction d'un brillant violoniste, Edwin Bélanger, qui deviendra le chef d'orchestre de l'Orchestre symphonique de Québec lorsque les deux orchestres fusionneront en 1942.

5. En juin 1988, le ministre québécois du Revenu a modifié le règlement fiscal pour permettre aux artistes de déduire un certain nombre de frais occasionnés par leur profession. Cette mesure s'ajoute à d'autres visant à reconnaître le « statut de l'artiste » qui n'avait pas d'équivalent dans la fiscalité fédérale.

6. Il existe aussi au Québec une volonté de vulgariser un art resté inaccessible à la majorité ; au rayon des variétés populaires figurent l'Opéra Plume, fondé au Saguenay par la jeune Claudine Côté, et la réussite de la « diva » Nathalie Choquette, qui fait aimer un genre d'apparence surannée à grands renforts d'imagination, d'humour et de polyvalence.

7. Notamment grâce aux émissions de Gilles Archambault.

8. L'analogie avec la marque de soutien-gorge *Wonder Bra* a du corps.

9. Et c'est tout à leur honneur. Michel Vaillancourt travaille tout le jour à la Bourse de Montréal et ne consacre à la musique que ses soirées, comme les autres musiciens du groupe.

10. Comme en témoignent ces concerts « en tandem » organisés par les orchestres symphoniques de Québec et de Montréal avec des chanteurs comme Diane Dufresne ou... Charles Trenet (1988).

11. D'autres groupes de haute qualité ont également fait leurs preuves : ainsi le Studio de musique ancienne de Montréal, La Chapelle de Montréal, Anonymus, les Violons du Roy et le chœur La Chapelle du Québec sous la direction de Bernard Labadie ou l'Ensemble Claude Gervaise.

Bibliographie

DUBOIS, Paul-André, *De l'oreille au cœur. Naissance du chant religieux en langues amérindiennes dans les missions de Nouvelle-France, 1600-1650*, Québec, Septentrion, 1997, 151 p.

DUGUAY, Raoul, *Musiques du Kébek*, Montréal, Éditions du Jour, 1971, 331 p.

GALLAT-MORIN, Élisabeth et Jean-Pierre Pinson, *La Vie musicale en Nouvelle-France*, Québec, Septentrion, 2003, 582 p.

KALLMANN, Helmut, Gilles Potvin et Kenneth Winters, *Encyclopédie de la musique au Canada*, Montréal, Fides, 1993 [1983], 3 t., trad. de l'anglais.

LAPLANTE, Louise (dir. pour l'édition française), *Compositeurs canadiens contemporains*, Montréal, PUQ, 1977, 382 p. Louise Laplante est aussi à la tête d'une collection de courtes études (15 p. env.), « Compositeurs du Québec », au Centre de musique canadienne du Québec à Montréal : *André Prévost, Bruce Mather, Claude Champagne, François Morel, Gilles Tremblay, Guillaume Couture, Jacques Hétu, Jean Papineau-Couture, Micheline Coulombe Saint-Marcoux, Otto Joachim, Pierre Mercure, Roger Matton, Serge Garant.*

LEFEBVRE, Marie-Thérèse, *La Création musicale des femmes au Québec*, Montréal, Éditions du remue-ménage, 1991, 148 p.

LEFEBVRE, Marie-Thérèse et Jean-Pierre Pinson, *Chronologie musicale du Québec (1534-2004)*, Québec, Septentrion, 2009, 368 p.

NATTIEZ, Jean-Jacques, *Fondements d'une sémiologie de la musique*, Paris, Union générale d'édition, 1973.

WALTER, Arnold, *Aspects de la musique au Canada*, trad. par Gilles Potvin et Maryvonne Kendergi, Montréal, Centre de psychologie et de pédagogie, 1970 [1968], 347 p.

Gilles Potvin a traduit les *Mémoires d'Emma Albani*, Wilfrid Pelletier a publié les siens (*Une symphonie inachevée*).

Dérives, n°s 44-45, 1984, numéro spécial « Musique contemporaine au Québec ».

Musican, répertoire annoté d'œuvres musicales canadiennes à l'intention des interprètes; banque de données incluant 3 350 compositions de toutes les époques, Québec, 2000 : www.bibl.ulaval.ca/bd/musican

Périodiques

Dans l'*Encyclopédie Kallmann, Potvin, Winters*, il y a quatre pages entières de trois colonnes en caractères minuscules pour faire la liste des périodiques concernant seulement la musique canadienne.

Aria, Montréal, trimestriel, depuis 1979.

Les Cahiers de l'ARMUQ (Association pour l'avancement de la recherche en musique au Québec), Montréal, depuis 1983.

Le Compositeur canadien, Toronto, 100 numéros, de 1965 à 1975 (bilingue).

Journal de musique ancienne (le Tic-toc-choc), Montréal, trimestriel, depuis 1979.

Le Musicien québécois, Sillery, six fois l'an, depuis 1989.

Sonances, Sainte-Foy, trimestriel, depuis 1981.

Vie musicale, trimestriel, de 1965 à 1971.

Audiovisuel

Séries (films et vidéos)

Dans la collection « La culture dans tous ses états », deux des documentaires vidéo de la série « Arts » concernent la musique, Synercom téléproductions et INRS-Culture et Société, 1998, 60 min : *Musiques pour un siècle sourd*, sur la musique contemporaine, Richard Jutras ; *La Qualité du plaisir*, sur les musiques et les danses traditionnelles, Jacques Marcotte.

Le Son des Français d'Amérique, Michel Brault et André Gladu, Radio-Canada, couleur, 1975 à 1980, 28 × 28 min.

La Tradition de l'orgue au Québec, Animage et Radio-Canada, couleur, 1980, 3 × 30 min.

Films

Armand Felx, faiseur de violons, Léo Plamondon, UQTR, couleur, 1973, 43 min.

L'Infonie inachevée, Roger Frappier, SDICC, noir et blanc, couleur, 1973, 85 min.

IXE-13, Jacques Godbout, musique de François Dompierre, comédie musicale, ONF, 1971, 115 min.

Jean Carignan, violoneux, Bernard Gosselin, ONF, couleur, 1975, 88 min.

Monsieur Pointu, Bernard Longpré et André Leduc, ONF, couleur, 1975, 13 min.

Pierre Mercure, Charles Gagnon, Coopérative des cinéastes indépendants, couleur, 1971, 34 min.

Vidéos

Ensemble Claude Gervaise, vidéo 1/2 p., noir et blanc, 1970, 18 min. Centre audiovisuel de l'Université de Montréal.

Discographie

Au milieu d'une discographie variée, on peut noter :

Le Chant de la Jérusalem des terres froides. Québec-Montréal — Indiens Abénaquis, par le Studio de musique ancienne de Montéal, K617, 1995.

L'Ensemble Nouvelle-France se consacre au patrimoine musical avec les disques de « l'Anthologie de la musique historique du Québec » : *L'Époque de Julie Papineau (1795-1862)* ; *Victoires et réjouissances à Québec (1690-1758)* ; *Nativité en Nouvelle-France (XVIIe et XVIIIe siècles)* ; *L'Épopée mystique (XVIIe-XVIIIe siècles)* ; *Les Belles Amours* ; etc.

Les Entreprises Radio-Canada ont édité une série de coffrets publiés sous le nom collectif d'*Anthologie de la musique canadienne* ; chaque coffret de la série, qui en comptera 40, porte sur un compositeur canadien, dont les Québécois S. Garant, J. Papineau-Couture, C. Pépin, F. Morel, G. Tremblay, M. Coulombe Saint-Marcoux, J. Vallerand, I. Anhalt, A. Prévost, R. Matton. C. Champagne, R. Mathieu, etc., sur support vinyle ; J. Hétu, P. Mercure, C. Vivier, etc., sur DC.

Opus Québec, Angèle Dubeau au violon, Louise-Andrée Baril au piano, Analekta, 1995.

Nouvelle musique montréalaise, vol. 1 et 2, SNE-639-CD.

N.B. : Il existe des éditeurs de musique (Artifac, Doberman-Yppan, La Société nouvelle d'enregistrement, Analekta, Justin Time, etc.) qui se font un devoir de publier les musiciens québécois (C. Vivier, B. Mather, G. Tremblay, etc.).

Musique et danse

Il existe des enregistrements sonores et des disques :

- des violoneux : Monsieur Pointu, Hercule Tremblay, Jean Carignan, etc. ;
- du « câleur » Noël Lemaire (1970) ;
- des groupes folkloriques, dont V'là le Bon Vent, Loup-Garou, le Reel du Diable, les Sortilèges, etc.

16
La danse

Page précédente : Luciane Pinto de la Compagnie Marie Chouinard, dans *Le Cri du Monde*. (Photo : Marie Chouinard.)

Et j'en ai danse aux pieds
Et musique aux oreilles.

GILLES VIGNEAULT.

Dans de nombreuses civilisations, en Afrique ou en Amérique latine surtout, la musique met aussitôt en branle les réflexes et mécanismes de la danse. C'était ce qui se passait chez les Amérindiens. Le besoin de se mettre en mouvement et d'exprimer le rythme par tout le corps leur était naturel. En Europe, au XVIIe siècle, les cours d'Angleterre et de France pratiquaient beaucoup la danse : la noblesse française calquait son comportement sur celui de Versailles. En Nouvelle-France, on voudra recréer l'atmosphère de la cour ; on dansera chez le gouverneur puis dans les fermes. Plus tard, le Québec sera entraîné par le même mouvement[1].

La danse traditionnelle

Le divertissement

En milieu bourgeois, la danse apparaît dès les débuts de la colonie comme le divertissement préféré de la jeune société. Les mariages sont une occasion toute trouvée de se réjouir, mais on donne aussi des soirées mondaines. *Le Journal des PP. jésuites* mentionne en 1647 que « le 27 de febvrier, il y eut un ballet au magazin ; c'estoit le Mercredy-gras : pas un de nos PP. ny de nos FF. n'y assista, ny aussi des filles de l'Hospital et des ursulines, sauf la petite Marsolet ». En 1667, un bal est donné pour célébrer la nomination de Chartier de Lotbinière au poste de lieutenant civil et criminel de la prévôté (Robert-Lionel Séguin). Frontenac offrait au château des « violons et autres récréations ».

Peu avant la Conquête, il semble même que nobles et bourgeois s'en donnaient à cœur joie. L'épistolière Élisabeth Bégon raconte, par le menu, quantité de petits potins qui laissent rêveur : on faisait des lieues à cheval pour aller chercher des cavalières, on buvait sec et l'on perdait parfois en même temps son équilibre, sa perruque et sa tête. L'intendant Bigot était de ceux qui offraient des bals et le général Montcalm notait avec amertume cet étourdissement perpétuel qui l'agaçait. Il y avait des maîtres à danser : à Montréal, Louis Renault, dit Duval, enseigne le menuet vers 1740.

Bourgeois et gentilshommes ne se contentaient pas des réjouissances propres à leur milieu ; bientôt, il fut habituel d'aller à la campagne profiter des divertissements offerts par un habitant qui mariait un fils ou une fille. Un jeune militaire français qui relate ses 10 ans de vie canadienne précise qu'il a dû apprendre à danser pour être reçu en société ; en décembre 1753, il va chez l'habitant avec un compère : « nous y restâmes cinq jours en plein divertissement ».

La guerre de Sept Ans ralentit sûrement la fréquence des sauteries organisées, mais la vie continue et avec elle l'expression corporelle reprend ses droits. En 1787, Louis Dulongpré informait le public qu'il avait ouvert une « école à danser ». Les gens de passage et les administrateurs anglais notent le goût des Canadiens « très passionnés pour la danse, depuis le seigneur jusqu'à l'habitant ». Ce caractère enjoué de l'habitant fait dire à Pierre de Salles Laterrière, vers 1827, qu'il « n'a jamais connu nation aimant plus à danser que les Canadiens ». Vers 1836, M.-Ch. Sauvageau crée le premier orchestre professionnel de danse populaire à Québec, *Musique canadienne.*

La veillée

Au début de la colonie, la société accuse un gros déficit en éléments féminins, ce qui force les trappeurs et voyageurs, en général de joyeux drilles célibataires, à aller se divertir dans des lieux publics. Vers le milieu du XVIIIe siècle, l'équilibre est rétabli, les jeunes gens partent moins nombreux courir les bois pour s'adonner à la trappe et des soldats logent chez l'habitant en rendant quelques services. C'est l'hiver que l'on danse principalement. On a moins de travail et plus de loisirs ; les chemins couverts de neige et les rivières gelées permettent en outre des déplacements rapides.

La danse est au cœur de la veillée, sans toutefois accaparer toute la soirée ; les anciens jouent aux cartes, on chante tous ensemble ou l'on fait silence pour écouter un conteur ou une soliste particulièrement en voix. De toute façon, on s'amuse, on rit, on se détend. Tous les prétextes sont bons pour organiser une veillée : voisinage, passage d'un « survenant » ou d'un « quêteux » porteur de nouvelles, moments privilégiés de la vie, puberté, mariage, mais aussi les jours déterminés par le cycle des fêtes religieuses. Le temps des fêtes, qui commence pieusement la nuit de Noël, trouve son apogée dans la veillée du jour de l'An et finit avec les Rois. Les jours gras précèdent la longue période de pénitence du carême : on se déguise, c'est la tradition populaire du Carnaval, très répandue dans les pays de forte tradition catholique (Venise, Rio, La Nouvelle-Orléans, Québec).

Les saisons ramènent aussi divers travaux agricoles et ménagers parfois menés avec l'aide de tout le voisinage, à la faveur d'une corvée. Après une grosse journée de travail, rien de tel qu'une bonne danse pour remercier la compagnie qui a aidé à construire un bâtiment, à faire la moisson, à éplucher le blé d'Inde, à broyer le lin, à fouler l'étoffe de pays, à piquer une courtepointe. Ou encore, quand une famille fait boucherie, on en profite pour inviter les voisins… et pour danser.

Dans les cités modernes, il ne reste pas grand-chose des raisons de veiller d'autrefois : mais la tradition est toujours forte au jour de l'An et pour le carnaval. En outre,

Edmond-Joseph Massicotte, *Une veillée d'autrefois,* encre et lavis sur papier, 1915. (Musée du Québec, 37. 45. Photo : Patrick Altman.)

pour la fin de l'hiver, la nostalgie du temps passé ramène « à la cabane » des bordées de citadins en goguette qui vont fêter à la campagne le temps des sucres et le printemps qui s'en vient.

L'attitude de l'Église

Gardienne de la morale, l'Église canadienne a longuement réprouvé la danse. Les premiers écrits des pères jésuites ne perdent pas une occasion de noter qu'ils espèrent que « cela ne tirera pas à conséquence ». Il est fait mention constamment, dans la correspondance des civils, de curés courroucés et de sermons propres à jeter la terreur chez les fidèles.

C'est vers le milieu du XIXe siècle que le rigorisme sera le plus contraignant. En 1851, Mgr Turgeon interdit officiellement valse, polka, galop, autrement dit les danses par couple. Les danses de groupe bénéficient d'une certaine tolérance qui varie selon l'indulgence du curé. Aussi, dans les veillées, attendait-on souvent tard pour « se dérouiller les jambes », par crainte d'une visite inopinée du pasteur ; mais alors, on savait se rattraper. Robert-Lionel Séguin mentionne nombre d'informateurs qui se sont vu refuser l'absolution après avoir dansé ou joué du violon. On allait parfois jusqu'à exiger du violoneux qu'il cassât ou brûlât son violon.

Le fantastique québécois est plein de

références à la danse. Des légendes prennent forme, propres à frapper l'imaginaire pour peu que l'on se sente vaguement fautif. Tantôt il s'agit d'un violon magique qui ne cesse de jouer et force les danseurs à s'exécuter jusqu'à l'épuisement ; tantôt ce même violon est doué du pouvoir étonnant de faire danser les aurores boréales. Dans le film d'animation *Crac !*, de Frédéric Back, c'est la chaise berçante qui danse sur un air de gigue avec des œuvres contemporaines, la nuit, quand le musée est désert. Les titres des airs de danse sont explicites : *Le Reel du pendu* (terriblement difficile à jouer et qui ne peut l'être que sur un violon désaccordé) ou *Le Reel du Diable* : ce dernier avait un rôle tout trouvé et les curés ne se privaient pas de fouetter l'imaginaire de leurs ouailles avec des légendes à donner le frisson. (Rose Latulippe danse à en perdre le souffle — l'âme ? — avec un bel inconnu tout de noir vêtu. Inquiète, elle se signe et le beau danseur se sauve avec son équipage : sous son traîneau, la neige a fondu ; on a eu chaud !) Alfred Laliberté a sculpté un bronze qui représente le diable aiguisant ses griffes aux Forges du Saint-Maurice ; l'histoire veut que le bruit inquiétant ait cessé le jour où les habitants, à la demande du curé, eurent cessé de danser le dimanche, jour réservé au Seigneur.

Les danses

Danses à figures. Le menuet, très en vogue en France, le devient en Nouvelle-France. Madame Bégon parle de ceux qui « coulent leur menuet ». On le dansera jusqu'au début du XXe siècle dans les campagnes. La contre-danse, d'origine anglaise (*country dance*) est tout de même venue par la France vers le milieu du XVIIIe siècle, en même temps que le cotillon et le rigodon. En ville, les maîtres à danser, plus nombreux au XIXe siècle, lancent la mode des quadrilles, dont les figures sont précises et qui demandent un certain apprentissage aux danseurs : on salue, on tourne, on échange les partenaires, on fait la chaîne des dames, tout cela avec rigueur et ensemble.

Après le traité de Paris, les danses anglaises vont se mêler à la tradition française. Le *reel*, d'origine celtique, est d'après Faucher de Saint-Maurice « une danse fringante que nous tenons des Écossais ». Philippe Aubert de Gaspé l'appelle d'ailleurs le *scotch reel.* La fin du XIXe siècle voit arriver d'autres danses européennes comme la valse, la polka, ou des danses américaines comme le *brandy.*

Le « calleur » (de l'anglais *to call*, appeler) mène le jeu en indiquant aux danseurs de danses carrées (le quadrille est d'un sens tout voisin) les figures à accomplir. C'est un art de bien « caller » une danse, et le calleur est tout aussi important que le violoneux pour la réussite d'une veillée. La même personne tient d'ailleurs parfois les deux rôles. (Il est arrivé que le calleur fasse les annonces en anglais, sans qu'il en saisisse lui-même le moindre mot, pas plus que les danseurs, mais tout langage étant convention, chacun s'exécute parfaitement.)

La tradition des rondes s'est gardée dans les groupes d'enfants qui exécutent tous ensemble les mêmes gestes : lever les bras au ciel, s'accroupir ou courir vers le centre puis reculer. Dans les campagnes françaises, la bourrée mimait une lutte entre deux jeunes gens ; c'est le même type de duel que l'on retrouve de ce côté de l'Atlantique dans *La Danse du Blanc et du Sauvage.* Au Québec, les habitudes agricoles ont rendu courante *La Ronde de l'avoine* ou *La Ronde de la grosse gerbe.* Joseph-Charles Tâché, dans *Forestiers et voyageurs* (1884), évoque *La Ronde des voyageurs* qui met face à face le jeune homme sans expérience et l'ancien qui lui prodigue ses conseils.

> *Le jeune voyageur :*
> Ce sont les voyageurs
> Qui sont de bons enfants ;
> Ah ! qui ne mangent guère,
> Mais qui boivent souvent !
> Sur l'air du tra, lal-déra :
> Sur l'air du tra, lal-déra :
> Sur l'air du tra-déri-déra,
> La-déra !
>
> *Le vieux voyageur :*
> Si les maringouins t'piq' la tête
> D'leur aiguillon,
> Et t'étourdissent les oreilles,
> De leurs chansons,
> Endure-les, et prends patience
> Afin d'apprendre
> Qu'ainsi le Diable te tourmente,
> Pour avoir ta pauvre âme !

Danses de pas. Au Québec c'est la gigue qui est la vraie danse de pas ; ce mot vient de la même racine germanique (*gigua* signifiant jambe) qui a donné aussi « gigot » et « gigoter ». Dans ce type de danse, l'accent est mis sur le seul mouvement des membres inférieurs. C'est une danse d'agilité et d'endurance. Elle se danse seul (et le défi est lancé entre le violoneux et le gigueur) ou à deux (et le défi est alors lancé entre les danseurs eux-mêmes). Les bûcherons dansaient aussi la gigue au chantier :

> Le corps droit, la tête un peu rejetée en arrière, les bras à hauteur de poitrine et les coudes en dehors, le danseur semble immobile tant il paraît peu dérangé par le jeu des jambes et des pieds, qui s'agitent et se trémoussent sans jamais manquer la mesure. Les mêmes mouvements reviennent souvent, exécutés tantôt par un pied tantôt par l'autre, puis repris avec une variante comme la musique, d'ailleurs, qui badine sur un thème très simple et d'un rythme vif. De temps à autre, le pied du danseur frappe plus lourdement le sol comme pour scander un changement de mouvement.
>
> PIERRE DUPIN, 1935.

La maîtrise de ce pas demande une réelle expérience et un souffle sans pareil. Les bons gigueurs se donnaient en spectacle dans la rue ou dans les maisons où il leur arrivait de demander en retour l'aumône d'un bon repas et d'un lit pour la nuit. Alexis-le-Trotteur (l'homme le plus rapide du Saguenay) pouvait giguer des heures de suite sans s'arrêter, ce qui a contribué à sa réputation d'infatigable personnage.

La gigue est d'origine anglaise (*jig*) ou irlandaise et se danse sur un rythme vif à deux temps, en faisant alterner la pointe et le talon du pied ; elle demande une grande souplesse des articulations des chevilles et des genoux. Le rythme en est extrêmement rapide et les semelles battent la mesure en menant un train d'enfer. Vigneault a écrit quelques chansons sur un rythme de gigue et il lui arrive fréquemment d'en marquer quelques pas au cours d'un spectacle :

> En voulant tromper ma fatigue,
> L'ennui, la peur, la nuit, le froid,
> J'ai chaussé d'un pied maladroit
> Le soulier vivant de la gigue.

L'art populaire a fabriqué des petites poupées gigueuses articulées qu'il faut faire danser sur une planchette de bois alors qu'on les tient au bout d'un bâton solidement fiché dans leur dos. On retrouve également ces poupées en Acadie et en Louisiane.

En plus du calleur qui indique les figures, le musicien a son importance ; c'est lui qui met de l'entrain et de l'animation. Il pouvait jouer de la guitare ou de la « musique à bouche ». Mais dès que l'on a affaire à des jeunes gens qui viennent avec leur « compagnie », on a besoin d'un vrai violoneux. Tout village avait le sien. Dans l'innombrable cohorte des anonymes, sont restés les noms de ceux qui, plus près de nous, ont été diffusés par une notoriété qui a parfois dépassé les frontières du Québec. Des films, des enregistrements ont heureusement immortalisé la merveilleuse dextérité d'un Monsieur Pointu (Paul Cormier), d'un Pitou Boudreault (Louis Boudreault) ou d'un Jean Carignan.

La danse moderne et contemporaine

La danse traditionnelle était avant tout conviviale. Le désir de se montrer en spectacle n'en était pas totalement absent puisqu'il s'agit aussi d'une démonstration de savoir-faire en groupe (danses carrées) ou en solitaire. De nos jours, cette activité naturelle des anciens est devenue un art d'interprétation et plusieurs organismes de danse folklorique (V'là l'Bon Vent depuis un quart de siècle ou les Feux-Follets) donnent des spectacles prisés par des spectateurs heureux de renouer avec un passé collectif.

Depuis les années 1960, la jeunesse citadine passe dans les discothèques ce besoin naturel de s'exprimer avec le corps. Jean-Paul Mousseau a pensé le décor de plusieurs « discos » : la Moussespathèque, la Métrothèque et le Crash pour Montréal seulement, sans compter ce qu'il a fait à Québec et ailleurs. Peintre et sculpteur attentif à toutes sortes d'expressions culturelles, il est logique dans sa démarche artistique, marquée par le manifeste des automatistes.

Le ballet était en vogue à Versailles : on se souvient de certaines créations de Molière qui comportaient une partie dansée. Mais c'est après le traité de Paris que l'on note les premiers essais de danse professionnelle à Québec. Étienne Bellair exécute en 1786 plusieurs numéros de danse après des pièces de théâtre jouées en anglais. Louis Dulongpré, homme aux talents multiples, fonde le Théâtre de Société qui offre en décembre 1789 un ballet au milieu d'autres divertissements comportant du théâtre et un opéra.

Au Québec, l'art du ballet reste timide, comme d'autres arts d'interprétation, jusque vers les années 1940. Comme les compagnies de danse américaines incluaient Montréal dans leurs tournées, il n'est pas interdit de penser que des artistes new-yorkais, comme José Limon et Martha Graham, ont pu susciter alors au Québec des vocations artistiques orientées vers une danse résolument contemporaine.

La danse et *Refus global*

C'est encore à *Refus global* qu'on en revient lorsqu'on parle d'art actuel au Québec. Des chorégraphes l'avaient signé, dont Françoise Riopelle et Françoise Sullivan. Cette dernière avait en outre inclus un texte qui fit l'objet d'une conférence à l'Université de Montréal en février 1948. Elle fut la première danseuse à incorporer des mouvements modernes dans ses spectacles solos.

La danse et l'espoir

> Et, dans la danse, on en revient aujourd'hui à la magie du mouvement, celle qui met en cause les forces naturelles et subtiles de l'homme, visant à exalter, à charmer, à hypnotiser, à arrêter la sensibilité.
> Il s'agit de remettre en action la surcharge expressive enclose dans le corps humain, cet instrument merveilleux, et de redécouvrir, selon les besoins actuels, les vérités connues déjà d'anciennes peuplades primitives ou orientales et concrétisées dans les danses du féticheur nègre, du derviche tourneur ou du bateleur tibétain, s'adressant aux sens avec des moyens précis. La danse atteint sa raison d'être, quand elle sait charmer le spectateur et le faire revenir par l'organisme, jusqu'aux plus subtiles notions.
> [...] Le danseur doit donc libérer les énergies de son corps, par les gestes spontanés qui lui seront dictés. Il y parviendra en se mettant lui-même dans un état de réceptivité à la manière du médium. Par la violence de la force en jeu, il peut atteindre jusqu'aux transes et touchera aux points magiques.
> [...] L'homme, par sa construction physique et psychologique, embrasse l'espace en largeur, en hauteur, en profondeur. Il donne donc un sens humain à ces dimensions. Dans le lieu délimité, espace objectif et espace rêvé s'unissent comme corps et âme. L'espace possède une nouvelle signification.
>
> FRANÇOISE SULLIVAN.

Elle enseigne, elle chorégraphie, elle danse jusqu'en 1956. Vers les années 1960, elle revient aux arts visuels par la sculpture (métal et plexiglas). Depuis 1980, elle se consacre à la peinture où se poursuit son exploration du thème de la circularité, donc du mouvement universel. Raoul Duguay, dans *Musiques du Kébèk*, souligne les liens étroits qui continuent à exister entre musiciens et chorégraphes : il cite Françoise Sullivan, Jeanne Renaud (*Dédale*, 1947) et Françoise Riopelle. Cette dernière avait su faire sienne cette intégration des arts qui deviendra chose commune :

> Pour moi, la chorégraphie c'est l'art d'inventer de nouveaux rythmes, des lignes et des formes et de donner à un mouvement une

qualité et une densité. La danse aujourd'hui reflète les préoccupations esthétiques actuelles; car, comme la musique, elle demande à l'interprète d'apporter une contribution créatrice; comme la sculpture, elle recherche la poésie que peut engendrer la non-fixité d'une œuvre d'art. La danse, c'est donc pour moi un objet d'art mobile dont la beauté réside dans son organisation et sa relation avec le milieu ambiant, qu'il soit musical ou non, émotif ou non. Cet objet d'art gagne à rechercher la même beauté purement abstraite d'une œuvre qu'elle soit plastique, graphique ou musicale.

FRANÇOISE RIOPELLE.

Elle avait monté avec son second mari, Pierre Mercure, et Bruno Maderna, chef d'orchestre et compositeur également, une œuvre télévisée très « ouverte », *Formes disponibles.* Ces femmes faisaient partie d'une toute petite minorité à s'intéresser à cette forme d'expression. Il existait aussi des cours pour jeunes filles de bonne famille où celles-ci apprenaient de gracieuses manières, mais l'idée qu'on pût, fille ou garçon, en faire profession demeurait saugrenue. Le Québec d'alors ne refusait pas toute valorisation du corps, mais seuls les dieux du stade pouvaient la permettre. C'est la télévision qui, vers les années 1950, va aider le milieu de la danse à gagner la faveur de tous. Cette évolution traduit, entre autres, la réappropriation qui sera un des signes et un des « ingrédients » de la Révolution tranquille.

La danse classique

Créée en 1958 par Ludmilla Chiriaeff[2] à partir de sa propre compagnie, la toute première grande compagnie de danse du Québec a un répertoire de plus d'une centaine d'œuvres et en a donné 75 % en premières mondiales. Les Grands Ballets

Les Grands Ballets canadiens dansent sur une musique d'Igor Stravinsky, chorégraphie de David Bentley, 1987. (Société du Grand Théâtre de Québec. Photo : Andrew Oxenham.)

Françoise Sullivan danse *Black and Tan* en mai 1949, dans un costume de Jean-Paul Mousseau. (*ETC Montréal,* n° 3, printemps 1988. Photo : Maurice Perron.)

canadiens, qui jouent des œuvres classiques ou contemporaines, ont formé danseurs ou danseuses, comme Margaret Mercier, dans une Académie et une École supérieure qui sont un vivier pour le volet classique ; ils font appel à des chorégraphes de l'extérieur ou de Montréal comme Brian McDonald et Fernand Nault. Les GBC ou les « Grands », comme on dit gentiment, ont maintenant leur Maison de la danse à Montréal et une renommée bien établie tant en Europe qu'en Amérique. Leur fondatrice, « la grande dame de la danse au Québec », avait su ne pas accaparer toutes les tâches de direction et d'enseignement de la compagnie et s'entourer d'une direction artistique à trois têtes particulièrement efficace. Une de leurs chorégraphies à succès fut *Tommy*, opéra rock de Peter Townshend (1971), avec Alexandre Bélin dans le rôle titre[3]. Plus tard, Colin McIntyre réussit un coup de maître en recréant, après cinq années de recherches, la chorégraphie originale de Fokine pour *Petrouchka*, telle que l'avaient vue les spectateurs parisiens de 1911. Geneviève Guérard est une de ces danseuses étoiles dont la polyvalence ouvre grand les portes du succès. Les GBC souscriront dans les dernières décennies, à l'instar des autres compagnies, à la tendance contemporaine en invitant les nouveaux talents qui grouillent dans la métropole. Sonia Vartanian a créé en 1987 les Ballets classiques de Montréal (une dizaine de danseurs) et une Académie de ballet Vartanian. Elle préconise une méthode d'apprentissage du ballet telle qu'on l'enseignait à l'École du Kirov au début du siècle du XXe siècle.

L'essor des années 1960 et 1970

Michel Conte hérite de cette ouverture aux autres arts et son Studio d'expression corporelle présente un spectacle où danse, poésie, musique sont les pivots, « triangulation qui s'applique aussi au corps, à l'esprit, à l'âme ».

Deux compagnies voient le jour presque simultanément : le Groupe de la Place royale en 1966 et le Groupe de la Nouvelle Aire en 1968. De nombreux professionnels de la danse ont fait leurs classes avec l'un des deux groupes. Jeanne Renaud, de la Place Royale, insiste sur la forme, « terrain de rencontre du musicien et du chorégraphe ». Elle « place les mouvements dans l'espace, travaille avec des formes, des reliefs, des lignes » et permet, elle aussi, une collaboration audacieuse des différentes disciplines artistiques. Paul-André Fortier, qui appartint à la Nouvelle Aire puis à Montréal-Danse avant de créer Fortier Danse création, peut encore, à plus de 50 ans, danser en solo *La Tentation de la transparence* (1991) et *Bras de plomb* (1993). Martine Époque, en fondant la Nouvelle Aire, a créé un vivier d'où sont sortis de multiples danseurs (Louise Lecavalier, Daniel Soulières) et chorégraphes actuels de renom (Édouard Lock, Ginette Laurin et Louise Bédard, entre autres).

Aujourd'hui, la formation en danse contemporaine est assurée dans plusieurs écoles privées ou publiques (École Pierre-Laporte, École supérieure de danse, Université Concordia et Université du Québec à Montréal, Danse-Partout) ; enseignement de première importance quand on considère que la carrière de danseur exige une longue formation pour ne durer en général que 15 ou 20 ans. Le milieu de la danse doit donc engendrer de nouveaux talents à un rythme trois fois plus rapide qu'en théâtre ou en musique[4]. Depuis 1998, le Festival des arts de Saint-Sauveur a instauré un concours international de chorégraphie et de musique, tous styles confondus, dont une partie des premiers prix consiste en une résidence de création de trois semaines.

C'est également au cours de ces années 1960 et surtout 1970 que se développe au Québec le phénomène de la danse-performance et de la danse expérimentale. On assiste en même temps à une croissance du nombre de manifestations et de représentations et à une diversification des genres et des lieux utilisés.

Le ballet-jazz. Cette forme de danse connaît une grande popularité. Les commanditaires ont parfois renâclé à subventionner ce type d'expression culturelle. À ce sujet, Geneviève Salbaing, directrice artistique des Ballets Jazz de Montréal, notait que « la musique de jazz, issue des Noirs américains, n'avait pas, à ses débuts, plus de statut que ses créateurs », et qu'il a donc fallu attendre que les Blancs veuillent bien la « récupérer ». Benoît Lachambre a connu un franc succès avec *J'Freak Assez,* chorégraphié sur une musique de Séguin. La mode du ballet-jazz, que celle de la danse aérobique n'a pas détrônée, leur a permis d'ouvrir plusieurs écoles au Québec.

Eddy Toussaint avait été de la fondation des Ballets Jazz de Montréal. Un an après, il décidait de fonder sa propre compagnie, le Ballet de Montréal Eddy Toussaint (danseurs-étoiles : Anik Bissonnette et Louis Robitaille, passés ensuite aux GBC). Eddy Toussaint, excellent chorégraphe, classique par goût et par sens de l'effort, a travaillé sur des musiques d'Albinoni, de Dvorak, de Poulenc ou du jazzman américain Pat Metheny (*Neiges, La Symphonie du Nouveau Monde*).

L'effervescence des années 1980

Les deux dernières décennies du XXe siècle se sont avérées prolifiques pour la danse, dont elles ont diversifié la production à l'infini, et ont fait de Montréal un lieu incontournable dans le milieu international de la danse actuelle. Jamais, ni nulle part, on n'a vu un si grand nombre de compagnies, en même temps qu'une telle diversité dans les œuvres et les styles proposés. À côté des compagnies, des groupes, des chorégraphes et des danseurs solos innovent constamment et semblent ignorer que le corps et la scène ont des limites.

Au Québec, on a tendance à considérer les métropoles (Montréal, Toronto[5]) comme les seuls centres artistiques possibles. Or on comptait en 1997 onze chorégraphes indépendants dans la région de Québec et une compagnie, Danse-Partout, qui avait décidé de relever ce genre de défi. Fondée par Chantal Belhumeur et Claude Larouche en 1976, reprise en mains en 1985 par Luc Tremblay, la compagnie comptait une dizaine de danseurs dont la danseuse étoile Lucie Boissinot, qui s'envolait *Entre ciel et terre.* En 2000,

Les Ballets Jazz de Montréal, *Germinal.* (Photo : Ian Westbury.)

Harold Rhéaume et sa compagnie, Le Fils d'Adrien Domse, s'y installent à leur tour.

La danse en solo. Il s'agit d'un phénomène plutôt nouveau, extrêmement exigeant pour l'artiste puisqu'il est seul en scène pendant toute la durée du spectacle. Margie Gillis a la passion de la danse, « lien entre la chair et l'âme ». Énergique, indomptable, mais tout en finesse et en subtilités, elle est l'une des grandes ambassadrices de la danse montréalaise. Elle s'est produite en Chine, en Espagne, à New York. À 35 ans, son agenda ne lui laissait aucun répit, mais ses occupations ne l'empêchent pas de conserver une élégance et un raffinement inoubliables (*Voyage,* 1998). Dulcinée Langfelder éblouissait l'auditoire en 1985 avec *Cercle vicieux.* Quant à Marie Chouinard, son audace dans l'impudeur atteint une puissance d'évocation qui touche l'inconscient. Comme l'explique la journaliste Nathalie Petrowski, cet être blessé qui gémit sur la scène inquiète :

> [C'est un] faune hérissé de piquants qui bouge avec l'automatisme des robots et la grâce des pharaons égyptiens ; une bête naïve et impudique qui se croit seule alors que tous les regards sont braqués sur elle. Comment une bonne petite Québécoise élevée à la tarte au sucre a-t-elle pu imaginer un tel monstre ?

La danse expérimentale. Dans ce lieu privilégié de la danse qu'est devenu Montréal dans la décennie 1980, se tient tous les ans depuis 1987 le Festival international de nouvelle danse, fondé par Chantal Pontbriand, Dena Davida et Diane Boucher. Dena Davida, venue des États-Unis (*Moment' Homme* entre 1983 et 1986, *Sa geste* en 1987), directrice de l'Espace Tangente, où elle offre une centaine de spectacles par an, reste attentive à la génération de la relève qui en revient à l'essentiel : le corps et la simple audace de ses mouvements face aux spectateurs.

Sylvain Émard (*Rumeurs*) fait travailler ses interprètes masculins sur l'aspect kinesthésique du mouvement pour rendre dramatique ce qui pourrait sembler pure abstraction. En collaboration avec la chorégraphe Louise Bédard, il offre au public « un moment de pure grâce » (*Te souvient-il,* 2000). Marie Chouinard, après 12 ans de travail en solitaire, a fondé en 1990 sa compagnie éponyme dont les danseurs explorent poétiquement le côté sensuel et charnel de l'être humain, à la fois *Amande et Diamant.*

Ginette Laurin — 25 créations en 15 ans —, avec sa troupe O Vertigo, dont la talentueuse Carole Courtois, est passée de pièces plus légères (*Chagall*) à une certaine théâtralité (*Train d'enfer, La Chambre blanche*) ; *Déluge* et *La Bête* montrent que sa capacité créatrice n'a pas de limites. Chez les danseurs d'Édouard Lock, les pulsions se déchaînent et défient les traditions. Le spectateur reste médusé devant la performance acrobatique de Louise Lecavalier, blonde tornade de La La La Human Steps, qui virevolte toujours à la limite de la prouesse technique, simplement confiante en la toute-puissance du chorégraphe, redevenu sur scène le maître de ballet qui opère par magie : *New Demons* (1987) est une réalisation à couper le souffle. Pour le journaliste Mathieu Albert :

> Louise Lecavalier est une sorte de phénomène. Elle possède le charisme d'une diva, la force obstinée d'un manœuvre de chantier, la rapidité d'un missile Pershing ; [...] elle est devenue l'un des symboles de la nouvelle génération des danseuses surdouées.

Dix ans plus tard, une autre journaliste, Andrée Martin, affirme que *2* (1996) pousse les interprètes au maximum d'une virtuosité hallucinante avec « la rigueur d'un calcul mathématique, la souplesse d'une brise estivale, la force d'un requiem ».

L'imaginaire de la jeune chorégraphie féminine (*Ne marchez pas sur le concret* de Dominique Porte, *Suite furieuse* d'Hélène Blackburn) alimente une pluralité de courants qui vont du seul plaisir de découvrir dans le mouvement des rythmes et des enchaînements (Hélène Langevin) à un goût évident pour la théâtralité ou même le souci de partager une réflexion sociale teintée d'humour (Carol Bergeron). Mystérieuse, Guylaine Savoie « raconte », d'étranges histoires (*Le Portrait,* 1999).

Jean-Pierre Perreault a lui aussi maintenant sa propre compagnie. Il est présent à tous les niveaux de ses réalisations : décors, costumes, éclairages, rien n'échappe à son exigence. Il a le sens de l'espace (*Lieux-dits*) et n'hésite pas à faire évoluer ses danseurs sur un plan incliné (*Joe*) au son d'une « musique » créée par la simple podorythmie de dizaines de paires de chaussures qui glissent, battent et piétinent, parfaitement en harmonie avec leurs propriétaires qui occupent la scène, grimpent sur les murs et dans l'imaginaire des spectateurs. Les chorégraphes québécois ne se replient pas sur leur espace : *Eironos* a été créé par Perreault en 1996 avec une troupe australienne, Danièle Desnoyers est allée chercher en Russie une musique pour *Discordantia* avec Le Carré des Lombes en 1997.

Le milieu international de la danse a raison d'avoir les yeux tournés sur Montréal ; qu'il s'agisse de répertoire, de danse solo, d'expérimentation, aucun domaine ne semble échapper aux chorégraphes, danseuses, danseurs et adeptes de la jeune et moins jeune danse québécoise. Irène Stamou, d'origine grecque, donne au corps le langage de l'essentiel, de l'émotion première. José Navas peut être en même temps (1998) le danseur solo d'*Abstraction* et le chorégraphe audacieux de *One night only 3/3.* Jocelyne Montpetit a suivi au Japon des cours de *buto* (Kazuo Ohno), mais aussi de théâtre, des cours de mime à Montréal et d'acrobatie à Paris pour arriver à exprimer « cette recherche inassouvissable d'un autre état » quasiment mystique. En jouant en silence avec la lumière orchestrée par Axel Morgenthaler (*Transverbero,* 1998 ; *À quoi rêvent les aveugles,* 1999), elle se transforme sous nos yeux en une *Icône* que la poésie gestuelle stylisée auréole de mystique orientale sur la scène de l'Agora de la danse à Montréal.

Le spectacle multimédia et le théâtre entrent dans la danse

Lucie Grégoire demande à Françoise Sullivan d'exposer des toiles inspirées par sa chorégraphie de la danseuse, alors que Denise Desautels lit un poème en guise d'introduction à *Fragile lumière.*

Isabelle Choinière ajoute la vidéo (Pierre-Paul Savoie aussi) et l'infographie à la gestuelle dans une performance d'art électronique. Une osmose particulièrement fine a permis à Gilles Maheu et à la troupe Carbone 14 (maintenant à l'Usine C) de donner des spectacles à mi-chemin entre les deux disciplines, comme le faisait en son temps un certain Poquelin, dit Molière.

Paul-André Fortier s'allie avec le multicréateur Rober Racine et le cinéaste Robert Morin pour habiter sa *Cabane* (2008), sans forcer sur la technologie.

Le Québec retrouve le plaisir de laisser le corps exprimer ses émotions, par le biais d'une technique très au point (les Ateliers de danse moderne « sortent » huit diplômés par an) ; est-ce à cause du métissage culturel de la société canadienne d'autrefois ou de celui, plus multiple encore, du Québec actuel ? Le caractère rituel de la

Margie Gillis danse *Testimony of the Rose,* 1987. (Photo : Michel Slobodian.)

Joe, de Jean-Pierre Perreault. (Photo : Robert Etcheverry.)

danse des Amérindiens d'autrefois faisait aussi appel à tout un bagage culturel. Musique et danse existaient sur ce continent bien avant l'arrivée des Blancs, il est grand temps que la mémoire collective s'en souvienne.

Notes

1. De nos jours, pour certains Québécois des jeunes générations ou de milieux défavorisés, le mot « danseuse » évoquerait la strip-teaseuse plutôt que l'artiste qui a sacrifié sa vie à Terpsichore.
2. Danseuse et chorégraphe originaire de Lettonie, décédée en 1996.
3. Il y avait 140 candidats pour le rôle titre. Et même le sérieux journal de Toronto *The Globe and Mail* admettait : « *Tommy* représente une étape passionnante du ballet moderne. C'est une forme artistique qui est révolutionnaire et authentique. » L'idée originale était de Jean Basile, cofondateur de *Mainmise*.
4. Il est intéressant de constater qu'en danse, l'expression du goût pour le spectacle passe en général par la fréquentation d'une école privée, habituellement à but lucratif : au cours de l'été 1983, on en dénombrait 389, dont 148 offraient une formation en danse classique, moderne ou jazz.
5. Où Robert Desrosiers, originaire de Montréal, est devenu « le gourou de la nouvelle danse » avec une troupe qui parle français pendant les répétitions.

Bibliographie

ÉPOQUE, Martine, *Le Groupe Nouvelle Aire en mémoires : 1968-1982 — Les Coulisses de la nouvelle danse au Québec*, Québec, PUQ, 1999, 332 p.

SÉGUIN, Robert-Lionel, *La Danse traditionnelle au Québec*, Sillery, PUQ, 1986, 176 p.

SULLIVAN, Françoise, « La danse et l'espoir », réimpression Reflex, vol. 2, n° 2, 1982.

TEMBECK, Iro, *Danser à Montréal : germination d'une histoire chorégraphique*, Québec, PUQ, 1991, 335 p.

Traces contemporaines, Montréal, Les Heures bleues, 2009, 128 p. (ouvrage collectif, textes et photos, pour souligner les 25 ans de Danse-Cité).

VOYER, Simone, *La Danse traditionnelle dans l'Est du Canada, quadrilles et cotillons*, Québec, PUL, 1986, 509 p.

Et de très nombreux articles dans les quotidiens de Québec et de Montréal.

Périodiques

Danse au Canada, Downsview, trimestriel, depuis 1975 (bilingue).

Audiovisuel

Séries (films et vidéos)

Dans la collection « La culture dans tous ses états », deux des documentaires vidéo de la série « Arts » concernent la danse, Synercom téléproductions et INRS-Culture et Société, 1998, 60 min : *Dansez maintenant*, sur la danse contemporaine, Claude Desrosiers ; *La Qualité du plaisir*, sur les musiques et les danses traditionnelles, Jacques Marcotte.

Plusieurs films muets ou sonores produits par le Groupe de la Place Royale.

Plusieurs films et vidéos réalisés et produits par Françoise Sullivan vers 1947, 1973, 1974, 1975, 1977.

Films

Les Ballets Jazz, Pierre Morin, Radio-Canada, couleur, 1978, 28 min.

La Danse, François Floquet, Radio-Canada, couleur, 1973, 28 min (groupes de la Place Royale et de la Nouvelle Aire).

Intermède, Jean-Claude Labrecque, ONF, couleur, 1966, 10 min (troupe de danse folklorique Les Feux-Follets).

La Nuit du déluge, Bernar Hébert, couleur, 1996, 90 min (Ginette Laurin et les danseurs d'O Vertigo).

Margaret Mercier, ballerine, George Kaczender, ONF, noir et blanc, 1963, 28 min.

Pas de deux, Norman Mc Laren, ONF, noir et blanc, 1967, 14 min (animation).

Tam di Delam, Radio-Canada, 1978, 31 min (les Grands Ballets canadiens sur la musique de Vigneault et avec lui).

Vidéos

Corps à corps — Au Québec, la danse a 50 ans, Radio-Canada/Télé-Québec/TV5, ECP/Panacom, 1999, 65 min.

La La La Human Sex Duo nº 1, Bernar Hébert, P. Agent orange et Michel Ouellette, 1986, 75 min (sur une chorégraphie d'Édouard Lock).

Le Monde de la danse, Jacques Laliberté, Daniel Vincellette, Danse Canada, noir et blanc, 1975, 60 min.

Les Sortilèges, Carol Nadon, noir et blanc, 1977, 75 min.

Un pas dans l'inconnu, Yves Racicot, UQAM, VHS, couleur, 1988, 36 min (chorégraphies de Jeanne Renaud et de Françoise Sullivan et réflexions de quelques-uns du groupe des automatistes).

Discographie

Musique et danse. Il existe des enregistrements sonores et des disques :

- des groupes folkloriques dont V'là le Bon Vent, Loup-Garou, le Reel du Diable, les Sortilèges, etc. ;
- des violoneux : Monsieur Pointu, Hercule Tremblay, Jean Carignan, etc. ;
- du « calleur » Noël Lemaire (1970).

17
Le cinéma

Page précédente : Claude Jutra en 1984. (ACPQ.)

« C'est pas arrangé avec le gars des vues ! »

Dans les années 1960, la recherche de l'identité québécoise consiste en une forme d'interrogation du passé, une forme d'appropriation d'un donné culturel riche, rassurant en quelque sorte. Parallèlement, dès les années 1940, la culture québécoise donnait déjà les signes d'un dynamisme du présent. Le cinéma, forme d'expression nouvelle du XXe siècle, ne pouvait laisser indifférent un Québec né à lui-même alors que l'audiovisuel envahissait le monde.

Le cinéma et la vidéo sont des arts jeunes qui font appel à des techniques modernes, mais coûtent cher à produire, surtout le premier. Le cinéma est aussi un art du spectacle devant lequel l'Église a souvent éprouvé de la réticence ; si le roman lui apparaît au XIXe siècle comme une forme de littérature dont il convient de se méfier parce qu'elle montre l'homme avec ses faiblesses et ses passions, combien plus évidente, voire plus alléchante, en sera la représentation au cinéma ! Ce sont là deux bonnes raisons expliquant que le septième art ait mis du temps à émerger au Québec. L'industrie cinématographique québécoise sort de son adolescence vers les années 1970. Elle atteindra sa maturité au cours des années 1980 (en 1981, les deux tiers des prix Génie[1] revenaient au Québec et un tiers seulement au reste du Canada).

En revanche, le cinéma québécois a du mal à se faire la place qui lui revient dans la francophonie. Les films réalisés par la France y occupent une place prépondérante, le cinéma suisse et le cinéma belge produisent également de très bons films prisés des consommateurs européens. À ceux-ci, le film québécois paraît lointain : il parle d'un contenu culturel trop particulier, dans lequel le spectateur français moyen ne se retrouve pas. La langue en rebute plusieurs : on avait envisagé en 1986 de doubler *Le Matou* en français « international[2] ». Cependant, il existe depuis quatre décennies un intérêt en dehors du Québec pour le film québécois. Le cinéma d'animation, pour sa part, a déjà remporté cinq Oscar. Il y eut un premier festival à New York en 1972, suivi d'une multitude d'autres manifestations du même genre un peu partout dans le monde. *J. A. Martin, photographe* avait été primé à Cannes en 1977. La même année, on pouvait voir à Paris simultanément trois films de Gilles Carle. Cependant le grand public de l'Hexagone — contrairement aux initiés — continue à bouder le cinéma québécois. Quant au succès international du *Déclin de l'empire américain* (1986) — une exception ! —, on peut l'attribuer, entre autres, au fait que le déclin « américain » dont il s'agit est, tout bien considéré, celui de l'Occident. Dans les années 1990, Montréal profite du nouveau créneau qu'ouvrent les techniques informatiques et exporte un savoir-faire québécois sous forme de logiciels dont l'industrie cinématographique multiplie les usages. De plus en plus nombreux à la fin du siècle, les réalisateurs hollywoodiens choisissent Montréal où les conditions de tournage sont plus abordables qu'ailleurs.

Les grandes étapes

La préhistoire

En 1896, à Montréal, boulevard Saint-Laurent, on pouvait voir sept minutes de films choisis dans la collection des frères Lumière. Le public fasciné se pressa en foule pour voir arriver un train en gare de Lyon-Perrache : « Rien de plus vivant ! » s'extasie un critique. Un an après paraît cet entrefilet :

> Nous apprenons avec plaisir l'arrivée au Canada d'un spectacle unique et essentiellement instructif. Il s'agirait de la reproduction, à l'aide de photographies animées, des faits historiques les plus connus. Le créateur de ce spectacle est, paraît-il, un Français appartenant à une des familles les plus connues dans le monde des arts, doublé d'un savant. Le but de ces reproductions serait d'aider l'enseignement de l'histoire universelle dans les écoles. Des séances de démonstration seront données prochainement dans une des salles privées de l'Eden Musée, auxquelles seront invités gratuitement MM. les membres du clergé et de l'enseignement.
>
> *La Presse,* 20 octobre 1897.

Henry de Grandsaignes d'Hauterives et sa mère allaient pendant 15 ans sillonner villes et campagnes, avec leur *Historiographe,* pour montrer des séries de très courts films qui sont, sur pellicule, des tableaux vivants dans la tradition des premiers essais dramatiques du Moyen Âge.

En 1907, Ernest Ouimet inaugure un premier Ouimetoscope, une salle de 1 200 places. On pourra y voir un film de J.-Arthur Homier, *Marie-Madeleine de Verchères et les siens* (1922), ou *Évangéline,* tourné à Halifax et qui remporte un succès commercial. La plupart des films présentés sont souvent faits ailleurs ; la langue n'a alors aucune importance puisqu'à l'époque le film est muet, la projection étant accompagnée par un pianiste et un commentateur. Dans les années 1920, Ouimet va produire lui-même des films… à Hollywood avec des comédiens parisiens.

Les documentaires. Peu avant la Seconde Guerre mondiale, deux prêtres ont vu le parti à tirer de ce nouvel art. L'abbé Albert Tessier réalise une soixantaine de courts métrages, à portée sociale pour la plupart (*Hommage à notre paysannerie,* 1938). L'abbé Maurice Proulx, professeur d'agronomie à Sainte-Anne-de-la-Pocatière, collabore avec l'Université Cornell (NY) et utilise l'audiovisuel pour son enseignement (*Les Ennemis de la pomme de terre,* 1949). Parallèlement, et comme Albert Tessier, il ouvre l'œil sur la nature du pays et celle des habitants : ainsi la colonisation de l'Abitibi lui inspire-t-elle, en 1933, *En pays neufs.*

Les mélodrames. Peu après la Seconde Guerre mondiale, sortent des longs métrages adaptés de romans, de drames littéraires qui ne dépaysent pas les spectateurs habitués à des héros que la radio ou le théâtre ont rendu familiers : *Un homme et son péché* en 1949, *Tit-Coq* en 1953. Le traitement mélodramatique (*Cœur de maman*) atteindra un paroxysme dans *La Petite Aurore l'enfant martyre* (1951); Jean-Yves Bigras y racontait l'histoire d'une fillette, morte à la suite de mauvais traitements infligés pas son père et surtout par sa marâtre[3]. Le film de Bigras émeut encore et fait recette chaque fois qu'il ressort « des boules à mites ». L'industrie privée savait aussi comment flatter le public : le succès commercial des longs métrages de l'époque ne reposait pas seulement sur l'exploitation de la sensiblerie. Les productions du temps plaisaient parce qu'elles parlaient de gens d'ici, parce qu'elles montraient la ville et surtout la campagne et la nature du Québec. La fierté nationale passe alors par la contemplation de son propre reflet sur grand écran.

L'Office national du film

En 1939, le gouvernement fédéral fonde l'Office national du film (ONF) pour promouvoir l'industrie cinématographique et renforcer l'unité nationale. Après des débuts prometteurs, une morosité s'installe à l'issue de la guerre, que n'expliquent ni les pressions du politique ni l'ennui que distille alors la capitale fédérale. Montréal s'affiche au même moment comme une métropole vivante; en 1956, on prend la décision de déménager l'ONF d'Ottawa à Montréal. Ce déménagement stimule la créativité des cinéastes québécois rattachés à l'Office. La télévision facilite la diffusion des films. Le cinéma devient une nouvelle valeur culturelle en Occident, comme en témoignent les salles d'essai et autres ciné-clubs qui poussent un peu partout en Europe et en Amérique. L'ONF acquiert un savoir-faire exceptionnel dans le film d'animation. L'équipe française de l'ONF est fascinée par le cinéma direct qui donne tant de liberté aux réalisateurs. Gilles Groulx (1934-1994) produit *Les Raquetteurs* en 1958; Michel Brault, qui s'imposera par la suite comme un chef opérateur de caméra génial, fait avec Claude Jutra, en 1961, un petit chef-d'œuvre, *La Lutte,* tandis qu'Arthur Lamothe tourne *Les Bûcherons de la Manouane* en 1962. La direction de l'ONF n'avait pas encore autorisé, à ce moment-là, la production et la réalisation de longs métrages en français.

À partir de 1960, l'audiovisuel s'installe dans la vie courante et le cinéma québécois tente d'affirmer sa place dans le domaine des activités culturelles. Il doit faire face à une forte concurrence : la France a d'excellents produits et une clientèle traditionnelle au Québec. Les États-Unis ont une très vaste production populaire et le contrôle quasi absolu de la distribution dans tout le continent nord-américain. L'effet d'entraînement (production-succès-production) favorise donc, même au

Québec, des produits à dominante culturelle étrangère. Le Québec aura du mal à leur opposer une industrie cinématographique nationale. Mais on a vu combien un certain nationalisme pouvait être « payant » pendant le temps de Duplessis : le cinéma, lui aussi, témoigne du comportement de la société québécoise.

Les années 1960

Le cinéma direct avait déjà produit des bijoux de courts métrages. Pendant les années 1960, se définit peu à peu une identité québécoise. Pierre Perrault allait se servir de ce qu'il appelle le « cinéma de la parole » dans ses films sur l'île aux Coudres : *Pour la suite du monde* (1963) et *Le Règne du jour* (1966). Perrault était un poète qui savait écouter ; il révèle dans ses œuvres un prototype de Québécois dont le citadin se souvient et qui l'éclaire sur ce qu'il ressent profondément. Le cinéma vécu permet au cinéaste de se cacher derrière des personnages qui tiennent à l'écran le rôle qu'ils ont dans la vie. Les héros sont des Québécois en chair et en os : ils ont nom Alexis et Marie Tremblay.

Claude Jutra oriente sa première production dans le même sens. *À tout prendre* date de 1963 : c'est une œuvre autobiographique pour chacun des personnages du film. Jutra y joue son propre rôle dans un film de fiction où les personnages improvisent, dans une dynamique de l'équilibre assez particulière. Il y a loin de l'île aux Coudres à Montréal, mais ce dernier film interroge chaque spectateur sur son attitude face à la jeunesse citadine aux prises avec deux révolutions tranquilles, celle du Québec mais aussi la sienne.

Gilles Groulx avait fait ses débuts à l'ONF. Dans ses premiers documentaires, il se heurta parfois aux autorités de l'Office qui n'hésitèrent pas à couper des séquences entières idéologiquement trop loin de leurs pensées (*Normétal*). *Le Chat dans le sac,* son premier long métrage, est une fiction à laquelle la présence du document (radio, journaux) donne une crédibilité certaine. *Où êtes-vous donc?* se voulait une radiographie d'une certaine chanson populaire en 1967.

Le cinéma direct. La décennie 1960 est ainsi marquée par le « cinéma-vérité », par le goût du documentaire et du commentaire, du dialogue et du monologue. Les cinéastes continueront pendant la décennie suivante à utiliser cette technique qui a son charme mais aussi ses limites. Montrer les choses et les êtres tels qu'ils sont permet une très forte identification du spectateur aux personnages. Le film est bien le reflet du pays et de ceux qui le font : quand Hauris Lalancette, agriculteur de Roquemaure en Abitibi, se promène à Versailles dans la galerie des Glaces (*C'était un Québécois en Bretagne, madame*) et dit dans un aparté qui n'échappe pas au réalisateur « puis, après tout, c'est juste des miroirs », les rires fusent inévitablement dans la salle. Revivre par personnes interposées les grandes incertitudes estudiantines de la Révolution tranquille a aussi un petit côté indéniablement plaisant.

Si le réalisateur et l'opérateur de caméra sont de véritables artistes, cela donne de bons résultats, surtout dans les courts métrages. Le film de courte ou de moyenne durée force en effet le réalisateur à resserrer son propos et, en réduisant la longueur de l'exposé, limite du même coup les redites. En revanche, en laissant les personnages s'exprimer en toute liberté, en intervenant le moins possible, le cinéaste risque de laisser libre cours au verbiage, donc aux scènes statiques, allant à l'encontre de ce qui devait être, par définition, un art du mouvement.

Les défauts du cinéma-vérité sont surtout apparents dans le long métrage. Le cinéaste, sous prétexte de reproduire minutieusement le réel avec sa complexité et son obscurité, se dispense de rigueur et les spectateurs négligent de s'interroger sur l'au-delà de ces apparences qui est justement le propre de l'art. On parle d'objectivité mais rien n'est plus subjectif: le cinéaste coupe, triture, ordonne, monte sa pellicule pour faire une œuvre personnelle et parfois un chef-d'œuvre. Mais le spectateur se retrouve bien seul pour parcourir le long chemin de l'interrogation à la réponse, de l'analyse à la synthèse. Comment s'étonner que ce cinéma ait été celui d'une certaine élite intellectuelle rompue aux discussions théoriques et heureuse de retrouver sur l'écran son univers de considérations générales. Le grand public boude ces productions dont certaines n'étaient pourtant pas sans inquiéter les autorités qui censurent, entre autres, *On est au coton* (1970) de Denys Arcand (on en empêchera la diffusion jusqu'en 1975), comme *Cap d'espoir* de Leduc et *24 heures ou plus* (1971) de Groulx.

Cette période est cependant très riche du point de vue documentaire. En se donnant une identité claire et positive, le Québécois s'approprie le passé (*Champlain*), non sans humour (*Avec tambours et trompettes*). Il jette un œil nouveau sur le présent (*Kid sentiment, Mon amie Pierrette*) et sur un pays encore mal connu (*Nominingue, depuis qu'il existe*). La bonne santé de l'économie canadienne pendant les années 1960, et particulièrement celle de l'ONF[4], permet une forte production de ce genre et l'éclosion d'une pléiade de cinéastes de talent. Certains d'entre eux s'engagent déjà résolument dans le cinéma de fiction comme Gilles Carle (*La Vie heureuse de Léopold Z., Le Viol d'une jeune fille douce*), qui jouera un rôle de premier plan dans l'histoire du cinéma québécois (*Red, Les Mâles,* et bien d'autres).

Marie et Alexis Tremblay, dans *Le Règne du jour* (1966), de Pierre Perrault. (ONF. Archives publiques du Canada.)

Les mentalités changent dans la vallée du Saint-Laurent. Après l'époque documentaire — et avant que commence une période plus grandement politisée —, le cinéma connaît une étape marquée par l'émancipation des mœurs. Les héroïnes ne sont plus de lointaines beautés ni des intellectuelles raisonneuses, mais de belles Québécoises bien incarnées qui livrent leurs charmes dans des histoires et des décors familiers. Le succès commercial de *Valérie*, par exemple, fut tel que Denis Héroux, son réalisateur, avoua l'avoir bien exploité par la suite et avoir « fait quatre fois le même film » dans ses productions ultérieures.

Les années 1970

Par la suite, des événements d'Octobre au référendum, les cinéastes vont refléter à leur tour les nouvelles préoccupations de la société québécoise. Au constat des années précédentes succède l'engagement politique et social, d'autant plus que les pratiques culturelles occidentales subissent toutes, à des degrés divers, les contrecoups des contestations étudiantes qui secouent les États-Unis, la France et l'Allemagne.

En 1967 était créée la Société de développement de l'industrie cinématographique canadienne (SDICC)[5], l'organisme fédéral d'intervention dans l'industrie du film. Elle aura son importance par sa participation au financement dans l'industrie privée d'un art onéreux. Le cinéma québécois connaît alors une période de vitalité sans précédent dans son histoire ; de 1970 à 1975, le cinéma québécois produit plus de films que tout le reste du Canada.

Le cinéma à base culturelle et sociale devient politique ou socioéconomique (Michel Houle). Le cinéma direct a toujours ses adeptes : *Le mépris n'aura qu'un temps* (Arthur Lamothe), *On est loin du soleil* (Jacques Leduc). L'élément principal demeure donc toujours l'affirmation d'une identité culturelle québécoise, parfois élargie aux problèmes des autres francophones d'Amérique. Michel Brault fait avec André Gladu la série « Le Son des Français d'Amérique », qu'il faut entendre au sens large ; avec Pierre Perrault, il évoque avec émotion la révolte des étudiants acadiens de Moncton contre « l'establishment » anglo-saxon dans *L'Acadie, l'Acadie.*

Du côté politique, *Bingo* (Jean-Claude Lord), *Les Ordres* (Michel Brault) rappellent la crise d'Octobre ; *Québec, Duplessis et après* prouve le talent d'Arcand qui a travaillé à partir de documents d'archives et présente les partis en lice aux élections de 1970 avec un à-propos désarmant.

Au début des années 1970, l'industrie cinématographique publique et privée bat son plein : tous les ans, il sort des dizaines de longs métrages et des quantités de courts métrages. La libération des mœurs permet toutes les audaces : les spectateurs peuvent déguster, des yeux seulement, Carole Laure ou Danielle Ouimet au naturel. On fonde plusieurs compagnies de production ; on publie des revues consacrées au cinéma. La SDICC décide de consacrer son budget à des films à caractère commercial et laisse à l'ONF le soin de produire les séries à caractère culturel. Le gouvernement du Québec participe directement (le Conseil québécois pour la diffusion du cinéma s'occupe de diffusion et de publication de 1969 à 1976) et les gouvernements facilitent l'investissement privé dans le cinéma en en faisant un abri fiscal. Le Québec avait découvert l'importance du succès commercial avec Héroux :

Philippe Léotard et Geneviève Bujold dans *Kamouraska,* de Claude Jutra. (ACPQ.)

André Melançon dirige Charles (Harry Marciano) dans *Bach et Bottine.* (ACPQ.)

Michel Brault. (ACPQ.)

aussi se lance-t-on dans des films de fiction : *Mon oncle Antoine* (Claude Jutra), *IXE-13* (Jacques Godbout), *Le Temps d'une chasse* (Francis Mankiewicz), *La Vraie Nature de Bernadette* (Gilles Carle), *Kamouraska* (Claude Jutra), *Panique* (Jean-Claude Lord), *J. A. Martin, photographe* (Jean Beaudin). Le film québécois va bien. L'ONF a une production créatrice très inventive (*Le Bonhomme* de Pierre Maheu, 1972), satirique au passage. Certains cinéastes arrivent à produire un long métrage par an, comme Jean Pierre Lefebvre qui assure la direction du studio de fiction de l'ONF, mais qui a aussi sa propre maison de production et de distribution. Son travail est exemplaire : contestataire éternel (*Le Révolutionnaire, On n'engraisse pas les cochons à l'eau claire*), il peut être gentiment féroce lorsqu'il s'agit de dénoncer la grande popularité des films de sexe (*Q-bec my love ou un succès commercial*) ou délicieusement tendre comme dans *Les Dernières Fiançailles.* Du côté des contestataires, on ne peut pas ignorer la carrière de Pierre Falardeau. Il débute au Vidéographe, crée un désopilant *Elvis Gratton* (1981), critique de l'impérialisme culturel américain qui s'impose à une société d'aculturés ; Pierre Falardeau et Julien Poulin décapent et trucident allègrement les mythes qui hantent les garde-robes de l'inconscient. C'est sans doute pour cela que ce film a trouvé au Québec l'audience d'un public qui sait, à l'occasion, rire de lui-même. Les réticences des organismes subventionnaires à financer *Octobre* (1994) ou *15 février 1839* inciteront le cinéaste à réexploiter la veine du comique, dont il grossit volontairement le trait, incarné par Elvis Gratton, qu'il ressuscitera pour *Miracle à Memphis* (1999), dans un essai réussi de trouver des fonds pour ses films. Parallèlement, le réalisateur promène une caméra indiscrète et virulente sur des images saisissantes de l'establishment en goguette ; les cassettes vidéo du *Temps des bouffons* ont été vendues en librairie, ce qui est bon signe de la part d'une société capable de recevoir ainsi ses quatre vérités en pleine figure. Dans *Le Party* (1989), il révèle la musique prenante et les textes coups de poing de Richard Desjardins. Écrivain iconoclaste et pamphlétaire, il persiste et signe, en dépit des censeurs acharnés, des bailleurs de fonds peureux et des tenanciers d'une morale qui baigne dans la rectitude politique.

En 1977, la création de l'Institut québécois du cinéma (IQC), 10 ans après la SDICC, a un effet dynamisant qui portera des fruits dans les années 1980 et sera cependant tenu en échec par la crise économique du début de la décennie suivante.

Les années postréférendaires

Les années postréférendaires sont difficiles pour le Québec. La morosité s'empare des créateurs[6] et la récession économique des années 1980 n'arrange pas les choses : pour le cinéma, les capitaux se font rares. L'incertitude gagne le milieu économique et, comme toujours, le milieu culturel sera le premier à en faire les frais. La télévision assoit sa puissance, offrant aux téléromans la perspective d'être regardés par trois millions de spectateurs, c'est-à-dire, *grosso modo*, par un Québécois francophone sur deux, chiffre encore augmenté par la vulgarisation du magnétoscope. Après le grand élan politique de 1976 à 1980 et après le recul postréférendaire, la société québécoise semble désabusée, et plutôt que de se tourner vers un avenir incertain, regarde à nouveau vers le passé et se tourne vers des valeurs sûres. On adapte donc des romans anciens : *Maria Chapdelaine* (1913), *Bonheur d'occasion* (1947) et *Les Plouffe* (1948) ou des succès de librairie, *Le Matou* (1981).

De nouveaux cinéastes commencent à se manifester. Francis Mankiewicz rafle en 1981 la moitié des Génie à Toronto pour *Les Bons Débarras* (1980) et Micheline Lanctôt obtient une mention pour son *Homme à tout faire*, mais ces succès cachent la détresse du milieu. En 1981, le budget d'un film québécois en français ne dépasse pas les 500 000 dollars, celui d'un film tourné en anglais peut grimper jusqu'à huit fois ce total. Les jeunes (Claude Gagnon, Yves Simoneau) ont du mal à s'en sortir. Les anciens, dont Anne-Claire Poirier et Fernand Dansereau, se tournent vers le 16 mm ou la télévision. À côté du surréalisme d'André Forcier (*Au clair de la lune*), *Le Journal inachevé* (1982) de Marilù Mallet, d'origine chilienne, ramène à la dure réalité de l'exil. Le cinéma québécois accueille des cinéastes d'origine étrangère (Léa Pool, *La Femme de l'hôtel* en 1984, *Anne Trister* en 1986), et des femmes de plus en plus nombreuses. S'ouvre également dans le long métrage une nouvelle voie avec le film par et pour les enfants : le producteur Rock Demers présente au public, avec des réalisateurs comme Jean-Claude Lord et André Melançon, de délicieux « Contes pour tous ».

En 1986, le film policier tente Yves Simoneau (*Pouvoir intime*) et Gilles Carle (*La Guêpe*). Dans un autre ordre d'idées, Jean-Claude Lauzon réalise en 1987 *Un zoo la nuit* qui remporte un beau succès au Canada (13 Génie sur 17 en 1987) et permet à son auteur de piquer une vive colère au moment où on lui remet, en guise de reconnaissance, un montant d'argent non négligeable mais assorti de contraintes gouvernementales précises. La frustration de Lauzon met en lumière la détresse de tout le milieu de la production, qui doit se contenter des « miettes gouvernementales ». L'agacement est d'autant plus grand que la paperasserie administrative gagne le Québec et que la gestion des programmes d'aide à la production mange un pourcentage important du mince porte-feuille culturel.

Le court ou moyen métrage rallie toujours nombre de producteurs et de réalisateurs. Du côté des documentaires, André Gladu a signé un *Marc-Aurèle Fortin*, Jean-Daniel Lafond a saisi les rapports entre peuples et personnes : *Aimé Césaire, chemin faisant* remonte le fil ténu qui existait entre un des premiers chantres de la négritude et nos premiers poètes ; Arthur Lamothe renouvelle son approche des Amérindiens avec *Mémoire battante*. Le cinéma d'animation se diversifie avec la découverte de nouvelles techniques.

De ces années-là, on retiendra *Le Déclin de l'empire américain*. Denys Arcand réussit en 1986 un succès commercial jamais encore atteint au Québec. *Le Déclin* a été en nomination aux Oscar, projeté pendant de longues semaines dans les cinémas du Québec et dans quelques salles de la francophonie européenne. Il fut également produit en version anglaise. C'est un film lent, sans beaucoup d'action, où les personnages, des universitaires pour la plupart, se retrouvent ponctuellement pour discuter entre eux[7]. Son *Jésus de Montréal* fut aussi très bien acueilli.

La dernière décennie du siècle a vu l'ONF déménager une partie de son effectif de langue anglaise à Toronto, des cinéastes se tourner vers l'anglais (Denys Arcand) ou prendre les grands moyens et s'installer carrément en Californie puisque « c'est là que ça tourne » (Christian Duguay souscrit à la science-fiction avec *Screamers*).

Le côté bon vivant des Québécois incite les créateurs à « les flatter dans le sens du poil » ; cela donnera des succès de salle au goût du jour : *Les Boys, Cruising Bar, Louis 19, J'en suis.*

François Girard a imaginé l'aventure d'un *Violon rouge* qui traverse les siècles et les océans et dont il a respecté les langues de ses divers propriétaires. *Un 32 août sur terre* de Denis Villeneuve a été bien accueilli à Cannes.

La technique de la vidéo connaît un développement fulgurant (environ 200 vidéos présentés en 1996) et permet à de nombreux cinéastes de travailler sur un autre support que la pellicule.

Tendances et orientations

De la production des 40 dernières années semblent se dégager quelques lignes de force qui sous-tendent la majorité des films.

Le cinéma des années 1960 est réaliste ; il le restera longtemps. Le budget est modeste, on tourne dans un bar, un appartement, au parc Lafontaine ou à bord d'une déneigeuse en pleine tempête, avec des acteurs qui se racontent. Aussi *Le Chat dans le sac* de Gilles Groulx ou *Un pays sans bon sens* de Pierre Perrault sont-ils le résultat des fines observations de ces sociologues qui parlent par images. La société québécoise se retrouve dans mainte production : *Cordélia* scénarise un procès à sensation de la fin du XIXe siècle ; la fermeture de Schefferville fait l'objet du *Dernier Glacier* (Roger Frappier, 1984) ; *On n'est pas des anges* touche adroitement au problème des

Lothaire Bluteau, dans *Jésus de Montréal,* de Denys Arcand. (Max Films.)

handicapés; *La Turlute des années dures* (Richard Boutet et Pascal Gélinas, 1983) rappelle la crise économique des années 1930; Sylvie Groulx filme une certaine jeunesse dans *Chronique d'un temps flou* (1988). Denis Chouinard et le Suisse Nicolas Wadimoff font état du problème que constitue l'immigration illégale avec *Clandestins* (1997).

Les réalisateurs pincent les cordes nationales. *Les Arpents de neige* de Héroux nous ramènent au temps des Patriotes. Les questions politiques préoccupent tout un chacun, particulièrement après 1970 (*Le Confort et l'indifférence* d'Arcand nous en apprend long sur les habitudes électorales sans jamais nous ennuyer). On n'hésite pas à titiller le penchant culturel d'un public averti : Jean-Claude Labrecque a immortalisé sur pellicule la longue *Nuit de la poésie* du 27 mars 1970; on en a tiré des extraits, dont l'émouvante lecture que fait Michèle Lalonde de son poème « Speak white ». *Le Sort de l'Amérique* (1996) de Jacques Godbout exploite l'ambiguïté du discours sur l'histoire.

L'érotisme, les sports, la violence et l'énigme policière, la comédie sont les valeurs habituelles du cinéma commercial. Denis Héroux avec ses films érotiques, Jean-Claude Lord s'intéressant au monde du hockey (*Lance et compte*) ou Yves

Simoneau s'essayant au film policier (*Pouvoir intime*) vont au-devant des goûts d'un public qui adore les films croustillants et qui joue à se faire peur. Gilles Carle avec *Red* ou *Les Mâles,* Jean-Claude Lauzon avec *Un zoo la nuit* mettent l'accent sur la violence, parfois mêlée de tendresse (*Léolo*). La veine comique remplit les salles : *J'en suis* (Claude Fournier, 1997), *C't'à ton tour, Laura Cadieux* (Denise Filiatrault). Dans le genre comédie musicale, le cas isolé d'*Ixe 13* (Jacques Godbout/ François Dompierre), « l'as des espions québécois » dont Pierre Saurel avait publié des épisodes en fascicules, est une réussite.

Bon nombre d'œuvres littéraires connues ont été portées à l'écran : *Kamouraska* (Claude Jutra) et *Les Fous de Bassan* (Yves Simoneau) d'Anne Hébert, *Maria Chapdelaine,* dont il existe plusieurs versions, *Les Plouffe* de Roger Lemelin (Gilles Carle) et *Bonheur d'occasion* de Gabrielle Roy (Claude Fournier) sur fond de Seconde Guerre mondiale.

Les souvenirs d'enfance ou les mythes d'adultes, sous-tendant une réflexion sur la vie et la mort, ont permis les succès de *Mon oncle Antoine* (Claude Jutra), de *J. A. Martin, photographe* (Jean Beaudin) ou du *Déclin de l'empire américain* (Denys Arcand).

Le film pour jeunes remplit aussi les salles : le réalisateur André Melançon a créé toute une série de bons films avec des enfants, depuis *Les Vrais Perdants* et *La Guerre des tuques* jusqu'à l'excellent *Bach et Bottine.*

Nombreuses, les réalisatrices s'intéressent particulièrement aux femmes. Anne-Claire Poirier aborde la gestation (*De mère en fille*), le viol (*Mourir à tue-tête*) et les problèmes de drogue (*Tu as crié : let me go !*). Iolande Cadrin-Rossignol ressuscite la figure combative de Laure Gaudreault, institutrice courageuse des temps difficiles ; Danièle Belair celle de *Léa Roback,* immigrante et syndicaliste. Diane Létourneau sait parler des religieuses, Paule Baillargeon de la vieillesse au féminin (*Sonia,* 1985) ; avec Frédérique Collin, elle réalise une œuvre insolite sur les rapports entre hommes et femmes (*La Cuisine rouge,* 1980). Journaliste, scénariste, réalisatrice (*Qui a tiré sur nos histoires d'amour ?,* 1986), Louise Carré est une des cinéastes québécoises les plus liées au milieu culturel. Ses responsabilités administratives ne l'ont jamais éloignée de la création. À l'instar de ses collègues masculins, elle s'est mise également à la production. Les thèmes rattachés à l'image de la femme ne sont pas les seuls à intéresser ces femmes cinéastes : ce qui les caractérise, c'est, comme dans toute activité créatrice, une certaine façon de sentir et d'exprimer l'être humain universel, tout autre que celle des imaginaires masculins. Léa Pool pratique une écriture cinématographique très intensément féminine, même dans un *road movie* comme *Emporte-moi,* 1998.

Le court métrage

Dans le tour d'horizon qui précède, on a évoqué le rôle du court métrage. Sa place au Québec mérite qu'on y revienne plus spécifiquement. Le rôle des organismes gouvernementaux (Office du film du

Québec, Office national du film) pèse lourd en raison des coûts de production. Aucun investisseur privé ne va risquer des capitaux dans des films de courte durée qui présentent des risques commerciaux évidents. Toutefois, les besoins de la télévision sont énormes et, de ce côté-là, il est rentable de préparer des séries de films d'une demi-heure. Cette veine est sans doute loin d'être tarie pour les cinéastes et vidéastes québécois.

Léa Pool. (Photo : Thomas Königsthal.)

Le documentaire

Le documentaire est en général d'ordre culturel. Pendant une vingtaine d'années (autour des années 1970), on produit quantité de courts métrages dont l'objectif est la connaissance et la conservation du milieu spécifiquement québécois. L'éventail est extrêmement large. Rien de ce qui est québécois ne pouvait être étranger à l'équipe francophone de l'ONF : *La Belle Ouvrage* est une série de Plamondon et Gosselin, axée sur les métiers traditionnels, les activités domestiques et les arts populaires. *Les Arts sacrés au Québec* sortent de l'ombre tout un pan du patrimoine artistique dont l'orientation religieuse a imprégné des générations jusqu'à ces dernières années. *Les Enfants des normes, Les Chansons contemporaines* ou *Les Écrivains québécois* parlent évidemment des mille et un aspects de la société d'aujourd'hui.

Les préoccupations sociopolitiques paraissent dans *L'Armée de l'ombre* de Manon Barbeau, *Le Chic resto-pop* ou *Urgence, deuxième souffle* de Tahani Rached. *L'Erreur boréale* (1999), du poète-compositeur Richard Desjardins et de Robert Monderie, tire l'alarme des forêts surexploitées ; *Main basse sur les gènes* (1999), de Karl Parent et de Louise Vandelac, fait le point sur la manipulation génétique, à l'ordre du jour en ce tournant du siècle.

Un créneau apparaît particulièrement en vogue : le documentaire sur l'art a attiré Diane Poitras dans une réflexion poussée sur l'art moderne (*L'Alchimiste et l'enlumineur,* 1997) et Philippe Baylaucq, qui fait sortir des rues de Paris un peintre mal connu, Maurice Baril (*Mystère B.,* 1997).

Ni l'ONF, ni l'OFQ, dont les moyens sont cependant plus limités, ne se limitent au seul territoire laurentien. Au contraire, les cinéastes mettent eux aussi leur talent à des réalisations beaucoup plus générales. *Urba 2000* les emmène sur trois continents. *La Bible en papier* présente de manière attrayante et intelligente le livre fondamental d'où sont sorties tant de religions et de cultures.

La dimension pédagogique est très présente ; les responsables savent que le Québec est passé presque directement de la tradition orale à l'audiovisuel. Radio-Canada a produit des initiations à la musique, au sport (*Le Hockey* avec André Huneault) et l'on ne compte plus les films concernant la langue. Du point de vue social, on retiendra les séries d'Arthur Lamothe sur les Montagnais, qui illustrent ce que représente pour eux le péril blanc, dans son grand cycle amérindien[8]. Depuis déjà trois décennies, les femmes sont très présentes et n'hésitent pas à parler de choses qui les amusent ou les tracassent (*Nuageux avec éclaircies*) ; la tradition féministe est forte au Québec et peut tirer avantage d'avoir accès, par sa double appartenance au continent américain et à la civilisation française, à des conceptions féministes différentes. La Montagnaise Joséphine Bacon y ajoute sa focalisation bien particulière. Qui dit documentaire ne relègue pas à l'arrière-plan toutes préoccupations artistiques. *Ô Picasso* de Carle, les films sur Jean Paul Lemieux ont évidemment un point de départ artistique, mais faire la publicité d'un site touristique (*Percé on the rocks*) ou *Jouer sa vie* aux échecs (Carle et encore Carle) relèvent de la création toute personnelle du réalisateur.

Les cinéastes québécois rendent hommage à l'histoire du cinéma mondial dans laquelle ils s'inscrivent : la première réalisatrice, Alice Guy-Blaché (1873-1968), était française : fondatrice d'un studio aux États-Unis, réalisatrice de 700 films, elle a passionné Marquise Lepage (*Le Jardin oublié,* 1995). Le documentaire survit en force, sur support vidéo, plus que sur pellicule : en 1997, Michel Régnier a appris que son 86e film avec l'ONF ne sera disponible qu'en cassette. Le documentariste Jean-Daniel Lafond souligne l'excellence du genre au Québec et en rappelle du même coup la fragilité : la réflexion se vend moins bien que l'émotion.

L'imaginaire garde ses droits même dans les films de courte durée. Le réel s'accommode de transpositions où surréalisme et fiction font bon ménage. Bernard Longpré fait de belles images à partir de l'idée qu'une nuit les chevaux d'un *Carrousel* s'enfuient pour s'enivrer de liberté.

L'animation

Malgré la prédominance des documentaires, c'est le film d'animation qui a fait connaître le Québec. À l'ONF, à Radio-Canada existent des studios d'animation renommés qui ont accueilli des cinéastes du monde entier[9] dont le plus célèbre est Norman McLaren.

Norman McLaren. Dans les premiers temps de l'ONF, à Ottawa, John Grierson invita l'Écossais Norman McLaren à monter un studio d'animation avec des cinéastes canadiens et québécois, dont Jean-Paul Ladouceur et René Jodoin. Ce fut le début d'une réussite hors du commun. McLaren sut respecter la personnalité de chacun de ses collaborateurs et leur insuffler un esprit d'équipe remarquable. Quand l'ONF déménagea à Montréal, de nouveaux animateurs se joignirent au Studio et lui apportèrent d'autres idées créatrices et fantaisistes qui diversifièrent les réalisations de l'Office. Jusqu'à sa mort, McLaren imprimera à cet organisme un mouvement qui le propulsera au premier plan de l'animation mondiale. Avant 1945, il aurait été impensable de contester la suprématie hollywoodienne. Après la Seconde Guerre mondiale, l'Europe de l'Est favorisera ce genre de production et formera bon nombre de cinéastes d'animation, mais Montréal a su devenir et demeurer un foyer d'expérimentation et de production remarquable dans ce domaine. La reconnaissance mondiale du cinéma d'animation québécois se traduira par l'attribution d'un bon nombre d'Oscar à Hollywood.

Norman McLaren, pendant le tournage de *Voisins*. (ONF.)

Les techniques

À l'inverse du cinéma habituel où l'on capte le mouvement, l'animation privilégie la photographie de l'immobile et c'est la succession des photos (24 images par seconde) qui crée le mouvement. Ce peut être le jeu des éclairages, la surimpression ou la vitesse à laquelle on filme ou projette des images. C'est donc une technique sophistiquée. Il n'est pas toujours besoin de caméra ; on peut en effet gratter, dessiner ou peindre la pellicule pour en tirer un résultat visuel et sonore. L'animation demande une imagination particulière puisqu'elle touche à la fois la technique utilisée et le scénario ; elle demande un travail gigantesque : neuf mois de travail pour quelques minutes de film, ce qui explique la très courte durée de ces productions. L'intensité du message — qui peut n'être que purement esthétique — gagne alors en profondeur et comme, de l'image à la pensée du spectateur, la communication est directe, tous les atouts sont dans les mains du réalisateur, ce qui explique l'attirance de cette technique incroyablement exigeante et merveilleusement variée.

McLaren a couramment utilisé le grattage et le dessin directement sur la pellicule (*Blinkity Blank*), les découpages animés (papier, cartons ou tout autre matériau) ; il inventa aussi la pixillation, qui permet d'animer les objets et les personnages image par image et d'en accélérer les mouvements (*Voisins,* 1952). C'est une technique d'animation qui permet de faire jouer des êtres humains en chair et en os (1 440 images par minute, donc 14 440 poses individuelles pour les 10 minutes que dure le film). On peut aussi faire de l'animation en trois dimensions : on prend les vues image par image et, entre chaque prise, l'animateur agit sur le décor et les protagonistes qui peuvent être des marionnettes (*Le Château de sable*, Co Hoedeman).

Au banc d'animation, on peut aussi remplacer les découpages par diverses particules de matière variée — sable qu'on balaye sur une surface de verre, perles de couleurs, boutons de culotte, pourquoi pas ? On peut faire des images de gouache et de glycérine (*Territoires* de Vincent Gauthier). Le dessin animé que l'on fait en superposant des transparents est plus connu ; on peut aussi le réaliser par ordinateur en lui donnant l'image 1 et 24 et en lui demandant de dessiner les 22 étapes intermédiaires. L'informatique permet maintenant toutes sortes de possibilités. Pierre Lachapelle eut l'idée de créer le premier personnage digitalisé véhiculant des émotions, et propulsa ainsi le Québec dans le monde de l'animation électronique (*Tony De Peltrie*, 1985). C'est pourquoi les États-Unis ont mis la main sur Philippe Bergeron, spécialiste de ce type de personnage créé par ordinateur.

Daniel Langlois, jeune PDG de Softimage, a fait fortune dans la recherche et l'application de langages d'ordinateur au film, On lui doit entre autres réalisations l'animation de *Jurassic Park*. Devenu mécène, il a construit à Montréal[10] une cité du cinéma sophistiquée, à la pointe de la technologie, récemment réorientée vers d'autres arts.

Alexandre Alexeïeff et Claire Parker réalisent un premier film sur l'écran d'épingles : un dispositif de la taille d'un écran de télévision dont les 240 000 épingles serrées les unes aux autres sont mobiles verticalement. Grâce à un éclairage latéral rasant, les zones d'ombre et de lumière créées par les différences de niveau des têtes d'épingle que prépare l'animateur composent une image très souple. L'admirable *Paysagiste* de Jacques Drouin convie le spectateur à un voyage intérieur de sept minutes.

Les praticiens de l'animation

Outre McLaren, dont on a vu l'éclectisme, André Leduc et Raymond Brousseau ont aussi fait de l'animation sans caméra. André Leduc et Bernard Longpré ont pratiqué aussi la pixillation. Jean Bédard, René Jodoin, passionné d'abstraction géométrique, utilisent les découpages, Laurent Coderre des particules, Co Hoedeman des marionnettes de sa fabrication à squelette de plomb. Pierre Hébert est tenté par le mélange des genres et des techniques (*La Plante humaine* pousse grâce à diverses animations, à des prises de vue avec acteurs et à des lambeaux d'archives). On le dit émule de McLaren sans doute parce que, comme lui, il est curieux de tout et fou du désir d'expérimenter (*La Symphonie interminable*) jusqu'aux performances multidisciplinaires.

Quand la section française d'animation se crée autour de Jodoin en 1966, arrivent à l'Office des femmes de talent, Suzanne Gervais, Clorinda Warny, Viviane Elnécavé. Une bonne partie de l'équipe, dont Francine Desbiens, propose une astucieuse lecture québécoise de la fable « Le Corbeau et le Renard », dont la chute est irrésistible : le tout dure deux minutes et demie.

Radio-Canada et Télé-Québec disposent aussi de studios d'animation plus souvent utilisés à des buts commerciaux (introduction à des émissions, publicité). Mais l'imaginaire veille et c'est ainsi que Frédéric Back mettra à profit ces ressources pour produire, entre autres, les deux chefs-d'œuvre que sont *Crac!* (1981, la plus jolie et la plus courte histoire culturelle du Québec) et *L'homme qui plantait des arbres* (qui illustre un beau texte de Jean Giono). Ces deux films ont obtenu des Oscar en 1982 et en 1988. Back dessine avec des crayons de pastel sur des feuilles plastiques translucides, ce qui ajoute à ses œuvres un charme poétique de plus.

Ce genre de film est une création presque totale : on n'y peut trouver une représentation du réel tel qu'il est, mais on y trouve de la poésie, toujours de la fantaisie et parfois de l'humour, qui font passer un contenu parfois très dense, voire troublant (*La Faim*, Peter Foldès). La couleur et le son s'amusent au gré de l'inventeur qui a mis la technique au service d'un art minutieux.

Le milieu du cinéma

Les réalisateurs et les producteurs

Il a beaucoup été question des réalisateurs dans les pages précédentes. On peut cependant rappeler qu'ils sont très nombreux et que le milieu en est très diversifié. De ceux qui ont donné une impulsion décisive au cinéma québécois, certains ont déjà disparu : Norman McLaren (1914-1987), Maurice Blackburn (1914-1988), qui avait signé la musique de tant de films, le poète Pierre Perrault (1927-1999), qui fut un incomparable « cinéaste de la parole », Gilles Groulx (1931-1994), Francis Mankiewicz (1944-1993) et Claude Jutra (1930-1986), que la maladie a frappés encore jeunes, Jean-Claude Lauzon (1953-1998) et le prolifique Gilles Carle (1929-2009). Mais la relève est assurée ; à la première grande génération de cinéastes a déjà succédé l'équipe de ceux qui sont nés après la Seconde Guerre mondiale, dont Charles Binamé, très productif dans les années 1990 (*Le Cœur au poing,* 1998), Pierre Hébert, Johanne Prégent, Robert Morin (*Requiem pour un beau sans-cœur,* 1992), ou les plus jeunes, Olivier Asselin, Denis Villeneuve (*Un 32 août sur terre,* 1998), Manon Briand (*2 secondes,* 1998), Louis Bélanger (*Post mortem,* 1999), Maurice Devereaux, fasciné par le film fantastique, etc. Robert Lepage a fait ses premières armes, particulièrement spectaculaires, au théâtre, mais se fait aussi plaisir avec de longs métrages dont *Nô,* satire non déguisée du nationalisme québécois qui a beaucoup plu aux Canadiens .

Le milieu du cinéma montréalais compte aussi un certain nombre d'anglophones de talent (Robin Spry, Colin Low qui met au point la technique Imax) ; plusieurs réalisateurs, bien installés au Québec, sont venus d'ailleurs (Frédéric Back et Léa Pool, Michael Rubbo, Paul Tana et Tahani Rached), souvent portés sur les curieux aspects du chevauchement des cultures.

Les cinéastes, tant les femmes que les hommes, ne sauraient réaliser leurs œuvres sans l'appui d'un producteur, « le seul à faire la jonction entre création et financement ». On retrouve souvent les mêmes noms à la production qu'à la réalisation ou à la scénarisation. Après ses premiers films à succès, Denis Héroux a coproduit *La Guerre du feu* de Jean-Jacques Annaud et *Atlantic City* de Louis Malle. Grâce à Rock Demers, les « Contes pour tous » récoltent des prix et sont distribués tout autour du monde. Roger Frappier a connu une fructueuse carrière, s'est imposé à l'échelle internationale, présentant à Cannes ses pellicules, *Le Déclin de l'empire américain, Léolo,* et ses poulains qui se nomment Denis Villeneuve ou Pierre Gang; il a même organisé une sorte d'incubateur pour jeunes mangeurs de pellicule et emmené leur *Cosmos* à Cannes.

Les acteurs

Les acteurs sont mieux connus parce que ce sont eux qui font le contact avec le public. Ce sont souvent les mêmes que l'on voit sur les planches des nombreux théâtres et dans les téléromans : Marie Tifo, Germain Houde, Gabriel Arcand, Monique Mercure, Rémy Girard, Luce Guilbeault, Pierre Curzi, Andrée Lachapelle; parmi les plus jeunes, Charlotte Laurier (*2 secondes*), Pascale Bussières et la pétulante Pascale Montpetit, Marina Orsini, Macha Grenon, Roy Dupuis, Benoît Brière, Patrice L'Écuyer, Tony Nardi (*La Déroute*), etc. Certaines actrices, dont le talent a été reconnu à l'étranger, ne tournent plus au Québec. On voit Carole Laure, Gabrielle Lazure, Alexandra Stewart et Geneviève Bujold dans des productions françaises ou états-uniennes. Quelques jeunes artistes tentent leur chance depuis peu en Californie, leur déjà longue expérience dans les téléromans et leur bilinguisme leur apparaissant des atouts. Certains acteurs sont passés de l'autre côté de la caméra, comme Denise Filiatrault, Micheline Lanctôt, Paule Baillargeon, Marcel Sabourin et Jean Beaudry.

Les lieux de recherche et les événements

C'est à l'Université Concordia[11], à l'Université de Montréal et à l'Université Laval à Québec qu'ont commencé la réflexion et la recherche universitaires sur les études cinématographiques. Plus spécialisés à Concordia, ces programmes d'études ont éveillé l'intérêt de presque tous les établissements universitaires. Au moment de la création des cégeps (vers 1967), on offrait déjà un cours de cinéma dans chaque établissement; c'est dire que l'on a compris au Québec l'importance de cet outil de communication.

La Cinémathèque québécoise[12] est la mémoire du cinéma québécois. On y publie de précieux outils de référence : *L'Annuaire du cinéma,* quelques anciens *Dossiers de la cinémathèque, Copie Zéro,* devenue *Revue de la cinémathèque.* Il y a là une excellente biblio-audiovidéothèque et des personnes-ressources inépuisables qui connaissent le milieu mouvant du cinéma depuis des années et assurent à Montréal la constitution des archives de demain. On y a adjoint un Musée du cinéma. Avec la

François Girard sur le tournage du *Violon rouge*. (ACPQ. Photo : Bob Marshak.)

Maison de la réalisation et le complexe sophistiqué Ex-Centris, de Daniel Langlois, se matérialise un triangle d'or qu'animent les 200 réalisateurs (film et vidéo) de la métropole.

Tous les ans ont lieu des festivals de films ou de vidéos, dont celui de Rouyn-Noranda, en Abitibi. Des pays, francophones ou non, organisent à l'occasion des Semaines du cinéma québécois, trop courtes et trop peu fréquentes. La diffusion du film québécois souffre du quasi-monopole états-unien des salles de cinéma et du goût prononcé du Québécois moyen pour le non moins moyen produit états-unien (83 % de l'assistance) : les bons films restent peu dans le circuit commercial et deviennent par conséquent difficiles à visionner. Quant à la diffusion à l'étranger, elle est restée confidentielle, à de rares exceptions près. L'hégémonie culturelle des États-Unis favorise une circulation Sud-Nord au détriment du courant Est-Ouest, à l'intérieur même du Canada. Par ailleurs, le film francophone européen a lui aussi la cote du public québécois sans qu'il soit question de réciprocité, tant au cinéma qu'à la télévision (une cassette de télésérie ou de film québécois dans les clubs vidéo français est une rareté, à l'exception d'*Émilie, la passion d'une vie,* tirée des *Filles de Caleb*).

Il semble bien que l'audiovisuel et les techniques de l'information soient les moyens de communication de masse que privilégiera le XXIe siècle. Le téléviseur peut être allumé 15 heures par jour dans des foyers de milieux très différents qui sont aussi branchés sur le réseau Internet. Déjà les vidéos[13] ont créé un marché d'avenir, et des vidéastes (Luc Bourdon, Josette Bélanger, Robert Morin) de plus en plus nombreux se spécialisent maintenant dans cette forme d'expression qui permet une tout autre approche du sujet qu'une caméra de cinéma. À Québec, avec Vidéo Femmes, les « Filles des vues[14] » n'ont pas attendu — déjà un quart de siècle ! — pour se faire une niche dans ce milieu. Lise Bonenfant, cinéaste indépendante issue de Vidéo Femmes, comptait, en 1999, 38 films et vidéos à son actif. La maniabilité de la caméra vidéo, le sens éminemment pratique du Québécois (on projette même des vidéos sur écran de neige) sont autant d'atouts pour les vidéastes qui, en outre, s'adressent à un milieu ouvert aux nouvelles technologies. D'ailleurs les frontières entre la pellicule et le support vidéo sont de moins en moins étanches.

Les qualités du cinéma québécois sont prometteuses : sa jeunesse, l'engagement des réalisateurs, le souci du réalisme visuel, qui entraîne une qualité certaine des images, de grands spécialistes des techniques informatiques et multimédias, une grande sincérité sur le plan du contenu et une qualité d'émotion qui se manifeste également dans les films d'animation. Montréal a un rôle primordial dans ce dernier type de production. Du point de vue commercial, le film d'animation est promis à un proche avenir confortable, tant les chaînes de télévision sont avides de ce genre de productions. Gabriel Thibaudeau se taille toute une réputation dans l'écriture de musique pour accompagner les films muets.

L'étonnant *Trente-deux films brefs sur Glenn Gould,* à budget modeste, du jeune

François Girard, a connu une jolie carrière, comme celle de son *Violon rouge*, production professionnellement très achevée (1998) ; la diversité des temps, des lieux et des langues de tournage en fait un film de l'époque de la mondialisation.

La décennie 2000 a été riche en productions de qualité : *C.R.A.Z.Y*, 3e long métrage de Jean-Marc Vallée, évoque avec justesse une banale famille des années 60. Louis Bélanger campe son *Gaz Bar Blues* au cœur d'un quartier qui change. Bernard Émond explore l'univers féminin jusqu'à sa trilogie, avec son actrice fétiche, Élise Guilbault. Arcand reprend les personnages du *Déclin* dans *Les Invasions barbares*. De jolies surprises : l'inénarrable drôlerie de *La Grande Séduction* (2003) pour attirer un médecin à Sainte-Marie-la-Mauderne, ou la violence adolescente du tout jeune Xavier Dolan, dans *J'ai tué ma mère*, primé à Cannes en 2009.

Des priorités d'ordre économique empêchent l'État et les investisseurs[15] privés de consacrer tous les efforts qu'il faudrait à cette industrie culturelle, au grand dam de ceux qui en vivent, alors qu'avec le cinéma récent renaît, dans le public comme chez les réalisateurs, le goût du spectacle (*Au clair de la lune* et *Dans les villes* de Catherine Martin) sont des réalisations baroques, fantaisistes et surréalistes. Patrick Straram parle « d'écriture carnavalesque » ; on est alors à l'opposé du cinéma direct des années 1960). Malgré ces difficultés, le film québécois se porte bien en ce début de XXIe siècle. Les documentaristes sont toujours excellents ; et le Québec s'engage dans des productions internationales (*Congorama*, de Philippe Falardeau).

Notes

1. Les Génie correspondent un peu au Canada à ce que sont les Oscar aux États-Unis, mais ils ne sont attribués qu'à des films canadiens.
2. Voir le chapitre « La langue ». Pendant longtemps, les films états-uniens devaient nécessairement être doublés en France par des Français, à l'insatisfaction des Québécois, écartés de ce lucratif gagne-pain. Le contentieux évoluerait en aménagements raisonnables (?).
3. La pièce de théâtre qu'on avait tirée de ce fait divers fut jouée 6 000 fois en 30 ans, de 1920 à 1950, et rejouée avec succès en 1984. Dans le film, la méchante belle-mère se fait insulter à satiété dans les rues de Montréal.
4. Du moins au début. Vers 1965, on assiste à un véritable exode des cinéastes de l'organisme fédéral. La montée du nationalisme au Québec n'était évidemment pas dans les vues de l'ONF. Des maisons privées naissent (Nova-Films, les Films Cénatos), même à Québec (Ciné Clique en 1969).
5. La SDICC s'occupe de production, de participation canadienne à des manifestations internationales et permet le développement d'un cinéma industriel parallèlement au cinéma gouvernemental de l'ONF. La SDICC deviendra Téléfilm Canada en 1983 ; au même moment, l'Institut québécois du cinéma s'efface devant la Société générale du cinéma du Québec. Distribution et exploitation restent cependant sous contrôle étranger.
6. Artistes et créateurs étaient assez nombreux dans le camp du Oui. Plusieurs avaient affiché leurs convictions.
7. La préparation d'un coulibiac de saumon retient leur attention, au même titre que les aléas des aventures sentimentales de chacun. Ni plus lâches ni plus débauchés que d'autres, ils consti-

tuent en quelque sorte le prototype d'un certain homme occidental, nanti, raffiné, aux prises avec l'individualité du plaisir. La convivialité du groupe, tout à la fois faite de séduction, d'amitié et de trahison, semble le dernier refuge où va se nicher, finalement, la quête du sens. Après *Le Confort et l'indifférence*, *Le Déclin* confirme les talents d'observateur de Denys Arcand et son aisance à filmer une société tout en suivant un fil conducteur discrètement métaphorique. Le film a remporté huit Génie en 1987.

8. Arthur Lamothe est originaire de France, ce qui lui a peut-être donné plus de recul pour apprécier à sa juste valeur la culture montagnaise (*Innu Asi/La terre de l'homme* et la coll. « Carcajou et le péril blanc », etc.).

9. Kaj Pindal, Co Hoedeman, Bretislav Pojar, pour ne nommer que quelques-uns des réalisateurs de l'ONF d'origine étrangère, rappellent un des mérites du cinéma d'animation, qui est la communication immédiate par l'image, la plupart du temps sans l'aide de mots. La barrière de la langue étant supprimée, la production est facile à vendre dans tous les pays du monde, à commencer par le Canada où l'on se comprend enfin sans traducteur.

10. C'est dans cette ville que l'on a envisagé la tenue annuelle systématique d'un Festival international de films par ordinateur.

11. Concordia offre la plus grande École d'études cinématographiques au Canada, avec une bonne trentaine de professeurs pour les deux premiers cycles.

12. L'organisme s'est appelé La Cinémathèque canadienne de 1964 à 1971.

13. Le Vidéographe assure depuis près de 20 ans la production et la diffusion internationale de la vidéographie québécoise.

14. Le regroupement s'est donné ce nom par dérision, pour évoquer l'expression qui date du début de l'histoire du cinéma au Québec : « C'est organisé/arrangé par le gars des vues », le projectionniste, personnage mythique tout-puissant qui savait enchanter son auditoire avec une machine et quelques kilomètres de pellicule.

15. Outre le cinéma, la SODEC (Société de développement des entreprises culturelles, Québec) participe à l'essor des industries culturelles (télévision, musique et variétés, livre et métiers d'art). Elle apporte une aide financière publique, offre des services financiers, a même créé un fonds de capital de risque, et favorise l'exportation. La SODEC parle à la fois création artistique et affaires. Téléfilm Canada, organisme fédéral, a contribué, pour sa part, en 2009, au financement de 10 longs métrages de langue française.

Bibliographie

Livres

BOULAIS, Stéphane-Albert (dir.), *Le Cinéma au Québec, tradition et modernité,* Montréal, Fides, 2006, 320 p.

CHABOT, Claude, Michel Larouche, Denise Pérusse et Pierre Véronneau (dir.), *Le Cinéma québécois des années 1980,* Montréal, Cinémathèque québécoise, 1989, 169 p.

COULOMBE, Michel et Marcel Jean, *Le Dictionnaire du cinéma québécois,* Montréal, Boréal, 2006 [1988, 1999], 821 p. (nouv. éd. rev. et aug.).

DENAULT, Jocelyne, *Dans l'ombre des projecteurs — les Québécoises et le cinéma,* Québec, PUQ, 1996, 245 p.

FALARDEAU, Mira, *Histoire du cinéma d'animation au Québec,* Montréal, Typo, 2006, 191 p.

JEAN, Marcel, *Le Cinéma québécois,* Montréal, Boréal, coll. « Boréal express », 1991, 128 p.

LEVER, Yves et Pierre Pageau, *Chronologie du*

cinéma au Québec (1894-2004), Montréal, Les 400 coups, 2006, 318 p.

LEVER, Yves, *Les 100 Films québécois qu'il faut voir*, Québec, Nuit blanche, 1995, 283 p.

PAGEAU, Pierre, *Les Salles de cinéma au Québec, 1896-2008*, Québec, Éditions GID, 2009, 416 p.

VÉRONNEAU, Pierre (dir.) *et al.*, *Les Cinémas canadiens*, Montréal/Paris, Cinémathèque québécoise/L'Herminier, 1978, 223 p.

WARREN, Paul (dir.), *Pierre Perrault, cinéaste-poète*, Montréal, L'Hexagone, 1999, 435 p.

WEINMANN, Heinz, *Cinéma de l'imaginaire québécois : de* La Petite Aurore *à* Jésus de Montréal, Montréal, L'Hexagone, 1990, 270 p.

Collections

Cinéastes du Québec, Montréal, Conseil québécois pour la diffusion du cinéma, monographies sur des cinéastes.

Les Dossiers de la Cinémathèque, nos 3 et 7 : « Histoire du cinéma au Québec ».

N.B. : À voir à Montréal : la Cinémathèque québécoise.

Périodiques

Annuaire du cinéma québécois, Montréal, Cinémathèque québécoise, depuis 1988.

24 images, trimestriel, depuis 1979.

Ciné-bulles, trimestriel, depuis 1982.

Cinémaction, n° 40, « Aujourd'hui le cinéma québécois », Paris, 1986.

Dérives, n° 52, « Le cinéma québécois, nouveaux courants, nouvelle critique », Montréal, 1986.

La Revue de la Cinémathèque québécoise, Montréal, Cinémathèque québécoise, 1989 à 2005 (succède à *Copie Zéro*, 38 numéros en une dizaine d'années).

Séquences, Montréal, depuis 1955, trimestriel, puis bimestriel.

Catalogues et répertoires

Catalogues de l'Office national du film.

Catalogue des documents audiovisuels, Québec, 1983.

Répertoire des documents audiovisuels sur l'art et les artistes québécois, René Rozon, Montréal, ministère des Affaires culturelles, 1980.

Filmographie

Cinéma, cinéma, Gilles Carle et Werner Nold, ONF, 1985, 71 min.

La Conquête du grand écran. Le cinéma québécois, 1896-1996, Nanouk films, 1996, 107 min.

La référence : *Les 100 Films québécois qu'il faut voir*, avec une page ou deux de commentaires sur chaque film. Mon 101e serait *Le Violon rouge*, François Girard, prod. canado-italo-britannico-états-unienne, 130 min, 1998 (tourné en cinq langues et dans cinq pays, l'histoire d'un violon à travers siècles et continents).

On pourrait y ajouter :

Avec tambours et trompettes, Marcel Carrière, ONF, couleur, 1967, 28 min (un morceau d'anthologie : que sont devenus les zouaves pontificaux après un siècle d'existence ?).

Le Beau Jacques, Stéphane Thibault, 1997, vidéo couleur, 17 min (deux femmes, *fans* de Jacques Villeneuve, assistent en direct au Grand Prix qui l'a fait champion du monde en 1997. Un morceau d'anthologie socioculturelle !).

Le Corbeau et le Renard, Francine Desbiens, Pierre Hébert et toute une équipe de l'ONF, couleur, 2 min, 1969 (un bijou de relecture à la québécoise de la fable de La Fontaine).

Cosmos, de plusieurs jeunes réalisateurs dont Denis Villeneuve et Manon Briand, prod. Roger Frappier, couleur, 95 min, 1996.

La Cuisine rouge, Paule Baillargeon et Frédérique Collin, prod. Anastasie, couleur, 82 min, 1979 (en parallèle, deux univers, celui des hommes et celui des femmes).

Françoise Durocher, waitress, André Brassard, ONF, couleur, 29 min, 1972 (la difficulté de communiquer efficacement dans le milieu défavorisé des serveuses de restaurant ; dialogues [?] empruntés aux pièces de Michel Tremblay).

J'ai tué ma mère, Xavier Dolan, 2009, coul., 100 min. Le réalisateur, à 19 ans, a vu son film couronné de multiples prix, dont un à Cannes.

Jean Carignan, violoneux, Bernard Gosselin, ONF, couleur, 88 min, 1975 (Yehudi Menuhin admirait cet autodidacte du violon, virtuose des rythmes de *reel* et de gigue ; un témoignage inoubliable d'un art populaire traditionnellement québécois).

Marc-Aurèle Fortin, André Gladu, Nanouk films, couleur, 57 min, 1983 (documentaire, avec recours à la fiction, sur l'un des grands peintres québécois).

Notes sur un triangle, René Jodoin, ONF, couleur, 5 min, 1966 (film d'animation [découpages de papiers colorés] pour démontrer la mathématique du triangle ; adéquation images/musiques remarquable).

La Nuit de la poésie, Jean-Claude Labrecque et Jean-Pierre Masse, ONF, couleur, 111 min, 1970 (excellente anthologie en direct de la poésie québécoise du moment).

Op Hop hop op, Pierre Hébert, ONF, noir et blanc, 3 min, 1965 (en grattant directement la pellicule, le cinéaste fait varier 24 images [positives et négatives] et travaille à partir du phénomène de résistance rétinienne).

Pas de deux, Norman McLaren, ONF, noir et blanc, 13 min, 1968 (deux danseurs des Grands Ballets canadiens éclairés latéralement sur un fond noir dansent devant un cinéaste qui joue avec les images, démultipliant les mouvements, utilisant la surimpression et le ralenti ; superbe film d'animation).

Percé on the rocks, Gilles Carle, ONF, couleur, 9 min, 1964 (amusante invitation à la visite de ce site touristique gaspésien).

La trilogie de Bernard Émond : *La Neuvaine, Contre toute espérance, La Donation.*

Une leçon de chasse, Jacques Drouin, coul., 14 min, 2001 (travail d'animation sur écran d'épingles ; images impressionnistes, effets inattendus).

Voisins, Norman McLaren, ONF, couleur, 8 min, 1952 (fable contre la violence avec des personnages réels que le cinéaste anime par pixillation).

Le vieux pays où Rimbaud est mort, Jean Pierre Lefebvre, couleur, coprod. franco-québécoise, 113 min, 1977 (Abel va en France à la recherche de ses racines et constate combien il est différent des Français d'aujourd'hui ; mosaïque d'humour où tendresse et tragédie se côtoient).

Vol de rêve, P. Bergeron, Nadia et Daniel Thalmann, couleur, HEC-Montréal, 13 min, 1982 (film d'animation qui prouve qu'ordinateur et poésie peuvent faire bon ménage).

50 ans, Gilles Carle, ONF, couleur et noir et blanc, 3 min, 1989 (produit pour le cinquantième anniversaire de l'ONF, a obtenu un prix prestigieux à Cannes).

18

De l’oral à l’écrit

Page précédente : Poète, romancière, dramaturge et nouvelliste, Anne Hébert s'éteint en janvier 2000. (Photo : Gilbert Duclos.)

Une langue est avant tout un outil de communication, et la première façon d'entrer en relation avec l'autre est orale. Elle exige évidemment une présence physique, du moins l'exigeait-elle avant les développements de la technologie moderne. Ce type de rapport suffit à combler les besoins essentiels. Il permet en outre de transmettre des coutumes, des croyances et des comportements. Le besoin d'écrire vient plus tard; le message alors ne s'adresse pas à une personne présente mais veut établir une communication avec un être connu mais absent, ou inconnu, voire virtuel. En fait, ce dernier lecteur possible est présent dans l'esprit du scripteur, parfois inconsciemment. Il arrive que l'on écrive pour soi-même, la démarche d'écriture étant alors à rapprocher du plaisir que l'homme a toujours trouvé à transformer la matière : le langage est un matériau superbe par les infinies possibilités de transformation qu'il offre à qui a l'art et la patience de le manier pour « le plaisir du texte ».

Étant donné les circonstances historico-politiques qui ont présidé au développement de la colonie française, puis la longue gestation qui a mené à la naissance du Québec, la tradition orale est restée longtemps très présente; les 65 000 colons français restés au Canada se sont trouvés dans l'obligation d'assurer la survivance de leur langue, c'est-à-dire en même temps d'une culture et d'une tradition qui leur étaient déjà spécifiques. Pour des raisons socioéconomiques, l'oral resta longtemps le moyen premier — et souvent le seul — de communiquer. Au XIXe siècle cette tradition orale s'affirme au rythme que lui impose la forte croissance démographique. L'écrit existe dès les débuts de la colonie, certes, et se développe aussi, mais lentement et souvent dans des domaines moins spécifiquement littéraires. La poésie, le journalisme et l'histoire sont les premiers genres pratiqués avec bonheur au XIXe siècle; il faudra attendre presque la Seconde Guerre mondiale pour que l'urgence « d'écrire le Québec » investisse massivement tous les secteurs de ce que l'on nomme littérature. À partir des années 1960, on assiste à une accélération du mouvement qui, obéissant à une progression géométrique, aboutit à l'épanouissement d'une littérature québécoise originale et fabuleusement dynamique.

La tradition orale

Au tout début de la colonie, les habitants n'avaient guère eu l'occasion d'apprendre à lire ou à écrire. Leur premier mouvement était pourtant déjà de se mettre au français, cette langue de l'administration (sise en Île-de-France) qui différait des patois utilisé dans les provinces. Les habitants restent isolés longtemps, l'administration insiste même pour que le défrichage et l'installation se fassent méthodiquement, et non plus dans l'éparpillement des débuts. Jusqu'à la Conquête, les conditions de vie dans le milieu rural ne laissent pas beaucoup de loisirs : de nombreux conflits compliquent la vie des agriculteurs ; on n'a pas grand temps pour aller à l'école, quand il y a une école, ou quand passe un maître, ou lorsque le curé — s'il y en a un — prend en charge l'éducation de ses ouailles. Vers la fin du Régime français, les choses vont mieux pour les habitants : une plus grande aisance permet de recevoir ses voisins et de se distraire en groupe. Les soldats qui logent l'hiver chez l'habitant sont souvent méridionaux ; ils aiment à parler, à chanter et à s'amuser ; nombre de chansons folkloriques tiennent d'ailleurs leur origine des provinces ensoleillées de la métropole, d'où venaient les soldats au milieu du XVIIIe siècle. C'est de là que datent ces soirées campagnardes où la tradition orale partage avec la danse et les jeux de cartes le temps dévolu au divertissement. Ce type de veillée qui devient fréquent après la Conquête va, par voie de conséquence, favoriser une tradition orale, surtout en milieu rural. Les Anglais s'installent en ville et refoulent, en quelque sorte, les Québécois dans des paroisses où se crée une vie de voisinage renforcée encore par le climat social. On peut imaginer que le désir de se rencontrer, de communiquer avec son voisin, pour naturel qu'il fût, était augmenté du fait que l'on ressentait un isolement physique et moral. Dans cette conjoncture, le personnage du « survenant », du « quêteux » devient alors le lien avec le monde inconnu qui commençait avec la paroisse voisine : colporteur de nouvelles, il savait l'importance de l'oral et devenait conteur à la veillée.

En guise de résistance au conquérant, on s'oppose à son désir de scolarisation en anglais ; l'analphabétisation gagne du terrain. Le peuple favorise donc presque exclusivement l'oral. Une pétition présentée au gouvernement en 1827 recueillait 87 000 signatures dont 78 000 étaient de simples croix. L'élite, qui reprenait force et confiance en elle-même, ne négligea pas la pratique de l'oral, bien au contraire. Les collèges, depuis le XIXe siècle, formaient principalement des jeunes gens pour des professions libérales : des juristes, des hommes politiques, des enseignants dont la profession s'appuie précisément sur le bel usage de la parole.

Les genres

Après 1830 se répand l'habitude de la veillée. C'est un moment privilégié de communication dans la détente : s'y succèdent diverses formes de tradition orale qui, en se transmettant de génération en génération, constitueront une véritable littérature. Jean Barnabé, en Martinique, parle « d'oralitude ».

Le conte

Récit en prose d'aventures imaginaires, dont le but premier est de distraire la compagnie, le conte met en scène des êtres vraisemblables qui font des choses étonnantes, voire impossibles : le pauvre hère devient riche parce que sa jument se met à « crotter » de l'or. L'invraisemblance a droit de cité : elle permet l'évasion et incarne les rêves de l'auditoire. Les animaux parlent et agissent comme des êtres humains ; la fantaisie, l'humour, le fantastique sont au rendez-vous pour dépayser l'auditeur, l'arracher en somme à son quotidien.

Le rôle du conteur est un rôle d'animateur : il doit sentir son auditoire et réagir en fonction de celui-ci ; il possède un fonds de récits commun à des quantités de locuteurs qu'il arrange à sa guise, le rallongeant en inventant des épisodes, en faisant une digression ou en coupant court, soudain, au déroulement de l'histoire s'il lui apparaît qu'il est temps d'y mettre fin. Celle-ci est morale en général : Cendrillon épouse son prince, l'ogre est tué par le chat qui a chaussé des bottes de sept lieues. Et la conclusion doit tomber à point pour produire son effet sur l'auditoire. Le conteur québécois reste logique même dans la fantaisie la plus drôle ; le bon sens terrien prédomine. Le conte est aussi porteur d'information ; la sexualité, sujet tabou dans la vie quotidienne, est très présente dans les multiples versions québécoises des contes types. Ce bon sens peut nous paraître sujet à caution : le bon roi protège son bon peuple, le méchant est toujours puni… En fait, le conte transmet souvent, mais non toujours, les valeurs de l'idéologie dominante dans lesquelles l'auditoire se retrouve : les héros sont souvent des fermiers, de pauvres artisans, de belles jeunes filles à marier… que l'on marie contre leur gré.

Pourtant, curé et conteur ne s'aimaient pas. L'un reprochait-il à l'autre d'avoir la même bouche d'or ? En fait, tous deux satisfaisaient le besoin de croire qui est en chacun. Par la religion, l'être humain se soumet à une force supérieure ; par la magie, il reconnaît qu'il existe une force inexplicable et impossible à contrer. Par l'invention verbale du récit, la communication est encore amplifiée et peut être sans limites. L'imaginaire québécois est étonnamment fertile : on a dénombré plus de 10 000 contes enregistrés au CELAT[1].

Le diable fait partie des adversaires auxquels le héros doit s'opposer (dragon, géant, ogre ou sorcière), lui dont les pouvoirs surnaturels autorisent toutes les audaces du conteur. Le merveilleux chrétien permet de faire triompher Dieu qui récompense et punit : ainsi, la « jeunesse » qui est prête à danser avec le diable plutôt que de coiffer sainte Catherine ira en enfer.

La légende

La légende, récit populaire elle aussi, contrairement au conte qui ne donne à ses héros ni date ni milieu précis, se veut basée sur un fait ou sur un personnage réel. Les héros de légende sont soit des saints, soit des héros historiques que la distance et l'imagination embellissent, et dont on amplifie les faits. Au Québec, Dollard Des Ormeaux et Madeleine de Verchères[2] sont des personnages de légende. Ils ont incontestablement existé, mais les faits sur lesquels est fondée leur gloire n'auraient-ils pas acquis au fil du temps un côté sublime que l'histoire n'a pas forcément réussi à prouver ?

La légende aide à comprendre des choses mystérieuses, des phénomènes naturels : la nuit, porteuse d'inquiétudes, fait naître des êtres fabuleux (loups-garous, lutins qui tressent la queue des chevaux) ; la mort, autre mystère que nul n'est revenu éclaircir, profite de la nuit (cette mort de la lumière) pour animer des fantômes (feux-follets ou âmes des trépassés) qui convainquent de l'existence d'un monde surnaturel dans lequel Dieu et le diable ont bel et bien leur place.

Aubert, le passeur, avait décidé de traverser le fleuve, de Québec à Lévis, au moment de la débâcle : un bloc de glace avait renversé sa chaloupe, un autre l'avait décapité alors qu'il était agrippé à sa chaloupe retournée. On voit quel sort la légende peut faire à cet imprudent qui aura sans doute dit bien haut avant de partir que ni Dieu ni diable ne l'empêcheraient de traverser ; de nos jours encore, on peut apercevoir sa tête condamnée à flotter sur un éternel glaciel.

Un des bons exemples d'adaptation de la tradition française reste la chasse-galerie. Dans le légendaire européen (français et anglais), un noble, le sieur de Galery, était condamné à chasser à courre éternellement dans les airs après sa mort parce qu'il avait chassé le dimanche au lieu de s'acquitter de ses devoirs religieux. Le légendaire québécois transforme cette histoire à l'usage des « forestiers perdus dans la solitude de la Gatineau, de la Mauricie ou d'ailleurs, désireux d'aller voir leurs blondes dans les paroisses d'en-bas » (Robert-Lionel Séguin). Honoré Beaugrand fait raconter par le conteur « Jos le Couque[3] » l'aventure qui lui est arrivée vers 1823 dans un camp de bûcherons du haut de la Gatineau : nous sommes à la veille du jour de l'An, les hommes ont pris un petit coup ou deux, peut-être plus ; Jos s'endort et se fait réveiller par Baptiste qui lui décrit les conditions de cette envolée fantastique :

> Aller à Lavaltrie et revenir dans six heures ; voyager au moins à 50 lieues à l'heure quand on sait manier l'aviron ; respecter certaines conditions : ne pas prononcer le nom de Dieu pendant le trajet, ne pas prendre de boisson en route, ne pas accrocher la croix des clochers, faire un serment au Diable lui promettant de lui vendre son âme si les conditions ne sont pas respectées ; prononcer les paroles magiques qui font lever le canot dans les airs.
> [Après être passé par la Gatineau et la rivière des Outaouais qui les guidèrent jusqu'au lac des Deux-Montagnes, l'équipage diabolique descend.] « Attendez un peu ! cria Baptiste. Nous allons raser Montréal, et nous allons effrayer les coureux qui sont encore dehors à cette heure-citte ». En effet nous apercevions déjà les lumières de la grande ville, et Baptiste, d'un coup d'aviron, nous fit descendre à peu près au niveau des tours de Notre-Dame.
>
> HONORÉ BEAUGRAND, *La Chasse-galerie. Légendes canadiennes* (1900).

On nomme les gens, on situe le camp, la ville où l'on va rencontrer des filles (des « guidounes ») ; tout cela ajoute de la crédibilité à l'aventure et fait rêver l'auditoire qui sait bien pourtant que les malheureux voyageurs n'ont pas bougé de leur lit de sapinage et se sont réveillés le lendemain

Henri Julien, *La Chasse-galerie,* encre, craie, gouache et lavis sur papier, 1892. (Musée du Québec, 34.602. Photo : Patrick Altman.)

matin avec un mal aux cheveux terrible. Et comme, le petit caribou[4] aidant, ils ne se souviennent plus comment ils y sont arrivés, l'imagination a pris le relais de la mémoire défaillante.

Des légendes naissent au Québec. L'admiration, que les exploits font naître dans l'esprit et la langue du peuple, fabrique des héros comme Jos Monferrand, cageux[5] de l'Outaouais et défenseur des Canadiens. Il se serait battu seul, une fois, contre 15 *shriners* — orangistes irlandais avec qui les conflits étaient fréquents — et une autre fois, se servant de l'un d'eux qu'il avait attrapé par les jambes pour assommer les autres, il en mit 50 en déroute. Plus à l'est, dans la région du Saguenay et dans Charlevoix, c'est le personnage d'Alexis le Trotteur qui fait partie de l'imaginaire collectif. Les anecdotes à son sujet se multiplient : la vitesse de ses déplacements stupéfie ; il court plus vite qu'un cheval, fait 160 milles à la course dans sa journée pour participer aux élections. Comme ses exploits sont à la limite de l'explicable, son personnage est aussi perçu à la limite de l'humain. Tantôt on le prend pour un chien « court sur pattes et faisant 18 pieds au pas », tantôt pour un cheval avec ses « narines très échancrées » et le hennissement qu'il imitait admirablement[6]. Voici comment un informateur racontait avec ses mots, à Conrad Laforte, les exploits d'Alexis le Trotteur :

> Monsieur Price s'est levé puis a poigné son fouet. Il avait deux chevaux qui étaient attelés en tandem. Son fouet était assez long

pour attraper celui-là qui était en avant. Les chevaux ont pris le chemin puis ça descendait. Alexis, de temps en temps, se mettait les mains sur le derrière du traîneau de monsieur Price. Quand ils ont pris le Saguenay, là, Monsieur Price l'a pas invité pour embarquer, comme de raison. Toujours qu'ils se sont repassés pour monter en haut. Alexis se laissait reculer un arpent, deux arpents, puis il partait et allait faire une grande tournée en s'en venant passer en avant des chevaux de Monsieur Price. Puis il prenait un cheval par la bride et il trottait avec le cheval comme ça. Rendu à l'Éternité [village du Saguenay], Monsieur Price a arrêté ses chevaux. Il dit à Alexis :
— Comment tu me demandes pour me laisser monter tranquille à Grande Baie ?
Il dit :
— Donnez-moi cinq piastres, Monsieur Price.
Monsieur Price a fourré la main dans sa poche puis il a hâlé cinq piastres et lui a donné. Alexis a pas passé par en arrière, il a sauté en avant des chevaux, puis il a monté à la Grande Baie. Quand Monsieur Price est arrivé à la Grande Baie, Alexis avait dîné et il était en train de fumer sa pipe.
Le lendemain matin, ils ont été contraints de sortir les deux chevaux de Monsieur Price avec un autre cheval, ils étaient morfondus, ils étaient raides des quatre pattes…
[…] — Il était parti à sept heures le matin et il était arrivé à quatre heures moins le quart le soir? — Oui. Ça faisait une bonne run. D'ici, du village de Mistassini à aller à Chicoutimi, il y a cent vingt milles [200 km]. Partir de chez les Pères, il y a bien encore une douzaine de milles de plus, je pense. Aller à la Grande Baie, il y a encore quinze, seize milles [24 km, 26 km]. Ça lui faisait à peu près cent cinquante milles [248 km] dans une journée. Il pouvait faire plus que ça. C'est pas tous les chevaux de route qui font cent milles [160 km] par jour, hein !

Tiré d'un article de CONRAD LAFORTE
dans *Nord*, n° 7.

Le fonds de légendes canadiennes a tant marqué l'ensemble du peuple que les artistes s'en inspirent pour leurs œuvres d'art. Henri Julien (1852-1908) dessine et peint des chasse-galerie par dizaines. Il illustre dans *L'Almanach du peuple* des légendes racontées par Benjamin Sulte et plusieurs autres. De nos jours, l'étiquette de la bière « La Maudite » d'Unibroue représente une chasse-galerie (« le Maudit » est évidemment le surnom du diable qu'il vaut mieux s'abstenir de nommer de peur de le voir apparaître soudain). Alfred Laliberté (1878-1953) sculpte 30 œuvres de bronze représentant des légendes qui sont pour lui, au même titre que les coutumes et les métiers, un hommage à la société de son époque. Philippe Aubert de Gaspé raconte plusieurs légendes dans ses *Anciens Canadiens.*

Honoré Beaugrand, Louis Fréchette, Pamphile Lemay, Joseph-Charles Taché, entre autres écrivains, veilleront à préserver dans leurs textes les contes et légendes dont ils avaient senti combien ils imprégnaient la mentalité populaire. Ces écrivains du XIXe siècle assuraient aussi les générations futures d'un bagage précieux. Au XXe siècle, Marius Barbeau, Luc Lacourcière et les Archives de folklore de l'Université Laval, plus récemment l'équipe du CELAT, le père Germain Lemieux à l'Université de Sudbury, continuent dans cette quête de documents sonores que les circonstances sociopolitiques ont contribué à conserver jusqu'à ce que l'image de la télévision ait investi une culture à dominante orale. De nos jours, le jeune et talentueux Fred Pellerin captive son auditoire en racontant son village de Saint-Élie-de-Caxton. Michel Faubert va plus loin en inventant des histoires fantastiques, qui renouvellent un genre vieux comme le monde (*L'âme qui sortait de la bouche du dormeur*).

Le langage populaire

Comptines enfantines, formules de jeux de société se transmettent de génération en génération :

> Un, deux, trois, quatre,
> Ma petite vache a mal aux pattes,
> Tirons-la par la queue,
> Elle ira bien mieux,
> Dans un jour ou deux.

Les sobriquets dont on affuble les autres, par dérision semble-t-il, se transmettent aussi par la tradition orale ; les habitants de Mont-Joli qui se faisaient traiter de « mangeux de charbon » se vengent en appelant les villageois de Price, un village de compagnie forestière qui n'est pas bien loin, les « mangeux de bran de scie » (sciure de bois). Ce qui apparaît curieux, cependant, c'est qu'au fil du temps le sens péjoratif, explicite au début, s'émousse peu à peu : à l'heure actuelle, le Beauceron est fier d'être un « jarret noir ». L'injure du citadin de Québec envers le gars de la campagne, crotté jusqu'au mollet d'avoir marché dans

Louis Fréchette (1839-1908), de l'École littéraire et patriotique de Québec. (Archives nationales du Québec à Québec, P 1000, S4 PF27. Photo : Quéry et frères.)

la boue, est maintenant loin dans les esprits. Le « bleuet » du Lac-Saint-Jean est heureux d'être ainsi assimilé à l'une de ses richesses naturelles. Ces deux sobriquets régionaux sont d'ailleurs donnés à des habitants de régions particulièrement typées qui revendiquent la fierté d'appartenance à leur région au même titre qu'au pays.

La mentalité collective s'exprime dans les dictons, proverbes et locutions populaires. On y retrouve un fond de sagesse populaire que l'expérience a donné aux anciens : « en mars, la nouvelle neige vient chercher l'ancienne ». On prodigue des conseils dont on soupçonne l'origine : « l'argent du diable vire en son ». Pour oublier qu'on était « né pour un petit pain », on « se mouillait le canayen » avec un ou deux verres de petit whisky blanc. Pas étonnant qu'après, on « grimpe dans les rideaux » pour un oui ou pour un non, à moins que la sagesse populaire ne souffle : « y'a rien là ».

Bien établie en France, la chanson traditionnelle[7] passe l'océan et trouve en Canada une terre d'élection où elle fera naître des quantités de versions. Au XIXe siècle, bûcherons et forestiers fabriquent à leur tour des chansons qui expriment l'enthousiasme du départ pour le camp ou la grande fatigue d'un hiver au chantier.

> Voici l'hiver arrivé
> Les rivières sont gelées
> C'est le temps d'aller au bois
> Manger du lard et des pois !
> Dans les chantiers nous hivernerons (*bis*)...
> [...]
> Quand ça vient sur le printemps
> Chacun craint le mauvais temps
> On est fatigué du pain
> Pour du lard on n'en a point
> Dans les chantiers. Ah n'hivernons plus ! (*bis*)

Les voyageurs, habiles canotiers, qui pouvaient avironner sur des kilomètres, 12 heures par jour, et qui devaient portager des charges incroyables, possédaient également un répertoire dont le rythme soutenait le travail d'équipe, à contre-courant ou dans un lac interminable.

Ces deux corps de métier avaient eux aussi leurs veillées, parfois leurs dimanches à étirer[8] ; et c'était encore l'occasion pour un conteur, pour un chanteur ou pour un gigueur de démontrer ses talents en divertissant un auditoire toujours prêt à échapper pour un moment à la réalité.

Discours politiques et sermons dominicaux pouvaient être des morceaux de bravoure, si l'on en juge par les rares traces et les quelques témoignages qu'il en reste. Lafontaine, Papineau, Laurier, Henri Bourassa et, tout récemment, René Lévesque, sont quelques exemples de cette tradition d'éloquence, à quoi formaient les collèges classiques.

Les grands courants d'une littérature qui s'écrit

Les premiers établissements scolaires montent de petites bibliothèques avec des ouvrages apportés ou envoyés de France. Il n'y avait pas de presses sur place ; le roi en avait interdit l'installation dans la colonie. Deux sortes d'écrits émergent toutefois de cette période : les lettres et les récits de voyage.

Les fondateurs écrivent en France, d'où on leur demande de raconter par le menu la vie incroyable qu'ils mènent. Mère Marie de l'Incarnation écrit à son fils[9] et sublime toutes ses difficultés dans des écrits mystiques qui atteignent à des sommets du genre. Les jésuites envoient chaque année des *Relations*, sorte de journal qui, publié en France, suscite la générosité des donateurs : le document est passionnant et le talent de conteur du père

Paul Lejeune s'assaisonne d'humour. Un peu plus tard, Madame Bégon brosse dans ses *Lettres au cher fils* (son gendre) le tableau d'une société citadine qui semble assez heureuse de son sort.

En outre, les administrateurs et, surtout, les voyageurs publient en France, à leur retour, des récits de voyage (Cartier, Champlain, Marc Lescarbot, Lahontan, le frère Sagard). À ces noms, il faut ajouter celui de Pierre Boucher, qui mourut à Boucherville en 1717, après avoir publié une *Histoire véritable et naturelle des mœurs et productions du Pays de la Nouvelle-France, vulgairement dite le Canada,* dans laquelle on sent les préoccupations de l'administrateur colonial :

> L'air y est extrêmement sain en tout temps, mais surtout l'hiver : on voit rarement des maladies en ces pays ici ; il est peu sujet aux bruines et au brouillard ; l'air y est extrêmement subtil. [...]
> Les Anglais nos voisins ont fait d'abord de grandes dépenses pour les habitations là où ils se sont placés ; ils y ont jeté force monde, et l'on y compte à présent 50 000 hommes portant les armes : c'est merveille de voir leur pays à présent ; l'on y trouve toutes sortes de choses comme en Europe et la moitié meilleur marché. Ils y bâtissent quantité de vaisseaux de toutes façons ; ils y font valoir les mines de fer ; ils ont de belles villes, il y a messagerie et poste de l'une à l'autre ; ils ont des carrosses comme en France ; ceux qui ont fait les avances trouvent bien à présent leurs comptes ; ce pays-là n'est pas autre que le nôtre : ce qui se fait là se peut faire ici.
>
> PIERRE BOUCHER DE BOUCHERVILLE, 1664.

Après la Conquête, mais avant l'Union, le désir naturel de communiquer entre francophones fait naître le journalisme. Si *La Gazette de Québec* est bilingue (1764), *La Gazette littéraire de Montréal* est décidément française (1778) ; quant au *Canadien* (1806), il affiche déjà des couleurs résolument nationales (Pierre Bédard, comme ses autres fondateurs, était d'ailleurs membre de l'Assemblée).

Dans ces journaux paraissaient nombre de nouvelles, courts essais, poèmes de circonstance (comme « La bataille de Châteauguay » de Joseph Mermet). La littérature paraît la première marche à gravir pour atteindre à la consécration sociale que représente la politique. Il faut attendre 1830 pour que paraisse à Québec, sous la plume de Michel Bibaud, un premier recueil d'*Épîtres, satires, chansons, épigrammes et autres pièces de vers* (il y affirmait d'entrée de jeu ses ambitions littéraires : « Si je ne suis Boileau, je serai Chapelain »). On privilégie cependant la littérature française à celle du pays.

Après l'Union, la rébellion des Patriotes (1837-1838) avait laissé des marques profondes qui ne s'effaceront pas de la mémoire collective. Lord Durham, singulièrement provocateur, avait prédit un avenir peu prometteur pour ce « peuple sans histoire et sans littérature ». Se levèrent pour le contredire François-Xavier Garneau, qui écrit *L'Histoire du Canada,* et Benjamin Sulte, qui donne *L'Histoire des Canadiens français,* parmi d'autres historiens. Comme Garneau est libéral, l'Église s'émeut de cet esprit frondeur et réagit à son tour par la plume de deux clercs dont le plus connu est l'abbé Henri-Raymond Casgrain (qui publiera plusieurs biographies et occupera la scène jusqu'au début du XXe siècle). On doit à Laurent-Olivier David des témoignages sur ses contemporains, Louis-Joseph Papineau par exemple, et des essais historiques (*Les Patriotes de 1837-1838*).

Vers 1860, quelques hommes de lettres prennent l'habitude de se réunir dans la librairie d'Octave Crémazie, côte de la Fabrique à Québec. L'abbé Casgrain, conteur d'abord et un tantinet théoricien[10], anime ce groupe de personnes où dominent les poètes. C'est l'École littéraire et patriotique de Québec d'où se détache Louis Fréchette, qui touche à plusieurs domaines dont la poésie et veut suivre les traces de Victor Hugo (*La Voix d'un exilé, La Légende d'un peuple*). Le romantisme de Crémazie (« Le drapeau de Carillon ») correspondait à celui des œuvres qu'apportait, en 1855, *La Capricieuse*, premier vaisseau français à entrer dans le Saint-Laurent après la Conquête. Le même romantisme imprègne l'œuvre de Fréchette et de ses commensaux, William Chapman et Pamphile Le May. Tous ne poursuivront pourtant pas avec la grandiloquence de Fréchette ; ainsi Alfred Garneau, plus effacé, reste plus simple.

Les tout premiers récits sont des romans d'aventures fantastiques et de brigands. Le premier roman publié au Québec semble être *L'Influence d'un livre*, réédité plus tard sous le titre *Le Chercheur de trésor* (1837), de Philippe Aubert de Gaspé fils. Joseph Doutre fit imprimer ensuite (1844) ses *Fiancés de 1812* qu'il vendit par souscription, comme c'était alors la coutume, en plusieurs livraisons. *La Fille du brigand* (Eugène Lécuyer) paraît dans le périodique *Le Ménestrel*.

En 1846 paraissent, dans *L'Album littéraire et musical de la Revue canadienne*, les premiers romans de mœurs terriens, *La Terre paternelle* de Patrice Lacombe et *Charles Guérin* de Pierre-Joseph-Olivier Chauveau. Peu après, James Huston envoie les premières livraisons du *Répertoire national*, première anthologie de littérature canadienne. Vers 1860, le roman à caractère historique et social prend le pas sur les romans d'aventures.

> [Les romanciers] appartiennent tous à la même école [...]. Leur manière est la même, ou à fort peu d'exception près [...]. [Ils] se complaisent dans les beautés de détail, loin du tracas et des incidents tragiques [...]. Développant des passions douces [de préférence] aux passions violentes [...]. Le bonheur domestique et champêtre est pour eux la plus haute expression du bonheur sur la terre[11].

Antoine Gérin-Lajoie, dans *Jean Rivard, le défricheur canadien*, correspond tout à fait aux vues de l'Église qui défend la vocation agricole du pays. Les clercs font bientôt fermer l'Institut canadien (sa bibliothèque recèle les œuvres « dangereuses » des auteurs français du siècle). Aussi le roman s'orientera-t-il dans le sens voulu par eux.

On se passionne pour le passé, que la mode de l'histoire ranime de feux toujours nouveaux. Philippe Aubert de Gaspé, le père, écrit *Les Anciens Canadiens* (1863), roman de mœurs historique où les scènes du temps de la Conquête sont ponctuées de légendes et de descriptions typées, comme la débâcle des glaces au printemps.

Philippe Aubert de Gaspé père (1786-1871), romancier et seigneur de Saint-Jean-Port-Joli. (Archives nationales de Québec à Québec, P560, S2, D10640. Photo : Jules-Ernest Livernois.)

Aubert de Gaspé est un habile conteur ; son œuvre aura un succès retentissant chez les critiques et les pédagogues.

Laure Conan se démarque de ces courants nationalistes pour écrire un roman très personnel (*Angéline de Montbrun,* 1884), tout intérieur, qui révèle un peu du mystère et des contradictions qui agitent l'âme humaine.

La fin du siècle voit apparaître quantité de revues et de journaux reflétant les principales options politiques. *La Minerve* (Montréal) est inféodée au Parti conservateur, comme *Le Courrier du Canada* dans la capitale. Le Parti libéral peut compter sur *L'Union libérale*; l'aile radicale du parti s'appuie sur *Le Pays,* dont l'équipe vient de l'Institut canadien, et, plus tard, sur *La Patrie.* Le seul journal véritablement indépendant est *La Vérité* que le talent et la ténacité de Jules-Paul Tardivel réussissent à maintenir. Seul écrivain québécois à vivre de sa plume au XIXe siècle, Arthur Buies, contrairement à Tardivel et à Thomas Chapais, fait scandale par ses articles et pamphlets ; il dénonce le cléricalisme : le milieu ne pouvait lui être favorable, même si on l'a reconnu depuis comme « le prince des chroniqueurs canadiens ». Le journalisme connaîtra son apogée dans le dernier quart du siècle.

À la fin du XIXe siècle, les manifestations littéraires sont de plus en plus nombreuses. La tradition d'éloquence qui s'est affirmée continuera. On a publié, en quelque 32 recueils, des contes et des légendes auxquels il faut en ajouter quantité d'autres parus dans les journaux et les revues de la fin du siècle. C'est le début d'une littérature originale.

Quant aux genres plus traditionnels, ils ne semblent guère se démarquer des modèles imposés. On admire secrètement les écrivains français de l'heure, mais certains, plus « politiquement corrects », se défient des exagérations des romantiques, des romans « dangereux ». L'auteur de *La Terre paternelle* résume bien dans sa conclusion les sentiments des romanciers québécois du temps :

> Quelques-uns de nos lecteurs auraient peut-être désiré que nous eussions donné un dénouement tragique à notre histoire : ils auraient aimé à voir nos acteurs disparaître violemment de la scène, les uns après les autres, et notre récit se terminer dans le genre terrible, comme un grand nombre de romans du jour. Mais nous les prions de remarquer que nous écrivons dans un pays où les mœurs en général sont pures et simples et que l'esquisse que nous avons essayé d'en faire eût été invraisemblable et même souverainement ridicule, si elle se fut terminée par des meurtres, des empoisonnements et des suicides. Laissons aux vieux pays que la civilisation a gâtés, leurs romans ensanglantés, peignons l'enfant du sol tel qu'il est, religieux, honnête, paisible de mœurs et de caractère, jouissant de l'aisance et de la fortune, sans orgueil et sans ostentation, supportant avec résignation et patience les plus grandes adversités : et quand il voit arriver sa dernière heure, n'ayant d'autre désir que de pouvoir mourir tranquillement sur le lit où s'est endormi son père, et d'avoir sa place près de lui au cimetière, avec une modeste croix de bois pour indiquer au passant le lieu de son repos.
>
> PATRICE LACOMBE, 1846.

Pendant toute la première moitié du XXe siècle, on tient à « bien » écrire : on s'applique à imiter le « beau parler français », tout en rejetant les sujets audacieux et les situations immorales du roman et du théâtre de France. La société québécoise est alors, à de rares exceptions près, encadrée par l'Église qui a su asseoir son autorité en littérature comme ailleurs. On voit cependant poindre des écrivains dont la personnalité littéraire se précise. Le mouvement s'accélère après les années 1960, accompagnant la société québécoise moderne dans sa prise de conscience. Le goût s'affine, le niveau intellectuel général s'élève, les besoins culturels du public restent timides, mais ceux des écrivains vont bien au-delà de ces modestes aspirations. C'est vers la fin des années 1960 que s'affirme l'autonomie de la littérature québécoise.

Les genres marginaux prédominants au siècle précédent perdent progressivement de l'importance en regard des genres plus littéraires qui se développent. Cependant, le journalisme permet à Jules Fournier et à Olivar Asselin de se faire un nom. L'histoire garde de nombreux adeptes : le chanoine Lionel Groulx y trouve matière à aviver la flamme nationaliste dans les années 1930 (*Notre maître le passé*) ; l'éloquence est localisée à l'Assemblée législative ou à la Chambre des communes, au prétoire ou à la chaire ; les séminaristes et les futurs juristes s'y préparent par des « parlements » ; le peuple retrouve des élans combatifs dans des « assemblées contradictoires ». La critique reste dans l'ensemble très inféodée à l'Église et ses critères sont d'ordre moral et religieux plus que littéraires, à de rares exceptions près.

Le roman

Après les essais de modeste envergure du siècle précédent, *Maria Chapdelaine* crée une onde de choc. Louis Hémon, venu de France et mort prématurément en 1913, écrit ce livre avec respect et tendresse : pour ses compatriotes surpris et enchantés, il dévoile la fresque d'une terre française vivante, en dehors de la France[12]. Le père Chapdelaine, avec son désir fou de « faire de la terre neuve », est dans la ligne des pionniers ; Maria incarne des valeurs sûres : religion, continuité du travail de la terre, mariage avec le bon voisin plutôt qu'avec un coureur de bois ou un homme des villes états-uniennes. Cependant, on a regretté que les Français en restent pendant au moins deux générations à ce seul classique en matière de littérature québécoise. Les voix du Québec, qui parlaient à Maria sur le ton de la persévérance, sont entendues par Félix-Antoine Savard qui y fait écho dans *Menaud, maître-draveur* (1937). Ce roman de la résistance s'insère dans une période marquée par le roman du terroir, dont il reste pour le lecteur moderne un spécimen très intéressant.

Le terroir

Tandis que le puissant appel de la terre canadienne, celle de l'Ouest[13], sera entendu par d'autres Français, Georges Bugnet, Maurice Constantin-Weyer, Marie Le Franc, la terre québécoise est le personnage principal de nombreux romanciers du Québec : Claude-Henri Grignon, Germaine Guèvremont, Ringuet (pseudonyme de Philippe Paneton). Ils ne font

Mgr Félix-Antoine Savard (1896-1982). Homme de lettres polyvalent, il fut également un formateur (et doyen de la Faculté des lettres de l'Université Laval). Il sut rester foncièrement proche des gens de Charlevoix, dont il fut l'un des pasteurs. (Service des ressources pédagogiques, Université Laval.)

cependant pas précisément des œuvres vouées à l'idéalisation de la vie rurale. Avant eux, un fort courant agriculturiste avait vu naître, avec le *nihil obstat* qui s'imposait, des œuvres célébrant cette « belle et bonne terre québécoise ». Ils seront plus réalistes.

Mais des contestataires s'opposent à cette quasi-unanimité : en 1905, Rodolphe Girard avait dépeint en Marie Calumet la servante délurée d'un curé de campagne ; le roman, un peu croustillant pour l'époque, avait été jugé irrévérencieux et avait été fortement censuré par l'archevêché de Montréal. Albert Laberge, pour sa part, avait réagi avec férocité contre une vision idyllique soigneusement entretenue par ceux qui y trouvaient leur compte : les personnages de *La Scouine* (1918) font peur ; ils ne sont ni beaux ni bons puisque la misère les a réduits à une drôle de jeunesse ou à une vieillesse horrible.

La ville

Depuis le début du siècle, la population du Québec s'urbanisait, mais nul n'avait encore songé à utiliser la ville comme centre et moteur d'une intrigue romanesque. Jean-Charles Harvey, avec ses *Demi-Civilisés* en 1934, jette un pavé dans une mare tranquille ; les réactions des autorités sont violentes : ostracisé en chaire, il est renvoyé du journal de la capitale, *Le Soleil*, dont il était le rédacteur en chef. Dix ans plus tard, Roger Lemelin devient célèbre en choisissant la basse-ville de Québec comme cadre de ses romans (*Au pied de la pente douce, Les Plouffe*). Gabrielle Roy, venue de son Manitoba natal, s'installe à Montréal, y situe, dans un des quartiers populaires, *Bonheur d'occasion* (1945). (Elle se souviendra de l'Ouest canadien dans d'autres romans et nouvelles.) Avec ces deux auteurs, on met de côté le décor paisible et rural d'une nation qui ne l'est plus.

Après eux, Yves Thériault, André Langevin, Gérard Bessette, Claire Martin puis, une génération plus tard, Christian Mistral, Monique Proulx, Hélène Monette,

Yvon Rivard et la majorité des contemporains trouveront leurs personnages parmi les citadins des grandes ou des petites villes.

La poésie

Après l'École littéraire de Québec s'organise dans la métropole l'École littéraire de Montréal. Le groupe fonctionne comme un véritable cénacle, alternant travail en commun et séances publiques. Le groupe dure une trentaine d'années. (Il en sortira deux recueils de *Soirées*.) Parmi d'autres poètes presque tous plus âgés que lui, Émile Nelligan est l'incarnation du poète maudit : irlandais par un père qu'il détestait, canadien par une mère qu'il vénérait, il exprime cette déchirure profonde dans de beaux poèmes aux accents émouvants. À 20 ans, il sombre dans la folie et cesse d'écrire. Sa sensibilité lui avait soufflé les accents prémonitoires du « Vaisseau d'or » :

> Ce fut un grand Vaisseau taillé dans l'or massif :
> Ses mâts touchaient l'azur, sur des mers [inconnues ;
> La Cyprine d'amour, cheveux épars, [chairs nues,
> S'étalait à sa proue, au soleil excessif.
>
> Mais il vint une nuit frapper le grand écueil.
> Dans l'océan trompeur où chantait [la Sirène,
> Et le naufrage horrible inclina sa carène
> Aux profondeurs du gouffre, immuable [cercueil.
>
> Ce fut un Vaisseau d'Or, dont les flancs [diaphanes
> Révélaient des trésors que les marins [profanes,
> Dégoût, Haine et Névrose, entre eux [ont disputé.
>
> Que reste-t-il de lui dans la tempête brève ?
> Qu'est devenu mon cœur, navire déserté ?
> Hélas ! Il a sombré dans l'abîme du Rêve !...

Un véritable élan poétique souffle sur cette période (Bussières, Gill, Lozeau) qui a assimilé les mouvements européens des XVIIIe et XIXe siècles. Paul Morin, Jean-Aubert Loranger seront des puristes ayant tendance à s'éloigner du champ clos d'un nationalisme étroit pour embrasser un universalisme systématique. Le courant régionaliste est représenté par Alfred DesRochers (« je suis un fils déchu de race surhumaine ») ou Robert Choquette, qui ne dédaigne pas la magnifique nature nord-américaine chantée avant lui par Louis Fréchette et Charles Gill. Jean Narrache (pseudonyme d'Émile Coderre) sera le seul à s'inspirer de thèmes plus triviaux : chômage, crise économique se disent en langue populaire volontiers oralisée.

Les grands aînés

Juste avant la Seconde Guerre mondiale, les poètes vont amener, chacun à leur façon, la poésie québécoise à maturité. Hector de Saint-Denys Garneau (1912-1943) est mort seul, comme il avait vécu ; Ses *Regards et jeux dans l'espace* (1937) délaissent le vers traditionnel pour recourir au vers libre auquel des images simples et neuves et un sens inné du rythme donnent une véritable grandeur. Sa cousine, Anne Hébert (1916-2000), très solitaire elle aussi, commence à publier une œuvre poétique dépouillée, sans être austère ; elle s'est par la suite orientée vers l'écriture romanesque. Rina Lasnier (1915-1997) manie un verbe plus abondant et, dans une œuvre importante, fait appel à une dimension spirituelle. Alain Grandbois (1900-1975), à qui les voyages ont donné tout un éventail d'images colorées, aborde les grands thèmes universels avec un souffle puissant et original : l'amour (« Noces »), la fuite du temps (« Fermons l'armoire aux sortilèges »).

L'âge de la parole.

À partir de 1953, l'Hexagone[14] devient un lieu de rencontre et d'édition. Les poètes prennent la parole pour dire un pays qui prend forme. Ils le nomment et en prennent possession par l'écriture ; ils le présentent dans l'angoisse d'une poésie jeune et qui se sent concernée au plus haut point par la difficulté d'être, et d'être québécois. Gaston Miron (1928-1996) est l'infatigable animateur de l'Hexagone. *L'Homme rapaillé* paraît en 1970[15] et révèle au monde des lettres un très grand poète de la francophonie, profondément québécois dans ses images comme dans ses douloureux tiraillements :

> Dans les lointains de ma rencontre
> [des hommes
> le cœur serré comme les maisons d'Europe
> avec les maigres mots frileux de mes
> [héritages
> avec la pauvreté natale de ma pensée
> [rocheuse
>
> j'avance en poésie comme un cheval de trait
> tel celui-là de jadis dans les labours de fond
> qui avait l'oreille dressée à se saisir réel
> les frais matins d'été dans les mondes
> [brumeux

« Miron-le-Magnifique » sera de toutes les prises de position, de tous les combats qui secouent le Québec, de la crise d'Octobre aux référendums en passant par la loi 101. Sa route semble tracée très droit vers l'essentiel : être un poète québécois, au plein sens du terme avant même l'acception actuelle du terme. N'écrivait-il pas déjà dans « Recours didactique » (1957) :

> Néanmoins, et c'est énorme, il existe un mouvement poétique pluriel où se fait sentir une première densité collective... Mais notre tellurisme n'est pas français et, partant, notre sensibilité, pierre de touche de la poésie ; si nous voulons apporter quelque chose au monde français et hisser notre poésie au rang des grandes poésies nationales, nous devrons nous trouver davantage, accuser notre différenciation et notre pouvoir d'identification. Sans cesser d'écrire en un français de plus en plus correct, voire de classe internationale. Nous aurons alors une poésie très caractérisée dans son inspiration et sa sensibilité, une poésie canadienne d'expression française et, si nous savons aller à l'essentiel, universelle...

Miron a su rallier sous sa bannière et entraîner dans son sillage une cohorte de poètes québécois de grande qualité. Les autres genres littéraires suivront l'exemple de la poésie. Le titre d'un volume de Gérard Bessette sur la littérature des années 1960 représentait bien la situation de l'heure : *Une littérature en ébullition*[16]. À partir de ce moment, la prise de conscience des Québécois se traduit naturellement par une expression littéraire intense et variée. Pendant la première décennie, le mouvement commencé dans les années 1950 s'accélère mais c'est surtout pendant les années 1970 que la littérature québécoise s'épanouit d'une façon spectaculaire.

Gaston Miron. (Photo : Kéro.)

L'institution littéraire

Au cours des 40 dernières années, le Québec s'est doté d'institutions solides. L'État a d'ailleurs participé à ce qu'il est convenu d'appeler les « industries culturelles ». Plus de 200 maisons d'édition publient abondamment ; les librairies, elles, qui s'étaient multipliées, même très loin du grand centre culturel que devient Montréal, ont maintenant du mal à résister aux grandes surfaces qui « cassent les prix ». (L'audace qui animait des libraires-éditeurs comme Paul Michaud à Québec ou Henri Tranquille à Montréal dans le temps de « la grande noirceur » ferait sourire un jeune cégépien d'aujourd'hui.) On publie des périodiques sur tous les sujets, l'histoire, l'actualité sociale, politique ou littéraire (*L'actualité, Liberté, Lettres québécoises, Spirale, Nuit blanche*) comme la décoration, le sport ou la cuisine, ainsi que les revues « savantes » des universités (*Études littéraires, Études françaises, Voix et images*, etc.). Les quotidiens, en particulier *Le Devoir, La Presse, Le Soleil*, ont au moins un supplément littéraire et artistique par semaine. Un imposant groupe de recherche de l'Université Laval publie un *Dictionnaire des œuvres littéraires du Québec* en plusieurs tomes (le septième [1980-1985] a paru en 2003). Les salons du livre se multiplient, attirent des foules, donnent des prix, encouragent les auteurs, jeunes et moins jeunes. Le troisième millénaire a vu la Grande Bibliothèque du Québec se mettre au service d'un public tenté par les nouvelles technologies.

Les femmes

Les femmes ne sont pas en reste : l'écriture « féminine », déjà bien représentée dès les années 1960, s'engage dans une pers-

France Théoret. (Photo : Micheline Dejordy.)

pective féministe : Nicole Brossard, Madeleine Gagnon, Denyse Boucher, France Théoret, Louky Bersianik, Suzanne Jacob. Claire Martin avait participé à sa façon à la Révolution tranquille (*Dans un gant de fer*) ; nonagénaire, elle publie encore un livre par an. De leur côté, Francine Noël, Claudine Bertrand, Hélène Dorion, Catherine Mavrikakis projettent une autre image de la Québécoise.

L'essai

Dans cette appropriation d'une culture qui se vit, tous les genres littéraires ou presque prennent de l'expansion : on note des milliers de nouveaux titres par an.

Les critiques, ayant de plus en plus de tribunes pour exercer leur plume, raffinent leur jugement, deviennent plus exigeants (Gilles Marcotte, Jean Éthier-Blais) et, du même coup, agissent sur la production et la diffusion de la littérature. L'essai se diversifie : philosophie, histoire culturelle collective et sociologie (Guy Rocher, Marcel Rioux, Jean Bouthillette, Fernand Dumont, Gérard Bergeron, Jean Larose, Gérard Bouchard, Jocelyn Létourneau), réflexion personnelle (Pierre Vadeboncœur, Jacques Brault, Suzanne Jacob, Luc Bureau, Pierre Morency), littérature (François Ricard, Gilles Marcotte), musique (Fernand Ouellette), art (Robert Marteau), etc. Des journalistes, des hommes d'action défendent des idées (le frère Untel, Jean-Francois Lisée). L'essai littéraire permet au lecteur de suivre le mouvement de la pensée, la recherche d'un équilibre chez un auteur (André Belleau). Pour Jacques Brault, « écriture vagabonde refoulée aux marges de la littérature, l'essai s'engage sur un terrain miné, il se déplace à tâtons, véhément et nonchalant, il ne se porte garant que de son à-peu-près » (*Chemin faisant*).

La tentation du joual

Au milieu des années 1960, les écrivains se posent la question fondamentale de la langue dans laquelle ils écrivent : pour dire un pays nord-américain, pour rester fidèles au peuple à qui ils s'adressent, ne devraient-ils pas privilégier une langue d'ici et carrément écrire en joual ? La revue *Parti pris* réfléchit à l'utilisation du joual en littérature[17]. Cette position intellectuelle répond à un besoin social. Pourtant, Michel Tremblay, soutenu par le metteur en scène André Brassard qui l'accompagnera tout au long de sa carrière, met trois ans à persuader une compagnie théâtrale de jouer sa pièce écrite en 1965, *Les Belles-Sœurs*[18]. Sur le plan littéraire et dramatique, Michel Tremblay, renouvelant la langue et le jeu théâtral, exprime vertement la désarticulation d'une société qu'il juge « sans hommes », comme sont ses drames. *La Duchesse de Langeais*, qui met en scène un travesti, dénonce encore plus crûment la pseudo-virilité du joual, cette « sexualité linguistique dépravée qui cache mal l'impuissance politique » (L. Mailhot). « On est un peuple qui s'est déguisé pendant des années pour ressembler à un autre peuple… on a été travestis pendant 300 ans » (M. Tremblay). La démarche de Tremblay bifurquera vers des cycles romanesques bien construits : *Les Chroniques du plateau Mont-Royal* (1978-1997) et *La Diaspora des Desrosiers* (2007-2009).

Pendant une petite dizaine d'années, on fera des nouvelles ou des romans en joual, dont les plus remarqués sont *Le Cassé* de Jacques Renaud et *Le Cabochon* d'André Major. L'écriture poétique utilise aussi le joual. Un historien de la littérature explique ce phénomène :

> L'École de *Parti pris* recourt au joual comme à une structure de décomposition qui dénonce l'abâtardissement culturel, social, politique. Aucune intention pittoresque ; l'utilisation du langage populaire est systématique, massive, historique et critique. Il ne s'agit pas d'institutionnaliser une nouvelle langue, ni un dialecte, ni un patois, mais un accent, une prononciation, un certain lexique ; il est un état, pauvre, mou et souffrant, du français, une sous-langue, a-t-on dit, la langue en partie défaite d'un peuple défait[19].

La chanson, le monologue fourniront le plus d'exemples de l'usage du joual — à ne pas confondre avec le français québécois —, dont les particularités sont surtout lexicales. En ce qui concerne le théâtre, Jean Barbeau, Jean-Claude Germain, Robert Gurik, André Ricard, Rolland Lepage, Normand Chaurette ont chacun une façon personnelle de dire la dramaturgie québécoise.

Le théâtre

Le théâtre requiert peut-être plus particulièrement le contexte d'une certaine urbanité. Or les villes québécoises restent essentiellement habitées, jusqu'en 1940, par des ruraux transplantés qui ne sont pas encore « arrivés en ville ». Jusque-là, le théâtre était très « français » et du genre pratiqué dans les patronages et autres institutions religieuses (Julien Daoust, au début du siècle, produisait de grandes fresques, comme *La Passion*). Les débuts d'un théâtre plus québécois tiennent un peu de l'initiation, d'autant plus que l'Église ne voyait pas d'un trop bon œil de telles activités pouvant mettre en péril les bonnes mœurs[20]. C'est pourtant un clerc, le père Legault, qui fonde les Compagnons du Saint-Laurent d'où sortira toute une génération de gens de théâtre accomplis, comédiens, metteurs en scène, décorateurs (Jean-Louis Roux, Denise Pelletier, Jean Gascon, etc.). On y joue le grand répertoire français. Les spectateurs sont des étudiants, des intellectuels, des membres de professions libérales. Les gens du peuple préfèrent le burlesque, genre à la mode aux États-Unis, le vaudeville et l'opérette, que l'on continue à présenter avec un succès en déclin depuis l'avènement du cinéma.

En 1948, Gratien Gélinas présente *Tit-Coq*, la première œuvre dramatique majeure originale au Québec, si l'on excepte les pièces de Fréchette ou des exercices à saveur didactique ou anecdotique (on se souvient du succès de *La Petite Aurore l'enfant martyre*). *Tit-Coq* est une œuvre à saveur populiste : on doit à Gélinas d'avoir été chercher dans le burlesque un élément qui plaît à tous. Le spectateur moyen s'identifie parfaitement à ce « vrai Canadien » astucieux, rieur et plein d'humour, « né pour un petit pain » mais sachant comment on se sort du pétrin. Gratien Gélinas a dirigé la Comédie canadienne où il a présenté des pièces de Marcel Dubé, dès la fin des années 1950, et de Jacques Ferron.

Les troupes de théâtre, parfois éphémères mais souvent de haut calibre, introduisent un répertoire international plus moderne : ainsi, le Rideau Vert (Yvette Brind'Amour et Mercedes Palomino) créant ici *Huis clos* de Sartre et *Ah! les beaux jours* de Becket. Madeleine Renaud a été invitée sur leur scène de la rue Saint-Denis. Parallèlement on fait place aux Québécois (Françoise Loranger, *Une maison, un jour*).

Au Théâtre du Nouveau Monde, fondé par Jean Gascon et Jean-Louis Roux, la compagnie, constituée de comédiens souvent exceptionnels (Albert Millaire, Guy Hoffmann, Geneviève Bujold, etc.) a présenté du Molière naturellement, mais aussi Claudel, Brecht, Musset, Shakespeare, Strindberg, O'Neill, de grands succès confirmés de Broadway (*Equus, Amadeus*), avant de revenir à un répertoire plus conforme à celui de ses fondateurs (Racine, Genet, Shakespeare, etc., et des auteurs québécois).

Dès le début des années 1960, le théâtre amateur a connu un succès certain et joué un rôle évident dans la professionnalisation du milieu. À Québec, l'Estoc présente des pièces d'avant-garde (Ionesco, Becket, Audiberti) et des créations québécoises de Marie-Claire Blais et de Jean O'Neil, à l'ombre du Château Frontenac. Jean-Guy Sabourin et ses Apprentis-sorciers, dans leur minuscule Théâtre de la Boulangerie, ont monté le grand répertoire engagé, comme *Les Bas-fonds* de Gorki, du théâtre d'avant-garde, comme *La Visite de la vieille dame* de Dürrenmatt, et des soirées poétiques (*Au nom de la rose* de Pierre Perrault). Le groupe a éclaté ensuite en différentes petites compagnies qui ont survécu quelques saisons. Les gouvernements encourageaient ce genre d'activité avec un Festival du théâtre amateur où s'est révélé, entre autres, André Brassard.

Le théâtre d'avant-garde a été surtout représenté par l'Égrégore, fondé par Françoise Berd en compagnie de jeunes metteurs en scène (Jean Pagé, Roland Laroche) et du peintre Mousseau qui y introduisait l'esprit des automatistes.

L'évolution générale du Québec d'après les années 1960 a modifié considérablement les données du monde théâtral québécois. Après *Les Belles-Sœurs*, le théâtre n'est plus un divertissement bourgeois. Dramaturges, acteurs et spectateurs assument cette façon de parler foncièrement québécoise. La vraie vie est parfois si proche de l'absurde. *Les Belles-Sœurs* sont une étape dans l'histoire littéraire du Québec. La création de classes de théâtre dans l'institution académique, l'apparition de l'École nationale de théâtre en plus des conservatoires de Québec et de Montréal, la pression des dramaturges pour voir jouer leurs pièces, la modification du goût et de la sensibilité apportés par les expérimentations artistiques des années 1970 et, en général, le décloisonnement des genres sont autant de raisons qui expliquent le remarquable essor de ce genre (vers 1970, on dénombrait une centaine de compagnies théâtrales). Gilles Pelletier au Gesù, Jean Duceppe, Paul Buissonneau ont contribué à former un public sans lequel le théâtre ne saurait exister.

Le Théâtre d'Aujourd'hui est un des rares lieux consacrés aux créations québécoises (acteurs : Michelle Rossignol, Jean-Louis Millette). En général, tous les théâtres prévoient à leur programmation des créations québécoises qui, de Marie Laberge (*Jocelyne Trudelle trouvée morte dans ses larmes*) à Robert Lepage, offrent à un public averti des types de spectacles très divers, du plus fantaisiste au quelque peu conformiste ou au plus novateur. Les Québécois ont aussi innové dans la mise en scène et l'interprétation de classiques (la série de Shakespeare à l'Espace libre). Une troupe comme l'Eskabel, fondée par Jacques Crête et André-A. Larocque, a largement modifié le paysage théâtral québécois dans le sens moderniste, en adaptant très librement et avec inventivité des textes de tous genres, notamment *La Belle Bête* de Marie-Claire Blais.

Le discours des femmes prend vie sur les planches : en 1976, *La Nef des sorcières* (Luce Guilbeault) et, en 1977, *Les fées ont soif* (Denyse Boucher) jettent d'autres pavés dans la mare littéraire montréalaise. La puissance des textes (*La Déposition* d'Hélène Pedneault), des interprétations de Pol Pelletier, auteure et actrice de *Joie*, est un exemple, au féminin, des qualités que déploient les gens du spectacle.

Carbone 14, fondé et dirigé par Gilles Maheu, a obtenu la reconnaissance artistique et la faveur du grand public québécois et international par des représentations plastiquement remarquables comme *Le Dortoir*. Formé au mime par Decroux et animateur de théâtre de rue, Gilles Maheu est un exemple typique d'un théâtre québécois où l'architecture théâtrale, la scénographie, la musique, le mot comme objet s'organisent dans un ensemble unifié, spectaculaire et dramatique, comme l'a encore montré sa mise en scène du « musical » *Notre-Dame de Paris*. Robert Lepage, extrêmement inventif, se lance dans des productions, parfois très longues (*Les Sept Branches de la rivière Ota*) avec le Théâtre Repères, ou dans des réalisations multimédias où, seul en piste, il tient un auditoire en haleine avec un texte et des voltiges hyper-précises dans une scénographie minutieuse (*Vinci, Les Aiguilles et l'Opium, La Face cachée de la lune*). Metteur en scène recherché dans le monde (il crée des pièces de Shakespeare à Londres),

Michel Tremblay (à droite) travaillant avec le metteur en scène André Brassard au spectacle *Albertine en cinq temps* (1985). (Société du Grand Théâtre de Québec.)

il est aussi cinéaste. Denis Marleau et le Théâtre Ubu ont également porté hors du Québec les qualités inventives d'une dramaturgie qui a tenu la vedette au Festival d'Avignon. Normand Chaurette (*Les Reines, Le Passage de « L'Indiana »*) a contribué à faire connaître le théâtre québécois dans la francophonie. On joue Tremblay à Séoul (*Albertine en cinq temps*) et Marie Laberge sur les Champs-Élysées. Michel-Marc Bouchard (*Histoire de l'oie*), René-Daniel Dubois, Daniel Danis (*Cendres de cailloux*), Larry Tremblay, Carole Fréchette, Alexis Martin, Serge Boucher, Évelyne de la Chenelière (*Des fraises en janvier, L'Imposture*), Olivier Choinière assurent une relève à laquelle Wajdi Mouawad, Abla Farhoud et Pan Bouyoucas apportent un imaginaire venu d'ailleurs. Il appartient à Monique Miller, à Andrée Lachapelle et à Sylvie Drapeau, à Albert Millaire et à tant d'autres comédiens de talent d'incarner les personnages de papier sur les planches. L'habitude de l'espace y est sans doute pour quelque chose, puisqu'on retrouve cette adéquation dans les autres arts de la scène que sont le cirque, la danse et la chanson, comme dans l'architecture. Le Spectrum, l'Usine C, le Théâtre de Quat'Sous, l'Espace Go, la Licorne, Ex Machina, la Tohu, autant de lieux où le Québec se met en scène.

Le « théâtre d'été » est un phénomène particulier dont l'ampleur stupéfie. On y présente dans une ambiance estivale des dizaines de spectacles bon enfant, souvent proches du vaudeville, qui attirent un grand public à la recherche d'une soirée délassante. Dans ce domaine, la création collective eut également ses heures de gloire, comme *Broue*[21], dont le succès a été phénoménal. Robert Gravel et Yvon Leduc, en fondant, en 1977, la Ligue nationale d'improvisation (LNI) sur le modèle des joutes de hockey, ne se doutaient sûrement pas de l'essor de ce type de performance, qui fait maintenant l'objet de compétitions multiples un peu partout dans le monde et s'enrichit même de formules voisines. Le théâtre, art vivant s'il en est, s'enrichit constamment de nouvelles expériences à l'enseigne d'une recherche tous azimuts. De *Vie et mort du roi boiteux* (Jean-Pierre Ronfard) aux *12 Messes pour le début de la fin des temps* (1999), le théâtre expérimental tient en haleine des spectateurs prêts à se laisser emporter sinon dérouter par un milieu à l'imaginaire effervescent.

Le dramaturge québécois est obligé de faire face à une double nécessité : celle d'un style écrit, propre à tous les écrivains, et celle de rejoindre directement un public qui s'attend à s'identifier, par l'accent et les particularismes du vocabulaire, aux personnages et à l'action qu'on lui propose de partager. Il s'agit de réinventer un langage qui soit tout en même temps écrit et parlé. Il n'est pas impossible que l'importance prise par les formes dramatiques non ou moins verbales (Gilles Maheu, l'utilisation des marionnettes) dans les dernières années soit l'expression de la difficulté qu'ont les créateurs à résoudre ce dilemme. Les expériences pluridisciplinaires de plus en plus nombreuses sont tentées à la télévision, à la radio et au cinéma.

Le Dortoir, de Gilles Maheu, production de Carbone 14 (1989). (Photo : Yves Dubé.)

Le roman

Après de grands noms comme Gabrielle Roy, Germaine Guèvremont, Félix-Antoine Savard, Anne Hébert, devenus des classiques, le roman se renouvelle et se modernise avec Jacques Ferron, André Langevin, Jacques Godbout (*Salut Galarneau, Les Têtes à Papineau*). Certains écrivains ne sont pas sans s'inspirer du « nouveau roman » (*Le Libraire* de Gérard Bessette, André Major).

Jacques Hébert fonde les Éditions du Jour où il rassemble de jeunes auteurs dont la plupart poursuivent leur carrière aujourd'hui : Roch Carrier, Jacques Poulin, Victor-Lévy Beaulieu, Jean-Marie Poupart. Ce sont pourtant les Éditions Pierre Tisseyre qui publieront l'un des romanciers les plus étudiés de la génération des années 1960 : Hubert Aquin.

On assistera à une sortie en force de la littérature québécoise hors du territoire. Les éditeurs français s'intéressent particulièrement à cinq écrivains qu'ils lancent dans la course aux prix littéraires : Anne Hébert avec *Les Fous de Bassan* (Seuil), Marie-Claire Blais avec *Une saison dans la vie d'Emmanuel* (Grasset), Hubert Aquin avec *Prochain épisode* (Laffont), Réjean Ducharme avec *Le nez qui voque* (Gallimard) et Jean Basile avec *La Jument des Mongols* (Grasset). Marie-Claire Blais obtient le prix Médicis[22], Anne Hébert, le Femina. Comme ces dernières, Jacques Poulin et le prolifique Michel Tremblay ont choisi de ne pas vivre toujours au Québec.

Les années 1970 ne sont pas seulement celles des grands mouvements séparatistes québécois. Ce sont aussi les années de la contre-culture où se forme une nouvelle génération d'écrivains dont Yolande Villemaire, qui publiera un gros roman, *Vava*[23]. La génération du « baby boom » revendique sa place et se définit par rapport aux aînés des années 1960. Les romanciers se font poètes ou inversement (Suzanne Jacob, Hugues Corriveau). Ils cherchent une forme « contemporaine » et cosmopolite. La littérature québécoise connaît ses premiers grands succès commerciaux avec des romans bien construits, vivants, dans la veine du « best-seller » comme *Le Matou* d'Yves Beauchemin[24], *Les Filles de Caleb* d'Arlette Cousture[25], mais aussi Francine Noël et Marie Laberge.

À partir des années 1980, l'imaginaire des romanciers (Jacques Poulin, François Barcelo, Monique Larue) se lance à la (re)conquête de l'Ouest, s'échappe vers d'autres continents (Pierre Samson, *Le Messie de Belem*), tandis que des écrivains venus d'ailleurs, de plus en plus nombreux, entraînent le lecteur en Chine, au Brésil ou en Haïti (Émile Ollivier). D'autres manient avec bonheur le roman historique (Willie Thomas, Jean Bédard) ou plongent dans l'univers plus mystérieux encore de la science-fiction (Élisabeth Vonarburg, Jean-Jacques Pelletier).

Les années 1990 ont vu des tendances se confirmer : l'arrivée d'immigrants francophones (Dany Laferrière, Mona Latif-Ghattas, Ying Chen) ou allophones qui choisissent d'écrire en français, a élargi l'imaginaire québécois ; les romanciers Philippe Poloni, Naïm Kattan, Sergio Kokis, les dramaturges Marco Micone, Abla Farhoud ou Wajdi Mouawad, le poète Fulvio Caccia font entendre d'autres tonalités. En revanche, Gil Courtemanche transporte son lecteur dans une Afrique en crise (Rwanda, Congo). La décennie 2000 voit ressurgir les voix masculines de romanciers dans la trentaine (Guillaume Vigneault).

La nouvelle attire et retient de plus en plus d'auteurs (Jean-Pierre Girard, Nadine Bismuth, Suzanne Myre) ; L'Instant même y consacre la majeure partie de ses publications. La littérature pour enfants et adolescents a pris de l'allant (Henriette Major, Christiane Duchesne). La Courte Échelle propulse dans le monde des auteurs doués (Ginette Anfousse, Denis Côté). La littérature périodique humoristique s'est complètement renouvelée, de *Croc*, né en 1978 comme un canular, à *Safarir*, en passant par *Lubie*, *Le Couac* et *Le Mouton noir*.

Marie-Claire Blais. (Photo : N. Hellyyn A.M.L.)

La poésie

La poésie (avec la peinture qui lui est souvent associée, comme dans le cas de Roland Giguère) est l'un des déclencheurs de la Révolution tranquille. On suit les traces des « poètes de l'Hexagone » : Fernand Ouellette, Jean-Guy Pilon, Paul-Marie Lapointe, Roland Giguère, etc. *L'Ode au Saint-Laurent* de Gatien Lapointe remporte un succès considérable. Autour des années 1970, les revendications linguistico-politiques verront les participants à la Nuit de la poésie saisis d'intense émotion à la lecture de « Speak white » par Michèle Lalonde. Dans la veine « jouali-sante », il faut nommer Gérald Godin et Michel Garneau, homme de théâtre par ailleurs. À partir des années 1980, les poètes empruntent toutes sortes de chemins pour dire l'instant, la solitude, les petits riens quotidiens comme les grandes folies partagées. Encore aujourd'hui, la poésie est très vivante : plusieurs maisons d'édition en publient, des lectures se font dans des lieux publics, un salon annuel international de poésie envahit toute la ville de Trois-Rivières. La production poétique s'est largement diversifiée : radicale chez Denis Vanier ou Josée Yvon, formaliste pour Nicole Brossard, François Charron, Claude Péloquin, plus traditionnelle dans les œuvres de Jacques Brault, de Denise Desautels, d'Hélène Dorion, de Pierre Morency ou de Sylvain Campeau.

De nombreuses maisons d'édition se spécialisent dans le domaine de la poésie :

Pierre Morency. (Photo : Michel Boulianne.)

Les Écrits des Forges, à Trois-Rivières, maison fondée par Gatien Lapointe ; à Montréal, Les Herbes rouges, La Nouvelle Barre du jour, Le Noroît, etc., et naturellement les Éditions de l'Hexagone.

La diffusion

Le seul problème qui touche de près tous les gens de lettres est celui de la diffusion. La production est considérable — comme le territoire couvert — par rapport à la population et aux possibilités des librairies : il est très onéreux de constituer des stocks qui mobilisent capitaux et espace. Et le public a d'autant plus de mal à trouver un ouvrage que la production est abondante. Cela s'aggrave encore si l'on considère le Québec à l'échelle de la francophonie. Alors que l'on trouve facilement les auteurs français un peu partout, il est difficile de se procurer un roman québécois à Paris et utopique de tenter de le faire en Afrique. C'est un problème qui déborde le cadre du Québec et touche toute la francophonie. Le Printemps du Québec en France et le Salon du livre de Paris ont canalisé en 1999 les énergies des éditeurs de l'autre côté de l'Atlantique, révélant l'écriture originale de Gaétan Soucy (*Music-Hall*). Nelly Arcan est repérée par le Seuil qui publie *Putain* en 2001, roman des pulsions entre la vie et la mort, que l'auteure rejoindra volontairement en 2009.

Les années 1990 ont vu la parution de nombreux outils : anthologies, histoire de la littérature, manuels, dictionnaires, etc. L'essai, sous toutes ses formes, permet aux auteurs de croiser le fer de leurs plumes, de faire état d'« une vie dans le siècle » (*Récit d'une émigration* de Fernand Dumont). Le récit se prête à toutes les inventions (Suzanne Jacob, Roland Bourneuf) ; une journée d'été sur la Côte-Nord sert de prétexte à André Ricard pour nous donner un récit aussi modeste dans sa taille qu'intense et exigeant dans son écriture, *Les Baigneurs de Tadoussac.*

Certains auteurs touchent à plusieurs genres avec bonheur (Suzanne Jacob, Robert Lalonde), d'autres, plus rares, restent inclassables : Rober Racine découpe patiemment les pages du dictionnaire Robert pour en faire des *Pages-miroirs,* en sort des *Phrases harmoniques,* explique la démarche qui l'a conduit à rêver d'un *Parc de la langue française* dans *Le Dictionnaire.* Artiste multidisciplinaire, il touche autant aux arts visuels qu'à la musique pour la danse contemporaine (*Des feux dans la nuit*). Créer, c'est repousser sans fin des limites qui ne bornent que les esprits faibles.

À cette pléthore d'écrivains de langue française s'ajoutent de bonnes plumes de langue anglaise. Les plus connus ont nom Mordecai Richler et Charles Taylor ; les romanciers David Homel, Gail Scott et Trevor Ferguson, Neil Bissoondath, essayiste et romancier, la nouvelliste Elyse Gasco et le poète Bruce Taylor sont quelques-uns de ceux dont on parle à la Quebec Society for the promotion of English Language Literature. Le théâtre anglophone connaît également ses heures de gloire depuis deux bonnes décennies. Montréal est une ville qui se dit et se chante (Leonard Cohen) aussi en anglais.

Radio et télévision

En 1922, la radio de langue française commence ses émissions à Montréal (CKAC), puis gagne les régions. Cela permet aux gens des paroisses ou des quartiers des villes — jusqu'alors restés fermés sur eux-mêmes — de s'ouvrir à ce qui se passe à l'extérieur. Les Québécois accueillent très favorablement cette invention qui ne dépayse pas des groupes sociaux encore tout imprégnés de tradition orale. Certaines émissions de radio dureront plusieurs dizaines d'années : *Les Belles Histoires des Pays d'en haut, Les Joyeux Troubadours* (30 ans). Des annonceurs (Jacques Normand, Roger Baulu) ont eu un statut de vedette.

La puissance de la radio est devenue évidente pendant la Seconde Guerre mondiale ; certains hommes politiques savent se servir à l'occasion de ce nouveau pouvoir qu'est l'information médiatisée. Des traditions se créent : *Chez Miville, Jazz soliloque, Le Cabaret du soir qui penche*; Maryvonne Kendergi, Guy Maufette, Gilles Archambault enchantent — au sens fort du terme — un public réceptif et prêt à apprendre.

C'est aussi par la radio que la chanson québécoise gagne en popularité. Le Québec innove en confiant des émissions, non

Gaétan Soucy. (Photo : Martine Doyon.)

plus à un seul animateur, mais à une équipe rassemblée autour d'un meneur de jeu. Celui-ci, entouré de gens dont il sait faire valoir le talent, recrée en studio des conversations de tous les jours. L'équipe peut inviter les auditeurs à participer à l'émission, que ce soit par le biais de la tribune téléphonique ou en réalisant l'émission en direct à partir d'un lieu public. L'interaction entre les gens de radio et le public reste impressionnante encore de nos jours malgré l'invasion de la télévision.

En 1952, on assiste aux débuts de la télévision canadienne en français, « Radio-Canada ». Dès les années 1950, la télévision prend une telle envergure au Québec qu'elle devient un phénomène d'ordre culturel et social de première grandeur. Cinq ans après sa fondation, tous les foyers, à de rares exceptions, ont l'œil rivé sur l'un des petits écrans qu'ils possèdent ; il n'est pas rare de voir la télé allumée, dès l'aube jusque tard dans la nuit, même si les spectateurs potentiels ne sont pas toujours passivement assis devant l'écran cathodique qu'ils regardent plus de 26 heures par semaine.

Le Québec, plus vite que tout autre pays francophone, s'est mis à l'heure des médias audiovisuels : Michel Tremblay raconte que sa vocation d'écrivain est née alors qu'il livrait des poulets « barbecue » sur le plateau Mont-Royal, parce qu'il s'imaginait qu'une caméra de télévision était au bout de la rue et le filmait, ce qui, par ricochet, lui donna à lui, devenu pendant ses livraisons un personnage imaginaire, le don d'observer le « vrai monde » qu'il transformera en personnages de théâtre et de roman.

Outre les nombreux téléromans (150 en 43 ans), d'intelligentes émissions pour la jeunesse (*Watatatow* a dépassé les 500 émissions), des émissions de commentaires (*Le Point*) sont animées par des gens de métier, femmes et hommes de haut calibre que se disputent les réseaux de télévision (Pierre Nadeau, Denise Bombardier, Bernard Derome, Stephan Bureau, Simon Durivage). Christiane Charette, Julie Snyder et Michaelle Jean (devenue en 2005 Gouverneure générale du Canada) ont le sens de l'entrevue. Janette Bertrand n'hésite pas à aborder des sujets très délicats par le biais d'un repas-entrevue hebdomadaire (ex-prisonniers en cours de réinsertion sociale, ex-membres de sectes, etc.). *Omniscience, Découverte,* émissions scientifiques exportées avec succès en de multiples pays, ont été suivies par une autre, plus légère, *Un gars, une fille.*

Une grande majorité de foyers sont « câblés », ce qui leur donne accès à une quantité phénoménale de chaînes, dont beaucoup des États-Unis. Téléromans et variétés retiennent les spectateurs à la maison, parfois loin des salles de spectacle. Le magnétoscope et le DVD ont forcé les salles de cinéma à changer leur mode de présentation (nombreuses salles de capacités diverses sous un même toit et rotation rapide des nouveautés suivant l'achalandage).

Radio-Québec (devenue Télé-Québec), à la mesure de moyens plus modestes que ceux de la télévision canadienne et des réseaux privés, a réussi des séries remarquables : *Octopuce* a mis l'informatique à la portée de tous ; *Le 60-80* a fait revivre à chacun deux décennies qui ont compté dans l'histoire du Québec ; puis en 1997, la chaîne s'attaquait à l'histoire dans son ensemble avec *Une épopée en Amérique*, de l'historien Jacques Lacoursière et du cinéaste Gilles Carle. *Le Sel de la semaine*, du grand vulgarisateur scientifique que fut Fernand Seguin, a contribué de façon évidente au divertissement et à l'éducation des masses. Selon cet animateur qui savait communiquer un enthousiasme renforcé d'une culture étendue (avec Jean Rostand, par exemple)[26], il y eut deux grands événements au Québec : « l'arrivée de Jacques Cartier... et la naissance de Radio-Canada ».

Et la tradition orale ?

Le papier ne coûte pas cher au Québec, peut-on penser, devant l'épaisseur des journaux et la prolifération des publications ; c'est aussi ce que pensent les éditeurs français à qui l'on propose des coéditions. La quantité de tous ces écrits aurait-elle relégué au fond des garde-robes — la sagesse populaire dit qu'une chose rangée est une chose perdue — cette fascinante tradition orale qui fit le bonheur d'une dizaine de générations ?

Les traces de ces longues fréquentations sont encore très visibles en bien des domaines. On va volontiers écouter Kim Yaroshevskaya (la Fanfreluche d'autrefois) ou Michel Faubert raconter « La fille aux mains coupées » dans un bar ou une salle de spectacle. Le Québécois adore parler pour le plaisir — fait de civilisation d'origine bien française ; on le rencontre dans les couloirs des organismes ou institutions un café à la main, en train de « faire des sparages ». S'il n'est pas dans le couloir, vous le trouverez probablement en réunion (il n'existe malheureusement pas de statistiques sur le pourcentage de temps passé en réunion). Pendant de longues années, le Canada — et au Canada, le Québec — a détenu le record d'occupation au téléphone ; il est vrai que les communications locales sont comprises dans l'abonnement. La radio offre nombre d'émissions de tribunes téléphoniques et rappelle que la chanson québécoise ne manque ni de souffle, ni de « punch ». Les téléromans sont l'exemple flagrant de la prédominance du dialogue sur l'action : assis dans leur salon, ou dans leur cuisine, les protagonistes du petit écran discourent au nez et à la barbe des spectateurs assis dans leur salon ou dans leur cuisine. En effet, on adore manger au Québec. L'art de la bonne chère est aussi une composante de la culture ; dès 1604, Champlain n'avait-il pas fondé en Acadie un « Ordre du Bon Temps[27] » ?

Dans le domaine du spectacle, on a déjà noté la prédilection du Québec pour l'art vocal. À partir de l'exemple du Grand Cirque ordinaire, on s'est longtemps adonné à la création collective au théâtre, depuis ce moment de grâce qu'était *T'es pas tannée, Jeanne d'Arc* (1969-1970) jusqu'au Théâtre Repères (*La Trilogie des dragons*) et au centre expérimental situé à la Caserne Dalhousie, à Québec. Ce côté fortement théâtralisé se retrouve dans les spectacles de cirque, Éloize ou Le Cirque du Soleil — sans animaux et pratiquement sans mots — dont la carrière internationale est exceptionnelle[28]. La dramaturgie

Yvon Deschamps, monologuiste. (Archives nationales du Québec à Québec, E10, D86-325, P20. Photo : Daniel Lessard.)

s'est renouvelée dans des spectacles multidisciplinaires où les techniques électroniques sont utilisées avec à-propos : *Orféo*, à l'Usine C, en 1998, *Le Moulin à images* de Robert Lepage en 2008. *S'allumer contre le vent*, performance (1998) de Nathalie Derome, confirme la maîtrise de cette autre artiste inclassable après 15 ans de scène.

Les monologuistes continuent d'avoir grand succès à chaque apparition. Yvon Deschamps, Sol (*Retour aux souches*), Daniel Lemire, Pierre Légaré et combien d'autres sont portés aux nues par la faveur populaire.

On a créé à Montréal un Festival Juste pour rire dont le volet anglophone, *Just for Laughs*, draine les producteurs mondiaux de spectacles et de télévision dans l'espoir de débusquer la dernière vedette de l'heure.

On a vu des imitateurs remarquables (Jean-Guy Moreau, Claudine Mercier, André-Philippe Gagnon, Marc Dupré) déclencher les rires d'un auditoire prêt à se moquer de ses propres travers. Toujours chez les amuseurs publics, Rock et Belles Oreilles, le Groupe Sanguin, Ding et Dong, Marie-Lise Pilote, François Gourd,

Maxim Martin conjuguent l'humour à tous les temps et sur tous les tons. Le rire aussi est une manifestation orale.

De la poésie dite et écrite, du théâtre à texte au théâtre multidisciplinaire, du monologue au cirque, du poème au roman, l'oral et l'écrit se conjuguent aujourd'hui pour exprimer, de plus en plus, les réalités et l'authenticité de la culture québécoise. De française qu'elle fut à l'origine, la littérature québécoise s'est transformée en terre nord-américaine. Reflet d'une civilisation toujours fragile, elle n'est pas sans problème. Sa grande force a été d'intégrer la tradition de la parole (méditerranéenne et française) à la propension américaine au mouvement et à l'action: 220 éditeurs, 80 distributeurs, 400 librairies, 450 bibliothèques. En 1997, en proportion de la population, il s'est publié ici plus de livres (8 000) qu'en France et deux fois et demie plus qu'aux États-Unis. Ayant su se dégager de l'attrait passéiste du terroir sans renier les forces vives de la tradition orale, la littérature d'ici a montré au cours des 50 dernières années sa capacité d'expansion et de diversification. Le temps n'est plus où l'on parlait d'une littérature française du Canada, puis d'une littérature canadienne de langue française — finalement canadienne-française. La littérature québécoise est peut-être la plus vivante des littératures de langue française.

Notes

1. Centre d'études sur la langue, les arts et les traditions populaires des francophones en Amérique du Nord (Université Laval, Québec).

2. Dollard Des Ormeaux trouva la mort en 1660 dans l'attaque du Long-Sault par les Iroquois, en amont de Montréal. Madeleine de Verchères défendit courageusement, à 14 ans et en l'absence de ses parents, leur seigneurie contre les Amérindiens.

3. Le cuisinier (en anglais *cook*) était décidément un homme puissant dans les camps de bûcherons.

4. Le petit caribou est une boisson faite de deux tiers de vin de baies sauvages et d'un tiers d'alcool blanc, autrefois distillé dans un alambic clandestin.

5. Voir la note 13 du chapitre « Genèse de la société ».

6. Et voilà comment la légende, dont le point de départ est un fait réel étonnant, peut aboutir dans l'imaginaire populaire à une représentation totalement irréaliste. Le loup-garou n'est-il pas l'image du très vieux dicton « l'homme est un loup pour l'homme » ?

7. Voir le chapitre concernant la chanson.

8. Une pancarte indiquait dans un chantier : « Le travail du dimanche est interdit sauf s'il est commandé par les autorités. »

9. Elle avait été mariée, puis veuve, avant d'entrer en religion. Son fils entra en religion également.

10. Passablement moralisateur, il donne les grandes lignes de la mission de la littérature « canadienne » : « Heureusement que, jusqu'à ce jour, notre littérature a compris sa mission, qui est de favoriser les saines doctrines, de faire aimer le bien, admirer le beau et connaître le vrai, de moraliser le peuple, ouvrant son âme à tous les nobles sentiments, en murmurant à son oreille, avec les noms chers à nos souvenirs, les actions qui les ont rendus dignes de vivre, en couronnant leurs vertus de son auréole, en montrant du doigt les sentiers qui mènent à l'immortalité. »

11. Edmond Lareau, *Histoire de la littérature canadienne*, Montréal, 1874.
12. Si ce roman a acquis une telle célébrité, il le doit bien sûr à ses qualités, mais aussi au fait qu'il arrivait à un bon moment, celui où l'Europe s'enorgueillissait de ses nouvelles possessions coloniales qui allaient devenir des empires, en Afrique et en Asie.
13. C'est précisément en allant vers l'Ouest que Louis Hémon fut frappé par le train qu'il attendait.
14. Ils avaient été six à fonder cette maison qui continue à publier dans un esprit d'ouverture.
15. Ce poète-éditeur avait édité bien d'autres poètes sans songer seulement à publier ses propres poèmes. *L'Homme rapaillé* connut plusieurs rééditions, totalisant plus de 60 000 exemplaires, succès fabuleux pour un genre littéraire dont les publications sont d'habitude confidentielles.
16. Montréal, Éditions du Jour, 1968, 315 p.
17. Voir le chapitre « La langue ».
18. Comédie tragique, *Les Belles-Sœurs* est la mise en scène de la vie quotidienne de femmes d'un quartier populaire, perturbée par le cadeau insolite d'une boîte d'un million de timbres-primes qu'elles doivent coller dans des carnets. C'est l'occasion de faire éclater sur la scène la douloureuse médiocrité d'une vie que reflète un nouveau langage théâtral.
19. Laurent Mailhot, *La Littérature québécoise*, Paris, PUF, coll. « Que sais-je ? », 1974.
20. La morale ne permettait le théâtre que dans certaines conditions. En 1646 fut présentée la première pièce en Amérique. Il s'agissait du *Cid* de Corneille. *Tartuffe*, en 1690, n'eut pas le même bonheur : la pièce fut interdite par l'évêque du temps, Mgr de Saint-Vallier.
21. La « broue » est la mousse qui se forme sur un verre de bière. La pièce se passe dans une taverne. Le spectacle a attiré près de 2 millions de spectateurs en plus de 2 000 représentations, et généré des millions de dollars.
22. Gabrielle Roy avait reçu le prix Femina pour *Bonheur d'occasion* en 1947 et Antonine Maillet, une Acadienne, recevra le prix Goncourt en 1979 pour *Pélagie-la-Charrette*. En 2009, Dany Laferrière obtient le Médicis pour *L'Énigme du retour*.
23. *Vava* est un roman touffu où l'on trouve l'intérêt de cette époque pour les philosophies orientales, les drogues, les voyages, la libération sexuelle.
24. *Le Matou* a été tiré à au moins 800 000 exemplaires au Québec et en France.
25. *Les Filles de Caleb*, tiré à 300 000 exemplaires pour les deux tomes, au Québec seulement.
26. Il abordait avec un égal bonheur les personnes et les sujets les plus divers ; on le vit très rarement dérouté : à cet égard, son émission avec Jack Kerouac reste un exemple isolé.
27. Le Québec actuel regorge de remarquables restaurants. Les fêtes étaient autrefois prétextes à de longs préparatifs : tourtières et cretons pouvaient attendre au frais l'arrivée de la parenté au jour de l'An. Aujourd'hui, Québec, Montréal et les relais-auberges disséminés un peu partout rivalisent d'invention et de finesse pour flatter le palais et délier langues et bourses. Il n'est pas de meilleure restauration en Amérique du Nord ; Québec et Montréal se partagent le titre de « capitale de la gastronomie nord-américaine ».
28. De 1984 à 2000, 100 millions de spectateurs dans plus de 200 villes sur 5 continents. En 2009, le Cirque du Soleil présente simultanément 20 spectacles dans le monde. Le siège social à Montréal gère 4 000 employés, dont 1 000 artistes (40 nationalités, 25 langues). En 2010, il y aura 3 spectacles différents juste à New York.

Bibliographie

Anthologies, histoires de la littérature, répertoires

BEAUDOIN, Réjean, *Le Roman québécois,* Montréal, Boréal Express, 1991, 128 p.

BERTRAND, Claudine et Louise Cotnoir, *80 voix au féminin. Anthologie Arcade 1981-1996,* Trois-Rivières, Arcade, nos 35-36, 1996, 179 p.

BOIVIN, Aurélien, Maurice Émond et Michel Lord, *Bibliographie analytique de la science-fiction et du fantastique québécois, 1960-1985,* Montréal, Nuit blanche, 1992, 517 p.

BROSSARD, Nicole et Lisette Girouard, *Anthologie de la poésie des femmes au Québec,* Montréal, Remue-Ménage, 1991, 379 p.

DUMONT, François, *La Poésie québécoise,* Montréal, Boréal, coll. « Boréal express », 1999, 128 p.

ÉMOND, Maurice (dir.) *et al., Anthologie de la nouvelle et du conte fantastique québécois au* XX*e siècle,* Montréal, Fides, 1987, 276 p.

FORTIN, Marcel, Yvan Lamonde et François Ricard, *Guide de la littérature québécoise,* Montréal, Boréal, 1988, 155 p.

GASQUY-RESCH, Yannick (dir.), *Littérature du Québec,* Paris, EDICEF/AUPELF, 1994, 287 p.

GATTI, Maurizio, *Littérature amérindienne du Québec,* Montréal, Bibliothèque québécoise, 2009, 313 p.

GAUVIN, Lise et Gaston Miron (dir.), *Écrivains contemporains du Québec depuis 1950,* Montréal, L'Hexagone/Typo, 1998, 595 p. [Seghers, 1989].

GODIN, Jean-Cléo et Dominique Lafon, *Dramaturgies québécoises des années 1980,* Montréal, Leméac, 1999, 264 p.

GRANDPRÉ, Pierre de (dir.), *Histoire de la littérature française du Québec,* Montréal, Beauchemin, 1971-1973 [1967-1969], 4 vol.

GREFFARD, Madeleine et Jean-Guy Sabourin, *Le Théâtre québécois,* Montréal, Boréal, coll. « Boréal express », 1997, 128 p.

GRÉGOIRE, Claude, *Le Fantastique même, une anthologie québécoise,* Québec, L'Instant même, 1997, 239 p.

GREIF, Hans-Jürgen et François Ouellet (dir.), *La Littérature québécoise 1960-2000,* Québec, L'Instant même, 2004, 119 p.

GUILBAULT, Nicole (dir.), *Fantastiques légendes du Québec. Récits de l'ombre et du sombre,* Montréal, Asted, 2001, 156 p.

HAMEL, Réginald (dir.), *Panorama de la littérature québécoise contemporaine,* Montréal, Guérin, 1997, 822 p.

LAHAISE, Robert, *Une histoire du Québec par sa littérature, 1914-1939,* Montréal, Guérin, 1998, 767 p.

LE BLANC, Charles, *Contes et légendes du Québec,* Paris, Nathan, 1999, 238 p.

LEMIRE, Maurice, puis Gilles Dorion, puis Aurélien Boivin (dir.), *Dictionnaire des œuvres littéraires du Québec,* Montréal, Fides, 7 vol. parus de 1980 à 2003 (des origines à 1985). Le 8e volume est en préparation.

LEMIRE, Maurice, puis Denis Saint-Jacques (dir.), *La Vie littéraire au Québec,* Québec, PUL, 5 vol. parus entre 1991 et 2005. T. I : *1764-1805* ; t. II : *1806-1839* ; t. III : *1840-1869* ; t. IV : *1870-1894,* t. V : *1895-1918.*

LEPAGE, Françoise (dir.), *La Littérature pour la jeunesse 1970-2000,* Montréal, Fides, 2003, 347 p.

MAGNAN, Lucie-Marie, *100 pièces de théâtre qu'il faut lire et voir,* Québec, Nota Bene, 2002, 442 p.

MAILHOT, Laurent, *La Littérature québécoise depuis ses origines,* Montréal, Typo, 1996, 445 p.

MAILHOT, Laurent, *La Littérature québécoise,* Paris, PUF, coll. « Que sais-je ? », 1985 [1974], 127 p.

MAILHOT, Laurent et Pierre Nepveu, *La Poésie québécoise : anthologie,* Montréal, L'Hexagone, 1981, 714 p.

MARCOTTE, Gilles (dir.), *Anthologie de la littérature québécoise,* 2 t. en 4 vol., Montréal, La Presse, 1978.

MARTINEAU, Jacques, *Les 100 Romans québécois qu'il faut lire,* Québec, Nuit blanche, 1994, 151 p.

MOISAN, Clément, *Écritures migrantes et identités culturelles,* Québec, Nota Bene, 2008, 150 p.

PAGÉ, Pierre, *L'Histoire de la radio,* Montréal, Fides, 2007, 488 p.

PELLERIN, Gilles, *Anthologie de la nouvelle québécoise actuelle,* Québec, L'Instant même, 2003, 282 p.

PEYROUSE, Anne, *Humour et Poésie. Trente poètes québécois,* Trois-Rivières, Écrits des Forges, 2004, 166 p.

PONTAUT, Alain, *Dictionnaire critique du théâtre québécois,* Montréal, Leméac, 1972, 151 p.

RIVIÈRE, Sylvain, *101 poètes en Québec,* Montréal, Guérin littérature, 1995, 441 p.

ROYER, Jean (dir.), *Anthologie de poésie contemporaine québécoise,* Montréal/Paris, L'Hexagone/ La Découverte, 1987, 255 p.

ROYER, Jean, *Introduction à la poésie québécoise. Les poètes et les œuvres des origines à nos jours,* Montréal, BQ, 1989, 295 p.

ROYER, Jean, *Le Québec en poésie,* Paris, Gallimard (Folio Junior), 1987, 142 p.

Collection intitulée « Les Meilleurs/Romans/ Nouvelles/Contes fantastiques/québécois du XIXe siècle », chez Fides (Montréal), 1996.

Québec — Acadie. Rêves d'Amérique, Paris, Omnibus, 1998, 1 058 p. (11 romans, dont 5 plus spécifiquement québécois, de Hémon, de Savard, de Thériault, etc.).

Romanciers immigrés : biographies et œuvres publiées au Québec entre 1970 et 1990, Québec/ Montréal, IQRC/CIADEST, 1993.

SPENCER, Norbert, *Le Roman policier en Amérique française,* Québec, Alize, 2000, 418 p.

Théâtre québécois : 146 auteurs, 1 067 pièces résumées. Répertoire du Centre des auteurs dramatiques, Montréal, VLB/CEAD, 1994.

À l'écoute de la littérature

Autour du temps, anthologie de 15 auteur-es, (+ 1 DC), Saint-Hippolyte, Le Noroît, 1997, 99 p.

BEAUDET, Marie-Andrée, *Album Miron,* Montréal, L'Hexagone, 2006, 212 p.

Douze hommes rapaillés, 12 interprètes chantent Gaston Miron, DC, Spectramusique, 2008.

PELLERIN, Fred, *Comme une odeur de muscles. Contes de village,* Montréal, Planète rebelle, 2005, 150 p. + DC.

Poésies, contes et nouvelles du Québec, choix de textes et commentaires d'Aurélien Boivin (1 livre et 2 cassettes), Laval, Mondia, 1987.

Études sur la littérature

ALLARD, Jacques, *Le Roman du Québec : histoire, perspectives, lectures,* Montréal, Québec Amérique, 2000, 454 p.

BEAUDOIN, Réjean, *Le Roman québécois,* Montréal, Boréal, coll. « Boréal express », 1991, 125 p.

BOUDREAU, Diane, *Histoire de la littérature amérindienne au Québec : oralité et écriture,* Montréal, L'Hexagone, 1993, 201 p.

BOURASSA, André-G., *Surréalisme et littérature québécoise. Histoire d'une révolution culturelle,* Montréal, Les Herbes rouges, 1986 [L'Étincelle, 1977], 613 p.

DIONNE, René (dir.), *Le Québécois et sa littérature,*

Sherbrooke/Paris, Naaman/ACCT, 1984, 458 p. (18 chercheurs).

DUCROCQ-POIRIER, Madeleine, *Le Roman canadien de langue française de 1860 à 1958 : recherche d'un esprit romanesque*, Paris, Nizet, 1978, 908 p.

DUMONT, Fernand et Jean-Charles Falardeau (dir.), *Littérature et société canadiennes-françaises*, Québec, PUL, 1969, 272 p.

FALARDEAU, Jean-Charles, *Notre société et son roman*, Montréal, Hurbubise-HMH, 1967, 234 p.

FALARDEAU, Mira, *La Bande dessinée au Québec*, Montréal, Boréal, 1994, 125 p.

GAUTHIER, Louise, *La Mémoire sans frontières. Émille Ollivier, Naïm Kattan et les écrivains migrants au Québec*, Québec, PUL-IQRC, 1997, 143 p.

GODIN, Jean-Cléo et Laurent Mailhot, *Le Théâtre québécois contemporain*, 2 t., Montréal, BQ, 1988, [PUM, 1973].

HÉBERT, Chantal, *Le Burlesque au Québec. Un divertissement populaire*, Montréal, Hurtubise, 1981, 302 p.

KWATERKO, Jósef, *Le Roman québécois et ses (inter) discours*, Québec, Nota bene, 1998, 224 p.

LEGRIS, Renée et *al.*, *Le Théâtre au Québec, 1825-1980*, Montréal, VLB, 1988, 205 p.

LEMIRE, Maurice, *Formation de l'imaginaire littéraire québécois (1764-1867)*, Montréal, L'Hexagone, 1993, 280 p.

LEMIRE, Maurice, *Les Grands Thèmes nationalistes du roman historique canadien-français*, Québec, PUL, 1970, 281 p.

MARCOTTE, Gilles, *Le Roman à l'imparfait*, Montréal, La Presse, 1976, 194 p.

MARCOTTE, Gilles, *Le Temps des poètes*, Montréal, Hurbubise-HMH, 1969, 247 p.

MARCOTTE, Gilles, *Une littérature qui se fait*, Montréal, BQ, 1994 [Hurbubise-HMH, 1962], 338 p.

MAUGEY, Axel, *Poésie et société au Québec (1937-1970)*, Québec, PUL, 1972, 290 p.

MICHON, Jacques (dir.), *Histoire de l'édition littéraire au Québec au XXe siècle*, Montréal, Fides, vol. 1, 1999, 487 p.

PASCAL, Gabrielle (dir.), *Le Roman québécois au féminin (1980-1995)*, Montréal, Triptyque, 1995, 193 p.

SAINT-JACQUES, Denis, Jacques Lemieux, Claude Martin et Vincent Nadeau, *Ces livres que vous avez aimés. Les best-sellers au Québec de 1970 à aujourd'hui*, Québec, Nuit blanche, 1994, 223 p.

SUHONEN, Katri, *Prêter la voix. La condition masculine et les romancières québécoises*, Québec, Nota Bene, 2009, 290 p.

WYCZYNSKI, Paul (dir.), *Archives des lettres canadiennes-françaises*, n°s 1-5, Ottawa, PUO, à partir des années 1960.

COLLECTIF, *Romanciers du Québec*, Québec, Québec français, 1980.

Revues

L'Annuaire théâtral (recherches) ; *Arcade* (écriture féminine) ; *Cahiers de théâtre-Jeu* (actualité théâtrale) ; *Les Écrits* (textes inédits depuis 1954) ; *Estuaire* (poésie) ; *Études littéraires* (recherche et discours critique) ; *Exit* (création poétique), *Les Herbes rouges* (aventure en écriture) ; *Iapétus* (bulletin de liaison scientifique afro-québécois) ; *Imagine* (science-fiction) ; *Lettres québécoises* (magazine d'information), *Lurelu* (littérature jeunesse) ; *Mœbius* (création et textes d'opinion) ; *Nuit blanche* (magazine d'information) ; *Organe* (théâtre expérimental) ; *Protée* (sémiotique) ; *Québec français* (enseignement de la littérature) ; *Solaris* (science-fiction, fantastique) ; *Spirale* (actualité) ; *Stop* (création, courts textes de fiction) ; *Tableaux* (création) ; *Tangence* (théorie de la critique) ; *Trois* (écriture et érudition) ; *Voix et images* (discours critique) ; *XYZ* (création, nouvelles).

Tradition orale

Le CELAT (Centre d'études sur la langue, les arts et les traditions populaires des francophones en Amérique du Nord) de l'Université Laval à Québec a des archives de contes et de légendes, dont certains ont été publiés par Conrad Laforte, Jean-Claude Dupont et Jean Duberger.

BOIVIN, Aurélien, *Le Conte fantastique québécois au XIXe siècle. Introduction et choix de textes*, Montréal, Fides, 1997 [1987], 361 p.

DEMERS, Jeanne *et al.*, *Conte parlé, conte écrit*, Montréal, PUM, 1976, 177 p.

GUILBEAULT, Nicole, *Henri Julien et la tradition orale*, Montréal, Boréal, 1980, 200 p.

Germain Lemieux (Université de Sudbury en Ontario) a publié déjà 33 volumes intitulés : *Les vieux m'ont conté.*

Filmographie

L'ONF a produit des films pour illustrer des contes.

Il y a une série de films d'animation faits à partir de légendes des Inuits et des Amérindiens.

Ça parle au Diable, Bellemaire, Bouchard, Geoffrion, couleur, 1972, 50 min.

L'ONF a réalisé des films sur des auteurs (*Marcel Dubé, Hubert Aquin, Félix-Antoine Savard, Fernand Ouellette, Germaine Guèvremont, Louis Hémon, Roch Carrier*, etc.), des films sur des poètes (*Claude Gauvreau, Félix Leclerc, Gaston Miron, Gatien Lapointe, Gilles Vigneault, Jean-Guy Pilon, Nicole Brossard, Paul Chamberland, Saint-Denys Garneau, Yves Préfontaine, Suzanne Paradis, Marie Uguay*, etc.).

La Nuit de la poésie (27 mai 1970), Jean-Claude Labrecque, Jean-Pierre Masse, ONF, couleur, 1970, 112 min. L'ONF a également à sa disposition des extraits de cette *Nuit de la poésie*, par poète.

Dans la collection « La culture dans tous ses états », six des documentaires vidéo concernent la littérature (Synercom téléproductions et INRS-Culture et Société, 1999, 60 min) : *Le Verbe incendié* (la poésie des 100 dernières années), Denis Chouinard ; *Écrire pour penser* (l'essai), Marcel Jean ; *Des mots voyageurs* (le roman), Carole Laganière ; *Des paroles aux actes* (le théâtre), Luc Bourdon ; *Diable ! le Beau Danseur !* (les contes et légendes), R. de Launière et J.-P. St-Louis ; *La Liberté et le Pouvoir* (la presse écrite), Danièle Creusot et Bruno Carrière.

Internet

L'Île, centre de documentation virtuel sur la littérature québécoise : www.litterature.org (consultation et téléchargement gratuit des biographies et bibliographies, frais minimes pour téléchargement d'articles).

La Littérature québécoise en 600 titres, Bernard Andres, www.swarthmore.edu/humanities/clicnet/litterature/litterature.quebecoise/andres.sommaire.html

L'Association internationale des études québécoises publie un communiqué hebdomadaire, indiquant les nouvelles publications, colloques, bourses, évènements, etc. : www.aieq.qc.ca

Tableau synoptique

Le Québec : quelques faits de civilisation

Hors Québec	Histoire et politique	Culture et société
Vers 1200 av. J.-C. Les Phéniciens, puis les Grecs, utilisent l'écriture alphabétique.	2000 à 1000 av. J.-C. Époque prédorsetienne. Les premiers occupants du pays habitent le nord (particulièrement la baie d'Ungava). On les appelle aujourd'hui les Inuits.	Les Dorsétiens chassent les oiseaux, les petits mammifères marins et terrestres. Très nomades, ils sont munis d'un outillage primitif. Les Thuléens chassent les morses, la baleine et les gros mammifères.
Vers 800. Charlemagne, roi des Francs, crée les écoles.	1000 av. J.-C. à 1500 ap. J.-C. Époque dorsetienne : les Amérindiens s'installent plus au sud. Leur mode de vie et leurs outils demeureront inchangés jusqu'à l'arrivée des Européens.	Les Amérindiens de l'époque archaïque pratiquent la cueillette, la pêche et la chasse avec des outils simples mais ingénieux. La première innovation fut la poterie puis, entre 500 et 800 après J.-C., la culture du maïs.
	Vers 1000. Les Vikings explorent les côtes de Terre-Neuve, du Labrador et du Québec.	Les Vikings auraient tenté d'installer une colonie de peuplement sur la Côte-Nord.
	Vers 1500. Les Basques viennent pêcher et chasser les baleines (pour l'huile) dans le Saint-Laurent (Côte-Nord et île aux Basques).	
1434. Gutenberg invente l'imprimerie.		
1492. Christophe Colomb découvre un nouveau continent.		Des pêcheurs français fréquentent les côtes de Terre-Neuve.
	1534. Premier voyage de Jacques Cartier.	
	1535-1536. Deuxième voyage de Jacques Cartier (jusqu'à Montréal).	Premier hiver en terre canadienne : le scorbut fait des ravages et, grâce aux Amérindiens, Cartier lui découvre un premier remède. Il emmène des Amérindiens en France.
	1541-1542. Troisième voyage de Jacques Cartier.	L'or et les diamants rapportés par Cartier ne sont que mica et pyrite de fer.

Hors Québec	Histoire et politique	Culture et société
1450-1600. En Europe, la Renaissance marque la fin de l'époque médiévale et le début d'une ère nouvelle. Débuts de l'exploration systématique des mers et des continents.	1542-1543. Voyage de Roberval.	Hivernage désastreux. En plus de 375 ans d'histoire, la ville de Québec n'a connu que deux ou trois hivers sans neige persistante. Le froid s'y ajoutant, certains hivers ont été extrêmement durs.
	1604. De Mons et Champlain s'installent en Acadie. Fondation de Port-Royal. C'est le premier établissement français en Amérique.	Marc Lescarbot ouvre une librairie à Port-Royal.
	1608. Champlain fonde Québec sur l'emplacement d'un site amérindien portant le nom de Stadaconé.	À l'arrivée des premiers colons, les Iroquois et les Hurons de la plaine du Saint-Laurent ont atteint un certain raffinement de culture, tandis que les Algonquins, les Cris et les Montagnais sont demeurés à un niveau plus rudimentaire. Dans l'ensemble, c'est une civilisation vieille d'une dizaine de siècles, qui avait perpétué ces coutumes. Tout à coup, la flèche côtoie le fusil...
1610. Mort de Henri IV, roi de France. 1610-1643. Règne de Louis XIII, en France.		1615. Arrivée des Récollets, missionnaires religieux qui continueront leur œuvre pendant près de deux siècles.
		1617. Arrivée du premier agriculteur, Louis Hébert et de son épouse, Marie Rollet.
	1629-1632. Les frères Kirke occupent Québec.	1625. Arrivée des Jésuites.
		1627. Richelieu fonde la Compagnie des Cent-Associés, chargée de mettre en valeur la colonie par l'économie et la colonisation.
	1632. Traité de Saint-Germain-en-Laye : l'Angleterre rend l'Acadie et la Nouvelle-France à la France.	
	1634. Laviolette fonde Trois-Rivières.	
		1635. Mort de Champlain.

Hors Québec	Histoire et politique	Culture et société
		1639. Les Hospitalières augustines fondent l'Hôtel-Dieu de Québec. Arrivée des Ursulines (Marie de l'Incarnation). Création de la Société de Notre-Dame de Montréal pour la « conversion des Sauvages » de la Nouvelle-France.
1643-1715. Règne de Louis XIV, en France.	1642. Maisonneuve et Jeanne Mance fondent Ville-Marie à l'île de Montréal.	1644. Mme de Bullion, généreuse donatrice, permet la fondation de l'Hôtel-Dieu de Montréal (Jeanne Mance).
		1645. La Communauté des Habitants récupère le commerce florissant de la traite des fourrures. Tous les chapeliers d'Europe recherchent le castor du Canada pour en faire les fameux chapeaux à huit reflets.
		1648-1649. Huit missionnaires sont massacrés par les Iroquois. Canonisés en 1930, ils sont connus sous le nom de Saints Martyrs canadiens.
		1657. Radisson et Des Groseilliers découvrent la haute vallée du Mississippi.
		1659. Les Hospitalières prennent la succession de Jeanne Mance à l'Hôtel-Dieu de Montréal.
		1663. Fondation du Séminaire de Québec, première institution d'enseignement en Amérique du Nord.
	1663. La Nouvelle-France devient une colonie royale. Elle est alors considérée comme une province française.	1665. Douze chevaux arrivent en Nouvelle-France, ancêtres d'une race, le cheval canadien.

Hors Québec	Histoire et politique	Culture et société
1670. Dom Pérignon invente le champagne.		1669. Mgr de Laval crée une école d'arts et métiers à Saint-Joachim.
	1672. Louis de Buade de Frontenac devient gouverneur de la Nouvelle-France.	1672-1673. Jolliet et le père Marquette descendent le Mississippi.
1685. Naissance de Jean-Sébastien Bach et de Haendel.		1685. Utilisation de la monnaie de carte.
1687. Newton explique le principe de la gravitation universelle (Cambridge).	1689-1697. Première phase de la lutte entre l'Angleterre et la France. Traité de Ryswick.	1689. On commence à creuser le canal de Lachine à l'île de Montréal pour éviter les rapides du Sault-Saint-Louis.
1689-1697. Guerre de la ligue d'Augsbourg contre Louis XIV.		1690. Phipps échoue dans son siège de Québec défendu par Frontenac. Mgr de Saint-Vallier publie le premier *Catéchisme*.
	1699. Fondation d'un premier établissement en Louisiane.	
1703-1713. La guerre de Succession d'Espagne oppose notamment la France à l'Angleterre.	1701. Grande paix de Montréal avec les Iroquois, signée par 40 nations autochtones.	
	1711. L'amiral Walker, venant attaquer Québec, perd sa flotte sur les rochers de l'île aux Œufs.	
1715-1774. Règne de Louis XV en France.	1713. Le Traité d'Utrecht cède l'Acadie, Terre-Neuve et la baie d'Hudson aux Anglais.	
	1718. Les frères Le Moyne (d'Iberville et de Bienville) fondent La Nouvelle-Orléans.	
	1731-1738. Les La Vérendrye explorent l'intérieur du Canada, du lac Supérieur jusqu'aux montagnes Rocheuses.	1737. Les Forges du Saint-Maurice commencent à fonctionner. Les La Vérendrye établissent dans l'Ouest un réseau de postes de traite des fourrures.

Hors Québec	Histoire et politique	Culture et société
1740-1748. La guerre de succession d'Autriche oppose notamment la France à l'Autriche et à l'Angleterre.		
1742. Le Suédois Ander Celsius crée le célèbre thermomètre (de 0° à 100°). Le Québec adoptera ce système plus de deux siècles plus tard.	1748. La Paix d'Aix-la-Chapelle rend Louisbourg et l'île du Cap-Breton à la France.	1749. Voyage de Pehr Kalm, botaniste suédois, en Nouvelle-France. Excellent observateur et source inépuisable de renseignements de toute sorte.
1756-1763. Guerre de Sept ans, surtout coloniale, au Canada et aux Indes, entre la France et l'Angleterre.	Les champs de bataille cette fois-ci sont nettement dans les colonies, en Inde et au Canada.	1755. Déportation des Acadiens. Le « Grand Dérangement » provoquera l'exil de 7 000 Acadiens dont beaucoup iront jusqu'en Louisiane. Leurs descendants seront les « Cadiens » d'aujourd'hui.
1757. William Pitt au pouvoir en Angleterre (jusqu'en 1761, puis de 1803 à 1806).		
	1759. Siège et perte de Québec.	
	1763. Par le traité de Paris, le Canada passe à l'Angleterre.	1763. Pendaison de Marie-Josephte Corriveau, accusée du meutre de son mari.
1770. Naissance de Beethoven.		1764. Fondation de *La Gazette de Québec.* Journal bilingue.
		1773. L'ordre des Jésuites est aboli. Il avait été supprimé en France en 1764.
	1774. Acte de Québec.	
1776. Déclaration d'indépendance des Treize colonies américaines.	1776. Invasion américaine. Montréal est occupé par les Américains. Montgomery et Arnold son défaits à Québec.	
		1778. Publication de *La Gazette littéraire de Montréal.*
	1783. Par le traité de Versailles, l'Angleterre cède aux États-Unis le territoire situé au sud des Grands Lacs.	1784. Des Loyalistes passent des États-Unis au Canada. On ouvre à la colonisation les premiers cantons (1792).
1788. Fondation du quotidien *The Times* à Londres.		
1789. Révolution en France.	1791-1840. L'Acte constitutionnel divise le Canada en deux provinces dotées chacune d'un parlement (parmi les premiers au monde).	

Hors Québec	Histoire et politique	Culture et société
	1792. Jean-Antoine Panet, un Canadien français, est président de l'Assemblée du Bas-Canada.	
		1796. Ouverture de la bibliothèque publique de Montréal.
		1800. La Compagnie du Nord-Ouest emploie 1 200 voyageurs et interprètes canadiens (de langue française). Des prêtres français, exilés en Angleterre, viennent s'installer au Canada.
1801. Chateaubriand décrit le Mississippi dans *Atala*.		
1802. Naissance de Victor Hugo.		
1803. Napoléon vend la Louisiane aux États-Unis.		1803. On installe la première usine de pâtes et papier dans les environs de Montréal.
1804. Indépendance d'Haïti.		
		1805. On fonde *Le Canadien*, journal qui défend les intérêts du Parti canadien.
1812. Guerre anglo-américaine.		
	1813. Salaberry repousse les Américains à Châteauguay. Ils tentaient d'envahir le Canada.	
	1814-1838. Louis-Joseph Papineau est chef du Parti canadien qui deviendra le Parti patriote.	
		1817. Ouverture de la première banque à charte : la Banque de Montréal.
		1818. Ouverture de la *Quebec Bank*, à Québec.
1821. Mort de Napoléon Ier, interné à Sainte-Hélène depuis 1815.		1821. Fondation de l'Université McGill à Montréal. Elle s'établira sur le site actuel en 1929.
1822. Le Français Nicéphore Niepce invente la photographie.		
		1826. Naissance de Charles Baillairgé, architecte et mathématicien.
1830. L'Angleterre instaure les réserves pour Amérindiens dans tout le Canada.		
		1831. Lancement à Québec du premier bateau à vapeur qui a traversé l'Atlantique sans l'aide de la voile.
		1832. Une des pires saisons pour les immigrants. Le choléra fait des ravages sur les vaisseaux. L'épidémie atteint Québec et Montréal. À la mi-juin, chaque ville dénombre 100 décès par jour.
	1834. L'Assemblée du Bas-Canada vote les *92 Résolutions* (portant notamment sur la question des subsides et sur la responsabilité gouvernementale).	

Hors Québec	Histoire et politique	Culture et société
		1833. L'esclavage est aboli dans les colonies anglaises.
	1837-1838. Rébellion des Patriotes.	1834. Premières manifestations de la fête nationale. Fondation de la Société Saint-Jean-Baptiste. Disparition du français des actes civils. Ludger Duvernay décide que les Canadiens français auront leur fête : la Saint Jean-Baptiste.
1837-1901. Règne de la reine Victoria en Angleterre.	1838. Déclaration d'indépendance du Bas-Canada. Répression très forte des Anglais.	1837. L'Assemblée des Six-Comtés : 6 000 personnes à ce rassemblement populaire.
	1840. Acte d'Union du Haut et du Bas-Canada. Les Canadiens obtiendront bientôt un gouvernement responsable (suites du rapport Durham, 1839).	1840 à 1929. Émigration massive des Canadiens français vers les États-Unis.
1841. Balzac regroupe son œuvre sous le titre de *La Comédie humaine.*		1841-1842. Arrivée des Oblats et retour des Jésuites.
		1842. Charles-Odilon Beauchemin fonde à Montréal la librairie et la maison d'édition qu'on connaît aujourd'hui.
1844. G. et P. Brown fondent à Toronto un journal de combat, *The Globe.*	1844-1857. Montréal est la capitale du Canada.	1844. Fondation de l'Institut canadien à Montréal. Ouverture des librairies Garneau et Crémazie à Québec.
		1845. François-Xavier Garneau publie son *Histoire du Canada.*
		1847. Immigration de nombreux Irlandais.
1848. Abolition de l'esclavage dans les colonies françaises.	1849. À Montréal, le parlement du Canada-Uni est incendié par des orangistes au cours d'une émeute suivant l'adoption d'un projet de loi qui indemnise les Patriotes et leur accorde l'amnistie.	1848. Retour du français en Chambre et sur les documents officiels. Fondation de l'Institut Canadien à Québec.

Hors Québec	Histoire et politique	Culture et société
		1849. Le droit de vote est retiré aux femmes.
1851. Premier timbre canadien : le castor.		
		1852. Fondation de l'Université Laval à Québec.
1853. Découverte de l'aspirine.		
		1854. Abolition de la tenure seigneuriale.
1855. L'équilibriste français Charles Blondin traverse sur une corde les chutes du Niagara.		1855. Arrivée à Québec de *La Capricieuse*, premier navire français à naviguer sur le Saint-Laurent depuis 1763.
	1857. Ottawa devient la capitale du Canada (autrefois Bytown, ville fondée par le colonel By, responsable de la canalisation de la rivière Rideau, entre le fleuve Saint-Laurent et la rivière des Outaouais).	
1858. Premières monnaies décimales canadiennes (le dollar).		
1859. Premier puits de pétrole aux États-Unis.		1859. Inauguration de la première école d'agriculture au Canada à Sainte-Anne-de-la Pocatière.
1860-1865. Guerre de Sécession aux États-Unis.		1860. On construit le pont Victoria à Montréal.
1863. Première automobile à pétrole.		1863. Philippe Aubert de Gaspé écrit *Les Anciens Canadiens.*
	1864. Conférences de Charlottetown pour préparer la Confédération.	
1867. Marx publie *Le Capital.*	1867. Acte de l'Amérique du Nord britannique : quatre colonies anglaises deviennent des provinces canadiennes qui se confédèrent : le Nouveau-Brunswick, la Nouvelle-Écosse, l'Ontario et le Québec.	
		1868. Les Zouaves vont à la rescousse du pape.
	1869. Soulèvement des Métis de la Rivière-Rouge. Création du Manitoba.	1869. Joseph-Elzéar Bernier devient, à 17 ans, capitaine de navire et apporte une cargaison de bois en Angleterre. Il sera célèbre par la suite comme explorateur polaire et permettra au Canada de s'étendre dans l'Arctique.

Hors Québec

1870. Guerre franco-prussienne; siège de Paris; chute de Napoléon III.

1874. Prudent Beaudry, frère de Jean-Louis Beaudry, maire de Montréal, est élu triomphalement maire de Los Angeles. Il sera réélu plus tard par acclamation.

1876. A.G. Bell invente le téléphone.

1877. Le poète Charles Cros invente un procédé d'enregistrement et de reproduction des sons sur son phonographe. À sa suite, Edison enregistre des sons sur son phonographe.

Histoire et politique

1870. Le Manitoba entre dans la Confédération.

1871. La Colombie-Britannique entre dans la Confédération.

1873. L'Île-du-Prince-Édouard entre dans la Confédération.

1875. Création de la Cour suprême du Canada.

Culture et société

1870. Un incendie ravage la région du Lac-Saint-Jean, de Saint-Félicien à Chicoutimi (forêts, cultures, villages).

1872. Emma Lajeunesse, dite Albani, chante au Covent Garden de Londres, puis sur les plus grandes scènes lyriques mondiales.

1874. Création de la Bourse de Montréal.

1878. Cyrille Duquet, bijoutier à Québec, invente un combiné de téléphone qui permet de reconnaître la voix de l'interlocuteur.
L'Université Laval ouvre une filiale à Montréal, qui deviendra, en 1920, l'Université de Montréal.

1879. Inauguration du tronçon ferroviaire Québec-Montréal-Ottawa.
Honoré Beaugrand fonde le journal *La Patrie* avant de devenir maire de Montréal.
Joseph-Claver et Samuel-Marie Casavant fondent à Saint-Hyacinthe la plus célèbre entreprise de facture d'orgues au Canada. Ce sont les fils de Joseph Casavant, qui exerçait déjà le métier de facteur d'orgue.
À Montréal, on commence à réglementer le hockey, sport national d'origine amérindienne.

Hors Québec	Histoire et politique	Culture et société
1880. La bicyclette se modernise.		1880. Louis Fréchette (École littéraire et patriotique de Québec) est honoré par l'Académie française. Calixa Lavallée compose le *Ô Canada*.
		1881. Naissance de celui qui deviendra le géant Beaupré (2,5 m).
		1883. Eugène-Étienne Taché, architecte, ajoute une devise aux armes du Québec : « Je me souviens ».
		1884. Fondation du journal *La Presse*, le quotidien français le plus diffusé sur le continent nord-américain.
	1885. Deuxième soulèvement des Métis (à Batoche, en Saskatchewan). Louis Riel est pendu.	
		1886. Mgr Taschereau, archevêque de Québec, devient le premier cardinal canadien. Georges-Émile Amyot fonde à Québec une fabrique de corsets qui, avant 1911, avait réussi à pénétrer les marchés étrangers de façon spectaculaire et unique dans le monde occidental de cette époque.
	1887. Honoré Mercier devient premier ministre du Québec.	1887. Une première locomotive va de Montréal jusqu'à Vancouver. *La Légende d'un peuple* de Louis Fréchette est couronné par l'Académie française.
1888. L'inventeur écossais Dunlop fabrique le premier bandage pneumatique pour roue de véhicule.		
1889. Eiffel construit à Paris la tour qui porte son nom.		
1895. Les frères Lumière inventent le cinématographe.		1895. Le Français Henri Menier, « roi du chocolat », acquiert l'île d'Anticosti, qu'il exploitera et tentera de peupler jusqu'à sa mort en 1913.
	1896-1911. Sir Wilfrid Laurier est premier ministre du Canada.	
		1896. Fondation du *Soleil* à Québec. Création à Montréal de la maison Archambault (impression de musique, puis production de disques).

Hors Québec	Histoire et politique	Culture et société
1899. Les troupes canadiennes participent à la guerre des Boers.		1899. Nelligan, dans une des soirées de l'École littéraire de Montréal, lit sa « Romance du vin ». Peu après, il sombre dans la folie.
		1900. Fondation de la première caisse populaire Desjardins à Lévis, en face de Québec.
		1900-1920. La prohibition de l'alcool s'étend à toute la province, sous l'initiative du clergé d'abord, puis de l'État, avec des dérogations diverses. Le gouvernement Taschereau tranchera et « nationalisera » ce commerce lucratif.
		1903. Fondation de l'Orchestre symphonique de Québec.
		1904. Marie Sirois est la première femme à recevoir son diplôme de l'Université Laval.
	1905. L'Alberta et la Saskatchewan entrent dans la Confédération.	
		1906. Ernest Ouimet ouvre le premier cinéma à Montréal, le Ouimetoscope.
		1907. Le pont de Québec s'écroule (76 ouvriers sont tués).
1908. Sir Baden Powell fonde le scoutisme.		
1909. Le Français Louis Blériot est le premier aviateur à traverser la Manche.		1909. En Gaspésie, révolte des pêcheurs contre la surexploitation des entreprises américaines.
		1910. Henri Bourassa fonde le quotidien *Le Devoir*, à Montréal. Le frère André établit sur le mont Royal l'oratoire Saint-Joseph, qui deviendra un haut lieu de pèlerinage.

Hors Québec	Histoire et politique	Culture et société
		1911. Marie Gérin-Lajoie est la première femme « bachelier » du Québec. Elle arrive en tête de tous les candidats. Premier Congrès de la langue française, à Québec. Marius Barbeau commence à enregistrer chants et contes sur un phonographe (à cylindre) d'Edison.
1914-1918. Première Guerre mondiale.		
1917. Révolution d'Octobre en Russie.		1917. Le gouvernement fédéral donne le droit de vote aux femmes. Inauguration du pont de Québec dont la travée centrale était tombée deux fois pendant la construction.
1918. L'épidémie de grippe espagnole ravage plusieurs pays, dont le Canada et le Québec.	1918. Quatre morts à Québec pendant une manifestation contre la conscription.	
		1920. Fondation de l'Université de Montréal.
		1922. Fondation de la première station radiophonique de langue française à Montréal : CKAC. Fondation de l'École des beaux-arts de Montréal.
1924. André Breton publie son premier *Manifeste du surréalisme.*		1923. Rose-Anna Vachon installe sa boulangerie à Sainte-Marie-de-Beauce, qui deviendra la grande entreprise des Gâteaux Vachon.
	1925. Le sénateur Raould Dandurand devient président de la Société des nations (SDN).	
	1927. Le Conseil privé de Londres attribue le Labrador à Terre-Neuve.	Vers 1930. La Bolduc crée un type de chanson populaire unique au Québec, pendant que Jean Lalonde et Jean Sablon chantent, au micro, des mélodies langoureuses.
		1930. Le ténor québécois Raoul Jobin entre à l'opéra de Paris.
1929-1930. La grave crise économique née aux États-Unis touche tout l'Occident.		
		1932. Joseph-Armand Bombardier et Edmond Fontaine construisent le premier modèle de motoneige à hélice.
1934-1935. Création de la Banque du Canada.		

Hors Québec	Histoire et politique	Culture et société
	1935. Fondation de l'Union nationale.	
1936. Léon Blum, chef du Parti socialiste français, crée le Front populaire.	1936-1939. Duplessis est premier ministre du Québec.	1936. À Clermont, dans Charlevoix, Laure Gaudreault fonde le premier syndicat d'enseignantes du Québec Création de Radio-Canada.
		1937. La « loi du Cadenas » instaure un certain type de censure.
1938. Le docteur Norman Bethune, chirurgien de Montréal, devient l'aviseur médical de l'armée de Mao Tsé-toung. On fabrique le nylon.		
1939-1945. Seconde Guerre mondiale.		1940. Le Québec donne le droit de vote aux femmes.
	1942. Formation du Bloc populaire canadien (André Laurendeau).	
	1943. Réunion à Québec des chefs d'État alliés (Churchill, Roosevelt, etc.) pour trouver une issue à la Deuxième Guerre mondiale.	1943. Le Québec se dote de la première loi sur la scolarité obligatoire jusqu'à 14 ans.
1944. Débarquement en Normandie.	1944. Camillien Houde est élu à nouveau maire de Montréal, après avoir été emprisonné pour son opposition à la participation du pays à la Seconde Guerre mondiale. Il avait déjà été maire auparavant et le restera jusqu'en 1954.	1944. Création d'Hydro-Québec. Victor Barbeau fonde l'Académie canadienne-française.
1945. Les Françaises obtiennent le droit de vote.	1944-1959. Duplessis redevient premier ministre.	1945. Gabrielle Roy écrit *Bonheur d'occasion* (prix Femina).
1947. Les premiers disques souples à microsillon apparaissent.		
1948. Mort de Ghandi.		1948. L'Assemblée législative adopte le drapeau fleurdelisé. *Refus global*, manifeste artistique et littéraire révolutionnaire, est publié par le peintre Paul-Émile Borduas, appuyé par 15 autres cosignataires du monde des arts et des lettres.
	1949. Terre-Neuve entre dans la Confédération.	1949. Grève de l'amiante.

Hors Québec	Histoire et politique	Culture et société
Vers 1950. Le chanteur Elvis Presley, la cantatrice Maria Callas et le compositeur Pierre Schaeffer découvrent les possibilités infinies du studio d'enregistrement.	1950. Un incendie rase le tiers de la ville de Rimouski.	1952. Débuts de la télévision canadienne de langue française, Radio-Canada. Selon Fernand Seguin, il s'agit du plus grand événement au Canada (et au Québec) depuis l'arrivée de Jacques Cartier.
Vers 1950-1960. De nombreux pays africains de langue française accèdent à l'indépendance.		1953. Fondation des éditions de l'Hexagone.
	1954. Le Québec établit son propre impôt sur le revenu.	1955. Suite à la suspension de Maurice Richard (de l'équipe de hockey, le Canadien de Montréal), émeutes rue Sainte-Catherine.
		1957. Grève à la Gaspe Copper Mines, 600 personnes viennent de tout le Québec à Murdochville pour appuyer les grévistes.
1959. On inaugure la voie maritime du Saint-Laurent.		1958. Une équipe de cinéastes francophones entre à l'Office national du film. Soixante-quatorze réalisateurs de Radio-Canada font une grève qui durera trois mois.
1961. Première promenade dans le cosmos de Youri Gagarin. 1962. Concile Vatican II.	1960-1966. Jean Lesage et le Parti libéral au pouvoir. Débuts de la Révolution tranquille.	1960. Publication des *Insolences du frère Untel*.
		1962. Nationalisation de l'électricité : Hydro-Québec possède 50 centrales.
		1963. Commission Parent sur l'éducation. Le Front de libération du Québec dynamite la statue de la reine Victoria à Québec.
	1964. Création du ministère de l'Éducation.	1965. Marie-Claire Blais remporte le prix Médicis pour *Une saison dans la vie d'Emmanuel*. Première ligne (au monde) de transport d'électricité à 735 kilovolts.

Hors Québec	Histoire et politique	Culture et société
		1966. Société de Musique contemporaine de Québec. Montréal se dote d'un métro.
	1967. Visite du général de Gaulle. Du haut du balcon de l'hôtel de ville de Montréal, il lance : « Vive le Québec libre ! »	1967. Exposition universelle à Montréal.
		1967-1968. Mise en place des institutions prônées par le rapport Parent (sur l'éducation) : cégeps et Université du Québec.
1969. Les premiers astronautes marchent sur la Lune.	1968. René Lévesque fonde le Parti québécois. Élu chef du Parti libéral, P. E. Trudeau devient premier ministre du Canada. Le Parlement du Québec devient l'Assemblée nationale. La Chambre haute québécoise est abolie.	1968. *L'Osstid'cho* lance Robert Charlebois et crée un nouveau son français d'Amérique dans la chanson (avec Mouffe, Louise Forestier et Yvon Deschamps). On joue *Les Belles-Sœurs*, trois ans après que Michel Tremblay eût écrit la pièce. Rapport Rioux sur l'enseignement des arts au Québec. Les agitations de mai 68 font quelques vagues en octobre.
1970. Exposition universelle à Osaka : trois Montréalais, Robert Kerre, Graeme Ferguson et Roman Kroitor créent le premier film IMAX dont la technologie avait été inventée en 1967 au moment de l'Exposition de Montréal.	1970. Événements d'Octobre (enlèvement de James Cross, enlèvement puis mort de Pierre Laporte, manifeste du FLQ, Loi des mesures de guerre, arrestations multiples). Le Régime d'assurance-maladie entre en vigueur.	1970. Première Nuit de la poésie au Gesù à Montréal. Gaston Miron publie *L'Homme rapaillé*. Fondation de la revue *Mainmise*, organe de la contre-culture québécoise.
1971. Robert Bourassa dit non à la Charte de Victoria.		1973. Création du Conseil du statut de la femme.
		1974. Le spectacle d'ouverture de la Superfrancofête réunit 150 000 personnes sur les Plaines d'Abraham, à Québec.
	1976. René Lévesque et le Parti québécois arrivent au pouvoir ; le PQ y restera jusqu'en 1985.	1976. Les Jeux olympiques ont lieu à Montréal.

Hors Québec	Histoire et politique	Culture et société
		1977. Le projet de loi 101 devient la Charte de la langue française.
		1978. Création du Conseil de la langue française.
		1979. Création de *Starmania.*
Vers 1980. Gorbatchev au pouvoir en URSS, *perestroïka* et *glasnost.* Troubles dans les Balkans ; les États baltes réclament leur indépendance.	1980. Référendum : les Québécois refusent majoritairement de confier au gouvernement Lévesque la négociation de la Souveraineté-Association.	
	1981. P. E. Trudeau et les 9 autres provinces canadiennes décident unilatéralement de rapatrier la Constitution. L'Assemblée nationale du Québec rejette l'amendement constitutionnel de P. E. Trudeau et de J. Chrétien.	
1982. La reine Elizabeth II signe à Ottawa la nouvelle loi constitutionnelle du Canada.		1982. Anne Hébert remporte le prix Femina avec *Les Fous de Bassan.* Frédéric Back reçoit l'oscar du film d'animation pour *Crac.* Il en recevra un deuxième en 1988 pour *L'homme qui plantait des arbres.*
	1987. Signature de l'accord de principe du lac Meech entre le fédéral et les 10 provinces canadiennes. Cet accord reconnaît le Québec comme une société distincte. Mort de René Lévesque.	1987. L'Unesco déclare que la ville de Québec fait partie du « patrimoine mondial ».
1989. Accord de libre échange entre le Canada et les États-Unis. Les pays de l'Europe de l'Est passent du communisme à la démocratie. La Roumanie met fin à une dictature de plusieurs décennies. Le mur de Berlin s'ouvre : les deux Allemagne commencent leur réunification. Massacre de la place Tianan men à Beijing (Pékin).		1988. Mort de Félix Leclerc. Le jeune Québécois Pascal Marchand, installé en Bourgogne, produit un des plus grands vins de France, un Pommard.

Hors Québec	Histoire et politique	Culture et société
1990-1991. Guerre du Golfe. 1991. Éclatement de l'URSS. Guerre en Yougoslavie.	1990. Échec de l'accord du lac Meech en dépit de l'entente préalable. Le statut particulier du Québec demeure à définir. Création du Bloc québécois (promotion de la souveraineté du Québec au parlement fédéral).	1991. Crise d'Oka. Les autochtones s'opposent aux deux gouvernements.
1992. « Purification ethnique » en Bosnie Exposition universelle à Madrid.	1992. Référendum pancanadien sur l'accord de Charlottetown ; la proposition sera refusée par le peuple.	1992. Reparution de *Cité Libre.* Triomphe du dramaturge Robert Lepage à Londres et à Paris.
1993. Explosion du réseau Internet. Le traité de Maastricht entre en vigueur. Élection de Kim Campbell, première femme premier ministre du Canada.	1993. Démission de R. Bourassa. Daniel Johnson fils devient premier ministre.	1993. Fernand Dumont publie *Genèse de la société québécoise.*
1994. Accord nord-américain de libre échange (ALENA) entre le Mexique, le Canada et les États-Unis. Génocide au Rwanda. Fin de l'apartheid en Afrique du Sud. Nelson Mandela devient le premier président de race noire de l'histoire de la République. Guerre en Tchéchénie.	1994. Élection du Parti québécois. Jacques Parizeau devient premier ministre du Québec.	1994. Diffusion du film *Octobre* de Pierre Falardeau, en souvenir des événements de 1970.
1995. Début de la crise boursière du Japon, qui a des répercussions mondiales. Reprise des attentats et massacres en Algérie. Guerre au Zaïre. Assassinat d'Yitzhak Rabin, premier ministre israélien, partisan de la paix.	1995. Deuxième référendum sur la souveraineté du Québec : Non à 50,6 %.	1995. Céline Dion lance le disque français le plus vendu au monde, *D'Eux.*
1996. Guerre au Zaïre.	1996. Lucien Bouchard, chef du Bloc québécois, devient chef du Parti québécois et premier ministre.	1996. Mort de Robert Bourassa et de Gaston Miron. Céline Dion pulvérise les records mondiaux de vente de disque.

Hors Québec	Histoire et politique	Culture et société
1997. Clonage de la brebis Dolly. Guerre en Albanie. Rétrocession de Hong-Kong à la Chine. La NASA fait rouler un robot sur Mars.	1997. Les élections fédérales montrent le renforcement des régionalismes.	1997. Mort de Léon Dion, Fernand Dumont, Lumilla Chiriaeff et Rina Lasnier.
1998. Jugement de la Cour suprême canadienne sur la possible sécession du Québec.	1998. Le Québec connaît la plus tragique tempête de verglas de son histoire. Dégâts considérables dans la région métropolitaine et la Montérégie.	1998. Première de *Notre-Dame de Paris* (Plamondon-Cocciante) à Paris.
1999. Tempêtes du siècle en Europe de l'Ouest.		1999. Mort de Jean Drapeau, maire de Montréal de 1960 à 1986.
2000. Jean Chrétien mène le Parti libéral du Canada à un troisième gouvernement majoritaire.	2000. Le gouvernement Bouchard continue à repenser la formation scolaire, entreprend une réforme municipale d'envergure et réorganise le système de santé après atteinte du déficit zéro en 1999.	2000. Mort de l'ancien premier ministre du Canada, Pierre Elliott Trudeau, de la poète et romancière Anne Hébert et du célèbre joueur de hockey, Maurice Richard.
2001. Des attentats terroristes (Al Quaïda) détruisent les tours jumelles du World Trade Center (New York) et touchent le Pentagone.	Mars 2001. Bernard Landry devient chef du Parti québécois, puis premier ministre. Troisième Sommet des Amériques à Québec.	
2002. Mise en circulation des pièces et billets en euro, devise officielle de l'Union européenne.	2002. L'Assemblée nationale adopte à l'unanimité la loi 104, qui corrige une lacune de la loi 101.	2002. Le premier ministre Bernard Landry signe la Paix des Braves avec la nation crie. Le Man Booker Prize à Yann Martel.
2003. G. W. Bush (président des États-Unis) envahit l'Irak.	Avril 2003. Jean Charest (libéral) devient premier ministre.	
2004. Tsunami en Indonésie.		2004. La soprano Hélène Guilmette obtient le 2e prix au prestigieux Concours Reine Élisabeth de Belgique.
	Juin 2005. André Boisclair devient chef du Parti québécois.	
2006. Stephen Harper, conservateur, premier ministre du Canada ; minoritaire.		

Hors Québec	Histoire et politique	Culture et société
2007. Nicolas Sarkozy est élu président de la République française. Premiers signes de la crise engendrée aux États-Unis par les titres dérivés adossés à des crédits à haut risque.	Mars 2007. Jean Charest se fait réélire : gouvernement minoritaire.	Fév. 2007-juin 2008. La commission Bouchard-Taylor consulte le public en lien avec le débat sur la laïcité de l'État et les pratiques d'« accommodements raisonnables » dans la société québécoise. Hiver 2007-2008. Cinq mètres cinquante-sept de neige à Québec.
2008. La crise s'aggrave et touche le monde bancaire de plein fouet ; faillites ; certaines banques sont aidées par leurs États respectifs. Élection de Barack Obama à la présidence des États-Unis. Stephen Harper, premier ministre canadien, proroge le Parlement : une coalition des 3 autres partis menaçait de renverser son gouvernement minoritaire.	Déc. 2008. Jean Charest est reporté au pouvoir : gouvernement majoritaire.	2008. Quatre centième anniversaire de la fondation de la ville de Québec. Oct. 2008. Douzième Sommet de la Francophonie à Québec. Le Québec et la France signent une Entente de mobilité professionnelle.
2009. Sommet sur le climat à Copenhague.	2009. La Cour suprême canadienne déclare inconstitutionnelle la loi 104.	2009. Décès des cinéastes Pierre Falardeau et Gilles Carle. Julie Payette : deuxième vol dans l'espace.

Abréviations, sigles, acronymes

AANB	Acte de l'Amérique du Nord britannique
ACCT	Agence de coopération culturelle et technique
ACDI	Agence canadienne de développement international
ACFAS	Association canadienne-française pour l'avancement des sciences
ACPAV	Association coopérative de productions audiovisuelles
ACPQ	Association des cinémas parallèles du Québec
ADISQ	Association du disque et de l'industrie du spectacle du Québec
AFEC	Association française des études canadiennes
AIEQ	Association internationale des études québécoises
ALENA	Accord de libre-échange nord américain
ASQ	Association des sculpteurs du Québec
AUPELF	Association des universités partiellement ou entièrement de langue française
BGL	Jasmin Bilodeau, Sébastien Giguère et Nicolas Laverdière signent ainsi leurs installations communes.
BQ	Bibliothèque québécoise

CECM	Commission des écoles catholiques de Montréal
Cégep	Collège d'enseignement général et professionnel
CELAT	Centre interuniversitaire d'études sur les lettres, les arts et les traditions
CEQ	Centrale de l'enseignement du Québec
CIDEF	Centre international de documentation et d'échanges de la francophonie
CLF	Cercle du livre de France
CLSC	Centre local de services communautaires
CSN	Confédération des syndicats nationaux
DC	Disque compact
DEC	Diplôme d'études collégiales
FIDEC	Financière des entreprises culturelles
FLQ	Front de libération du Québec
FTL	Françoise Tétu de Labsade
FTQ	Fédération des travailleurs du Québec
GBC	Les Grands Ballets canadiens
GNC	Galerie nationale du Canada
INRS	Institut national de la recherche scientifique
IQC	Institut québécois du Cinéma
IQRC	Institut québécois de recherche sur la culture
LNH	Ligue nationale de hockey
LNI	Ligue nationale d'improvisation
MAC	Ministère des Affaires culturelles
MCQ	Ministère de la Culture du Québec
MRC	Municipalités régionales de comté
MSA	Mouvement souveraineté-association
OFQ	Office du film du Québec
OLF	Office de la langue française

ONF	Office national du film du Canada
ORTQ	Office de radio-télédiffusion du Québec
PIB	Produit intérieur brut
PLQ	Parti libéral du Québec
PQ	Parti québécois
PUF	Presses universitaires de France
PUL	Presses de l'Université Laval
PUM	Presses de l'Université de Montréal
PUO	Presses de l'Université d'Ottawa
PUQ	Presses de l'Université du Québec
RAP	Rassemblement pour une alternative politique
RIN	Rassemblement pour l'indépendance du Québec
SAC	Société d'art contemporain
SDICC	Société de développement de l'industrie cinématographique canadienne
SGF	Société générale de financement
SODEC	Société de développement des entreprises culturelles
UQAM	Université du Québec à Montréal
UQTR	Université du Québec à Trois-Rivières

Bibliographie générale très sélective

N. B. : Consulter également les bibliographies à la fin de chaque chapitre, en particulier celle du chapitre concernant la langue, ainsi que les notes de ce même chapitre pour les dictionnaires.

Ouvrages

BAILLARGEON, Jean-Paul (dir.), *Les Pratiques culturelles des Québécois. Une autre image de nous-mêmes,* Québec, IQRC, 1986, 394 p.

BALTHAZAR, Louis et Alfred O. Hero jr, *Le Québec dans l'espace américain,* Montréal, Québec/Amérique, 1999, 384 p.

BIRON, Michel, Françoise Dumont et Élisabeth Nardout-Lafarge, *Histoire de la littérature québécoise,* Montréal, Boréal, 2007, 689 p.

BOISMENU, Gérard, Laurent Mailhot et Jacques Rouillard, *Le Québec en textes. Anthologie 1940-1986,* Montréal, Boréal, 1986, 622 p.

BOIVIN, Aurélien, Chantale Gingras et Steve Laflamme, *Vues du Québec. Un guide culturel,* Québec, Québec français, 2008, 264 p.

BOUCHARD, Gérard, *Genèse des nations et cultures du Nouveau Monde,* Montréal, Boréal, 2000, 504 p.

BOUCHARD, Gérard, François Rocher et Guy Rocher, *Les Francophones québécois,* Montréal, Conseil scolaire de l'île de Montréal, 1991, 87 p.

BOUCHARD, Jacques, *Les 36 Cordes sensibles des Québécois d'après leurs six racines vitales,* Montréal, Héritage, 1978, 306 p.

BOULIANNE, Michel, *Québec, pays de lumière* (photographies), Québec, Anne Sigier, 1997, 118 p.

BOURASSA, André G. et Jean-Marie Larue, *Les Nuits de la* Main. *Cent ans de spectacles sur le boulevard Saint-Laurent, 1891-1991,* Montréal, VLB, 1993, 361 p.

BOUTHILLETTE, Jean, *Le Canadien français et son double,* Montréal, L'Hexagone, 1972, 101 p.

CHARTIER, Daniel, *Guide de culture et de littérature québécoises. Les grandes œuvres, les traductions, les études, les adresses culturelles,* Québec, Nota bene poche, 1999, 339 p.

Collectif CLIO (Micheline Dumont, dir., *et al.*), *L'Histoire des femmes au Québec depuis quatre siècles,* Montréal, Le Jour, 1992 [1982, Montréal, Quinze], 646 p.

Commission des biens culturels du Québec, *Les Chemins de la mémoire,* Québec, Publications du Québec, 1991-2001, 3 vol. ; t. I et II : *Monuments et sites historiques du Québec*; t. III : *Biens mobiliers du Québec.*

COUTURE, Francine (dir.), *Les Arts et les années 1960. Architecture, arts visuels, chanson, cinéma, danse, design, littérature, musique, théâtre,* Montréal, Triptyque, 1991, 168 p.

DION, Léon, *Québec 1945-2000,* t. I : *À la recherche du Québec,* 646 p. ; t. II : *Les Intellectuels et le temps de Duplessis,* Québec, PUL, 1987.

DUBERGER, Jean et Suzanne Dubois-Ouellet, *Pratiques culturelles traditionnelles,* Québec, CELAT, Université Laval, 1989, 238 p.

DUMONT, Fernand, *Œuvres complètes* (coffret de 5 tomes), Québec, PUL, 2008, 3 600 p., dont *La Vigile du Québec* (1971), *Le Sort de la culture* (1987), *Genèse de la société québécoise* (1996) et *Récit d'une émigration* (1997).

GAGNON, Alain.-G., *Bibliographie commentée sur le Québec — 1 400 titres annotés et choisis,* Montréal, Saint-Martin, 2000, 363 p.

GASQUY-RESCH, Yannick (dir.), *Littérature du Québec : histoire littéraire de la francophonie,* Paris, EDICEF/AUPELF, 1994, 287 p.

GAUVIN, Lise et Laurent Mailhot, *Guide culturel du Québec,* Montréal, Boréal, 1982, 533 p.

GERMAIN, Georges-Hébert, *Le Génie québécois. Histoire d'une conquête,* Montréal, Libre expression/Ordre des ingénieurs du Québec, 1996, 255 p.

GIGUÈRE, GUY, *D'un pays à l'autre : mille et un faits divers au Québec, 1600-1900,* Québec, Anne Sigier, 1994, 215 p. (recueil de textes historiques).

HARVEY, Fernand et Andrée Fortin (dir.), *La Nouvelle Culture régionale,* Québec, IQRC, 1995 [1988], 257 p.

LACHANCE, Francine, *La Québécie,* Zurich, Grand Midi, 1990.

LAHAISE, Robert (dir.) et 22 spécialistes, *Québec, 2000. Multiples visages d'une culture,* Montréal, Hurtubise-HMH, 1999, 460 p.

LAROSE, Jean, *La Petite Noirceur,* Montréal, Boréal, 1987, 203 p.

LE BEL, Michel et Jean-Marcel Paquette, *Le Québec par ses textes littéraires (1534-1976),* Montréal, France-Québec/Nathan, 1979, 387 p.

LEMIEUX, Vincent (dir.), *Les Institutions québécoises : leur rôle, leur avenir,* Québec, PUL, 1990, 330 p.

LESSARD, Michel, *Trilogie sur la culture matérielle québécoise,* Montréal, Éditions de l'Homme : *Objets anciens du Québec — La vie domestique,* 1994, 335 p. ; *Antiquités du Québec — La vie sociale et culturelle,* 1995 ; *Meubles anciens du Québec — Au carrefour de trois cultures,* 1999, 544 p.

LÉTOURNEAU, Jocelyn, *Passer à l'avenir. Histoire, mémoire, identité dans le Québec d'aujourd'hui,* Montréal, Boréal, 2000, 198 p.

LINTEAU, Paul-André, René Durocher et Jean-Claude Robert, *Histoire du Québec contemporain,* t. I : *De la Confédération à la crise (1867-1929),* 758 p. ; t. II : *Le Québec depuis 1930,* 834 p., Montréal, Boréal, coll. « Boréal compact », 1989.

MATHIEU, Jacques, *La Nouvelle-France : les Français en Amérique du Nord XVIe-XVIIIe siècle,* Paris/Québec, Belin/PUL, 1991, 254 p.

MATHIEU, Jacques et Jacques Lacoursière, *Les Mémoires québécoises,* Québec, PUL, 1991, 383 p.

MENEY, Lionel, *Dictionnaire québécois français, pour mieux se comprendre entre francophones,* Montréal, Guérin, 1999, 1 884 p.

MEYER, Philippe, *Québec,* Paris, Le Seuil, 1980, coll. « Petite planète », 187 p.

MORISSET, Gérard, *Coup d'œil sur les arts en Nouvelle-France,* Québec, 1941, 170 p.

NOUAILHAT, Yves-Henri, *Le Québec de 1944 à nos jours, un destin incertain,* Paris, Imprimerie nationale, 1992, 248 p.

PORTER, John R. et Yves Lacasse (dir.), *Une histoire de l'art du Québec,* Québec, Éd. officiel, 2004, 486 p.

PRÉVOST, Robert, *Le Petit Dictionnaire des citations québécoises,* Montréal, Libre Expression, 1988, 262 p.

PROVENCHER, Jean, *Chronologie du Québec, 1534-1995,* Montréal, BQ, 1997, 365 p.

RIOUX, Marcel, *Les Québécois,* Paris, Le Seuil, coll. « Microcosmos », 1980 [1974], 189 p.

ROBERT, Guy, *L'Art au Québec depuis 1940,* Montréal, La Presse, 1973, 501 p.

—, *Art actuel au Québec depuis 1970,* Montréal, Iconia, 1983, 255 p.

SAUVÉ, Mathieu-Robert, *Le Québec à l'âge ingrat. Sept défis pour la relève,* Montréal, Boréal, 1993, 301 p.

SÉGUIN, Philippe, *Plus Français que moi, tu meurs ! — France-Québec : des idées fausses à l'expérience partagée,* Paris/Montréal, Albin Michel/VLB, 2000, 202 p.

SIMARD, Jean, *Les Arts sacrés au Québec,* Boucherville, Éditions de Mortagne, 1989, 319 p.

SIMARD, Sylvain, *Mythe et reflet de la France*, Ottawa, PUO, 1987, 440 p.

TARD, Louis-Martin, *Au Québec*, Paris, Hachette (Guides bleus), 1990 [1976], 205 p.

TREMBLAY, Marc-Adélard, *L'Identité québécoise en péril*, Sainte-Foy, Saint-Yves, 1983, 287 p.

L'État du Québec 2010, Myriam Fahmy (dir.), Montréal, Boréal/Institut du Nouveau Monde, 2010.

Le Québec 1998-2000, Montréal, Ulysse, 1998, 713 p.

Le Québec pittoresque, Montréal, Hurtubise-HMH, 1991, 276 p.

L'éditeur XYZ publie une collection de biographies romancées intitulées « Les grandes figures » (env. 200 p.).

Périodiques

L'Action nationale, Montréal, mensuel puis trisannuel, depuis 1933.

L'Actualité, Montréal, depuis 1976, mensuel à ses débuts, maintenant publié 20 fois par an.

Cap-aux-Diamants (histoire), Québec, trimestriel, depuis 1986.

Continuité : le magazine du patrimoine au Québec (suite de *Conservation*, 1980 à 1982), Québec, trimestriel, depuis 1982.

ETC Montréal (arts visuels contemporains), Montréal, trimestriel.

Forces, Montréal, Hydro-Québec, trimestriel, depuis 1967, dont le n° 84 (hiver 1989) porte sur « Les créateurs, forces vives de notre société » et le n° 100 (hiver 1992-1993) sur « 25 ans d'évolution du Québec ».

GLOBE — Revue internationale d'études québécoises, Montréal, Université de Montréal, 2 numéros par an depuis 1998.

Inter — Art actuel (avant-garde de l'art actuel), d'abord *Intervention* de 1978 à 1983, Québec, 3 numéros par an, depuis 1984.

Liberté (vie culturelle), Montréal, 6 puis 4 numéros par an, depuis 1959.

Nuit blanche (actualité du livre), Québec, trimestriel, depuis 1982.

Parachute (art contemporain), Montréal, trimestriel, de 1975 à 2007.

Possibles (sur la question du Québec), Montréal, trimestriel, de 1976 à 2008 (dont un numéro spécial intitulé « Langue-culture à vendre », printemps-été 1987).

Québec français (Association québécoise des professeurs de français), Québec, trimestriel, depuis 1971 (et un numéro de lancement en 1970).

Québec-Science (d'abord publié sous le titre *Le Jeune Scientifique* de 1962 à 1969), Québec, PUQ, 11 puis 8 à 10 numéros par an, depuis 1969.

Recherches amérindiennes au Québec, Montréal, depuis 1971, trisannuel depuis 1977.

Recherches sociographiques, Québec, PUL, triannuel, depuis 1960.

Spirale (le magazine culturel de Montréal), 6 numéros par an, depuis 1979.

Vie des Arts (arts visuels anciens et contemporains), Montréal, trimestriel, depuis 1956.

De nombreux périodiques sont accessibles en ligne.

Annuels

L'Année francophone internationale publie tous les ans depuis 1991 une dizaine de pages sur ce qui s'est passé au Québec sur les plans politique et économique, social et culturel, dans l'année écoulée. S'y ajoutaient plusieurs pages de bibliographie de l'année en cours. *L'Année francophone internationale + millésime*, Québec, Université Laval, l'édition 2009-2010 parue en 2009 fait 317 p.

Les Éditions Fides et *Le Devoir* publient tous les ans depuis 1996 un livre intitulé *Québec + millésime — Toute l'année politique et économique, sociale et culturelle*. Cette collection fait suite à *L'Année politique au Québec*, publié de 1988 à 1997. *Québec 2000* (Roch Côté, dir.) contient en outre une rétrospective du XXe siècle, Montréal, 1999, 527 p.

Numéros spéciaux de revues étrangères

Autrement, n° 60, « Québec », mai 1984.

Cités, « Le Québec, une autre Amérique. Dynamisme d'une identité », n° 23, 2005, Paris, PUF.

Le Magazine littéraire, « Spécial Québec », 1986.

Géo, « Le Québec », automne 1990.

Divers

Annuaire du Canada, Ottawa, annuel, 1905-1990. (*Recensement de la population*, 1991 et 1996).

L'Annuaire du Québec, périodique (1914-1981).

Le Québec statistique, Québec, Bureau de la statistique, 2006.

Catalogue, Office national du film du Canada, annuel, et *Répertoire des Multimédia* (diapositives, films), mis à jour dans Internet.

Catalogue des documents audiovisuels, Québec, ministère des Communications, 1983. Devient *Les Films et les Vidéos du Gouvernement du Québec*, 1986.

Catalogue de la cinémathèque québécoise.

Les Catalogues de Musées (ex. : Musée national des beaux-arts du Québec, Musée des beaux-arts de Montréal, Musée d'art contemporain de Montréal).

Réalités du Québec, texte de Paule Beaugrand-Champagne, Québec, MRI/Éditeur officiel du Québec, 1988 [1984], 69 p.

ROZON, René, *Répertoire de documents audiovisuels sur l'art et les artistes québécois*, Montréal, ministère des Affaires culturelles et ministère des Communications, 1980.

Trois générations d'art québécois, 1940-1950-1960, Montréal, ministère des Affaires culturelles, 1976, 135 p.

Découvrir le Québec, un guide culturel, Québec, Québec français, 1987.

Dictionnaire biographique du Canada, Québec, PUL, 15 vol. et 2 guides depuis 1966.

LAMARCHE, Claude et Jacques Lamarche, *Dictionnaire biographique Guérin — Québec-Canada 2000*, Montréal, Guérin, 1999, 366 p.

Et les nombreuses publications de l'Institut québécois de recherche sur la culture (IQRC ou INRS, Culture et Société), Québec.

La Librairie du Québec a pignon sur rue à Paris (V^e^), 30, rue Gay-Lussac.

Audiovisuel

LAHAISE, Robert, *Civilisation et vie quotidienne en Nouvelle-France* (1 000 diapositives, commentaires et bibliographie), Montréal, Guérin, 1973.

L'INRS-Culture et Société (Québec) assure la recherche et coordonne la réalisation de trois séries de documentaires sur vidéocassettes, sous la direction scientifique de Fernand Harvey (avec divers réalisateurs) :

— *La Culture dans tous ses états*, sur les arts et la culture au Québec, avec Synercom téléproduction (diffusion : Québec, PUL), à partir de 1998 : 12 documents de 60 min sur un ensemble de 19 que comportera la collection concernant : les musiques et danses traditionnelles, les danses contemporaines, les musiques contemporaines, l'architecture, la peinture, la photographie, l'essai, le roman, la poésie, la presse écrite, le théâtre, les contes et légendes, la culture anglo-québécoise, la télévision, le cinéma, la radio, la chanson (disque et spectacle), la sculpture, et héritage et perspective.

— *Francophonies d'Amérique*, collection de 12 documentaires de 60 min sur les communautés francophones d'Amérique du Nord en grande majorité issues du Québec, en cours de réalisation avec le Consortium des producteurs francophones, sur l'Acadie des Maritimes (la culture acadienne et la modernité), les Franco-Ontariens (la culture franco-ontarienne), l'Ouest canadien (la création et la diffusion culturelle chez les francophones de l'Ouest), le Grand Nord canadien, la Nouvelle-Angleterre, la Louisiane, les Québécois en Floride, les Québécois sur la côte ouest américaine, le Québec et la francophonie nord-américaine.

— *Les Pays du Québec* : 39 documentaires de

30 min chacun, portant sur une région ou une ville à un moment donné, diffusion PUL, Québec.

Québec dans le monde publie des annuaires, des bottins et des répertoires sur le Québec, des listes informatisées et le périodique *Québec Info* trois fois l'an ; www.total.net/~quebecmonde

Cédéroms

DAVID — Documentation audiovisuelle, Montréal, SDM, 1998.

Découverte d'un Nouveau Monde, Montréal, ON/Q Corp. (collection du Musée David M. Stewart), 1996.

De Louisbourg au Klondike, 50 lieux historiques du Canada, Vanier (Ont.), Centre franco-ontarien de ressources pédagogiques, 1997.

Le Grand Nord, Montréal, ON/Q Corp. (sur les Inuits, collection du Musée canadien des civilisations), 1998.

Histoire populaire du Québec des origines à 1960 (intégrale des 4 tomes de *l'Histoire populaire* de Jacques Lacoursière ainsi que de *Nos racines,* Sainte-Foy, Logiciels de marque, 1998.

Québec virtuel (sur la ville de Québec), Sainte-Foy, IXmedia, 1996.

Voyage en Nouvelle-France, Montréal, Micro-Intel, 1996, + un guide.

Sites internet

Antidote, outil linguistique de qualité, info@druide.com

Association internationale des études québécoises : www.aieq.qc.ca

Bibliothèque nationale : www. biblinat.gouv.qc.ca

Les Classiques des sciences sociales (4 015 textes numérisés, 1 172 auteurs en ligne), Jean-Marie Tremblay (dir.), Chicoutimi : classiques.uqac.ca

Encyclopédie du patrimoine culturel de l'Amérique française : www.ameriquefrancaise.org

Gouvernement : www.gouv.qc.ca et www.stat.gouv.qc.ca

Planète Québec : www.planete.qc.ca

La Toile du Québec : www.toile.qc.ca (répertoire des ressources disponibles en français dans le monde).

Tourisme : www.bonjour.quebec.com

Prologue, PQ, village virtuel et interactif : http://prologue.educ.infinit.net

La Société de développement des périodiques culturels québécois (SODEP) centralise une quarantaine de revues : www3.sympatico.ca/sodep/

Copernic : ce logiciel, conçu à Québec, consulte simultanément les meilleurs moteurs de recherche.

Atout Micro : revue d'informatique (www.atout-micro.ca)

Index

C

G

H

M

N

O

S

W

Y

Table des matières

Deuxième partie

MISE EN PAGES ET TYPOGRAPHIE :
LES ÉDITIONS DU BORÉAL

CE TROISIÈME TIRAGE A ÉTÉ ACHEVÉ D'IMPRIMER EN FÉVRIER 2010
SUR LES PRESSES DE TRANSCONTINENTAL GAGNÉ
À LOUISEVILLE (QUÉBEC).